Leben ist mehr lässt sich auch hören!

verfügbar als **kostenloser täglicher Podcast** auf Spotify, Apple Podcasts, Google Podcasts, Audible und vielen weiteren Podcast-Plattformen

Hören Sie mal rein:
podcast.lebenistmehr.de

Oder einfach diesen Code scannen und sofort loshören!

Leben ist mehr ist außerdem als **digitaler Kalender** (Windows) erhältlich.

Schauen Sie mal rein:
www.lebenistmehr.de

(Die Online-Version von **»Leben ist mehr«** verhält sich wie eine App und kann über eine Verknüpfung mit Smartphones und Tablets genutzt werden.)

Autoren der Ausgabe 2024:
Gerrit Alberts, Jacob Ameis, Daniel Beck, Ann-Christin Bernack, Daniela Bernhard, Uwe Harald Böhm, Thomas Bühne, Bernhard Czech, Markus Ditthardt, Christian Driesner, Sina Marie Driesner, Andreas Droese, Willi Dück, Winfried Elter, Andreas Fett, Joschi Frühstück, Helmut Glöcklhofer, Hermann Grabe, Martin Grunder, Bernd Grünewald, Peter Güthler, Stefan Hasewend, Gabriel Herbert, Manfred Herbst, Karl-Otto Herhaus, Annegret Heyer, Hartmut Jaeger, Niels Jeffries, Verena John, William Kaal, Tony Keller, Jan Klein, Marielena Klein, Rudolf Koch, Thomas Kröckertskothen, Thomas Lange, Herbert Laupichler, Rudi Löwen, Peter Lüling, Markus Majonica, Anna Masurtschak, Marcus Nicko, Carolin Nietzke, Stefan Nietzke, Tim Petkau, Joachim Pletsch, Arndt Plock, Judith Pohl, Thomas Pommer, Eva Rahn, Martin Reitz, Robert Rusitschka, Jannik Sandhöfer, Axel Schneider, Anna Schulz, Dina Seel, Günter Seibert, Klaus Spieker, Sabine Stabrey, Kathrin Stöbener, Alexander Strunk, Stefan Taube, Hartmut Ulrich, Bernhard Volkmann, Martin von der Mühlen, Andreas Wanzenried, Elisabeth Weise, Beatrix Weißbacher, Sebastian Weißbacher, Dina Wiens, Paul Wiens, Daniel Zach

Ein Nachweis der verwendeten Bibelübersetzungen bei den Tagesversen befindet sich im Anhang des Kalenders.

© 2023 by CLV Bielefeld · www.clv.de
und CV Dillenburg · www.cv-dillenburg.de
Umschlag: Lucian Binder
Umschlagfoto: https://pxhere.com/en/photo/1556747, CCO Public Domain
Europa, Färöer, Insel Kalsoy.
Piktogramme: Johannes Heckl
Satz: EDV- und Typoservice Dörwald, Steinhagen
Lektorat: Jacob Ameis, Peter Lüling, Markus Majonica, Joachim Pletsch, Elisabeth Weise
Druck: GGP Media GmbH, Pößneck
Anschrift der Redaktion:
»Leben ist mehr« · Am Güterbahnhof 26 · 35683 Dillenburg
www.lebenistmehr.de · E-Mail: info@lebenistmehr.de

ISBN 978-3-86699-785-1	Artikel-Nr. 256785	(CLV-Paperback)
ISBN 978-3-86353-848-4	Artikel-Nr. 272706024	(CV-Paperback)
ISBN 978-3-86699-663-2	Artikel-Nr. 256663	(CLV-Hardcover)
ISBN 978-3-86353-849-1	Artikel-Nr. 272707024	(CV-Hardcover)
ISBN 978-3-86699-664-9	Artikel-Nr. 256664	(CLV-Großdruckausgabe)
ISBN 978-3-86353-921-4	Artikel-Nr. 272723024	(CV-Großdruckausgabe)

ZUM GEBRAUCH

Zum Gebrauch des Kalenders sind einige Hinweise zu beachten. Auf jedem Tagesblatt befinden sich folgende Elemente:

Die Kopfzeile: Sie enthält Angaben, die sich auf den jeweiligen Tag beziehen. Neben Monat, Tag und Wochentags sind hier ggf. auch zusätzliche Angaben zu Feiertagen, Gedenktagen und sonstigen Anlässen zu finden, zu denen der Haupttext einen Bezug hat.

Der tägliche Leitvers aus der Bibel, der in der Regel durch den Begleittext erklärt wird. Eine Übersicht sämtlicher Verse befindet sich am Ende des Buches. Sie enthält auch jeweils ein Kürzel, das auf die verwendete Bibel-Übersetzung hinweist.

 Dem Haupttext ist immer ein *Symbol* vorangestellt. Es stellt einen Themenbereich dar, dem der jeweilige Text zugeordnet ist. Am Ende des Buches sind alle Tage nach Themen und Symbolen geordnet aufgelistet. Das ermöglicht das gezielte Heraussuchen von Beiträgen zu einem bestimmten Themenbereich. Dem Haupttext ist jeweils der Name des Autors hinzugefügt.

? *Die Frage* zum Nachdenken

! *Der Tipp* fürs Leben

† Die tägliche *Bibellese*

Im Anhang finden Sie außerdem: *Fünf Schritte zu einem Leben mit Gott,* einen *Themenindex* und eine *Bibellese,* nach der Sie in einem Jahr das komplette Neue Testament lesen können.

Vorgehensweise:
Es empfiehlt sich, zuerst den *Tagesvers* aus der Bibel zu lesen und anschließend den *Haupttext. Frage* und *Tipp* dienen zur Anregung, über das Gelesene weiter nachzudenken. Die *Bibellese* ergänzt in der Regel den Hauptgedanken der Andacht.

VORWORT

Was wird uns das kommende Jahr bringen? Dies ist vermutlich die meistgestellte Frage zum Beginn eines neuen Jahres. Jeder würde das gerne wissen, damit er rechtzeitig planen und vorsorgen kann. Gewaltige Umwälzungen finden derzeit statt. Gefühlt sind die Turbulenzen in unserer globalen Welt, ob politisch, wirtschaftlich oder technisch, stärker und nachhaltiger als je zuvor. Und nicht nur unsere Gegenwart ist von Unruhe geprägt, auch die Zukunft wirft ihre Schatten bedrohlich voraus und weist ein Potenzial auf, das unseren Sorgenberg und Pflichtenkatalog immer größer und unübersichtlicher werden lässt. Kaum sind große Geldsummen für das eine oder andere bereitgestellt, so tut sich bereits das nächste Problemfeld auf und wird öffentlichkeitswirksam in unsere Köpfe katapultiert. Die Dinge scheinen überhaupt nicht mehr wieder ins Lot zu kommen ... und deshalb ist die nächste Frage mindestens genauso wichtig, um sie zu Beginn eines Jahres zu stellen:

Wer ist Jesus Christus und was bedeutet er uns? Kann denn eine Person, die vermeintlich bereits vor rund 2000 Jahren von der Bildfläche verschwand, für uns heute von Bedeutung sein?, mag sich jetzt der Leser fragen. Das bedarf der Klärung. Und diese wird in »Leben ist mehr« gegeben. So gründlich wie es nur geht. Denn mit diesem Jesus, der mit dem Anspruch auftrat, der Sohn Gottes zu sein, kann man heute noch in Verbindung treten und ihn als Retter aus allen Tiefen, aus Verzweiflung, Not, Schuld und Hoffnungslosigkeit erleben. »Wer zu mir kommt, den werde ich nicht hinausstoßen«, hat er gesagt. ›Den werde ich tragen, trösten, bewahren und bis ans Ziel führen‹, so kann man hinzufügen. Denn er hat sein Leben gegeben, damit wir Menschen mit Gott versöhnt leben, seine Hilfe im Alltag erfahren und eine ewige, herrliche Zukunft erwarten können. Das verändert unseren Blick auf alles.

Wie wird die Welt von morgen aussehen? Auch diese dritte Frage bewegt uns. Sie umfasst die nahe und die ferne Zukunft. Erstere kann und wird wohl noch schlimmer werden, weil uns das, was wir in den letzten hundert Jahren versäumt haben, unweigerlich einholen wird. Aber langfristig dürfen wir etwas Besseres erwarten, wenn nämlich Gott selbst eine neue Welt schaffen wird – ohne Krankheit, Hunger, Krieg und Tod. Und an dieser neuen Welt teilzuhaben hängt wiederum davon ab, wie wir zu Jesus stehen: Glauben wir ihm, folgen wir ihm, gehören wir ihm? Dann wird er uns halten, beginnend mit dem Tag unserer Hinwendung zu ihm – bis in alle Ewigkeit! *Die Herausgeber*

In eigener Sache: Nach vielen Rückmeldungen zu dem im vergangenen Jahrgang eingeführten neuen Layout sind wir dem Wunsch vieler Leser gefolgt, die Schriftgröße des Andachtstextes wieder auf den früheren Stand zu bringen. Darüber hinaus bieten wir für die ältere Generation eine Ausgabe in Großdruck an, zu bestellen unter den im Impressum angegebenen Nummern.

MONTAG   JANUAR | **01**
                                          Neujahr

Denn so hat Gott der Welt seine Liebe gezeigt: Er gab seinen einzigen Sohn, damit jeder, der an ihn glaubt, nicht ins Verderben geht, sondern ewiges Leben hat.
JOHANNES 3,16

»Leben ist schwer«

07:30 Jemand, dem ich einmal den Kalender »Leben ist mehr« schenkte, versprach sich und zitierte den Titel versehentlich mit »Leben ist schwer«. Vielleicht war es ein sogenannter Freudscher Versprecher, der die wahren Gedanken des Betreffenden offenbarte. Und tatsächlich dachte ich, dass diese Aussage manchmal zutreffender zu sein scheint als »Leben ist mehr«. Die Phänomene unserer Zeit sind eher geeignet, Depressionen auszulösen. Ich kenne Menschen, die keine Nachrichten mehr sehen wollen: »Ich habe schon genug zu tun mit den eigenen Sorgen«. Ein Blick in meine Nachbarschaft genügt: Auch ohne Krankheit und Tod gibt es genügend Schwere: Scheidung, Einsamkeit usw.

Dennoch glaube ich, dass der Titel »Leben ist mehr« gut gewählt ist. Denn unsere Sache sind nicht wohlgemeinte Lebensratschläge, sondern Jesus! Und der sagt selbst: Leben ist mehr, denn »ich bin gekommen, damit sie Leben haben und es im Überfluss haben« (Johannes 10,10). Damit meint er kein Leben in materiellem Überfluss, sondern in der Gewissheit, in allem Ergehen in Gottes Hand sicher zu sein.

Jesus spricht aber auch diejenigen an, die Freunde oder Angehörige verloren haben. Er versichert uns, dass »jeder, der an ihn [Jesus] glaubt, nicht verlorengeht, sondern ewiges Leben hat« (Johannes 3,16). Und er definiert auch gleich, was ewiges Leben bedeutet: »Dies aber ist das ewige Leben, dass sie dich, den allein wahren Gott, und den du gesandt hast, Jesus Christus, erkennen« (Johannes 17,3).

Wer sein Leben nur diesseitig definiert und auf die äußeren Umstände schaut, dessen Leben ist schwer. Wer aber eine lebendige Beziehung mit Gott und seinem Sohn eingeht, dessen Leben wird reich und hat eine unendliche Perspektive. *Martin Grunder*

? Was macht Ihr Leben schwer?

! Jesus hilft tragen und lässt nie im Stich.

† Johannes 14,6-11

02 | JANUAR — DIENSTAG

Heilige sie durch die Wahrheit! Dein Wort ist Wahrheit.
JOHANNES 17,17

Wozu dieser Kalender?

Vielleicht haben Sie sich in diesem Jahr entschlossen, diesen Kalender *täglich* zu lesen. Wurde er Ihnen geschenkt oder sind Sie auf andere Art und Weise darauf gestoßen? Vielleicht lesen Sie zum ersten Mal darin oder er ist schon länger fester Bestandteil Ihres Alltages geworden. Folgendes möchten wir Ihnen zur Erklärung mitgeben:

Was ist die Motivation der vielen Autoren dieses Buches? Warum geben sich Menschen Mühe, für andere Texte zu verfassen? Geld ist es nicht, vielmehr kostet das Schreiben Zeit und persönlichen Einsatz.

Wir, die Autoren, wollen Sie von etwas überzeugen. Wir wollen Sie jedoch nicht durch geschickte Schreibweisen beeinflussen oder gar in unseren »Bann« ziehen, sondern Ihnen ganz einfach die Wahrheit schreiben. Diese Wahrheit ist nicht unsere Wahrheit, wie wir sie sehen, sondern die Wahrheit der Bibel. Von diesem Buch sind wir alle – aufgrund unseres Glaubens, aber auch unserer persönlichen Erfahrung – völlig überzeugt.

Wir alle möchten Ihnen Gott näherbringen und seinen Sohn, Jesus Christus. Ihn hat Gott in seiner grenzenlosen Liebe auf die Erde zu den Menschen gesandt, damit er für Ihre Sünden am Kreuz sterben sollte. Wir möchten Ihnen diese frohe Botschaft über Jesus, den Retter, in all ihrer Vielfalt und dabei beeindruckenden Schlichtheit nahebringen, damit Sie glauben und gerettet werden. Unser Interesse gilt nicht uns selbst, sondern Ihrem Wohlergehen. Dabei geht es uns nicht um die Verbesserung Ihrer Lebensumstände oder um mehr Wohlstand. Es geht uns um Sie selbst; es geht darum, dass Sie Gott kennenlernen.

Unser Auftrag und somit die Absicht dieses Kalenders ist es, Menschen von Gott zu erzählen. Jesus als seinen Erretter anzunehmen – das ist das Beste, was man überhaupt tun kann. *Axel Schneider*

? Wie sind Sie auf diesen Kalender gestoßen?

! Scheiben Sie uns gerne an und teilen Sie uns dies mit.

† Johannes 1,1-18

MITTWOCH　　　　　　　　　　　　　　　JANUAR | **03**

Und die Toten wurden gerichtet nach dem, was in den Büchern geschrieben war, nach ihren Werken.
OFFENBARUNG 20,12

Das Riesen-Puzzle

Während der letzten Wochen der DDR herrschte in vielen Stasi-Büros Hochbetrieb: In der Vorahnung, dass sich das politische System bald ändern würde, versuchten die Mitarbeiter, so viele Spuren wie möglich zu beseitigen und begangenes Unrecht zu vertuschen. Tag und Nacht liefen die Reißwölfe, Papier wurde verbrannt oder von Hand zerrissen. Bis Bürgerrechtler die Büros besetzten und die Vernichtung stoppten. Über 16 000 Säcke mit Papierschnipseln stellten sie sicher, um später diese Puzzleteile von Hand zusammenzusetzen. Doch das war unglaublich mühsam. Daher entwickelte das Fraunhofer-Institut einen E-Puzzler, der die Schnipsel scannen und zu kompletten Schriftstücken zusammenfügen sollte. Doch das Projekt ist teuer, die Umsetzung träge und das öffentliche Interesse an einer Aufarbeitung schwindet, je mehr Zeit ins Land geht. Und so schlummert noch immer viel begangenes Unrecht versteckt in Millionen von Papierschnipseln – und wird womöglich nie mehr ans Tageslicht gebracht werden.

In unserem Tagesvers heißt es, dass Gott Buch führt über das Leben eines jeden Menschen und dass er eines Tages alles ans Licht bringen wird. Dieser Gedanke hat einerseits etwas Tröstliches, denn wenn auf der Erde das Unrecht nicht zur Sprache kommt, kann man doch wissen, dass Gott einmal alles Böse richten wird. Andererseits ist der Gedanke an dieses Gericht aber auch beängstigend: Denn auch meine schlechten Taten, meine Lügen und bösen Gedanken wird Gott ja nicht ungestraft lassen! Doch Gott hat seinen eigenen Sohn auf diese Welt gesandt, der durch seinen Tod am Kreuz die Strafe für unsere Sünden auf sich nahm. Wer daran glaubt, dem wird vergeben, und er braucht das göttliche Gericht nicht mehr zu fürchten. *Elisabeth Weise*

? Wie denken Sie über das kommende Gericht?

! Nehmen Sie Gottes Vergebung in Jesus in Anspruch, dann brauchen Sie nichts mehr zu vertuschen.

† Offenbarung 20,11-15

04 | JANUAR   DONNERSTAG

Jesus spricht zu ihm: Ich bin der Weg und die Wahrheit und das Leben; niemand kommt zum Vater denn durch mich.
JOHANNES 14,6

Gesperrt!

`07:30` Ich musste zu einem Termin und nahm den üblichen Weg auf den Zubringer der A44. Dort musste ich aber feststellen, dass die Auffahrt für die Richtung, in die ich wollte, gesperrt war. Kein Durchkommen. Also musste ich in die entgegengesetzte Richtung auffahren, denn von dem Zubringer kam ich nicht wieder herunter. Auf diese Weise musste ich viele Kilometer fahren, bis ich endlich an der nächsten Abfahrt in die richtige Richtung auffahren konnte. Ich hatte also meinen Fehler korrigieren können und kam (gerade noch) pünktlich.

Ich habe mich aber fürchterlich über mich geärgert. Denn die Sperrung war schon Tage zuvor gut sichtbar ausgeschildert gewesen. An der Beschilderung war ich täglich vorbeigefahren. Ich hatte sie gelesen und verstanden. Noch am Tag des Termins, vor der Auffahrt zur Autobahn, stand das Schild da und mahnte. Gleichwohl hatte es keine Auswirkung auf meine Entscheidung, auf diese Auffahrt zu fahren. Und dann war es zu spät.

Hieran wurde mir einmal mehr das Drängende des biblischen Evangeliums deutlich. Gott hat durch die Bibel die falschen Wege und den richtigen Weg zum ewigen Leben sehr deutlich ausgeschildert. Er stellt uns außerdem Menschen in den Weg, die auf diese Signale Gottes nachdrücklich hinweisen. Häufig fährt man an diesen Zeichen vorbei. Man nimmt sie zur Kenntnis und versteht auch, dass der eigene Lebensweg endlich ist und man sich entscheiden muss, in welche Richtung man fährt. Die Bibel macht auch deutlich, dass die Auffahrt in die richtige Richtung ab einem bestimmten Zeitpunkt für uns gesperrt sein wird: Mit dem Tod endet die Möglichkeit, den richtigen Weg einzuschlagen. Dann kann man seinen Fehler nicht mehr korrigieren.   *Markus Majonica*

? Sind Sie schon einmal im Leben falsch abgebogen?

! Ignorieren Sie nicht Gottes Wegweiser!

† Jeremia 42,20-22

FREITAG | JANUAR | 05

Und Gott, der HERR, sprach: Es ist nicht gut, dass der Mensch allein ist; ich will ihm eine Hilfe machen, die ihm entspricht.

1. MOSE 2,18

Anonymität in einer Millionenstadt

Wir werden zu einem Notarzteinsatz in einem Hochhaus in Köln gerufen und laufen die Treppe hoch bis ins neunte Obergeschoss. Ein übler Geruch empfängt uns schon ab der siebten Etage. Da wissen wir, dass jede Hilfe zu spät kommt und wir nur noch zur Todesfeststellung da sind. In der Wohnung finden wir eine verweste Leiche. Die Person ist nicht mehr identifizierbar, sie ist schon seit drei Monaten tot. Der Wasserhahn läuft ununterbrochen seit dem Todestag. Dadurch ist ein Wasserschaden in der Wohnung darunter entstanden, und infolgedessen wurde die Leiche entdeckt.

Hat niemand diese Person vermisst? Wie kann ein Mensch mehrere Monate in seiner Wohnung liegen, ohne dass das jemandem auffällt? Weihnachten ist gerade einmal zwei Wochen her. Selbst an den Feiertagen hat niemand diese Person vermisst. Es ist wirklich traurig! Hunderte Menschen wohnen nur wenige Meter entfernt, aber trotzdem bleibt man anonym und einsam.

Gott sagt in unserem Tagesvers: Es ist nicht gut, dass der Mensch allein ist. Er hat uns als soziale Wesen geschaffen – zwischenmenschliche Kontakte sind wichtig für uns! Aber Gott weiß auch, dass uns Beziehungen auf der horizontalen Ebene allein nicht ausreichen. Noch mehr als andere Menschen brauchen wir nämlich ihn selbst. Gott interessiert sich für jeden von uns persönlich, er möchte sich um unsere Probleme kümmern. Er ist da, und wir können zu ihm rufen. Er ist der Einzige, der uns in unserer Einsamkeit trösten und wahre Erfüllung schenken kann und will. Um diese vertikale Beziehung zu sich selbst zu ermöglichen, hat Gott seinen Sohn auf diese Erde geschickt. Wer an Jesus Christus glaubt, hat den großen Gott zum Vater und muss nie mehr einsam durchs Leben gehen.

Christian Driesner

? Wann waren Sie schon einmal einsam?

! Gott interessiert sich für Sie persönlich! Sagen Sie ihm, was Sie auf dem Herzen haben.

✝ Johannes 6,35-40

06 | JANUAR
Dreikönigsfest

SAMSTAG

Versammle mir das Volk, dass ich sie meine Worte hören lasse, die sie lernen sollen, um mich zu fürchten all die Tage, solange sie auf dem Erdboden leben, und die sie ihre Kinder lehren sollen!

5. MOSE 4,10

Neujahrsansprache

Am 6. Januar 2023 appellierte unser von mir sehr geschätzter Ministerpräsident an »seine« Bürger, sich aktiv für ein gutes Zusammenleben einzusetzen. In der Rede, die er beim Epiphanias-Empfang der Landeskirche Hannover hielt, erwähnte er: »Wir brauchen vor allem auch Bürgerinnen und Bürger, die für ihre Werte einstehen, die sich einmischen und nicht schweigen.« Weiter führte er aus, dass wir einen Konsens benötigen über wesentliche Eckpfeiler unseres Zusammenlebens.

Wie recht unser Ministerpräsident hat! Allerdings gibt es da noch etwas Wesentliches, das wir nicht vergessen dürfen und das leider oft übersehen oder bewusst verdrängt wird: Es ist der Gottesbezug. Wir Menschen sind keine Zufallsprodukte der Evolution, sondern Geschöpfe Gottes, der uns seine Werte für ein gutes Zusammenleben gegeben hat. Wir sind ihm gegenüber für unser Handeln verantwortlich und können, wenn wir seine Gebote halten und lieben, mit seiner Hilfe rechnen. Die Bibel beschreibt uns, was Gott von uns möchte. Unter anderem in den Zehn Geboten (2. Mose 20,1-17) oder der Bergpredigt (Matthäus 5–7) finden wir »wesentliche Eckpfeiler unseres Zusammenlebens«. Wenn wir uns dies zur Lebensgrundlage machen, dürfen wir wissen, dass Gott uns im neuen Jahr helfen wird.

Seine Anordnungen für das zwischenmenschliche Miteinander tun jedem gut. Wenn diese unser Leben prägen, dann können wir uns auf einer guten Grundlage »einmischen und nicht schweigen«. Zu Beginn des neuen Jahres wollen wir gerne den guten Wünschen staatlicher Autoritäten folgen, das Jahr 2024 aber vorrangig mit Gottes Hilfe und in dem Bewusstsein angehen, dass Gott seine Geschöpfe nicht aufgibt, sondern retten und unterweisen will. Dann wird es für uns ein gutes Jahr werden.

Hartmut Ulrich

❓ Sind Ihre Pläne für das neue Jahr mit Gottes Maßstäben im Einklang?

❗ Die grundsätzliche und tägliche Ausrichtung auf Gott ist das Einzige, was in unserer Gesellschaft wirklich weiterhilft.

✝ Römer 13

SONNTAG JANUAR | **07**

Kommt her zu mir, alle ihr Mühseligen und Beladenen!
Und ich werde euch Ruhe geben.
MATTHÄUS 11,28

Ein Botaniker und eine Rentiernomadin

Der schwedische Botaniker Lars Levi Lästadius (1800–1861) galt als der beste Kenner der arktischen Pflanzenwelt. Er war lutherischer Pfarrer. Infolge persönlicher Schicksalsschläge – sein Kind starb, und er selbst wurde schwer krank – zweifelte er an Gott und wurde verbittert und hart. Wahrscheinlich am 1. Januar 1844 traf er die Samin und Rentiernomadin Milla Clemensdotter. Diese hatte selbst einen schweren Lebensweg hinter sich. Ihr Vater war Alkoholiker und brachte die Familie um den gesamten Besitz. Milla wurde in verschiedenen Pflegefamilien untergebracht und wiederholt misshandelt. Die damals 28-jährige Frau strahlte ein tiefes Gottvertrauen und innere Ruhe aus. Davon beeindruckt, fragte der gelehrte Lästadius: »Woher hast du so einen tiefen Frieden?« Milla antwortete: »Als unverdientes Geschenk durch Gottes Sohn am Kreuz, wie es im Römerbrief steht: Da wir gerecht wurden aus Glauben, erhielten wir Frieden mit Gott durch unseren Herrn Jesus Christus.« – »Damit kann ich nichts anfangen!«, entgegnete Lars unwillig. »Wie kannst du diesen Frieden spüren?« Milla antwortete ohne Zögern: »Ich kann zu allem, was Gott schickt, Ja sagen.« Der Verbitterte verstand, dass Gott in allen schweren Situationen unseres Lebens ein gutes Ziel hat, nämlich ihn zu suchen und ihn als gnädigen Gott kennenzulernen.

Lästadius wurde so ein Prediger des Evangeliums von der Gnade Gottes. Ein Jahr nach der Begegnung mit Milla setzte vor allem unter den Samen eine Erweckungsbewegung ein, die lange Zeit das Leben der gesamten Nordkalotte (Nordskandinavien) prägen sollte. Lästadius wurde später Apostel der Lappen genannt. Innere Zufriedenheit und das Ruhen in Gottes Willen ist keine Frage der Bildung, sondern des Vertrauens in den barmherzigen und gnädigen Gott. *Gerrit Alberts*

? Welche Last schleppen Sie schon lange mit sich herum, die Ihre Seele bedrückt und Ihr Gemüt trübselig macht?

! Nehmen Sie Jesus beim Wort (siehe Tagesvers) und überlassen Sie alles ihm!

✝ Lukas 8,43-48

08 | JANUAR MONTAG

Der Engel des HERRN sprach: »Warum hast du deine Eselin dreimal geschlagen? Ich war es, der sich dir entgegengestellt hat, weil du auf einem verkehrten Weg bist.«

4. MOSE 22,32

Versperrte Wege

Sicherlich kennen Sie so etwas auch: Sie machen die tollsten Pläne und sind schon voller Vorfreude, aber dann passiert etwas, was diese Pläne vereitelt. Meistens ist die Enttäuschung dann groß, selbst wenn uns nette Menschen mit ermutigenden Worten wie »Wenn eine Tür sich schließt, dann öffnet sich eine andere« oder »Dann kommt sicherlich etwas Besseres« trösten wollen. Das erlebten auch mein Mann und ich, als wir auf der Suche nach einer neuen Wohnung waren. Wir hatten zwei fantastische Angebote, aber bei beiden Wohnungen wurde uns der Weg so versperrt, dass wir nicht einmal dazu kamen, uns die Wohnungen überhaupt anzuschauen. Und obwohl wir aus der Bibel wussten, dass denen, die Gott lieben, alle Dinge zum Besten dienen (vgl. Römer 8,28), kann ich nicht leugnen, dass wir sehr enttäuscht waren.

Beim dritten Wohnungsangebot aber erlebten wir, dass die Bibel Recht hat. Als ich die Fotos sah, wusste ich sofort, dass dies die Wohnung war, die Jesus für uns vorgesehen hatte. Und tatsächlich gab es diesmal keinerlei Hindernisse. Wir haben die Wohnung bekommen, wofür wir Gott sehr dankbar sind. Dankbar auch dafür, dass er immer den Weitblick hat und genau weiß, was das Beste für uns ist. Es lohnt sich, diesem Gott zu vertrauen! Wenn er für seine Kinder einen Weg versperrt, dann hat das einen Grund.

Leider merkt man meistens erst rückblickend, wenn man vor gefährlichen Wegen oder vor schweren Fehlern bewahrt wird. So erging es auch dem Propheten Bileam: Ein Engel versperrte ihm an einer schmalen Stelle den Weg, sodass sein Esel nicht weiterging. Aber weil Bileam den Engel nicht sah, schlug er seinen Esel. Diese überaus spannende Geschichte können Sie in der Bibel in 4. Mose 22,21-35 nachlesen.

Sabine Stabrey

? Wie gehen Sie mit den »versperrten Wegen« in Ihrem Leben um?

! Gott kann auch durch die Umstände des Alltags zu uns sprechen.

+ 4. Mose 22,21-35

DIENSTAG JANUAR | 09

Da redete Jesus abermals zu ihnen und sprach:
Ich bin das Licht der Welt. Wer mir nachfolgt,
der wird nicht wandeln in der Finsternis,
sondern wird das Licht des Lebens haben.
JOHANNES 8,12

Erhellt – auch nach Weihnachten

Abende wie diese sind für mich die deprimierendsten im ganzen Jahr. Die Bäume, die mit ihrer glitzernden Schneeschicht in jedem zweiten WhatsApp-Status zu sehen waren, sind nun wieder nur noch leblose Skelette. Der Regen scheint nie ein Ende zu finden. Auf dem Weg zur Arbeit ist es dunkel, und wenn man zurück nach Hause kommt, ebenfalls. Das war zwar auch schon im Dezember der Fall, doch durch die unzähligen Weihnachtsbeleuchtungen war die Dunkelheit hell gewesen. Jetzt aber hat auch der Letzte seinen Tannenbaum abgeschmückt und die Lichterketten zurück in den Keller verbannt, wo sie darauf warten, im nächsten Winter wieder hervorgeholt und entknotet zu werden.

Haben sich so vielleicht auch die Jünger gefühlt, nachdem sie mitangesehen hatten, wie Jesus gekreuzigt wurde? So lange Zeit hatten sie im hellen Schein dessen gelebt, der das »Licht der Welt« war. Und dann haben Sie miterleben müssen, wie die Finsternis anscheinend doch die Überhand gewann und ihr Herr gekreuzigt wurde. Doch Jesu Tod hat das Licht nicht erlöschen lassen – ganz im Gegenteil! Er stand von den Toten auf. Seitdem gibt es für jeden Menschen die Möglichkeit, neues Leben zu bekommen.

»Ihr seid das Licht der Welt«, sagte Jesus zu seinen Jüngern. Was bedeutet das? Die Welt wird überschattet von einer furchtbarer Dunkelheit aus Ungerechtigkeit, Hass und Sünde. Doch jeder, der an Jesu Tod und Auferstehung glaubt, wird verändert. Er bekommt eine innere »Leuchtkraft«, die Jesu Licht widerspiegelt. Und das nicht nur zu einer bestimmten Jahreszeit, sondern immer. Wer Jesus Christus, das Licht der Welt, in seinem Leben hat, der kann leuchten, auch wenn es um ihn her dunkel ist.

Carolin Nietzke

? Wie können Sie ein »Licht der Welt« sein?

! Je dunkler es um Sie her ist, desto mehr wird Ihr Licht benötigt.

✝ Matthäus 5,13-16

10 | JANUAR — MITTWOCH

Wir ... haben jetzt eine sichere Hoffnung, die Aussicht auf ein unvergängliches und makelloses Erbe, das nie seinen Wert verlieren wird. Gott hält es im Himmel für euch bereit.

1. PETRUS 1,3-4

Wo liegt das Paradies für deutsche Rentner?

»Immer mehr deutsche Rentner ziehen ins Ausland«, so beschrieb das Handelsblatt im Januar 2023 einen aktuellen Trend. Aufgrund der dort höheren Kaufkraft könne man sich in manchen Ländern mit seinem Geld mehr Luxus leisten als in Deutschland. So seien Wohnkomplexe mit Pool, Haushaltshilfen oder ein Leben in Strandnähe in Südeuropa, Südostasien oder Südamerika günstiger.

Die Aussicht auf einen entspannten Lebensabend am Meer klingt verlockend. Doch schon der nächste Absatz des Artikels mahnte zur Vorsicht. Denn Faktoren wie hohe Kriminalitätsraten und eine geringere medizinische Versorgung lassen das Ruhestandsziel weniger paradiesisch erscheinen. Auch die finanziellen oder steuerlichen Vorteile kann niemand dauerhaft garantieren. Selbst die schönste Region der Welt verliert ihren Glanz, wenn man krank wird, vor Wirbelstürmen fliehen muss oder sich wegen politischen Unruhen nicht auf die Straße trauen kann. Kein Ort auf dieser Welt kann uns daher dauerhaftes Glück bieten.

Petrus bewertet zu Beginn seines ersten Briefes an Christen ebenfalls die Sicherheit eines zukünftigen Aufenthaltsorts. Ihm geht es jedoch nicht um die Ortswahl für das Rentenalter, sondern um die Zeit nach unserem irdischen Leben. Die Briefempfänger mussten für ihren Glauben an Jesus manche Schwierigkeiten erdulden. Doch in Gottes Auftrag ermutigt Petrus in diesen Versen alle, die Jesus Christus nachfolgen, mit drei Attributen über die Sicherheit ihrer Hoffnung: Erstens ist das ewige Leben sowie alles, was Gott für sie im Himmel bereithält, unzerstörbar. Zweitens ist es makellos, das heißt, es gibt keine Nachteile, Risiken oder Schattenseiten. Drittes verliert Gottes Gabe niemals an Wert. So sieht das echte Paradies aus!

Andreas Droese

? Wie und wo wollen Sie Ihren Lebensabend und die Zeit danach verbringen?

! Das Paradies auf Erden gibt es nicht, aber eine ewige Heimat im Himmel für diejenigen, die zu Jesus Christus gehören.

2. Korinther 5,1-10

DONNERSTAG · JANUAR 11

**Seht, jetzt ist die hochwillkommene Zeit,
seht, jetzt ist der Tag der Rettung!**
2. KORINTHER 6,2

Entscheidungen im richtigen Zeitfenster

1976 besaß die Firma Kodak einen Marktanteil von etwa 90 % aller Kameraverkäufe innerhalb der USA, und auch grenzüberschreitend eine nahezu beherrschende Monopolstellung. Ein paar Jahrzehnte später, im Januar 2012, unterzeichnete die Geschäftsführung einen Insolvenzantrag. Kodak verschwand vom Markt. Was war geschehen? Obwohl die Firma große Summen in die Entwicklung der Digitaltechnik investierte und die erste Digitalkamera auf den Markt brachte, fehlte der Mut, sich von der bis dahin erfolgreichen, aber allmählich veralteten analogen Technik zu verabschieden. Die Verantwortlichen hatten das Zeitfenster der Entscheidung für einen Wechsel ihrer Strategie verpasst und dadurch das Unternehmen in den Sand gesetzt.

Auch in unserem Leben gibt es für viele Entscheidungen nur einen begrenzten Zeitrahmen. Wenn wir ihn nicht nutzen, treffen wir auch eine Entscheidung, nämlich, die Chance verstreichen zu lassen. Wer vor dem Wochenende noch Lebensmittel einkaufen will, darf die Zeit vor Ladenschluss nicht verpassen. Ein Stellenangebot, das heute noch im Internet steht, ist morgen vielleicht schon nicht mehr verfügbar.

Neben diesen alltäglichen Fragen gibt es aber auch existentielle Entscheidungen von unermesslicher Tragweite, für die nur eine begrenzte Frist zur Verfügung steht. Jesus Christus veranschaulichte das in einigen Gleichnissen, am eindrücklichsten wahrscheinlich in dem von den fünf klugen und den fünf gedankenlosen Brautjungfern (siehe Matthäus 25,1-13): Irgendwann war die Tür zu dem Hochzeitsfest für die Unvorbereiteten verschlossen. So gibt es auch für die himmlische Ewigkeit nur eine begrenzte Zeitspanne in diesem Leben vor dem Tod, uns für Gottes Angebot der Vergebung und Versöhnung mit ihm zu entscheiden.

Gerrit Alberts

? Welche Entscheidungen schieben Sie vor sich her?

! Die »lange Bank« ist das Lieblingsmöbel des Teufels.

✝ Matthäus 25,1-13

12 | JANUAR   FREITAG

Du hast ... mich gewoben im Schoß meiner Mutter. Ich danke dir dafür, dass ich erstaunlich und wunderbar gemacht bin; wunderbar sind deine Werke, und meine Seele erkennt das wohl!

PSALM 139,13-14

Schützen, was geschützt werden muss!

07:30 Ab Anfang 2022 dürfen männliche Küken nicht mehr massenhaft getötet werden. Das beschloss der Bundestag aufgrund eines Antrages der damaligen Agrarministerin Julia Klöckner. Schon lange war das »Schreddern« von Küken vielen Tierschützern ein Dorn im Auge. Und was z. B. die Frösche betrifft, so ergreift man überall Maßnahmen, damit sie nicht von Autos überfahren werden, wenn sie die Straße zum nächsten Tümpel überqueren wollen.

Es ist sicherlich ein gutes Anliegen, sich für den Schutz von Lebewesen zu engagieren. Was mich jedoch verwundert, ist, dass sich gleichzeitig kaum jemand für den Schutz ungeborenen menschlichen Lebens einsetzt. Millionen Babys werden weltweit im Mutterleib getötet. Das klingt hart, aber leider ist es eine traurige Tatsache. Ein Embryo wird nicht erst im Mutterleib *zum* Menschen, sondern entwickelt sich dort *als* Mensch – es ist keine Zäsur in der menschlichen Entwicklung feststellbar. Während in Deutschland der Paragraph 218 abgeschafft werden soll und so menschliches Leben immer weniger geschützt wird, setzen sich zugleich vermehrt Menschen für eine artgerechtere Tierhaltung ein.

Warum ist uns der Schutz menschlichen Lebens so wenig wert? Warum sind wir so egoistisch? Ist uns nicht bewusst, dass wir nur leben, weil unsere Eltern ein »Ja« für uns hatten? Ein Freund aus meiner Jugendzeit trug damals ein T-Shirt mit der Aufschrift: »Ich wurde nicht abgetrieben, danke Mama!« In den biblischen Psalmen dankt der Verfasser Gott »dafür, dass ich erstaunlich und wunderbar gemacht bin; wunderbar sind deine Werke, und meine Seele erkennt das wohl!« Menschliches Leben ist in Gottes Augen kostbar – darum lohnt es sich, für den Schutz ungeborenen Lebens einzutreten! *Daniel Zach*

? Wie kostbar ist menschliches Leben in Ihren Augen?

! Lernen wir von Psalm 139, wie Gott das menschliche Leben sieht!

✝ Psalm 139

SAMSTAG | JANUAR | **13**

Nichts auf dieser Welt ist so hinterhältig und verschlagen wie das Herz des Menschen. Wer kann es durchschauen? Nur ich, der HERR, kann es! Ich prüfe jeden Menschen bis in sein tiefstes Innerstes hinein.
JEREMIA 17,9-10

Die Gedanken sind frei?

Mein alter Musiklehrer war ein echter Rebell. Ich sehe ihn immer noch vor mir, wie er seine Akustikgitarre spielt und dabei inbrünstig eines seiner Lieblingslieder schmettert: »Die Gedanken sind frei, wer kann sie erraten? ... Kein Mensch kann sie wissen, kein Jäger erschießen mit Pulver und Blei ...«. Mein stolzes Herz triumphierte bei diesem Lied: Ungestraft denken, was ich möchte – und niemand kann mir etwas anhaben!

Doch ist das wirklich so? Die Bibel beschreibt das »Herz« als das Zentrum unseres Seins, das trügerisch und verschlagen ist. Jesus selbst sagte, dass aus dem Inneren des Menschen böse Gedanken hervorgehen. Hinterlist, Neid, Eifersucht, Hass und Stolz werden von Gott aufgedeckt und verurteilt (vgl. Markus 7,21-23).

Auch wenn kein Mensch mein Innerstes durchschaut – Gott kennt es durch und durch. Er ist der absolute Herzenskenner, vor ihm kann ich nichts verbergen. Die Gedanken sind eben nicht frei in der Hinsicht, dass niemand sie erkennen könnte. Gott kennt sie! Das kann mir Angst machen oder aber mich erleichtert aufatmen lassen. Denn wenn Gott mich so gut kennt, brauche ich ihm nichts vorzumachen. Ich darf aufrichtig vor ihm sein. Er kennt die Abgründe meines Herzens, doch er liebt mich so sehr, dass er nicht zögert, mir einen Weg zu zeigen, diesen inneren Herzensdreck loszuwerden: durch Jesus, der mir anbietet, ihm mein schmutziges Herz zu geben, damit er es rein machen kann.

Zugegeben, ich bin immer noch froh, dass niemand außer Gott meine Gedanken lesen kann. Denn wenn sie öffentlich wären, würde ich mich oft in Grund und Boden schämen ... Genau deshalb bringe ich Jesus täglich mein Herz mit der Bitte, daran zu arbeiten. Denn wer könnte das besser als er?

Dina Wiens

❓ Wie fühlt sich der Gedanke für Sie an, dass Gott Sie durch und durch kennt?

❗ Unglaublich, dass Gott uns kennt – und trotzdem liebt!

📖 Markus 7,14-23

14 | JANUAR — SONNTAG

Denn die Gnade Gottes ... erzieht uns dazu,
die Gottlosigkeit und die weltlichen Begierden
abzuweisen und besonnen, gerecht und mit
Ehrfurcht vor Gott in der heutigen Welt zu leben.

TITUS 2,11-12

Erfolgreiche Erziehung im Zuchthaus?

Der neunjährige Edward O'Brien steht an der Wand, wo seine Hände an eiserne Ringe gefesselt sind. Hinter ihm schwingt ein Gefängniswärter die Peitsche. Der junge Taschendieb bekommt zusätzlich zu seiner Haftstrafe zweimal wöchentlich Schläge auf den Rücken. Diese erschreckende Szene ist eine von vielen Stationen, mit denen im ehemaligen Stadtgefängnis in Cork (Irland) an die Bedingungen von Gefängnisinsassen im frühen 18. Jahrhundert erinnert wird. Eindrucksvoll stellen Wachsfiguren den Alltag der Gefangenen nach, die oft nur wegen Diebstahls von Kleidung oder Lebensmitteln verurteilt worden waren. In vielen Fällen handelt es sich um Kinder oder Jugendliche.

Das Strafsystem in dieser Zeit war hart. Dennoch gab es Versuche, junge Strafgefangene zu schulen und zu einem besseren Leben zu erziehen. Allerdings waren die Ergebnisse so unbefriedigend, dass dieser Unterricht wieder aufgegeben wurde. Denn das Leben der Straftäter änderte sich nicht, und schnell begann der Kreislauf von Diebstahl, Verurteilung und Gefängnis aufs Neue.

Diese Erfahrung unterstreicht die Aussage der Bibel, dass gute Gebote und konsequente Strafen allein das menschliche Herz nicht verändern. Gottes Antwort auf die Übertretungen seiner Gebote beschränkt sich darum nicht auf die Ankündigung einer gerechten Strafe. Statt die Position eines distanzierten Richters einzunehmen, wendet Gott sich uns liebevoll als Retter zu. Um uns einen Ausweg anzubieten, wurde Jesus, der Sohn Gottes, Mensch und nahm am Kreuz die Strafe für unsere Schuld auf sich. Gott gibt uns nicht die verdiente Strafe, sondern wendet uns seine Gnade zu. Wer diese Rettung durch den Glauben annimmt, wird von innen her verändert und erfährt einen echten Neubeginn.

Andreas Droese

❓ Was wirkt stärker: die Angst vor Strafe oder die Liebe zu jemand, dem ich viel zu verdanken habe?

❗ Gott will uns durch Gnade und Liebe erziehen.

✝ 1. Timotheus 1,12-17

MONTAG JANUAR | **15**

**Aber nun, HERR, du bist doch unser Vater!
Wir sind Ton, du bist unser Töpfer, und wir alle
sind deiner Hände Werk.**

JESAJA 64,7

In der Töpferwerkstatt

2022 habe ich das Töpfern für mich entdeckt. Mittlerweile liegen zwei Workshops hinter mir, die mich beide restlos begeistert haben. Warum? Ganz einfach: Abgesehen von der kreativen Herausforderung habe ich unglaublich viel über mich selbst und meine Beziehung zu Gott gelernt. Denn die Bibel spricht von Gott als einem Töpfer, in dessen Hand wir Menschen wie Ton sind. Seitdem ich mich selbst an die Drehscheibe setze, weiß ich ein bisschen besser, was das heißt.

Zunächst knete ich mein Stück Ton ausgiebig. Danach positioniere ich den Klumpen in der Mitte der Drehscheibe und beginne mit dem Zentrieren. Gelingt mir dieser wichtige Arbeitsschritt nicht, wird es hinterher schwer, das Gefäß weiter zu bearbeiten. Wie genau funktioniert das Zentrieren? Sehr vereinfacht ausgedrückt: Während die Scheibe sich dreht, umschließe ich mit beiden Händen den Ton und lasse ihn zu einem Turm wachsen. Anschließend drücke ich ihn wieder mit beiden Händen in Richtung der Scheibe. Beides wiederhole ich so lange, bis der Ton seine Mitte gefunden hat und in sich ruht. Erst dann kann ich aus dem formlosen Klumpen hübsche Vasen, Tassen oder Krüge formen.

Selbstverwirklichung wird heute groß geschrieben; jeder möchte etwas Besonderes und möglichst Aufsehenerregendes aus sich machen. Doch wir brauchen eine Mitte, ein Zentrum, einen Bezugspunkt. Den finden wir, wenn wir uns in Gottes Hände begeben und ihn unser Leben gestalten lassen. Nur er ist in der Lage, etwas Schönes und Nützliches aus uns zu machen.

Der Ton hat keine Wahl: Er muss sich dem Töpfer fügen. Anders ist das bei uns. Gott möchte, dass wir uns ihm bewusst anvertrauen und ihn zum Herrn und Gestalter unseres Lebens machen. Dann wir können sicher sein: Das Ergebnis wird sich sehen lassen können! *Eva Rahn*

? Wer darf über Ihr Leben bestimmen?

! In den Händen des Töpfers sind wir am besten aufgehoben.

✝ Römer 1,18-25

16 | JANUAR — DIENSTAG

> Und als Jesus von dort weiterging, sah er einen Menschen mit Namen Matthäus am Zollhaus sitzen, und er spricht zu ihm: Folge mir nach! Und er stand auf und folgte ihm nach.
>
> MATTHÄUS 9,9

Berufung

Als Matthäus zur Arbeit im Zollhaus ging, ahnte er sicher nicht, dass sich an diesem Tag sein Leben von Grund auf ändern würde. Vielleicht hatte er gerade seine Thermoskanne aufgeschraubt, den Laptop hochgefahren, kurz mit den Kollegen gequatscht und wartete jetzt auf den ersten Kunden. Der Job als Zöllner machte ihn unter seinen Landsleuten nicht sonderlich beliebt: Immerhin zog er den Zoll für die verhassten Besatzer (die Römer) ein. Und dabei nahm er auch gern etwas mehr, als ihm zustand, um sich selbst die Taschen zu füllen. Warum auch nicht, das machten doch die anderen auch so!

Doch dann trifft ihn unvermittelt der Ruf Jesu, mitten in seinem Alltag am Arbeitsplatz: Folge mir nach! Was mag ihm da in kürzester Zeit durch den Kopf geschossen sein: Wer ist das? Lohnt sich das? Was werden meine Kollegen denken? Und vor allem: Wo führt mich das hin?

Doch genau so unvermittelt, wie ihn der Ruf trifft, steht er sofort auf und tritt in die Nachfolge Jesu ein. Er beginnt bedingungslos etwas völlig Neues und lässt das alte Leben für alle sichtbar von jetzt auf gleich zurück. Aber ist das nicht total verrückt? Aus der Sicherheit und Berechenbarkeit des bisherigen Lebens auszubrechen – um Jesus nachzufolgen?

Doch Jesus ist nicht irgendwer: Er ist der Sohn Gottes. Daher hat er wirklich die Autorität, Menschen in seine Nachfolge zu rufen. Und da er die ganze Schöpfung in seinen Händen hält, ist Nachfolge nicht im Mindesten unsicher, sondern in Wahrheit die einzig sichere Sache der Welt. Tatsächlich ist der Ruf in die Nachfolge ein unendlich gnädiger Ruf: Wer diesem Ruf folgt, ist im Leben nicht (mehr) ziellos unterwegs, sondern geht Seite an Seite mit dem Sohn Gottes und wird ewig sicher bei ihm sein.

Markus Majonica

? Wann haben Sie diesen Ruf in Ihrem Leben schon gehört?

! Nur das Leben mit Jesus hat eine ewige Perspektive.

† Matthäus 19,27-30

MITTWOCH   JANUAR | **17**

Wegen des Vergehens seines Volkes hat ihn Strafe getroffen.
JESAJA 53,8

Himmlischer Blitzableiter

Sie ist das Wahrzeichen von Rio de Janeiro: die mit 38 Metern Höhe monumentale Christusstatue. Hoch über der Stadt thront sie seit 1931 auf dem Corcovado-Berg. Ihr Gewicht beträgt 1145 Tonnen; ihr Baumaterial ist Stahlbeton, der mit einem Mosaik aus Speckstein überzogen wurde. Heute vor 10 Jahren wurde der Statue durch einen Blitzeinschlag ein Finger »gebrochen«. Die Bilder in den Medien waren beeindruckend: Die Statue steht mit ausgebreiteten Armen (28 Meter Spannweite!) im Dunkel der Nacht, aus dem Himmel fährt ein gewaltiger Blitz in ihre rechte Hand. Ein passendes Bild für das, was Jesus am Kreuz für uns getan hat!

Auch er hing dort mit ausgebreiteten Armen im Dunkel und wurde für uns alle zum »Blitzableiter«. Das gerechte Gericht Gottes über alles Böse hat ihn wie ein Blitz von oben getroffen. Er hat *unser* Gericht auf sich umgeleitet. Das konnte er tun, weil er selbst ein sündloses Leben gelebt hat. Und er tat es, weil er eine unfassbare Liebe zu Ihnen und mir hat! Es kostete ihn allerdings nicht einen Teil seines Fingers, sondern sein Leben.

Am Kreuz ging Jesus für uns sozusagen durch die Hölle, damit wir für immer von ihr verschont bleiben können. Nun lädt Gott jeden Menschen ein, zu ihm umzukehren und an diese Stellvertretung Jesu zu glauben. Wer darauf vertraut, bekommt Vergebung für alle seine Sünden und das ewige Leben von Gott *geschenkt*. Er hat das Gericht über seine Sünden bereits hinter sich – weil Jesus ja dafür bezahlt hat. So verspricht er selbst es in Johannes 5,24: »Wahrlich, wahrlich, ich sage euch: Wer mein Wort hört und glaubt dem, der mich gesandt hat, der hat ewiges Leben und kommt nicht ins Gericht, sondern er ist aus dem Tod in das Leben übergegangen.«   *Stefan Hasewend*

? Haben Sie schon einmal erlebt, wie ein Blitzableiter großes Unheil abwendete?

! Bei Gottes absolut gerechtem Gericht ist Jesus als »Blitzableiter« der einzige Ausweg.

↑ Jesaja 53

18 | JANUAR — DONNERSTAG

**Er [Jesus] ist das Bild des unsichtbaren Gottes,
der Erstgeborene aller Schöpfung.**

KOLOSSER 1,14-15

Messi im Maisfeld

Lionel Messi ist einer der besten Fußballer aller Zeiten. Er spielte vom 13. Lebensjahr an in der Jugendakademie des FC Barcelona, debütierte mit 17 Jahren in der Profimannschaft und wechselte erst 2021 im Alter von 34 Jahren nach Paris Saint-Germain. Während der Jahre in Spanien schoss er in 520 Spielen 474 Tore in der *Primera División* und gewann mit Barca 35 Titel (u. a. viermal die *Champions League*, zehnmal die spanische Meisterschaft). Sechsmal gewann er den Goldenen Schuh der UEFA als »Torschützenkönig Europas«. Seine Karriere krönte er mit dem Gewinn der Weltmeisterschaft Argentiniens in Katar im Dezember 2022.

Von seinem großen Idol inspiriert pflanzte im Januar 2023 der argentinische Maisbauer Charly Faricelli mit Hilfe moderner Technik ein riesiges Portrait von Lionel Messi auf seinen Acker. Diese Bild, das übrigens so groß ist wie vier Fußballfelder, ist nun weithin sichtbar und dank des Internets weltbekannt. Doch es bleibt ein vergängliches Bild eines vergänglichen Menschen, ohne dauerhafte Auswirkungen auf mein Leben.

Völlig anders ist es mit Jesus Christus. Wer ihn sieht, der sieht nicht das Bild eines vergänglichen Menschen, sondern das Bild des (an sich) unsichtbaren, ewigen Gottes. Wir finden Jesu Gesichtszüge zwar nicht in einem Maisfeld. Aber in der Bibel werden uns seine Wesenszüge deutlich vor Augen gestellt. Er ist – laut Tagesvers – das »Icon« (Bild) Gottes. Wer sich also mit diesem Jesus beschäftigt, sieht nicht nur eine bekannte Person, sondern kann an ihm das Wesen Gottes erkennen. Und dieser Jesus hat sogar die Kraft, unser Leben zu verändern und uns Menschen aus der Verlorenheit unseres Daseins zu retten hinein in ewige und erfüllende Gemeinschaft mit Gott. *Martin Reitz*

❓ Haben Sie sich mit diesem Bild des unsichtbaren Gottes schon mal beschäftigt?

❗ Messi ist ein begnadeter Fußballer, aber (nur) durch Jesus Christus können wir zu Gott kommen.

📖 Hebräer 1,1-4

FREITAG   JANUAR | **19**

Und der HERR schloss hinter ihm zu.
1. MOSE 7,16

Der einzige Notausgang war ein Bootseingang

Kennen Sie den Ursprung der beiden Begriffe »Sintflut« und »Arche«? Lassen Sie uns kurz darüber nachdenken, denn diese beiden Worte beinhalten eine unerbittliche Botschaft.

Sintflut: Die germanische Vorsilbe »sin« bedeutet: »andauernd, umfassend« – also eine weltumspannende, alles überschwemmende Flut. Sie betraf alles, was atmete, sie war universell, sie überstieg »*alle* hohen Berge, die unter dem *ganzen* Himmel« waren (1. Mose 7,19). Die einzige Ausnahme: »*Nur* Noah blieb übrig und was mit ihm in der Arche war« (1. Mose 7,23).

Arche: Das Wort stammt aus dem lateinischen »arca« und bedeutet: »Kasten; Verschluss; Behältnis zum Verschließen«. Ja, Noah wurde buchstäblich von Gott unter Verschluss genommen, quasi »archiviert«, denn der HERR schloss hinter ihm zu (siehe Tagesvers).

Die Botschaft der Worte Sintflut und Arche lautet also: Alles Bestehende versank in der Flut, nur Einzelne blieben bewahrt – dank der Arche. Auch für uns heute gibt es nur *ein* »Archiv«, den *einen* sicheren Bergungsort, die rettende Arche: Jesus Christus. Er ruft: »Ich bin die Tür; wenn jemand durch mich eingeht, so wird er errettet werden« (Johannes 10,9). Wovor brauchen wir Rettung? Gott wird am Ende der Zeit ein umfassendes Gericht halten! Alle werden vor seinem Richterthron stehen und ein gerechtes Urteil empfangen (vgl. Offenbarung 20,12). Aus diesem Gericht gibt es kein Hintertürchen, kein Schlupfloch. Als Gott damals die Arche verschloss, war es für alle Außenstehenden zu spät – es gab keinen späteren Zustieg, kein halb drinnen und halb draußen, keine Grauzone. Nur wer rechtzeitig in die Arche ging, blieb verschont. Das ist die unerbittliche Botschaft von Sintflut und Arche: Es gibt Rettung, aber es gibt auch ein »zu spät«.   *Andreas Fett*

? Was hielt damals Menschen ab, in Gottes Rettungsboot einzusteigen?

! Ohne Arche keine Rettung.

† Lukas 17,24-27

20 | JANUAR SAMSTAG

Von nun an, alle Tage der Erde, sollen nicht aufhören Saat und Ernte, Frost und Hitze, Sommer und Winter, Tag und Nacht.

1. MOSE 8,22

Gott hat sein Versprechen gehalten

Mitten in der Sonne herrschen 15 Millionen Grad Celsius. Im Weltraum hingegen, wo absolute Kälte regiert, sich also die Moleküle überhaupt nicht mehr bewegen, da würde ein Celsius-Thermometer 273 Grad unter 0 anzeigen.

Mitten in diesem an sich tödlichen Szenario hat Gott unsere Erde genau da platziert, wo es das lebensnotwendige flüssige Wasser gibt, nicht nur Eis oder heißen Dampf, und wo wir Menschen leben können. Obwohl es immer wieder Schwankungen zwischen Warm- und Kaltzeiten gegeben hat, hielt Gott doch sein Versprechen, das er vor rund viereinhalbtausend Jahren dem Noah gab, und das wir in unserem Tagesvers nachlesen können.

Die oben benannten Schwankungen lässt Gott zu, um uns Menschen unsere Abhängigkeit von ihm immer mal wieder vor Augen zu führen. So treten durch Dürre oder Überschwemmungen vielerorts Mangelsituationen ein, die uns wieder zu Gott treiben sollen.

Je gottloser wir Menschen aber werden und je unvernünftiger und rücksichtsloser wir mit den geliehenen Vorräten der Erde umgehen, umso deutlicher spricht Gott durch Veränderungen zu uns, die uns ganz und gar nicht gefallen. Und wenn wir Gottes Langmut für Schwäche halten oder überhaupt nicht mehr mit ihm rechnen, dann mögen auch die »Tage der Erde« gezählt und an ihr Ende gekommen sein. Denn immerhin fängt unser Spruch nicht so an: »Weil die Erde ewig bleibt ….«, sondern: »Fortan, alle Tage der Erde ….«. Sie hat also ein Ende, was natürlich auch das Ende dessen bedeutet, was unser Tagesvers verspricht.

Einerlei, ob dieses Ende dicht vor der Tür steht oder noch ein wenig hinausgezögert wird, die Hauptsache ist, dass wir dann bereit sind, in das ewige Reich Gottes hinüberzugehen. *Hermann Grabe*

Wie gehen Sie mit Gottes Verheißungen und Drohungen um?

Wer nicht wirklich beweisen kann, dass die Bibel ein Lügenbuch ist, täte gut daran, Gottes Gunst zu suchen.

Jesaja 45,14-25

SONNTAG · JANUAR | **21**

Und doch war er verwundet um unserer Übertretungen willen und zerschlagen infolge unserer Verschuldungen: die Strafe war auf ihn gelegt zu unserm Frieden, und durch seine Striemen ist uns Heilung zuteil geworden.
JESAJA 53,5

Narben erzählen eine Geschichte

Im Laufe meines Lebens habe ich einige Narben angesammelt. Selbst bei den kleinen Narben kann ich mich noch gut an die Situation erinnern. Als Kind versuchte ich zum Beispiel einmal, ein Schilfrohr abzureißen. Dabei schnitt ich mich an einem Schilfblatt in den kleinen Finger. Meine Mutter behandelte die Verletzung mit Jod, was den Schmerz verschlimmerte. Immer noch kann ich die Narbe sehen und erinnere mich an die Begebenheit. Narben erzählen von vergangenen Verletzungen. Das Gute an Narben ist: Es sind verheilte Wunden.

Ähnlich geht es uns mit seelischen Verletzungen. Im Laufe unseres Lebens erfahren wir viele Situationen, in denen wir uns abgelehnt oder zurückgewiesen fühlen. Das beginnt schon in unserer Kindheit. Eine Person hat uns ungerecht behandelt oder ignoriert. Jemand hat uns wiederkehrend abgewertet, beleidigt oder lächerlich gemacht. Ein Konflikt mit einem Menschen oder eine schwierige Beziehung hat uns heftig zugesetzt. Viele dieser Erfahrungen vergessen wir wieder, aber manche treffen uns tiefer und werden zu Verletzungen, die schmerzen.

Es ist wichtig, dass unsere Seele von solchen Verletzungen gesundet und dass diese unser Leben nicht bestimmen. In der Beziehung zu Jesus kann das geschehen. Jesus wurde verwundet, damit unsere Wunden heil werden. Er hat selbst Zurückweisung erfahren und weiß, was es bedeutet, verachtet und misshandelt zu werden. Seine Wunden waren seelischer und auch körperlicher Natur. Wir dürfen ihm unseren Schmerz und jede Verletzung bringen und Heilung erfahren. Bei bestimmten Gelegenheiten werde ich möglicherweise noch an das Ereignis erinnert, aber es ist dann nur noch eine Narbe und keine Wunde mehr.

Manfred Herbst

? Welche Situation schmerzt Sie immer noch, wenn Sie sich an sie erinnern?

! Ich darf mit meinen Verletzungen zu Jesus kommen.

✝ Jesaja 53,3-7

22 | JANUAR   MONTAG

Jede Seele unterwerfe sich den übergeordneten staatlichen Mächten!

RÖMER 13,1

Sollen sich Christen der staatlichen Gewalt unterordnen?

Unterordnung fällt schwerer, je gottloser unsere Regierungen werden. Aber das Verhältnis Christ und Staat ist im Neuen Testament eindeutig geregelt. Sowohl Jesus als auch Paulus und Petrus zeigen uns in Wort und Tat, dass sie sich den Ordnungen des Staates untergeordnet und nicht als Rebellen in der Auflehnung gelebt haben, obwohl sie im römischen Weltreich, z. T. unter Kaiser Nero ganz andere Probleme erlebten als wir heute in unserer Demokratie. (Siehe 1. Petrus 2,13-15; Römer 13,1-7; Matthäus 22,21.)

Gott hat die Regierungen eingesetzt. Ohne diese staatliche Ordnung endet ein Volk in der Anarchie. Und dieses totale Chaos will niemand. Nun wundert es mich nicht, dass heute in unserem Staat Gesetze erlassen werden, die im Widerspruch zur Bibel stehen, denn wir haben keinen christlichen Staat, und den wird es auch im Hier und Jetzt nicht geben. Solange Christen also nicht gezwungen werden, die gottlosen Freiheiten, die unser Staat heute jedem einräumt, selbst zu leben, können sie sich ja trotzdem unterordnen und gleichzeitig nach einer christlichen Ethik leben, so wie es Jesus Christus auch in den 33 Jahren seines irdischen Lebens getan hat.

Natürlich gibt es Grenzen. In Apostelgeschichte 5 Vers 29 antworten Petrus und die Apostel, als ihnen der Hohe Rat verbieten wollte, das Evangelium zu sagen: »Man muss Gott mehr gehorchen als den Menschen.« Sollten Christen dem göttlichen Auftrag nicht mehr nachkommen dürfen, müssen sie mit Augenmaß und in allem Respekt ihre Position behaupten und nach Gottes Geboten leben. Die wichtigste Aufgabe ist und bleibt, für unsere Regierungen zu beten, damit jeder ein »ruhiges und stilles Leben zur Ehre Gottes führen kann« (1. Timotheus 2,1-4).

Hartmut Jaeger

❓ Sind Sie schon einmal wegen Ihrer Achtung vor Gottes Geboten in Schwierigkeiten geraten?

❗ Beten wir täglich für alle, die in verantwortlicher Position sind.

📖 Römer 13,1-7

DIENSTAG | JANUAR | 23

Wer wird gegen Gottes Auserwählte Anklage erheben? Gott ist es, der rechtfertigt.
RÖMER 8,33

Dem Ankläger Recht geben

Wenn ein Mensch gegen das Gesetz verstößt, gibt er der Staatsanwaltschaft damit das Recht, ihn deswegen anzuklagen. Der Staatsanwalt verfasst dann eine Anklageschrift, die vor Gericht verlesen wird. Wenn der Täter die vorgeworfene Tat begangen hat, geschieht die Anklage dem Recht gemäß. Der Täter muss seinem Ankläger letztlich Recht geben. Dann wird der Angeklagte zurecht für seine Tat verurteilt. So einfach ist das im Prinzip.

Allerdings gibt es nicht nur menschliche Ankläger, sondern auch einen »Unmenschlichen«. Im letzten Buch der Bibel, der Offenbarung, wird dieser erwähnt. Er wird als ein »Verkläger« bezeichnet, der Tag und Nacht vor Gott gegen Menschen Anklage erhebt. Gemeint ist der Teufel, der Widersacher Gottes und Feind jedes Menschen. Doch wer gibt diesem diabolischen »Staatsanwalt« das Material für seine Anklagen? Denkt er sich den Stoff seiner Anklageschriften aus? Mitnichten. Jeder Mensch, der etwas gegen Gottes Gebote tut, gibt diesem Ankläger Recht! Wer lügt, seinen Ehepartner betrügt, die Steuer hinterzieht, lieblos ist usw., der spielt dem Teufel selbst in die Hände. Dann kann dieser ihn zu Recht verklagen. Und wer von uns müsste nicht zugeben, im Leben vieles falsch gemacht zu haben? Und so geben wir selbst dem Teufel das Recht, uns vor Gott anzuklagen.

Doch es gibt einen Ausweg, der in keinem Gerichtssaal dieser Welt denkbar wäre: Der Richter selbst, Gott, hat das berechtigte Urteil bereits an jemand anderem vollstreckt, nämlich an seinem Sohn Jesus. Dieser hat all mein Unrecht auf sich genommen und dafür gebüßt. Wenn ich dies von Herzen für mich ganz persönlich akzeptiere, bleibt kein einziger Anklagepunkt mehr übrig. Dann verliert der teuflische Ankläger jedes Recht auf mich.

Markus Majonica

? Welchen Spielraum geben Sie Ihrem Ankläger?

! Gott kann jeden Menschen gerecht machen, sodass jede Anklage unmöglich ist.

† Johannes 8,1-11

24 JANUAR — MITTWOCH
Internationaler Tag der Bildung

Heute, wenn ihr seine Stimme hört, so verstockt eure Herzen nicht wie in der Auflehnung.
HEBRÄER 3,15

Ich hab doch noch Zeit!

Alex (Pseudonym) und ich sind bei mir zu Hause und reden über seine schulischen Leistungen. Er ist in meiner 7. Klasse. Ich habe ihn ins Herz geschlossen und würde sogar sagen, dass er ein Freund geworden ist. Ich will ihm gerne helfen. Er erzählt mir von seinen letzten Noten, die er geschrieben hat: mehr schlecht als recht. Fast ausschließlich schlecht. Ich versuche ihm ins Gewissen zu reden – vermutlich vertane Liebesmüh. Alex sagt nämlich: »Ich hab doch noch Zeit!« Ihm ist die Notwendigkeit, sich *jetzt* anzustrengen, nicht wirklich bewusst. Warum *jetzt* den Kraftaufwand betreiben? Warum *jetzt* diese Aufregung?

Diese Szene mit Alex ist bereits über fünf Jahre her, wir haben uns mehr oder weniger aus den Augen verloren. Erst kürzlich hörte ich über ihn, dass er immer noch zur Schule geht. Immer noch »bemüht« er sich um einen Abschluss. Sitzenbleiben, Schulwechsel, ... das ganze Programm. Schade. Sicher wäre einiges vermeidbar gewesen.

Schule ist freilich nicht alles im Leben. Auch der Beruf nicht, obwohl wir mit beidem sehr viel Zeit verbringen. Aber: Kann es sein, dass die Aussage »Ich hab doch noch Zeit« zu einer Lebenshaltung bei Alex geworden ist? Was ist, wenn Alex und viele andere dieselbe Haltung auch in Angelegenheiten an den Tag legen, die weitaus wichtiger sind als Schule? Angelegenheiten, die nach einem Fehlverhalten nicht mehr so leicht, ja, vielleicht sogar unmöglich zu korrigieren sind? Ungeklärte Beziehungen. Unvergebene Schuld. Innere Ruhelosigkeit. Die gestörte Beziehung zu Gott ...

Das sollte zu denken geben! Gerade in der Beziehung zu Gott ist Aufschub gefährlich. Ist Ihr Verhältnis zu ihm geklärt? Mit unvergebener Schuld vor Gott zu treten, bedeutet eine sich ewig auswirkende, fatale Weichenstellung. *Willi Dück*

? Welche Erfahrungen haben Sie mit dem Aufschieben gemacht?

! Klären Sie wichtige Angelegenheiten am besten heute!

✝ Lukas 12,16-21

DONNERSTAG   JANUAR **25**
Erster Vollmond des Jahres

Lobt ihn, Sonne und Mond, lobt ihn, ihr leuchtenden Sterne! Lobt ihn auch im fernsten Weltall, lobt ihn, ihr Wassermassen über dem Himmel!
PSALM 148,3-4

Interessantes vom Mond

Die Weltmeere sind genau genommen ein großes stehendes Gewässer. Und jeder weiß, dass solche mit der Zeit stinkend werden, weil darin abgestorbene Lebewesen allmählich in Fäulnis übergehen. Wodurch wird dieser Fäulnisprozess in den Weltmeeren verhindert? Dazu hat der Schöpfer eine Meisterleistung vollbracht. Zunächst hat er – wie wir zum Konservieren unserer Speisen Kochsalz verwenden – dem Meer einen Salzgehalt von durchschnittlich 3-4 % beigegeben. Der Salzgehalt allein würde aber nicht ausreichen. Dazu braucht es auch ständige Bewegung und Durchmischung.

Die Winde und Stürme bewegen nur die Oberfläche, und vom stärksten Orkan ist in 30 Metern Tiefe kaum noch etwas zu spüren. Auch die Golfströme, die gewaltige Wassermassen vom Äquator bis zur Eisgrenze verfrachten, haben in 300 Metern Tiefe nur noch eine Strömungsgeschwindigkeit von 3,7 Kilometern in der Stunde. Bei einer durchschnittlichen Meerestiefe von 4000 Metern bis zu den tiefsten Stellen mit über 11 000 Metern reicht auch die Bewegung durch die Golfströme nicht aus.

Deshalb hat der Schöpfer eine riesige kosmische Kraft eingesetzt – unseren guten alten Mond! Der Mond umkreist unsere Erde in einem mittleren Abstand von 384 000 Kilometern. Die Masse des Mondes ist groß genug, dass durch seine Anziehungskraft die Wassermassen der Erde 5 bis 6 Meter in die Höhe gehoben werden und sie langsam wieder zurücksinken zu lassen. So heben und senken sich die Weltmeere alle zwölf Stunden und durchmischen dabei ihre Wassermassen bis in die größten Tiefen.

Man könnte hier noch viel mehr Besonderheiten über den Mond nennen. Doch bereits die beschriebenen Fakten reichen völlig aus, um hinter allem einen unendlich großen und genialen Schöpfer zu erkennen.

Günter Seibert

? Kann so etwas durch Zufall entstanden sein?

! Je mehr man sich in der Schöpfung umschaut, umso mehr staunt man über den Schöpfer.

✝ 1. Mose 1,1-16

26 | JANUAR
Ehegattentag

FREITAG

Gott, der HERR, sagte: »Es ist nicht gut, dass der Mensch allein ist. Ich will ihm jemanden zur Seite stellen, der zu ihm passt!«

1. MOSE 2,18

Der schönste Tag des Lebens!

»Hochzeit – der teuerste Tag des Lebens«, so titelt die Süddeutsche Zeitung. Wenn man sich im Bekanntenkreis umschaut, scheint die Schlagzeile der Wahrheit zu entsprechen. Über 3 Milliarden Euro lassen sich die heiratswilligen Deutschen pro Jahr den schönsten Tag ihres Lebens kosten. Die Kosten pro Hochzeit liegen durchschnittlich zwischen 4000 und 20 000 Euro. Was da alles auf einen wartet: Brautmode, Fotograf, Hochzeitsplaner, Friseurbesuch, Dekoration, Saalmiete, Catering, Trauredner, Kirche, Trinkgelder, Briefmarken, Musik, Gastgeschenke. Alles für diesen einen Tag! Die großen Emotionen, die schönsten Bilder, das pure Glück. Stunden-, ach was, wochenlange Vorbereitungen, damit am Hochzeitstag auch wirklich der ersehnte Traum in Erfüllung geht.

Und dann ... fängt der graue Ehealltag an! Eine Hochzeit dauert normalerweise einen Tag, eine Ehe hoffentlich ein Leben lang. Die Erwartungen an die Hochzeit sind riesig, die Erwartungen an die Ehe überschaubar. Oder liege ich da falsch?

Die Hochzeit ist der Anfang einer Ehe, für die Gott so viel mehr verspricht als nur ein rauschendes Fest. Gott ist begeistert von Ehe. So begeistert, dass er diese Idee schon im Garten Eden umsetzte. Deshalb sind wir gut beraten, ihn als dritte Person in unsere Ehe einzuladen. Wer sein Leben Gott anvertraut hat, der darf immer wieder neue Liebe für seinen Ehepartner von ihm erwarten. Warum kriseln heute so viele Ehen und werden aufgegeben? Vielleicht, weil wir ohne Gott unser Glück suchen und meinen, es besser zu wissen als der Erfinder der Ehe, der uns in seinem Wort, der Bibel, viele Prinzipien für eine gelungenes Eheleben gegeben hat. Es lohnt sich, diesen Gott und sein Wort kennenzulernen – nicht zuletzt auch für das eigene Eheglück.

Thomas Bühne

? Wie könnte Ihre heutige Investition in Ehe aussehen?

! Erwarten Sie Großes von Ihrer Ehe, weil Gott Sie liebt!

† 1. Korinther 13

SAMSTAG JANUAR **27**
Holocaust-Gedenktag

Da er die Seinen, die in der Welt waren, geliebt hatte, liebte er sie bis ans Ende.
JOHANNES 13,1

Unter Beweis gestellt

»Wie man ein Kind lieben soll«, lautete der Titel des Buches, das ich in der Ferienwohnung gefunden hatte. Mein Mann war gerade unterwegs, um das Auto zu holen, und unsere fünf Kinder tobten voller Energie durch die kleine Wohnung. »Wahrscheinlich sind das hier praxisferne Ratschläge irgendeines Professors. Ob sich der Verfasser überhaupt jemals selbst um Kinder gekümmert hat?«, fragte ich mich. Doch ich wurde eines Besseren belehrt. Janusz Korczak war kein Theoretiker, sondern ein Mann, der lebte, was er lehrte. Er war Arzt und Leiter eines Heims für jüdische Waisenkinder in Polen. Im August 1942 kam der Tag, an dem die 200 Kinder für den Transport in das Vernichtungslager Treblinka abgeholt wurden. Ein Augenzeuge berichtet: »Janusz Korczak selbst hatte die Möglichkeit, sich zu retten, und nur mit Mühe brachte er die Deutschen dazu, dass sie ihm erlaubten, die Kinder zu begleiten. Lange Jahre seines Lebens hatte er mit den Kindern verbracht und auch jetzt, auf dem letzten Weg, wollte er sie nicht allein lassen.« Korcak gab den Kindern den Eindruck, es handle sich um einen fröhlichen Ausflug, und er blieb bei ihnen, bis sich die Türen der Gaskammer hinter ihnen schlossen. Es war Liebe bis in den Tod. Mit großem Respekt las ich daraufhin die Gedanken dieses Mannes zum Thema »Liebe und Erziehung«.

Auch Jesus Christus war niemand, der einfach nur schöne Worte machte. Nein, er lebte, was er predigte, und das bis zum Ende. Seine Worte aus der Bergpredigt »Liebet eure Feinde« setzte er um, in dem er selbst noch am Kreuz unter schrecklichen Schmerzen für seine Peiniger betete. Mit großem Respekt und hoher Ehrfurcht sollten wir deshalb die Worte lesen, die er uns hinterlassen hat. Sie sind mit Blut unterschrieben.   *Elisabeth Weise*

? Was ist Ihre Reaktion auf diese Liebe?

! Jesus liebte nicht nur mit Worten, sondern war bereit, sein Leben für die Menschen zu geben.

✝ Johannes 13,1-17

28 | JANUAR SONNTAG
Welt-Lepra-Tag

Und es kam zu ihm ein Aussätziger, der bat ihn, kniete nieder und sprach zu ihm: Willst du, so kannst du mich reinigen.

MARKUS 1,40

Frohe Botschaft

Der Tagesvers leitet ein Geschehen ein, in dem in nur drei Versen die »Frohe Botschaft« ergreifend und voller Wucht illustriert wird: Es erscheint ein Aussätziger. Aussatz war eine Krankheit, die einen Menschen isolierte und langsam, aber sicher zu Tode brachte. Wer von ihr infiziert war, hatte keine Chance auf Heilung.

Hier ist nun ein Betroffener, der verstanden hatte, dass er sich in dieser heillosen Sackgasse befand. Deswegen setzte er seine Hoffnung auf Jesus. Erstaunlich ist dabei, dass er nicht in Zweifel zog, *dass* der Sohn Gottes heilen *kann*. Natürlich kann er das. Doch ob er es auch *will*? Die Reaktion Jesu ist eindeutig: »Er streckte seine Hand aus, rührte ihn an und sprach zu ihm: Ich will's tun; sei rein!« (Vers 41). Dabei handelte Jesus nicht emotionslos, einfach, weil er's kann. Tatsächlich sah er die Not dieses Menschen in ihrer ganzen Tiefe, und es »jammerte« ihn (Vers 41). Und dann bewahrheitete sich, dass Jesus Christus auch Vollmacht über den Aussatz hat: »Und alsbald wich der Aussatz von ihm, und er wurde rein« (Vers 42). Was bedeutet das für uns?

Aussatz ist in der Bibel nicht nur eine Krankheit, sondern auch ein Bild für die Sünde. Wer von der Sünde infiziert ist, wird an ihren Folgen sicher eines Tages sterben. Das ist so unausweichlich und hoffnungslos wie bei dem Aussätzigen. Diese Hoffnungslosigkeit muss man erkennen und dann verstehen, dass nur Jesus aus diesem Dilemma wirklich helfen kann. Doch ob er will? Natürlich, dafür hat er sein Leben gegeben, und er macht es auch uns gegenüber deutlich. Ihn »jammert« auch meine Auswegslosigkeit.

Und schließlich, wenn ich mich Jesus anvertraue, dann weicht alsbald jede Schuld, und ich werde wirklich rein! *Markus Majonica*

? Waren Sie schon einmal durch Ihre eigene Schuld isoliert?

! Jesus Christus sieht Ihre Not. Zögern Sie nicht, sich an ihn zu wenden!

📖 2. Könige 5,1-15

MONTAG   JANUAR | **29**

Wenn nun der Sohn euch frei machen wird, so werdet ihr wirklich frei sein.
JOHANNES 8,36

Rettung scheinbar nicht möglich

07:30 Unser Küchenfenster hat unten einen feststehenden Teil. Das ist praktisch: Auf der Ablage darunter kann man etwas stehen lassen, wenn man das Fenster öffnet; allerdings verirren sich bei offenem Fenster auch immer wieder Fliegen in unsere Wohnung, die nur höchst selten allein wieder hinausfinden.

Die Fensteröffnung ist 85 cm hoch und 100 cm breit – groß genug, dass alle Fliegen problemlos in die Freiheit fliegen können! Doch sie hängen ständig an der feststehenden 20 cm-Verglasung, schwirren verzweifelt an der Scheibe entlang und ahnen nicht, dass direkt über ihnen die Freiheit auf sie wartet.

Wenn man dann versucht, sie vorsichtig mit einem Stück Papier nach oben zu bewegen, scheinen sie förmlich durchzudrehen. Jeder Versuch, sie zu retten, versetzt sie in immer größere Panik! Sie schwirren zurück in den Raum, um dann irgendwann wieder an den 20 cm hängen zu bleiben.

Diese Beobachtung erinnert mich an ein ähnliches Phänomen bei uns Menschen: Viele sind gefangen in Hoffnungslosigkeit, unerfüllten Träumen, heimlichen Süchten usw. Anstatt die Botschaft Jesu anzunehmen, suchen sie verzweifelt Hilfe – z. B. in Horoskopen und Esoterik. Wenn man ihnen etwas von der Freiheit in Jesus erzählt, wird man belächelt. Sie machen lieber weiter mit den eigenen Rettungsversuchen.

Ihnen erscheint die Rettung vor dem ewigen Tod nicht möglich. Dabei ist doch das Tor zu ihrer wahren Freiheit weit offen! In Jesus hat Gott alles getan, was nötig war, um uns ewiges Leben zu geben. Am Kreuz hat Gottes Sohn seine Arme weit ausgebreitet und für unsere Schuld bezahlt. Der Weg zu Gott ist frei – und wer will, kann kommen, immer und zu jeder Zeit. Gott ist nur ein Gebet von Ihrer Rettung entfernt.

Joschi Frühstück

? Wie viele Selbsterlösungsversuche haben Sie schon unternommen?

! Nehmen Sie doch Gottes Rettungsgeschenk an – es ist so einfach.

✝ Hiob 18,5-12

30 | JANUAR   DIENSTAG

Wenn eure Sünden auch rot wie Scharlach sind, sollen sie doch weiß werden wie Schnee; und sind sie auch rot wie Purpur, sollen sie doch weiß wie Wolle werden.

JESAJA 1,18

Saubere Wäsche

Ich mag den Geruch von frisch gewaschener Wäsche! Immer wieder begeistert es mich, wie es eine moderne Waschmaschine in Kombination mit einem guten Waschmittel schafft, eine Ladung schmutziger, stinkender Wäsche in weniger als drei Stunden wieder sauber und frisch zu machen. In einem Haushalt mit mehreren Kindern lernt man dies besonders zu schätzen. Kürzlich musste ich allerdings feststellen, dass manche Wäschestücke mit einem weniger angenehmen Geruch aus der Maschine kamen. Nach einigen erfolglosen Versuchen, die Trommel zu reinigen oder durch ein längeres Waschprogramm bessere Ergebnisse zu erzielen, war ich ziemlich frustriert. Mehr oder weniger zufällig fiel dann mein Blick auf die Waschmittelverpackung und ich stellte fest, dass ich mich beim Einkaufen vergriffen hatte. Der Hersteller hatte ein neues Waschmittel ins Sortiment aufgenommen, und die Packungen sahen so ähnlich aus, dass mir das nicht aufgefallen war. Ein für meinen Zweck bedeutender Inhaltsstoff fehlte im neuen Waschmittel, weswegen die Wäsche nicht mehr so frisch und sauber wurde wie vorher.

Das erinnert mich daran, in welchem Zustand wir Menschen in Gottes Augen sind. Die Bibel sagt, dass wir, so wie wir sind, nicht vor dem vollkommenen Gott bestehen können, weil wir durch die Sünde beschmutzt sind. Alle unsere eigenen Bemühungen helfen nicht weiter. Ähnlich wie meine schmutzige Wäsche benötigen wir das richtige »Mittel«, um rein zu werden. Jesus Christus selbst stellt uns dieses Mittel zur Verfügung, indem er durch sein Sterben am Kreuz und das Vergießen seines Blutes die Möglichkeit zur Vergebung geschaffen hat. Jeder, der glaubt, dass Jesus auch für seine Schuld gestorben ist, der bekommt ein neues, reines Herz – weißer als die sauberste Wäsche. *Judith Pohl*

❓ Haben Sie in Ihrem Leben bereits echte Vergebung und Befreiung von Schuld erlebt?

❗ Das Reinigungsangebot des Blutes Jesu Christi gilt für jeden Menschen.

✝ 1. Johannes 1,5-9

MITTWOCH JANUAR | **31**

Da nahm Hiskia den Brief ... Und Hiskia betete vor dem HERRN: ... HERR, unser Gott, rette uns doch ... damit alle Königreiche der Erde erkennen, dass du, HERR, allein Gott bist!

2. KÖNIGE 19,14-19

»Ich sehe nur Beschwerden«

In den 1960er Jahren hatte mein damaliger Arbeitgeber ein mittelgroßes Finanzinstitut aufgekauft. Unerwartet bekam ich – der junge Bankkaufmann – den Auftrag, die Strukturen dieser Tochterfirma vor Ort kennenzulernen. Ich wurde innerhalb der Abteilungen »weitergereicht«. Unvergesslich bleibt mir die Zeit mit dem Leiter der Reklamationsabteilung. Er litt sehr darunter, mit seinem kleinen Team fast ausschließlich Beanstandungen zu bearbeiten. Er las und hörte nur Negatives – bis hin zu persönlichen Angriffen – und bekam niemals Lob. »Ich sehe nur Beschwerden«, klagte er.

Ich wollte ihn so gern ermutigen und versuchte ihm zu zeigen, wie wertvoll sein Dienst für die ganze Firma war. Denn weil er die Reklamationen so professionell bearbeitete, waren die Kundenbeziehungen anschließend wieder überwiegend intakt. Es tat diesem Mann gut, sein Herz bei jemandem auszuschütten, der von außen auf die Situation blickte.

Mich machte dieses Erlebnis nachdenklich: Kommt es mir in meinem Alltag nicht auch manchmal so vor, als ob ich »nur Beschwerden sehe«? Wird nicht auch bei mir an jedem Tag so vieles abgeladen, was nicht positiv ist? Statt Lob Vorwürfe, statt Wertschätzung Ungerechtigkeit. Da kann man zu Recht schon mal denken: »Ich sehe nur Beschwerden.« Wie gut, dass ich bei Gott mein Herz ausschütten kann, bei jemandem, »der von außen auf die Situation blickt«.

König Hiskia (siehe 2. Könige 19) erhält schriftlich die Kriegserklärung eines übermächtigen Herrschers. Wem schüttet er sein Herz aus? Was macht er mit seiner Not? Er legt den Brief – im wahren Wortsinn – Gott vor. Damit drückt er aus: Ich weiß nicht weiter, ich kann nicht mehr, ich sehe nur Sorgen (»nur Beschwerden«). Hilf mir! Und Gott hilft – natürlich! *Klaus Spieker*

❓ Ist Ihr Herz voller Sorgen?

❗ »Alle eure Sorge werft auf ihn, denn er sorgt für euch.« (1. Petrus 5,7)

✝ 2. Könige 19

01 | FEBRUAR — DONNERSTAG

Alle aber, die ihn hörten, gerieten außer sich über sein Verständnis und seine Antworten.
LUKAS 2,47

Das soll »Loris« sein?

Der Verleger Anastas Bahr galt als kenntnisreicher Entdecker von Talent. Er stolperte in der Zeitung über Gedichte eines gewissen *Loris*. Trotz gedanklichen Tiefgangs schienen diese Verse mit leichter Hand hingestreut; so ungewohnt beschwingt, dass jeder aufhorchte. »Wer ist dieser Loris? Wer steckt hinter dem Pseudonym?« Bahr fragte sich durch, schrieb an den Unbekannten und vereinbarte eine Begegnung im Kaffeehaus. Da kommt ein schlaksiger Gymnasiast in kurzen Hosen an seinen Tisch, verbeugt sich und sagt mit hoher Stimme: »Hugo von Hofmannsthal. Ich bin Loris!« Noch Jahre später erzählte Anastas Bahr von seiner Verblüffung. Er konnte es nicht glauben: Dieser Knabe – solche Kunst? Woher hatte er das?

Hugo von Hofmannsthal wurde heute vor 150 Jahren geboren. Als Kind las er viel, verschlang alles, was irgend erreichbar war. Da er als Schüler keine eigenen Zeitungsbeiträge veröffentlichen durfte, reichte er seine Gedichte unter dem Decknamen *Loris* ein. Sie wurden sofort gedruckt. Sein früher Ruhm reichte bald über Wien hinaus; er wurde mehrmals für den Literatur-Nobelpreis vorgeschlagen.

Vielleicht kann man sich nun besser die Verblüffung vorstellen, die der zwölfjährige Jesus im Tempel von Jerusalem ausgelöst haben muss. »Alle gerieten außer sich ... und erstaunten sehr, aber sie verstanden das Wort nicht, das er zu ihnen redete.« Er war kaum ein Teenager, verfügte aber über unermessliche Weisheit. Hier zeigt sich, dass Jesus im Vergleich zu Hoffmannsthal nicht nur ein außergewöhnlich begabtes »Wunderkind« war, sondern Gott selbst, fleischgeworden. Dennoch hielt er weitere 18 Jahre sein Licht unter dem Scheffel und begann erst im Alter von 30 Jahren, seine Göttlichkeit offen zu zeigen.

Andreas Fett

? Warum stellte Jesus nicht von Anfang an plakativ zur Schau, wer er wirklich war?

! »Mehr als alle meine Lehrer begreife ich, weil ich bedenke, was dein Gebot mir sagt.« (Psalm 119,99)

✝ Lukas 2,39-52

FREITAG FEBRUAR | 02

Siehe, ich will ihr einen Verband anlegen und Heilung bringen und sie heilen, und ich will ihnen eine Fülle von Frieden und Wahrheit offenbaren.
JEREMIA 33,6

Beziehungsprothesen

Als Orthopädietechnik-Mechanikerin arbeite ich jeden Tag daran, Amputierten das verlorene Körperteil so gut wie möglich zu ersetzen und dabei dem natürlichen Original möglichst nahe zu kommen. Während früher bei einer Unterschenkelamputation ein Holzbein am Stumpf befestigt wurde, macht man heute einen individuellen Scan oder Gipsabdruck, gießt unter Vakuum einen Schaft aus Carbon- oder Glasfaser, wählt aus einem riesigen Angebot den genau auf den Anwender abgestimmten Fuß und die passenden Modularteile aus. Zusätzlich trainiert der Prothesenträger regelmäßig in Rehakliniken, in der Gangschule und mit Physiotherapeuten, um dem natürlichen Gangbild so nah wie möglich zu kommen und zu lernen, den künstlichen Beinersatz im Alltag zu gebrauchen. Ein extrem hoher Aufwand wird betrieben, damit der Amputierte den Verlust des Natürlichen ausgleichen kann.

Einen ähnlich hohen Aufwand betreibt fast jeder von uns, um ebenfalls etwas Natürliches zu ersetzen, das jedem Einzelnen verloren gegangen ist: die Beziehung, die wir als Geschöpfe eigentlich zu unserem Schöpfer haben sollten. Diese natürliche Verbindung existiert nicht mehr, und so versuchen wir Menschen, sie durch alles Mögliche zu ersetzen: Wohlstand, Familie, Erfolg, Selbstfindung, Spaß etc. Jeder tut auf seine Weise alles dafür, die Leere zu füllen, die wir spüren, wenn wir länger als fünf Minuten über unser Leben nachdenken. Doch genauso wie die Prothese den amputierten Unterschenkel niemals vollständig ersetzen wird, so wird auch keine noch so steile Karriere, erfülltes Familienerleben oder Einsatz in Sozialprojekten einem Leben vollständigen Sinn einhauchen. Das Original, die erfüllende Beziehung zum Schöpfer, kann nicht ersetzt, sondern muss wieder hergestellt werden.   *Marielena Klein*

? Sehnsucht nach Gott?

! Gott streckt Ihnen heute seine Hand entgegen.

✝ 1. Mose 3,9

03 | FEBRUAR SAMSTAG

Freut euch in dem Herrn allezeit!
PHILIPPER 4,4

Die wilde Flucht vor der Langeweile

Ein Kennzeichen unserer modernen Kultur ist unser Streben nach allem, was neu und aufregend ist. Wir suchen ständig nach den neuesten Fortbewegungsmitteln, Handys, Computern, Filmen, Spielen, Extremsportarten, Urlauben usw. »Unterhalte mich!«, lautet das große Thema. Unterhaltung ist eine wilde Flucht vor der Langeweile. Wenn wir nicht unterhalten werden, dann müssen wir irgendwie die fürchterliche Stille fürchten. Blaise Pascal, der französische Philosoph, bemerkte scharfsinnig: »Das ganze Unglück der Menschen rührt allein daher, dass sie nicht ruhig in einem Zimmer zu bleiben vermögen.« (Quelle: gutzitiert.de)

Langeweile ist ein Übel, dem alle irgendwann und irgendwie begegnen. Viele Menschen fürchten sich, dass sie in ein langweiliges, zielloses Dasein abrutschen. Deshalb versuchen sie, ständig Neues und Aufregendes zu finden, aber sie erleben darin keine wirkliche Befriedigung. Wir leben in einer Kultur der Ironie: Mit dem meisten Frieden, dem meisten Geld und der meisten Freizeit sitzen viele in der bösartigsten Traurigkeit.

Da klingt die Aufforderung in unserem Tagesvers einerseits befremdlich, andererseits aber macht sie auch neugierig. Kann Gott tatsächlich in unserem Leben eine so zentrale Rolle spielen, dass uns das erfüllt und Freude bereitet? Freudige Menschen sind jedenfalls bewegt, deshalb ist ihnen nicht langweilig. Wenn unsere Hoffnungen auf etwas Schönes und Herrliches gerichtet sind, das unendlich ist, kommt etwas ganz Besonderes in unser Leben hinein, von dem man aber nur dann etwas erfährt, wenn man sich auf die Person einlässt, mit der das untrennbar verbunden ist: Jesus Christus. Vor ihm braucht man nicht die Flucht zu ergreifen, denn er will uns ein erfülltes Leben schenken.

Sebastian Weißbacher

? Haben Sie schon Erfüllung gefunden?

! Jesus verspricht Leben in Fülle – und enttäuscht nicht!

† Johannes 1,35-41.49

SONNTAG FEBRUAR | **04**
Weltkrebstag

Lehre uns unsere Tage richtig zählen, damit wir
ein weises Herz erlangen!
PSALM 90,12

Ein wichtiger Gedenktag

Ob Jogginghosen-Tag, Tag des Handtuchs oder Spaghetti-Tag – es gibt für fast alles einen besonderen Tag. An diesem Tag werden wir aufgefordert, uns an bestimmte Dinge zu erinnern oder uns mit einem konkreten Thema auseinandersetzen. Mancher dieser Gedenktage hat auch einen mahnenden Charakter, wie zum Beispiel der Weltkrebstag am 4. Februar.

An diesem Tag werden wir daran erinnert, dass allein in Deutschland mehr als 510 000 Menschen eine Krebserkrankung haben. Wir werden dazu ermutigt, Vorsorgeuntersuchungen gewissenhaft wahrzunehmen, damit die Erkrankung möglichst frühzeitig erkannt wird. Medizin, Wissenschaft und Forschung werden angespornt, weiter zu forschen und Heilmittel zu finden. Kurz: Wir sollen nicht vergessen, dass Krebs eine Bedrohung für uns Menschen darstellt. Gedenktage sind wichtig und sinnvoll.

Aber für eine Sache gibt es noch keinen Gedenktag, obwohl die Sterberate – Stand heute – 100 % beträgt. Alle Menschen müssen einmal sterben, daran führt kein Weg vorbei. Und doch es gibt keinen »Welttodestag«, der uns das ins Gedächtnis ruft, und keine Werbetafel, die uns fragt »Wo verbringen Sie die Ewigkeit?«. Aber die Frage nach der Ewigkeit ist enorm wichtig. Denn die Bibel macht sehr deutlich, dass es nach dem irdischen Leben weitergeht, entweder in Gemeinschaft mit Gott oder getrennt von ihm.

Daher: Die Situation ist ernst und wir tun gut daran, uns wachrütteln zu lassen und uns zu fragen, was nach dem Tod geschieht. Wer Jesus Christus als seinen Herrn und Erretter angenommen hat, darf sicher wissen, dass ihn eine herrliche Zukunft im himmlischen Vaterhaus erwartet. *Ann-Christin Bernack*

❓ Haben Sie sich die Frage nach der Ewigkeit schon gestellt?

❗ Die Bibel gibt zuverlässige Antworten.

✝ 1. Thessalonicher 5,1-11

05 | FEBRUAR   MONTAG

Denn Nation wird sich gegen Nation erheben und Königreich gegen Königreich, und Hungersnöte und Seuchen und Erdbeben werden an verschiedenen Orten sein. Alles dies aber ist der Anfang der Wehen.

MATTHÄUS 24,7-8

Erdbeben

Ali (Name geändert) ist vor einigen Jahren aus der Türkei nach Deutschland gekommen. Hier hat er Christen kennengelernt und sein Leben Jesus übergeben. Mittlerweile lebt er wieder in seiner alten Heimat, wo er oft wegen seines Glaubens belächelt und sogar angefeindet wird. Doch er liebt Jesus Christus und sein Wort, die Bibel. Dort liest er, dass es am Ende der Zeit, bevor Jesus Christus als Richter auf die Erde zurückkommt, häufige Erdbeben geben wird. Auch davon erzählt er seinen Nachbarn und Freunden. »Ihr müsst euch bekehren, eure Schuld vor Gott bekennen und an Jesus Christus glauben. Er ist der einzige Weg zu Gott. Nur dann könnt ihr dem Gericht Gottes entfliehen!« Aber weiterhin erntet Ali nur Spott und Ablehnung mit seiner Botschaft.

Doch dann passiert am 6. Februar 2023 die Katastrophe: ein ungeheureres Erdbeben, bei dem viele Tausend Menschen sterben. Ali und seine Familie leben in einer Region, die nicht davon betroffen ist. Er ist Gemüsebauer, hat durch den milden Winter eine großartige Ernte gehabt und die Nachfrage nach seinen Produkten ist groß. Aufgewühlt durch die schrecklichen Ereignisse und beeindruckt von dem Leben, das Ali führt, werden seine Nachbarn und Freunde nun doch fragend. Stimmt die Sache mit Jesus Christus am Ende doch? Könnte die Bibel vielleicht doch wahr sein? Was, wenn die Katastrophen unserer Tage eine Warnung Gottes sind, ihn endlich ernst zu nehmen?

Gott redet auf verschiedene Weise zu uns Menschen. Er tut es durch sein Wort, die Bibel, aber auch durch die Ereignisse, die um uns herum passieren. Und auch durch Christen, die andere Menschen immer wieder mit diesem Thema konfrontieren. Die entscheidende Frage ist nun: Wie reagieren Sie auf das Reden Gottes in Ihrem Leben? *Anna Schulz*

? Was denken Sie angesichts der furchtbaren Katastrophen in unserer Zeit?

! Noch ist es nicht zu spät, zu Gott umzukehren.

✝ Matthäus 24,4-27

DIENSTAG | FEBRUAR | **06**

Doch jetzt fordert Gott alle Menschen überall auf, ihre Einstellung zu ändern. Er hat nämlich einen Tag festgesetzt, an dem er über die ganze Menschheit Gericht halten und ein gerechtes Urteil sprechen wird.
APOSTELGESCHICHTE 17,30-31

Die Warnungen wurden einfach ignoriert

Viele erinnern sich sicher, dass vor einem Jahr ein Erdbeben im Südosten der Türkei und in Syrien mit einer Magnitude von 7,8 über 50 000 Menschen das Leben kostete. Hochhäuser fielen wie Kartenhäuser zusammen, weil sie nicht erdbebensicher gebaut waren. Die Stuttgarter Nachrichten berichteten am Tag danach: »Der Geologe Naci Görür brach in Tränen aus, als er von dem Erdbeben hörte. Er habe lange geweint, sagte der 76-jährige dem türkischen Sender Fox-TV – nicht nur um die Toten, sondern weil das Unglück viel weniger Menschen das Leben gekostet hätte ... Seit drei Jahren warnte er auf der Grundlage von Daten früherer Erdbeben, dass der nächste schwere Schlag Kahramanmaras treffen werde. Zuletzt hatte er drei Tage vor dem Unglück seine Warnung wiederholt. Doch die Behörden ignorierten ihn.«

Dieser Zeitungsartikel erinnert mich an eine Situation, die in der Bibel über Paulus berichtet wird (siehe Apostelgeschichte 17): Er ist in der philosophischen Hochburg der griechischen Kultur und will dort die Botschaft vom gekreuzigten und auferstandenen Jesus Christus weitergeben. Mit viel Geschick und Einfühlungsvermögen baut er seine bekannte Rede auf dem Areopag auf. Dort tagte die höchste politische und richterliche Instanz und hier darf Paulus eine kurze Rede halten. Sie endet mit der Warnung des Tagesverses.

Die dringliche Rettungsbotschaft, die er verkündet, hat eine Kehrseite. Wer sie ignoriert, den trifft die Katastrophe: das Gericht Gottes. Wer aber seine Einstellung Gott gegenüber geändert hat und an die Rettungstat Jesu glaubt, für den hat Jesus stellvertretend das göttlich gerechte Urteil getragen. Für ihn selbst wird ein Freispruch wirksam.

Winfried Elter

? Sind Sie vorbereitet auf den Tag, an dem Gott Gericht halten wird?

! Dass Gott gerecht richtet, hat er in der Geschichte der Menschen schon häufig bewiesen.

† Apostelgeschichte 17,16-34

07 FEBRUAR — MITTWOCH

Denn ich nahm mir vor, nichts anderes unter euch zu wissen, als nur Jesus Christus, und ihn als gekreuzigt.
1. KORINTHER 2,2

Nur Jesus Christus?

In einer Zeit, in der Wissen scheinbar unbegrenzt ist, ist es herausfordernd, wenn jemand sagt: Ich will nichts anderes wissen, als dass Jesus der Sohn Gottes ist und gekreuzigt wurde. Paulus bringt damit zum Ausdruck, dass alles andere Wissen hinter dieser Erkenntnis zurückstehen muss. Denn allein diese Tatsache, dass Jesus der Christus ist und gekreuzigt wurde, ist der Schlüssel, sowohl zum ewigem Leben, als auch zu einem erfüllten und erwachsenen Leben als Christ:

Jesus Christus war der einzige Mensch, der niemals Schuld auf sich geladen hat. An dem angesprochenen Kreuz hat er – selbst unschuldig – jede Schuld von uns auf sich genommen. Nur durch die Inanspruchnahme dieser Tatsache können wir unsere Lebensschuld los werden und mit Gott wirklich ins Reine kommen. Das nennt man Frieden mit Gott. Nur in Christus liegt diese Chance auf Rettung, sonst nirgendwo. Das allein schon rechtfertigt es, von Jesus nicht zu schweigen.

Aber auch für den, der dies für sich klar gemacht hat, muss der gekreuzigte Christus das Erste und Letzte sein, wovon wir reden. Denn nur in enger Verbindung zu ihm können wir zu mündigen Christen heranreifen (vgl. Epheser 4,13). Das Kreuz bleibt dabei von existenzieller Bedeutung: An anderer Stelle spricht Paulus davon, unser »alter Mensch« sei mit Christus gekreuzigt (vgl. Römer 6,6). Was bedeutet das? Es spricht davon, dass unser altes Wesen an sich nicht passend ist für die Gegenwart Gottes. Diese uns so vertraute, aber falsch gepolte Natur muss sterben, damit das Wesen des Sohnes Gottes in uns überhaupt wachsen kann. Und da Gott an seinem Sohn unendliches Wohlgefallen hat, freut er sich darüber, wenn er die Züge seines Sohnes in unserem Wesen wahrnehmen kann.

Markus Majonica

? Wodurch wird man wirklich zu einem Christen?

! »Ich bin mit Christus gekreuzigt, und nicht mehr lebe ich, sondern Christus lebt in mir« (Galater 2,19-20).

✝ Galater 5,13-26

DONNERSTAG | FEBRUAR | **08**

Gott, du bist mein Gott; dich suche ich von ganzem Herzen. Meine Seele dürstet nach dir, mein ganzer Leib sehnt sich nach dir in diesem dürren, trockenen Land, in dem es kein Wasser gibt.

PSALM 63,2

Durst nach Gott

An einem Tag im Februar war ich mit Freunden per Zug auf dem Weg nach Paris. Eine längere Reise lag vor uns. Wir mussten uns im Vorfeld genau überlegen, was wir wirklich in unserem Gepäck benötigten. Für unsere Gastgeber hatten wir technische Hilfsgüter besorgt; Versäumnisse oder Pannen sollte es auf dieser Reise möglichst nicht geben. Ich hatte auch tatsächlich alles dabei – außer eines: eine Getränkeflasche für unterwegs. Ich ignorierte tagsüber meinen Durst und bekam dafür am Abend höchst unangenehme Kopfschmerzen. Selbst als ich im Hotel genug zu trinken hatte, wollten sie bis in die Nacht hinein nicht abklingen ... Es war dumm von mir gewesen, die Durstsignale stundenlang zu übergehen.

Aus dem Zusammenhang unseres Tagesverses wird deutlich, dass David, der Autor dieses Psalms, Durst in doppeltem Sinn verspürte: Zum einen hielt er sich in der Wüste Juda auf, seine Trinkgefäße dürften schnell leer gewesen sein. Zum anderen war David innerlich ausgelaugt, weil feindlich gesinnte Menschen ihm das Leben schwer machten und er deshalb sogar in der Nacht gedanklich nicht zur Ruhe kam, sondern nach Auswegen grübelte. Infolgedessen hatte er ungeheuren Durst nach göttlicher Erfrischung. Mit wem – wenn nicht mit Gott – sollte er über seine zwischenmenschlichen Konflikte reden?

Von Davids Erfahrungen dürfen auch Sie profitieren. Vielleicht durchleben Sie im Augenblick Durststrecken, obwohl Sie Pannen vermeiden wollten. Vielleicht lernen Sie gerade »Wüsten der Einsamkeit« kennen, in denen Sie von allen anderen verlassen sind. Dann dürfen Sie diesen Psalm 63 als Vorlage für ein ähnlich formuliertes Gebet nehmen. Setzen Sie Ihren Namen und Ihre Umstände ein, und stillen Sie bei Jesus Ihren Durst!

Stefan Taube

? Wonach haben Sie Durst?

! Jesus will den Durst Ihrer Seele auf Dauer stillen.

✝ Johannes 4,1-26

09 | FEBRUAR | FREITAG

Ihr habt viel gesät und wenig eingebracht;
ihr esst, aber nicht zur Sättigung.

HAGGAI 1,6

Neuausrichtung

Als ich 1969 eingeschult wurde, waren wir 42 Kinder in der Klasse. Frau Schwarze, unsere Lehrerin, hatte, so weit ich mich erinnere, in der gesamten Grundschulzeit kaum Disziplinprobleme. Häufig hatten wir nur drei oder vier Stunden Unterricht. Die Hausaufgaben waren schnell gemacht, und dann wurde gespielt. Im Sandkasten Burgen bauen, Kettcar fahren, im Wald Buden bauen, jeder hatte sein Taschenmesser dabei. Wir hatten kaum Spielzeug, waren aber meistens vergnügt und heiter. Und wenn wir nach Hause kamen, war die Mama da und hat uns, wenn nötig, bei den Hausaufgaben geholfen.

Das Bildungsniveau an deutschen Grundschulen hat sich im Jahr 2022 weiter verschlechtert. So verfehlten rund 25 Prozent aller Schüler der vierten Klassen die Mindeststandards beim Textverständnis, wie aus der internationalen Grundschul-Lese-Untersuchung (Iglu) hervorgeht. Bei der vergangenen Iglu-Erhebung aus dem Jahr 2017 waren es noch 19 Prozent gewesen.

Nicht mehr Knappheit, sondern Überfluss ist heute die überwiegende alltägliche Erfahrung. Nicht mehr nehmen, was zu bekommen ist, sondern aus dem Vollen schöpfen können. Nicht Versorgung, sondern Entsorgung. Bedroht ist nicht mehr das Leben, sondern sein Sinn. Dass die Welt nicht vorwärtskommt, sondern zurückgeht, hat meines Erachtens seinen Grund darin, dass die Menschen einander um Rat fragen, statt sich mit Gott zu beraten.

Ich meine nicht, dass früher alles besser war. Doch vor wenigen Jahrzehnten begann der Unterricht noch mit Gebet, Gott spielte eine Rolle in unserer Gesellschaft. In all unseren Krisen – ob es nun die Bildungskrise, die Wirtschaftskrise oder die Klimakrise ist –, Gott kommt nicht mehr vor! Wäre es nicht an der Zeit, eine Neuausrichtung vorzunehmen?

Peter Lüling

? Was geschähe, wenn Gott wieder eine wesentlichere Rolle in unserem gesellschaftlichen Leben spielen würde?

! Wer sich an den Prinzipien des Schöpfers orientiert, hat Gelingen.

† Matthäus 24,32-44

SAMSTAG FEBRUAR | **10**

Er [Jesus Christus] kam in das Seine,
und die Seinen nahmen ihn nicht an.
JOHANNES 1,11

Hassen oder lieben?

Auf die Frage, warum Jesus in die Welt kam, würden die meisten Christen antworten: »Damit er uns durch seinen Tod mit Gott versöhnen konnte.« Das ist, Gott sei es ewig gedankt, Wahrheit! Aber warum war er außerdem noch 33 Jahre, also eine ziemlich lange Zeit, bei uns? Dafür gibt es zwei weitere Gründe:

1. Wir sollten durch unser Verhalten diesem Heiligen und Gerechten gegenüber zeigen, wie nötig wir Gottes Barmherzigkeit und Vergebung brauchen.

2. Wir sollten den Einzigen deutlich kennenlernen, der als Gott-Mensch ohne eine einzige Sünde über diese Erde lief, und uns damit zeigte, was der heilige Gott von uns allen erwartet.

Unser Tagesvers fasst in aller Kürze zusammen, was wir Menschen mit dem großen Gnadengeschenk des barmherzigen Gottes gemacht haben. Schon am Tag seiner Geburt waren für Jesus Christus alle Türen verschlossen, sodass er im Freien zur Welt kam, zwar unter dem Jubel der Engel, aber was uns angeht, »draußen vor der Tür«. Die Geschichten vom Schafstall und von Ochs und Esel dort, haben ja nur Leute erfunden, die sich der krassen Ablehnung schämten. Allein im Johannesevangelium kann man 22 Fälle finden, in denen Jesus von den Menschen gehasst und angegriffen wurde, die zu retten er gekommen war. Es waren immer nur wenige, die ihn liebhatten.

Und wie »revanchierte« sich Jesus für solches Verhalten? In Apostelgeschichte 10,38 heißt es, dass der von Gott mit Heiligem Geist und Kraft Gesalbte umherging und wohltat und alle heilte, die vom Teufel überwältigt waren. Da gab es in Israel ganze Landstriche, in denen es keine Kranken gab, »denn er heilte sie alle«. Ach, möchten doch alle Leser zu denen gehören, die ihn dafür liebhaben! *Hermann Grabe*

❓ Zu welcher der beiden Gruppen gehören Sie?

❗ Was die eine Gruppe betrifft: Wie wird wohl der Allmächtige auf die Verachtung seines Sohnes reagieren?

✝ Matthäus 21,33-46

11 | FEBRUAR SONNTAG
Welttag der Ehe

Seid aber zueinander gütig, mitleidig, und vergebt einander, so wie auch Gott in Christus euch vergeben hat!
EPHESER 4,32

Ehe zu dritt?

Die Ehe: Für viele ist sie ein eher störender Rahmen, der nicht mehr zeitgemäß scheint. Manch einer, der den »Bund fürs Leben« geschlossen hat, löst diese Verbindung nach wenigen Jahren wieder auf, vielleicht, weil er vom Partner enttäuscht wurde. Für viele stehen die Buchstaben E-h-e daher eher für »Errare humanem est – Irren ist menschlich«. Über Alternativen wird nachgedacht: Ehe auf Zeit, »offene« Ehen usw.

Ein altes Ehepaar, das vom Bürgermeister aus Anlass seiner Goldenen Hochzeit geehrt wurde, überraschte diesen mit der Aussage: »Wir führen schon immer eine Ehe zu dritt.« Hoppla, waren diese Senioren etwa so freizügig, dass sie ihr Eheleben mit einem weiteren Menschen teilten? Doch sie klärten den verdutzten Würdenträger schnell auf: Sie waren Christen. Und sie führten ihre Ehe, indem sie Gott, der die Ehe eingesetzt hat, zum Zentrum *ihrer* Ehe gemacht hatten. Beide hatten realisiert, dass – wie in dem Wort EHE – rechts und links der Mitte häufig Menschen anzutreffen sind, bei denen das E für Egoisten steht. Im ernüchternden Ehealltag fügt man sich so leicht Verletzungen zu. Es fehlt oft die Geduld für den anderen. Schnell lebt man nebeneinander, statt miteinander.

Damit das Zusammenleben von zwei unterschiedlichen »Egos« überhaupt dauerhaft möglich ist, bedarf es eines wirklich starken Halts. Jeder der beiden wusste, dass man bei Gott seine Probleme abladen kann, am besten gemeinsam. Eheleute, die miteinander und füreinander beten, erhalten Kraft und Geduld, um dem anderen gütig und liebevoll zu begegnen. Und wer selbst bei Gott Vergebung erlebt, lässt sich ggf. korrigieren und kann seinem Partner umso leichter vergeben. So kann Ehe dauerhaft gelingen. *Markus Majonica*

❓ Worauf bauen Sie Ihre Ehe auf?

❗ Laden Sie Gott in Ihr Leben ein – und in Ihre Ehe!

✝ 1. Mose 2,18-24

MONTAG

FEBRUAR **12**
Internationaler Darwin-Tag

Im Anfang schuf Gott Himmel und Erde.
1. MOSE 1,1

Glaube an Darwin oder Glaube an Jesus?

Der Glaube an die historisch reich dokumentierte Bibel ist leichter als der Glaube an die dürftig belegte Evolutionstheorie von Darwin. Trotzdem gilt sie heute, 160 Jahre später, quasi als Dogma. Als Naturwissenschaftler bewundere ich persönlich die Akribie, mit der Darwin beobachtet und gearbeitet hat. Aber die Schwachstellen seiner Evolutionslehre sind heutzutage leicht zu erkennen, wenn man sich die Details ansieht. Die zahlreichen irreduziblen Systeme, die wir aus der Biologie kennen, zeigen, dass da einiges nicht so einfach aus Zufall entstehen konnte. Dieses Wissen stand Darwin vor 160 Jahren noch nicht zur Verfügung, als er die Evolutionstheorie entwickelte. Seine Idee, dass sich alles Leben zufällig von selbst entwickelte, wurden in der damaligen Gesellschaft aber von so manchem begrüßt, denn sie machte einen übergeordneten Schöpfer unnötig. Daraus ließ sich leicht schließen, dass man nun auch keine Eigenverantwortung mehr hat, denn alles war ja zufällig, eben Schicksal. Damit ging aber auch der moralische Leitfaden eines Gottesglaubens verloren.

Am Ende seines Lebens hat Darwin selbst an einen Freund geschrieben: »Wenn man demonstrieren könnte, dass es irgendein komplexes Organ gibt, das nicht durch eine Reihe von aufeinanderfolgenden geringen Modifikationen gebildet werden konnte, würde meine Theorie absolut zusammenbrechen.« Genau das beweisen uns heute die vielen mikrobiologischen Erkenntnisse. Diese weisen eindeutig auf einen Schöpfer hin. Das will die heutige Gesellschaft aber nicht wahrhaben, weil die Menschen dann etwas von ihrer vermeintlichen Größe abgeben und bescheidener werden müssten, indem sie Gott anerkennen. Dieser Gott aber würde uns gerne auf den richtigen Weg zu ihm zurückführen.

Martin Grunder

❓ Sind Sie darwin- oder gottgläubig?

❗ Gottes Wort, die Bibel, zeigt uns den richtigen Weg.

📖 1. Mose 1,1-27

13 | FEBRUAR DIENSTAG

Nur ein Hauch ist jeder Mensch, wie fest er auch steht.
PSALM 39,6

Leben am Limit

Bungee Jumping, Free Climbing oder Wingsuit Flying – Leben am Limit. Grenzerfahrungen im Extremsportbereich geben vielen den »Kick« fürs Leben. Der Schriftsteller Andreas Altmann reflektiert dieses vor allem europäische Phänomen: »Unglaublich, welche Kraftakte man auf diesem Erdteil unternehmen muss, um sein Herz noch schlagen zu hören.« – »Das ist nichts für mich«, mag der eine oder andere jetzt sagen. Aber leben wir nicht alle »am Limit«?

Niemand von uns weiß, wann er stirbt. Unser Leben hängt am seidenen Faden. Wir lieben es, aber innerhalb kürzester Zeit kann es uns genommen werden – wir haben keine Macht darüber. Genau genommen leben wir alle am Limit, nur verdrängen wir diese Tatsache. Der Tod ist keine Idee, er ist bittere Realität. Die Sorge um den Tod macht depressiv, weshalb Ablenkung notwendig ist. Wenn kurzfristig keine Ablenkung vorhanden ist, versinken wir in Hoffnungslosigkeit – spätestens, wenn wir abends allein mit unseren Gedanken im Bett liegen.

Jesus macht diesbezüglich eine hoffnungsvolle Aussage: »Wer an mich glaubt, wird leben, auch wenn er gestorben ist« (Johannes 11,25). Jesus verspricht Ihnen und mir, dass wir nach dem Tod weiterleben könnten, wenn wir doch nur an ihn glauben würden. Damit schnürt er jeder Sorge um den Tod die Luft ab.

Wenn das wahr ist, ist Licht am Ende des Tunnels zu sehen – und es könnte sogar für Sie und mich greifbar werden. Es ist nur einen kleinen Glaubensschritt entfernt. Nur Mut, gehen Sie diesen Glaubensschritt und Sie werden nicht enttäuscht werden! Das, was Jesus sagt, ist zuverlässig und absolut glaubwürdig. Viele haben diesem Mann bereits vertraut und sind nicht enttäuscht worden.

Rudi Löwen

? Wie lange wollen Sie noch »am Limit« leben?

! Für jeden, der an Jesus glaubt, ist dieses Limit aufgehoben.

✝ Psalm 39

MITTWOCH FEBRUAR **14**
Valentinstag

Wenn zwei von euch auf der Erde übereinkommen, irgendeine Sache zu erbitten, so wird sie ihnen werden von meinem Vater, der in den Himmeln ist.
MATTHÄUS 18,19

Wie man Ziele erreichen kann

Wie schwer ist es doch, alle an einen Tisch zu bekommen und eine Einigung zu erzielen, der alle zustimmen. Ob Friedenskonferenzen, Klima-Gipfel oder Kabinettssitzungen, immer zieht sich alles unendlich in die Länge und am Ende kommt dann doch nicht das heraus, was man sich erhofft hat und was auch dringend nötig wäre: eine Einigung, die freie Bahn schafft für Maßnahmen, die weiterhelfen, Schlimmes abwenden und für Sicherheit sorgen.

Wie verheißungsvoll ist es doch, wenn im Tagesvers die Übereinkunft zwischen zwei Menschen, also der kleinstmöglichen »Gruppe«, mit einer gemeinsamen Bitte an Gott verbunden wird. Das heißt doch: Nicht auf euch liegt der Druck, dass etwas gelingen muss, sondern Gott will sich darum kümmern. Geht doch zu Gott mit eurem Problem, dann seid ihr schon in einer Sache übereingekommen. Wer tatsächlich so vor Gott tritt und eingesteht, dass man seine Hilfe braucht, der geht dann auch anders mit dem um, der an seiner Seite ist. Die gemeinsame Not, das gemeinsame Ziel treibt uns nicht auseinander, sondern zu Gott. Solche Übereinkunft segnet Gott, und er lässt zustande kommen, was uns am Herzen liegt.

Das ist auch in der Ehe ein gutes Prinzip, also da, wo sich zwei so nahe sind, wie in keiner anderen Verbindung von Menschen. Aber eben auch da, wo Streit und Zwist so heftig sein können, dass alle Übereinkunft in weite Ferne rückt. Dann gilt es, sich zu besinnen, einander zu vergeben und wieder gemeinsam vor Gott zu treten, damit wieder wird, was nur Gott vollbringen kann. Ach, würden sich doch die Menschen auf diesen großen und gütigen Gott besinnen, der Wunder wirkt und über Bitten und Verstehen hinaus alles bewegen kann, was uns und anderen und dieser Welt zum Guten dient. *Joachim Pletsch*

? Mit wem könnten Sie heute so beten für eine Sache, die Ihnen beiden am Herzen liegt?

! Gott meint es ernst mit seinen Versprechen. Nehmen auch Sie ihn ernst! Nur dann geht es voran.

† Matthäus 7,7-11

15 | FEBRUAR — DONNERSTAG

Wer erkennt nicht an all diesem, dass die Hand des HERRN dies gemacht hat? In seiner Hand ist die Seele alles Lebendigen und der Lebensatem alles menschlichen Fleisches.

HIOB 12,9-10

Schnell kann es anders sein

Es war Mitte Februar, normalerweise gibt es um diese Jahreszeit Schnee. Diesmal blieb er aus, und es war eigentlich trocken. Die Temperatur war nicht so, dass man mit Rutschgefahr rechnen musste. Meine Frau wollte die geleerte Mülltonne von der Straße holen. Da passierte es, sie rutschte in unserem Hof aus und stürzte. Ihr linker Oberarm tat ihr dann weh. Ich kenne meine Frau lange genug, um zu wissen, wenn etwas nicht stimmt. Deshalb rief ich bei einem Unfallarzt an, sie bekam auch sofort einen Termin. Das Röntgenbild ergab, dass der Arm direkt unterhalb des Kugelgelenks an der Schulter gebrochen war. Wir wurden zur Notaufnahme eines Krankenhauses geschickt, dort wurde noch ein CT gemacht. Gott sei Dank, der Knochen hatte sich nicht verschoben. Mit einer Orthese wurde der Arm fixiert, und nach drei Stunden durfte ich meine Frau wieder mit nach Hause nehmen.

Eine Woche später fuhren wir wieder zur Klinik, wo man erneut ein Röntgenbild machte. Ergebnis: Der Knochen wächst zusammen, alles wird gut. Natürlich waren wir erleichtert, aber auch dankbar. Wie genial hat der Schöpfer unseren Körper gemacht!

Ein gebrochener Knochen wächst einfach wieder zusammen. Ohne weitere Einwirkung von außen. Für mich als Laien ist es erstaunlich, wie Gott das so eingerichtet hat. Das kann kein Mensch erfinden. Ich bin noch nicht einmal sicher, ob die Wissenschaft wirklich erklären kann, warum das so funktioniert. Dass es funktioniert, wissen wir, aber in Gang setzen oder steuern kann man das nicht. Mir wurde neu bewusst, wie genial und großartig unser Schöpfer ist, und ich bin froh, dass ich ihm mein Leben und dann auch mein Sterben anvertrauen darf, denn er hat denen, die an Jesus glauben, ewiges Leben versprochen.

Joschi Frühstück

? Ist Ihnen bewusst, dass auch Ihr Leben in Gottes Hand liegt?

! Wer sich mit Gott versöhnen lässt, indem er an Jesus glaubt, der wird auch ewig in Gottes Hand bleiben.

✝ Psalm 31,1-6

FREITAG · FEBRUAR | **16**

Wer kann Sünden vergeben außer einem, Gott?
MARKUS 2,7-8

 ## Hoppla!

Der 2017 verstorbene Schweizer Stephen Zuellig sammelte mit großer Leidenschaft Porzellan aus der Ming-Dynastie. 2011 ersteigerte er eine Vase mit blau-weißem Dekor im Wert von 21,6 Millionen Dollar!

Stellen Sie sich vor, Sie sind bei ihm zum Essen; danach zeigt er Ihnen seine extravagante Sammlung. Da passiert es: Sie stolpern und fallen genau auf die 21,6 Millionen-Dollar-Vase, die nun in vielen kleinen Teilen den Boden bedeckt. Jetzt gibt es nur zwei Möglichkeiten: **a)** *Sie* bezahlen den Schaden. Wahrscheinlich ist Ihnen das aber unmöglich. **b)** Herr Zuellig sagt: »Ich vergebe Ihnen.« Das ist freilich schwer vorstellbar, aber bleiben wir für einen Moment bei dem Gedanken. Wer hat den Schaden, wenn Herr Zuellig Ihnen vergibt? Natürlich er selbst! Vergebung ist hier nur möglich, wenn der, dem Unrecht getan wurde, den Schaden *selbst* übernimmt.

Das Unfassbare ist, dass Gott genau das gemacht hat: Er hat unseren Schaden *selbst* übernommen. Gott ist in Jesus Mensch geworden und auf die Erde gekommen, damit er als unser Stellvertreter den Schaden übernehmen konnte. Sein Tod am Kreuz war kein Unfall. Er hatte sich dazu entschlossen, den »Schaden« der Sünde auf sich zu nehmen und das gerechte Gericht dafür zu empfangen. Da er selbst sündlos war, konnte er das Gericht für unsere Schuld tragen. Er ist wie ein Verbrecher am Kreuz gestorben und hat sie so ausgelöscht.

Hier hinkt natürlich der Vergleich: Herrn Zuelligs zerbrochene Vase bleibt kaputt, aber bei Gott wird die »zerbrochene Vase« komplett heil. Der Schaden – die Schuld – wird vollständig beseitigt! Kein Mensch kann seine Schuld vor Gott selbst begleichen oder wiedergutmachen. Aber Gott bietet *jedem* Menschen seine Schadensbegleichung an.

Stefan Hasewend

? Welchen Grund gäbe es, Gottes Geschenk der Vergebung abzulehnen?

! Gott kann und will alle unsere Sünden vergeben.

† Markus 2,1-12

17 | FEBRUAR SAMSTAG

Denn das Wort des HERRN ist wahrhaftig, und in all seinem Tun ist er treu.
PSALM 33,4

Wunderwerk Bibel

Die Bibel ist mittlerweile in 733 Sprachen vollständig übersetzt. Schätzungsweise 79,7 % der Menschen weltweit werden in ihrer Muttersprache erreicht, wie auch in den beiden äthiopischen Sprachen Hadiyya und Arsi Oromo, die von 7 Millionen Menschen gesprochen werden. Auch in Tày, der zweithäufigsten Sprache in Vietnam, ist die Bibel vollständig übersetzt. Weitere 10,6 % der Weltbevölkerung haben bislang das Neue Testament und weitere 6,2 % nur einzelne Bücher der Bibel in ihrer Sprache.

In der Osterzeit 2023 las ich einen Artikel in unserer Tageszeitung, der behauptete, dass die Bibel eher altmodisch und »verstaubt« sei und die Geschichten nicht mehr in unsere heutige moderne Zeit passen. Die Auferstehung Jesu Christi aus den Toten sei eher bildlich zu verstehen. Der Glaube an sich wäre gut für die Seele, hätte aber mit aufgeklärten Menschen und der Realität nichts zu tun. Ich denke, dass diese Auffassung weit verbreitet ist. Mir wurde auch schon oft gesagt, dass es naiv sei, an die Bibel als Gottes Wort zu glauben, es sei ja alles von Menschen gemacht. Zudem gebe es keine Beweise für die Authentizität der Bibel.

Die Bibel selbst behauptet von sich, dass alle Schrift von Gott eingegeben wurde. Sie nennt eine Vielzahl von Zeugen, die Jesus nach der Auferstehung gesehen haben. Doch wenn man der Bibel nicht glaubt, glaubt man natürlich auch nicht den Aussagen Gottes darin.

Ich habe Jesus als meinen Retter persönlich kennengelernt. Ich glaube daran, dass ich dadurch den Heiligen Geist empfangen habe. Ich darf Wunder und unfassbare Zusammenhänge in der Bibel entdecken und bin sicher, dass sie authentisch ist. Ich erlebe eine objektive und lebendige Beziehung zu meinem Herrn Jesus. Dadurch wird mir klar: Die Bibel ist wahr!
Axel Schneider

? Glauben Sie den Worten der Bibel?

! Die Bibel ist das am meisten verkaufte Buch aller Zeiten.

✝ Psalm 119,151-160

SONNTAG　　　　　　　　　　　　　　　　FEBRUAR | **18**

Wer seine Übertretungen zu verheimlichen sucht, dem wird es nicht gelingen; wer sie aber bekennt und lässt, wird Barmherzigkeit erlangen.
SPRÜCHE 28,13

Fleckenreiniger für Leoparden?

Der Leopard ist eine große, geschmeidige Katze und gehört zur Familie der Raubtiere. Er hat ein charakteristisches Fellmuster mit schwarzen Flecken auf einem gelblichen bis orangefarbenen Grund, das ihm eine hervorragende Tarnung in seinem Lebensraum bietet. Leoparden sind sehr geschickte Jäger und können sowohl am Tag als auch in der Nacht aktiv sein. Sie sind in weiten Teilen Afrikas sowie in Asien verbreitet.

Einige Male findet der Leopard in der Bibel Erwähnung, unter anderem in Jeremia 13,23. Dort wird die rhetorische Frage gestellt, ob wohl ein Leopard seine schwarzen Flecken loswerden könne. Natürlich geht das nicht. Auch wenn er stundenlang versuchte, seine Flecken abzureiben, oder wenn er einen Spaziergang durch die Waschanlage unternähme – sein Fell würde immer fleckig bleiben. Die Flecken gehören zum Leoparden, sie sind ein Teil von ihm.

Der besagte Vers endet mit einer Schlussfolgerung: Wenn ein Leopard seine Flecken nicht wegbekommt, dann kann auch der Mensch seine Sündhaftigkeit nicht einfach loswerden. Sie haftet an ihm wie die Flecken am Leoparden. Der Prediger R. C. Sproul sagte einmal: »Zwei Dinge, die jeder Mensch unbedingt verstehen muss, sind die Heiligkeit Gottes und die Sündhaftigkeit des Menschen.« Und wenn wir verstehen, dass wir nicht in der Lage sind, unsere Sünde selbst abzuschütteln, dann sind wir bereit, nach einer Lösung zu suchen, die außerhalb von uns selbst liegt. Und für diese Suche gibt es eine gute Nachricht: Gott hat ein »Lösungsmittel« für unser Sündenproblem! Das Blut Jesu wäscht uns rein von aller Sünde (vgl. 1. Johannes 1,7). Weil Jesus für uns starb, kann Gott uns unsere Schuld vergeben – wenn wir sie ihm bekennen.

Tony Keller

❓ Wie können Sie Ihrer Meinung nach Ihre Sünden loswerden?

❗ Verstecken Sie Ihre »Flecken« nicht! Bekennen Sie sie Gott!

✝ Lukas 17,1-19

19 FEBRUAR — MONTAG

Wenn du dein Nest auch hoch bautest wie der Adler und wenn es zwischen die Sterne gesetzt wäre: Ich werde dich von dort hinabstürzen, spricht der HERR.
OBADJA 1,4

Zuflucht oder Verlorenheit?

Es ist schon drei Jahre her. Am 19. Februar 2021 landet ein menschliches Vehikel mit dem Namen *Perseverance*, auf deutsch »Beharrlichkeit«, auf dem Mars. Nach 203 Tagen im All und 471 Millionen Kilometern dringt es in die dünne Mars-Atmosphäre ein und setzt unbeschadet einen Mars-Rover ab. Völlig auf sich allein gestellt, aber mit einem Programm »im Bauch«. Eine direkte Kontrolle ist nicht möglich, weil Signale von der Erde elf Minuten benötigen. Die Mitarbeiter der NASA jubeln. Das Experiment ist geglückt. Es gilt als eine technische Meisterleistung. Nun soll der Rover nach winzigen Spuren von Leben, längst vergangenem Leben, suchen.

Ist das der erste Schritt zur menschlichen Besiedlung des roten Planeten? Viele Menschen träumen davon. Und doch sollte es eher ein Albtraum sein. Denn was erwartet die Menschen »dort oben«? Alle Wüsten dieser Welt sind Paradiese gegenüber der lebensfeindlichen Umwelt, die dort anzutreffen ist. Und trotzdem zieht es die Menschen dorthin. Unwillkürlich wird man an einige Zeilen aus einem Gedicht von Friedrich Nietzsche erinnert: *Die Welt – ein Tor zu tausend Wüsten, stumm und kalt / Wer das verlor, was du verlorst, macht nirgends Halt.*

Könnte es sein, dass auch diese Menschen, die im All ihre Zuflucht suchen, etwas verloren haben? Den Glauben, dass Gott dem Menschen diese wunderschöne Welt bereitet hat? Und ihm auch eine Grenze gesetzt hat, die er nicht ungestraft überschreiten kann? Im Glauben, im Denken, im Handeln! Wie schnell wird der Mensch entwurzelt, heimatlos. Dabei stand Nietzsche in seiner Jugend dem Glauben an Jesus Christus nicht fern. Aber später warf er alles über Bord.

Keine Heimat! Heimatlos! *Weh dem, der keine Heimat hat!* Aber dem Glaubenden hat Gott eine ewige Heimat zugesprochen. *Rudolf Koch*

❓ Worauf gründen Sie Ihre Zukunftshoffnung?

❗ Jesus Christus sagt: »Im Hause meines Vaters sind viele Wohnungen« (Johannes 14,2).

✝ Jesaja 66,22-24

DIENSTAG

FEBRUAR **20**
Tag der sozialen Gerechtigkeit

Gott bevorzugt oder benachteiligt niemanden.
RÖMER 2,11

Gott machte keine Unterschiede

Kennen Sie den Film »Slumdog Millionär«? Er erzählt die Geschichte Jamal Maliks, der in ärmsten indischen Slum-Verhältnissen aufwächst, dann aber mit 18 Jahren auf wundersame Weise bei »Wer wird Millionär?« 20 Millionen Rupien gewinnt. Diese abenteuerliche Story wirft die Frage nach der sozialen Gerechtigkeit auf – der fairen Verteilung von Chancen und Ressourcen, unabhängig von Herkunft, finanzieller Situation und Bildung. Die Rückblenden auf Jamals Kindheit zeigen, dass er fernab jeglicher sozialer Gerechtigkeit aufwuchs. Der mit acht Oscars ausgezeichnete Film begeistert gerade deshalb, weil der Protagonist am Ende all diesem Elend geradezu märchenhaft entkommt. Als Zuschauer gönnt man ihm von Herzen, dass er nach all dem Leid doch noch ein wenig soziale Gerechtigkeit erfährt.

Doch diese herrlich anrührende Geschichte ist nur fiktiv. In Wirklichkeit wird das, was »Slumdog Millionär« zeigt, niemals passieren. Chancen- und Ressourcengleichheit für alle – total utopisch, oder?

Doch tatsächlich genießen wir alle vollkommene »soziale Gerechtigkeit«, was den Zugang zum Himmel anbelangt. Gott ist ultimativ gerecht; der heutige Tagesvers zeigt, dass er keinen sozialen Unterschied macht. Was König David in Psalm 51,7 sagt, gilt für uns alle: »Denn ich war ein Sünder – von dem Augenblick an, da meine Mutter mich empfing.« Wir alle haben also dieselbe Ausgangsbasis. Und das Gerechte ist: Wir alle haben auch denselben vollen Zugriff (Chancengleichheit!) auf die einzige »Ressource«, die uns aus diesem miserablen Zustand erlösen kann: Jesus Christus. Wer ihm vertraut, dem vergibt er die Sünden. Ob gesellschaftlich privilegiert oder unterprivilegiert: Bei Jesus ist jeder willkommen und hocherwünscht. *Jacob Ameis*

? Was hindert Sie, von Ihrer himmlischen Chancengleichheit Gebrauch zu machen?

! Nur bei Gott gibt es echte Gerechtigkeit.

† Apostelgeschichte 8,26-40

21 FEBRUAR — MITTWOCH
Tag der Muttersprache

Ja, du bist es, der mich aus dem Mutterleib gezogen hat, der mir Vertrauen einflößte an meiner Mutter Brüsten.

PSALM 22,10

Sprache ist mehr als Sprechen

Zu dem heutigen »Tag der Muttersprache« scheint der Tagesvers nicht der passendste zu sein. Doch wir werden sehen: Sprache hat sehr viel mit der »Mutter« zu tun. Deswegen halte ich das Wort »Muttersprache« im Deutschen für sehr angebracht, genau so wie das Wort »Stillen«. Das Kind an der Mutterbrust ist still, es beschwert sich nicht und hat keine Angst. Es fühlt sich geborgen. Es gibt Sprachwissenschaftler, die mit guten Gründen vermuten, dass ein Baby einen ersten Anreiz zum Sprechen eben an der Mutterbrust findet. Das Öffnen und Schließen des Mundes gehört zu dieser Situation; kommt dann die Stimme hinzu, beginnt das Sprechen – und »Mama« ist dabei nicht umsonst oft das erste Wort.

Das Sprechen der Mutter mit dem Kind ist dann nicht mehr weit, auch nicht das mit anderen Menschen. Die *Mutter*sprache stiftet Gemeinschaft, entwickelt Bindekraft und Intimität. Über die Sprache lernt das Kind zu vertrauen, zu erbitten, zu danken. Wer nun auch noch bei seiner Mutter beten gelernt hat, der hat auch gelernt, dass man in der jeweiligen Muttersprache mit Gott reden kann. Gott versteht jede Muttersprache. Wir wollen dankbar sein, dass Gott uns Sprache gegeben hat, die es uns ermöglicht, im Gebet Verbindung mit Gott aufzunehmen und alles vor ihm auszuschütten, was uns bedrängt oder was uns froh macht – und alles in unserer Muttersprache.

Mit unserer Sprache, die wir von klein auf gelernt haben, können wir vor allem das wichtigste Anliegen, das man in Worte fassen kann, Gott gegenüber »zur Sprache bringen« – wie der König David: »Ich sprach: HERR, sei mir gnädig! Heile meine Seele, denn ich habe gegen dich gesündigt« (Psalm 41,5). Mit diesen Worten hat jede Muttersprache das höchste Ziel erreicht.

Karl-Otto Herhaus

❓ Was hält Sie davon ab, mit Gott zu sprechen?

❗ Sprechen mit Gott ist kein Selbstgespräch.

✝ Jona 2,1-11

DONNERSTAG | FEBRUAR | **22**

Wenn das Weizenkorn nicht in die Erde fällt und stirbt, bleibt es allein; wenn es aber stirbt, bringt es viel Frucht.
JOHANNES 12,24

Saat und Ernte

Der Krieg in der Ukraine hat uns deutlich gemacht, was so kaum vorher bekannt war: Die Ukraine ist die Kornkammer des europäischen Kontinents, oder war es vielmehr, vor dem Angriff Russland auf das Land im Februar 2022. Bei Weizen, Mais und Gerste zählte die Ukraine zu den Hauptexporteuren. Grund dafür sind die ertragreichen Schwarzerde-Böden in dem osteuropäischen Land, die zu den fruchtbarsten weltweit gehören. Vor Kriegsbeginn exportierte das Land allein Getreide im Wert von 55,68 Milliarden Euro. (Quelle: www.dw.com)

Das Bild von Saat und Ernte benutzte auch Jesus, um sein Anliegen in Verbindung mit seinem Tod am Kreuz zu beschreiben. Aber hier ist es schon ein einziges Weizenkorn, das enorme Auswirkungen dadurch hat, dass es in die Erde, d. h. in den Tod gelegt wurde. Das übertrifft alles, was in dieser Welt jemals gesät und geerntet wurde, um Menschen zu ernähren und am Leben zu erhalten. Darüber hinaus geht es bei Jesus um viel mehr als das irdische Leben, es geht um das ewige Leben, das man durch ihn gewinnen kann. Jeder, der sein Opfer am Kreuz, wo die Sünde gesühnt wurde, die uns von Gott trennt, für sich in Anspruch nimmt und ihm sein Leben übergibt, gehört zu der Frucht, die aus diesem einen Weizenkorn hervorkommt. Und das ist keine Pflanze, die vergeht, sondern es ist ein Gewächs, das in Ewigkeit erhalten bleibt.

So etwas gibt es hier auf der Erde nicht, aber bei Gott schon, für ihn ist nichts unmöglich. Er kann auf Dauer das erhalten, was er durch seinen Sohn, Jesus Christus, wachsen lässt. Und das sind alle, die seine Vergebung annehmen und die er dann sogar zu seinen Kindern macht. Die lässt er niemals wieder fallen, sondern behält sie alle in seiner Hand (vgl. Johannes 10,29).

Joachim Pletsch

❓ Gehören Sie auch schon zu dieser »Frucht«?

❗ Falls nicht, bemühen Sie sich noch heute darum, indem Sie Jesus Ihr Leben übergeben und ihm für Ihre Rettung danken.

✝ Johannes 5,24-29

23 FEBRUAR — FREITAG

Ja, sollte Gott wirklich auf der Erde wohnen?
Siehe, der Himmel und die Himmel der Himmel
können dich nicht fassen; wie viel weniger dieses
Haus, das ich gebaut habe!

1. KÖNIGE 8,27

Größer als du denkst!

Wenn irgendwo auf der Welt eine Kirche oder ein sonstiges Gebäude für Gottesdienste eingeweiht wird, so geschieht dies normalerweise in einem festlichen Rahmen. Schließlich haben die potentiellen Gottesdienstbesucher lange auf diesen Tag gewartet, es sind viele Besucher da! Und meistens werden zu solch einer Gelegenheit festliche Reden gehalten.

Das ist auch der Hintergrund für das biblische Kapitel, aus dem der obige Vers stammt. Die Juden hatten die Sklaverei in Ägypten und die Wüste hinter sich gelassen. Nun warteten sie sehnsüchtig darauf, im verheißenen Land Kanaan einen eigenen jüdischen Tempel zu besitzen. Unter König Salomo wurde dieser Traum Wirklichkeit; er selbst hielt auch die Einweihungsrede für das prächtige Gebäude. Doch bei aller Pracht und der vielen Arbeit und Mühe, welche die Erbauer in den Tempel investiert hatten, konnte der König sich in seiner Rede den Hinweis nicht verkneifen, dass dieses Gotteshaus trotz seiner Größe letztlich viel zu klein war.

Warum? Ganz einfach: Weil Gott unvorstellbar größer ist als alles, was wir Menschen über ihn erdenken oder für ihn produzieren können. In Jeremia 23,24 sagt Gott: »Bin ich es nicht, der den Himmel und die Erde erfüllt?« Gottes Größe lässt sich nicht hineinpressen in die Begrenztheit unserer menschlichen Denkstrukturen. Wie groß auch immer wir über ihn denken mögen – er ist letztlich doch noch viel größer.

Zum Glück sind wir nicht auf unsere eigenen Gedanken und Ideen über ihn angewiesen, weil er sich uns in seinem Sohn Jesus Christus geoffenbart hat. Er war nicht zu klein, um Gott zu fassen: »In ihm lebt die ganze Fülle Gottes in menschlicher Gestalt« (Kolosser 2,9). In Jesus wird der unfassbare Gott fassbar.

Stefan Nietzke

? Was denken Sie über die »Fassbarkeit« Gottes?

! Lernen Sie den unfassbaren Gott in Jesus Christus kennen!

† Johannes 1,1-18

SAMSTAG FEBRUAR **24**

Als sie Petrus bemerkte, der sich am Feuer wärmte, blickte sie ihn an und sagte: »Du warst doch auch mit diesem Jesus von Nazareth zusammen!« Aber Petrus stritt es ab.
MARKUS 14,67

Ich lüge doch nicht!

In der Anfangszeit meiner beruflichen Tätigkeit im Immobiliengeschäft kam es zu folgender Begebenheit: Ein Kunde wollte nicht nur eine Neubau-Eigentumswohnung bei mir kaufen, sondern fragte mich auch, ob ich ihm einen erfahrenen Bauträger empfehlen könnte. Nun kannte ich zwar noch keinen Bauträger, tat aber so, als ob das der Fall wäre! Ich empfahl dem Kunden einen Bauträger (den ich mir aus dem Telefonbuch herausgesucht hatte) und lud dann beide zu einem Treffen in mein Büro ein. Doch meine Lüge flog auf: Der Bauträger kam ins Büro, ging freundlich auf den Kunden zu und begrüßte ihn: »Guten Morgen, Herr Spieker!« Wie peinlich! Nun war ja klar, dass er mich in Wirklichkeit noch gar nicht kannte. Ich wollte im Boden versinken.

Ich habe mich dann nicht nur entschuldigt, sondern aus dieser peinlichen Situation für mein Leben gelernt: Eine Lüge ist niemals eine echte Problemlösung. Sie stößt andere Menschen zurück. Sie fühlen sich betrogen. Ihr Vertrauen zu meinen Worten zerbricht. Schon der Volksmund sagt: »Wer einmal lügt, dem glaubt man nicht, und wenn er auch die Wahrheit spricht.«

Vielleicht ist das Versagen des Jüngers Petrus einer der bekanntesten Berichte der Bibel. Auf mehrfaches Nachfragen beteuerte er immer wieder, dass er Jesus nicht kennt. Doch mit der dreifachen Lüge (»Ich kenne diesen Jesus nicht!«) endet das Leben des Petrus glücklicherweise nicht. Nach Jesu Auferstehung begegnet dieser dem immer noch zutiefst von sich selbst enttäuschten Petrus und hilft ihm, die Sache in Ordnung zu bringen. Er macht seinem reuigen, einsichtigen Jünger keine Vorwürfe. Er vergibt ihm. Petrus weiß, dass seine Beziehung zu Jesus das Allerwichtigste ist. Nur aus dieser Beziehung heraus bringt er den Mut auf, authentisch zu leben. *Klaus Spieker*

Sind Sie bereit, ehrlich vor Gott und Menschen zu werden?

»Wenn wir unsere Sünden bekennen, so ist er treu und gerecht, dass er uns vergibt!« (1. Johannes 1,9)

Johannes 21,15-17

25 | FEBRUAR — SONNTAG

Jesus antwortete und sprach zu ihm: Du bist Israels Lehrer und weißt das nicht?
JOHANNES 3,10

Orientierungslos

Mitten in der Nacht erscheint ein bedeutender Mann bei Jesus Christus: Nikodemus. Er ist Mitglied des »Hohen Rates«. Dieser Rat war das höchste Regierungs- und Richterkollegium der Juden. Wenngleich die herrschenden Römer diesem Gremium wichtige Befugnisse genommen hatten, blieb es die maßgebliche Behörde in jüdischen Religionsfragen. Seine 71 Mitglieder sollten dem jüdischen Volk Orientierung und Klarheit in den entscheidenden Glaubensfragen geben.

Nun kommt dieser Nikodemus zu Jesus, und der kommt direkt zum Entscheidenden: Um in das Reich Gottes zu kommen und ewiges Leben zu gewinnen, bedarf es bei jedem Menschen einer fundamentalen Erneuerung: Er muss durch den Geist Gottes von Neuem geboren werden. Doch der kluge Nikodemus, der das Volk belehren (können) sollte, versteht nicht, wie das gehen soll. In der entscheidenden Frage des Lebens hat er offenbar keine Klarheit.

Heute erscheint dies ähnlich: Die an sich zuständigen, führenden Leute haben auf die wesentlichen Fragen des Lebens häufig keine klare, belastbare Antwort. Vor allem wenn es um (ewiges) Leben und Tod geht, erscheinen sie ratlos. Sie tappen selbst im Dunkeln, und stellen erst gar nicht den Anspruch, den Menschen in Ewigkeitsfragen klare Orientierung geben zu können. Warum ist das so? Weil sie ihre Sicht auf das Diesseits beschränken. Nikodemus hingegen wollte mehr und wandte sich an Jesus, den Sohn Gottes. Dieser weiß nämlich alles und hat auf die entscheidende Lebensfrage tatsächlich die verbindliche Antwort. Allein Jesus kann echte Orientierung geben, wenn es um ein Leben mit Gott geht. Für Nikodemus hatte das grundlegende positive Auswirkungen. Und als es später darauf ankam, stellte er sich öffentlich auf Jesu Seite, durch den er das ewige Leben gewonnen hatte. *Markus Majonica*

? Bei wem suchen Sie Orientierung?

! Der Schöpfer aller Dinge ist der einzig fixe Orientierungspunkt.

✝ Johannes 3,1-21

MONTAG FEBRUAR | **26**
Erzähle-ein-Märchen-Tag

Jeder, der lebt und an mich glaubt, wird nicht sterben in Ewigkeit. Glaubst du dies?
JOHANNES 11,26

Was uns Märchen zu sagen haben

Nicht nur Kinder, auch Erwachsene lieben Märchen. Warum? Sie sprechen offenbar tiefe Sehnsüchte in uns an, die das wahre Leben nicht stillen kann: Dem Übernatürlichen begegnen, dem Tod entkommen, Liebe erleben, die man nicht verlieren kann, nicht alt zu werden, nicht sterben zu müssen, über das Böse zu triumphieren. Die Schöne und das Biest z. B. erzählen uns von einer Liebe, die sogar aus einer tierähnlichen Widerwärtigkeit herausholen kann. Dornröschen erzählt uns von einer Art bösem Zauberschlaf. Doch dann kommt ein edler Prinz und bricht den Bann. Wie schön, wie berührend. Doch bei all dem bleiben Märchen, was sie sind: Fiktion, Träume, Wunschvorstellungen.

Wenn wir nun die Erzählungen in der Bibel lesen, denken wir vielleicht: Das sind doch auch nur Märchen. Zu schön, um wahr zu sein. Da bricht einer in unsere Welt hinein, hat Wunderkräfte, die Stürme stillen, Kranke heilen und Tote auferwecken können. Dann fallen Neider und Feinde über diesen Wundertäter her, töten ihn und alles scheint aus zu sein. Doch unverhofft steht er von den Toten auf und kann so alle erretten, die ihm ihr Vertrauen schenken. Ist das nun auch wieder nur Fiktion?

Nein. Bedenken wir: Die Geschichten der Bibel beginnen nicht mit »Es war einmal ...« Sie berichten von Tatsachen, von existierenden Personen in einer realen Zeitrechnung. Es ist kein Märchen, dass wir Menschen unter dem Fluch eines »bösen Herrschers«, des Teufels liegen. Und ebenso wenig ist es ein Märchen, dass Jesus, besser als jeder »Märchenprinz«, diesen Bann gebrochen hat. Seine Liebe hat gesiegt: über Sünde, Tod und Teufel. Wer sich ihm anvertraut, für den ist ewiges Leben und unverlierbare Liebe keine Fiktion, kein unerfüllbarer Traum mehr, sondern ganz real. *Sebastian Weißbacher*

? Welche tiefen Sehnsüchte bewegen sich in Ihrem Innersten?

! Das Evangelium von Jesus ist eine wahre Geschichte, weil Gott sie uns erzählt.

✝ Johannes 8,31-45

27 | FEBRUAR — DIENSTAG

Müht euch nicht um Speise, die vergänglich ist, sondern um Speise, die da bleibt zum ewigen Leben. Die wird euch der Menschensohn geben; denn auf ihm ist das Siegel Gottes des Vaters.
JOHANNES 6,27

Schon wieder hungrig!

Die Rückfahrt scheint kein Ende zu nehmen. Wir beide haben nicht zu Abend gegessen, ein schwerer Fehler, denn um diese Uhrzeit hat kein Laden mehr auf. Hunger und der Mangel an Optionen treiben uns in eine Fast-Food-Filiale. Als ich das lauwarme Essen aus dem Papier wickele, weiß ich bereits, dass ich es nachher bereuen werde. Denn wirklich satt bin ich nach dieser schnellen Mahlzeit nicht, so dass wir bereits eine Stunde später die nächste Filiale für einen Nachtisch ansteuern.

Wir Menschen haben nicht nur Hunger nach Nahrung, sondern auch nach Erfüllung. Jeder von uns möchte etwas finden, das ihn zufrieden stellt. Oft wenden wir uns dabei »Fast Food« zu, kurzen Vergnügen, die nicht lange anhalten, wie ein paar Stunden Ablenkung und Zerstreuung vor dem Computer. Diese »Chicken Nuggets« scheinen für den Moment unseren Hunger zwar zu stillen, aber danach fühlen wir uns leerer als zuvor. Andere Dinge wie gute Beziehungen können uns schon längerfristig satt machen, doch selbst menschliche Liebe kann unsere tiefsten Sehnsüchte nicht auf Dauer stillen.

In der Bibel lesen wir, dass Gott dem Menschen die Ewigkeit ins Herz gelegt hat (Prediger 3,11). Wir sind für etwas geschaffen, das über diese Welt hinausgeht. Deshalb gibt es hier auch nichts, was uns auf Dauer zufriedenstellen könnte. Etwas Vergängliches kann keinen unvergänglichen Hunger stillen. Wie wir im Tagesvers lesen, gibt es jedoch einen, der eine unvergängliche Speise für uns bereithält. Es ist der, der sich selbst das Brot des Lebens nennt: Jesus Christus. Wer an ihn glaubt, dessen Lebenshunger ist gestillt, und er ist dauerhaft satt geworden.

Carolin Nietzke

❓ Mit was versuchen Sie Ihren Hunger zu stillen?

❗ Jesus ist der Einzige, der wirkliche Erfüllung schenkt!

📖 Johannes 6,32-40

MITTWOCH FEBRUAR | **28**

Ich habe mit guten Gewissen mein Leben vor Gott geführt bis auf diesen Tag.
APOSTELGESCHICHTE 23,1

 Ein gutes Gewissen

Wenn jemand sagt, er habe bei einer Handlungsweise ein gutes Gewissen, so kann sein Tun trotzdem höchst fragwürdig sein. Das in unseren Bibeln mit »Gewissen« wiedergegebene Wort heißt genau übersetzt »Zusammenschau«. Man sieht mit seinem »Gewissen« also jeweils mindestens zwei Dinge zusammen. (1) Das, was man selbst oder die Familie oder das eigene Umfeld für gut oder böse hält, und (2) das eigene Denken, Reden oder Tun. Stimmen beide Seiten überein, hat man ein gutes Gewissen. Dabei kann man Sklavenhändler, Rauschgiftschmuggler, Massenmörder oder Bigamist sein. Weil alle in ihrem jeweiligen Umfeld das machten oder guthießen, hatten selbst viele SS-Männer in Auschwitz oftmals ein gutes Gewissen, während sie jüdische Menschen jeden Alters und Geschlechts zu Tausenden vergasten.

Unser Tagesvers sagt, dass der Apostel Paulus die Messlatte für das, was er für gut oder schlecht hielt, nicht vom Gewohnheitsrecht der Menschen in ihrer Zeit und Welt ableitete, sondern von dem, was Gott in seinen Geboten angeordnet hatte. Das bedeutet nicht, dass er selbst dieses Ziel immer erreicht hat. So sagt er in Philipper 3,12: »Nicht dass ich es schon ergriffen habe oder schon vollendet sei; ich jage ihm aber nach, ob ich es auch ergreifen möge.« Seine Grundausrichtung jedoch stimmte. Er war von Jesus Christus erfüllt.

Ja, die Messlatte lag für ihn sehr hoch; aber er wusste, dass Gottes Gebote allesamt nur das eine Ziel verfolgen: uns dem Sohn Gottes, also Jesus Christus, ähnlicher zu machen. Und je ähnlicher wir ihm hier werden, umso größer und herrlicher wird er uns erscheinen, wenn wir ihn sehen werden, wie er ist. Das sollte für Christen das höchste Ziel sein, und es ist nebenbei auch das nachhaltigste von allen denkbaren Zielen.
Hermann Grabe

❓ Woher beziehen Sie Ihre Messlatte für gut und böse?

❗ Gott meint es nur gut mit uns.

✝ Hesekiel 20,13-22

29 | FEBRUAR DONNERSTAG

Denn was könnte ein Mensch als Lösegeld für sein Leben geben?
MARKUS 8,37

Genug Schritte?

Auf meinem Smartphone ist eine App, mit der ich meine Fitness messen kann. Diese App hält alle Bewegungen des Tages nach und rechnet sie in Kalorien um. Nun kann man sich individuelle tägliche Ziele setzen, z. B. einen bestimmten Kalorienverbrauch. Wenn man das Tagesziel erreicht, erhält man eine »Medaille«. Die nächste Stufe ist, eine ganze Woche dieses Ziel durchgängig zu erreichen usw. Eines Nachts fiel mir auf, dass an meinem Ziel für den vergangenen Tag etwa 40 Schritte fehlten. Kein Problem, meinte meine Frau (eher im Scherz!), lauf doch noch ein wenig herum und hole das Versäumte nach. Allerdings ging das nicht mehr. Denn mit 00:00 Uhr hatte ein neuer (Mess-)Tag begonnen. Das Versäumnis ließ sich nicht mehr ausgleichen.

Nun ist dieses Scheitern nicht wirklich schlimm. Allerdings verstehen viele Menschen Glauben und Religion ähnlich wie diesen Wettlauf um Kalorien: Ich muss genug Gutes tun, um das notwendige Tages-, Jahres- oder Lebensziel zu erreichen. Allerdings gibt es noch keine App, die mir zeigt, ob meine Bilanz bei Gott wirklich ausgeglichen ist. So »laufen« viele Menschen Tag für Tag und wissen nicht, ob ihre Verdienste reichen, um Gott zufriedenzustellen. Was ist überhaupt ausreichend, um dieses Ziel zu erreichen? Und was geschieht, wenn mein letzter Lebenstag vergangen ist und ich feststellen muss, dass mein Lebenswerk nicht gereicht hat und ich das Versäumte auch nicht mehr nachholen kann?

Tatsächlich will Gott uns aus diesem Hamsterrad der Ungewissheit erlösen. Denn das, was an meiner Lebensbilanz fehlt, hat er bereits sehr teuer, nämlich durch das Leben seines Sohnes, bezahlt. Nichts fehlt mehr an meiner Lebensschuld, wenn ich das für mich ganz persönlich annehme.
Markus Majonica

❓ Woran messen Sie Ihren Lebenserfolg?

❗ Lassen Sie sich von Gott aus dem Hamsterrad der Ungewissheit befreien!

✝ Matthäus 18,23-35

FREITAG MÄRZ | **01**
Weltgebetstag (WGT)

Bittet, und es wird euch gegeben werden; sucht, und ihr werdet finden; klopft an, und es wird euch aufgetan werden.

MATTHÄUS 7,7

Für Regen beten?

An einem schönen Tag sind drei Jungs im Wald unterwegs. Die Dreizehnjährigen wollen sich einen Lagerplatz bauen. Dazu gehört natürlich auch ein Lagerfeuer, auf dem Kartoffeln, in Alufolie eingewickelt, gegart werden. So sitzen die drei erzählend und lachend zusammen – ein Erlebnis, das jedes Jungenherz höherschlagen lässt. Als es dann dämmerig wird, löscht das Trio das Feuer und macht sich müde und fröhlich auf den Heimweg.

Als später einer der Jungen zu Hause erzählt, was sie im Wald gemacht haben, hinterfragt seine Mutter die Gründlichkeit beim Löschen des Feuers: »Bist du dir sicher, dass das Feuer wirklich aus war? Du weißt, wie gefährlich das ist. Und dabei ist es gerade so trocken im Wald.« Das anfängliche Abwinken der mütterlichen Besorgnis verwandelt sich mehr und mehr in ein zweifelndes Bangen. Ihm wird heiß und kalt gleichzeitig. Was, wenn nun wegen ihrer Unvorsichtigkeit ein verheerender Waldbrand ausbricht? Und selbst wenn sie nachschauen wollten, würde man im Dunkeln den Lagerplatz mitten im Wald jetzt noch wiederfinden? In seiner Not wendet er sich an seine Mutter. Sie rät: »Dann müssen wir jetzt für Regen beten.« Das tun sie auch. Und tatsächlich, nach kurzer Zeit öffnen sich die Fenster des Himmels, sodass es in Strömen regnet. Jetzt ist die Gefahr sicher gebannt.

Dieses Erlebnis mag kindlich und naiv erscheinen. Vielleicht denkt sogar der eine oder andere, dass das ja ein billiger Weg ist, eigenes Fehlverhalten zu korrigieren, statt selbst Verantwortung zu übernehmen. Doch tatsächlich hat der Junge genau das getan, indem er Gott seine Hilflosigkeit und seinen Fehler bekennt. Und Gott gibt gerne dem, der ihm wirklich vertraut. Sogar unverdient. Denn er ist ein Retter-Gott!

Jannik Sandhöfer

? Haben Sie Gott schon einmal Ihr Vertrauen ausgesprochen?

! Gebet zu Gott heißt, seine Nöte dem Allmächtigen zu sagen.

✝ Matthäus 7,7-11

02 | MÄRZ   SAMSTAG

Bist du es nicht, HERR, unser Gott? Wir hoffen auf dich; denn du, du hast dies alles gemacht.

JEREMIA 14,22

Alles Zufall – oder?

James Garfield war der 20. Präsident der USA. Seine Amtszeit währte nicht lange: Nach seiner Wahl im März 1881 erlag er nur wenige Monate später den Folgen eines Attentats. Sein Leben war allerdings sehr spannend:

In seiner Jugend war Garfield Schiffszimmermann. Er stammte aus einem christlichen Elternhaus, und seine gläubige Mutter betete viel für ihn. Jedoch machte das wenig Eindruck auf ihn. Er wollte sein Leben ohne Gott meistern, bis zu einem schicksalhaften Tag: Er hatte gerade ein Tauende in der Hand, als er von einem Mast abrutschte und in die Tiefe stürzte. Er riss das Tau hinter sich her und wäre sicher auf dem Schiffsdeck zerschellt, wenn sich das andere Ende des Taus nicht verknotet hätte, gerade, als es zwischen zwei Balken hindurchgerissen wurde. So hing Garfield in der Luft und war gerettet! Obwohl er trotz seiner christlichen Erziehung nicht mit Gott rechnete, sondern seine Rettung einem Zufall zuschrieb, war ihm nicht ganz wohl bei der Sache. Darum kletterte er noch einmal nach oben zu der Stelle seines Absturzes und versuchte eine ganze Stunde lang, diesen »Zufall« zu rekonstruieren. Doch es klappte nicht. Darum musste er sich schließlich eingestehen, dass es wohl doch kein Glück, sondern Gottes gnädiges Eingreifen war, dem er sein Leben verdankte.

Dieses Erlebnis wurde für ihn zum Wendepunkt. Gott griff sichtbar und spürbar in das Leben Garfields ein, obwohl er doch eigentlich nichts von Gott wissen wollte. Welch eine Güte und Freundlichkeit Gottes zeigt sich darin! Er will auch den Widerspenstigen für sich gewinnen und jeden Menschen von seiner Liebe überzeugen. Zugleich kann diese Geschichte aber auch alle Eltern ermutigen, die – scheinbar wirkungslos – für ihre Kinder beten: Bei Gott ist kein Ding unmöglich.

Hermann Grabe

❓ Gibt es Menschen, die für Sie beten?

❗ Lassen Sie sich von Gottes Liebe überzeugen!

✝ Hesekiel 18,21-23

SONNTAG MÄRZ | **03**
Welttag des Artenschutzes

Jetzt könnt ihr einander aufrichtig lieben, denn ihr wurdet von eurer Schuld befreit, als ihr die Wahrheit Gottes angenommen habt. Deshalb sollt ihr euch wirklich von Herzen lieben.

1. PETRUS 1,22

Der Eisfrosch

Wenn im Oktober die Tage in Nordamerika kürzer werden und Bodenfrost entsteht, entwickelt der Eisfrosch eine faszinierende Eigenschaft zum Überwintern. Er bildet in seiner Leber zuckersüße Glukose und schützt dadurch seine Körperzellen. Deshalb kann er monatelang bei minus 20° C in gefrorenem Zustand überleben. Herzschlag, Atmung und Gehirnfunktion werden vorübergehend völlig eingestellt. In vielerlei Hinsicht ist der Eisfrosch praktisch tot. So verharrt er auf dem Waldboden unter den abgefallenen Blättern. Dass er nicht tot ist, merkt man erst, wenn er im kommenden Frühling wieder auftaut. Dann erwacht er zu neuem Leben. Eisfrösche könnte man als »lebendige Tote« bezeichnen.

Menschen wirken oft wie dieser Eisfrosch. Ihre Herzen scheinen gefroren oder zumindest sehr stark abgekühlt. Das zeigt sich daran, dass sie gleichgültig an der Not ihrer Mitmenschen vorbeigehen können, obwohl diese dringend Unterstützung benötigen. Viele erleben die Herzenskälte ihrer Zeitgenossen und leiden darunter sehr.

Dabei fordert unser Tagesvers uns ausdrücklich dazu auf, jeden Mitmenschen von Herzen zu lieben. Das meint, dass diese Liebe aus tiefster Überzeugung kommt und frei von Hintergedanken ist. Doch leider können wir Menschen diese Herzenswärme – anders als der Eisfrosch – nicht aus uns selbst erzeugen. Sie ist nur möglich, wenn wir selbst Vergebung unserer individuellen Schuld erfahren haben. Mit unserer eigenen Sünde und Last dürfen wir jederzeit zu Jesus kommen. Weil er am Kreuz für uns starb, kann er uns vergeben. Das stimmt uns dankbar und befreit. Wer Gottes Liebe erfährt, dessen Herz wird warm und lebendig. Aus dieser Position heraus ist es möglich, einen anderen von Herzen anzunehmen und zu lieben. *Stefan Taube*

? Werden Sie von Menschen in Ihrer Umgebung als »kühl« charakterisiert?

! Ein von Schuld befreiter Mensch hat die Fähigkeit, andere zu lieben.

📖 Jeremia 31,33-34

04 | MÄRZ   MONTAG

Dieser misshandelte die Väter ... sodass sie ihre Säuglinge aussetzen mussten, damit sie nicht am Leben blieben. In dieser Zeit wurde Mose geboren, und er war Gott angenehm.

APOSTELGESCHICHTE 7,19-22

Was mir das Leben Moses zeigt (1)

Was für eine lebensfeindliche Situation! In solchen Zeiten kann man doch keine Kinder in die Welt setzen: Die israelitischen Eltern müssen als Sklaven hart arbeiten, und das Gesetz der Ägypter verlangt, deren männliche Neugeborene im Nil auszusetzen, damit sie sterben. Welchen Sinn hat es da, an das Leben zu glauben und noch am Leben festzuhalten, an so einem Leben? Was kann es einem noch bieten? Welche Wünsche und Träume kann man da noch hegen? Bei so brutaler Sklaverei und Unterdrückung ist doch jede Hoffnung dahin!

Und dann liest man: Ein Kind wurde geboren. Ausgerechnet ein Sohn! Waren die Eltern erschrocken, als sie bemerkten, dass es ein Junge war? Waren sie vielleicht untröstlich, weil sie ihn doch bald verlieren würden? Machte man ihnen Vorwürfe? Im Tagesvers wird festgestellt: Er war Gott angenehm. Das ist bemerkenswert!

Auch heute sind die Zeiten bedrohlich. Manche möchten sogar sterben oder sehen keine Zukunft für ihre Kinder, ihre Verwandten oder für sich selber. Und dann gibt es solche, die daran denken, aufzugeben und ihr noch ungeborenes Kind abtreiben zu lassen: Es sei doch hoffnungslos. Wie gut, dass man da sagen kann: Es gibt einen gewaltig großen Gott, der einen weiteren Blick hat als wir! Und dieser Gott liebt Kinder. Das beinhaltet, dass er für jeden Menschen in jeder Situation ein Ziel hat und deshalb jedes Leben Sinn hat und in jedem Fall lebenswert ist! Für Gott gibt es keine hoffnungslose Situation. Leben lohnt sich. Es lohnt sich, sein noch ungeborenes Kind leben zu lassen. Weil für jeden die Chance besteht, diesen großartigen Gott kennenzulernen, der nicht nur in diesem Leben für uns sorgen will, sondern uns in seinem Sohn sogar ewiges Leben schenken will.

Marcus Nicko

❓ Inwiefern finden Sie Ihr Leben lebenswert?

❗ Wir sind Gott angenehm, wenn wir uns in unserem Leben auf ihn ausrichten und seine Rettung in Anspruch nehmen.

✝ 2. Mose 1; 2,1-2

DIENSTAG — MÄRZ 05

> Als er [Mose] aber ausgesetzt worden war, nahm ihn die Tochter des Pharao zu sich.
> APOSTELGESCHICHTE 7,21

Was mir das Leben Moses zeigt (2)

Es gibt diese hoffnungsvollen Lieder und Texte: »Über jedes Bacherl geht a Brückerl«, oder: »Am Ende eines Tunnels wird es hell.« Doch wenn man tief in der Misere steckt, dann erweisen sich diese Aussagen als leer. Da kämpft jemand gegen eine Krankheit, und am Ende war alles erfolglos. Kein Licht am Ende des Tunnels! Ein anderer kämpft verzweifelt um Arbeit oder eine Liebe, und verliert sie doch. Wie oft erleben wir, dass eben *nicht* über jeden Bach eine Brücke führt und dass sich mancher Tunnel gar als Sackgasse herausstellt!

Im Geschehen damals finden wir eine Mutter, die ihr drei Monate altes Kind in ein Körbchen legt und im Nil aussetzt. Man könnte meinen, dass sie damit auch alle ihre Hoffnungen dem todbringenden Wasser des Nil anvertraut. Alles zu Ende. Kein Licht im Tunnel. So erging es vielen anderen, und so wird es Tausenden auch in Zukunft ergehen, oder nicht?

Wir können die Mutter Moses aber auch anders betrachten: als eine Frau, die mit dem allmächtigen Gott rechnet und ihm vertraut. Eine Frau, die hofft, dass dieser Gott ihr Kind retten wird. Und dann tut sie für ihr Kind alles, was sie kann; den Rest überlässt sie dem Allmächtigen. Sie flicht ein Körbchen, das seetüchtig ist, und übergibt es den Wasserfluten. Gott lässt die Tochter des Pharaos das Kind finden und es bei sich aufnehmen. Gerettet!

Genauso haben auch wir diese zwei Möglichkeiten, unser Leben zu leben: Mit der vagen Hoffnung, dass es irgendwie immer weitergeht. Oder unser Leben bewusst an Gott abgeben, mit allen Plänen und Vorstellungen, Wünschen und Möglichkeiten, aber auch mit allen Einschränkungen, Sorgen und Nöten. Und dann dürfen wir seine Rettung erleben! Er ist das Licht in jedem Tunnel.

Marcus Nicko

? Welche von beiden Möglichkeiten erscheint Ihnen sinnvoller?

! Mit Gott ist man am Ende immer besser dran.

✝ 2. Mose 2,1-10

06 | MÄRZ — MITTWOCH

> Er meinte aber, seine Brüder würden verstehen,
> dass Gott ihnen durch seine Hand Rettung gab;
> sie aber verstanden es nicht.
>
> APOSTELGESCHICHTE 7,25

Was mir das Leben Moses zeigt (3)

Wenn die anderen nur verstehen würden, dass meine Ideen besser sind, dass ich die bessere Alternative bin ... Kennen Sie solche Gedanken? Sie finden manchmal nur im Kopf statt, werden aber auch am Stammtisch, in geselligen Runden mit Freunden offen ausgesprochen. Vielleicht malen wir uns auch die Erfüllung unserer Träume aus: Wenn ich diese Reise machen würde ... wie es wäre mit einem Partner ... mit einer neuen Arbeitsstelle ... Und dann kommt plötzlich die jähe Konfrontation mit der Wirklichkeit: Nichts von allem erfüllt sich!

Mose hatte den guten Plan, sein geknechtetes Volk zu befreien. Aber niemand nahm ihn ernst. Dann ging er sogar so weit, einen Menschen zu töten. Das wurde aufgedeckt, und sein Plan schien gescheitert. Er floh in die Wüste und blieb dort 40 Jahre lang kaltgestellt. Ist es falsch, eigene Pläne zu haben? Hat denn nicht Gott diesem Mose aufs Herz gelegt, sein Volk zu befreien? Doch dann musste er aufgrund seines eigenmächtigen Handelns diesen drastischen Absturz erleben. Warum? Mose war noch nicht bereit, auf Gott zu warten und nach seinen Anweisungen zu handeln. Erst 40 Jahre später war er so weit. So lange wollen wir Menschen häufig nicht warten. Wenn Verluste, Gegenwind oder die Zerstörung unserer Pläne drohen, fragen die wenigsten nach Gott und handeln lieber nach ihrem eigenen Gutdünken.

Es mag sein, dass Gott uns Gedanken über unsere Zukunft in unser Herz gibt. Aber wann und auf welche Weise diese Gedanken Wirklichkeit werden, liegt vor allem in seiner Hand. Doch es geht auch darum, dass wir uns auf das konzentrieren, was ihm vorrangig für uns wichtig ist. Dazu zählt die Sehnsucht nach Harmonie, Geborgenheit und ewigem Leben. Wenn wir Gottes Hand ergreifen, werden wir das alles erleben.

Marcus Nicko

❓ Haben Sie sich mit Ihrem ganzen Leben schon in Gottes Hand gegeben?

❗ Enttäuschungen sind oft heilsam, um auf das Wesentliche zu stoßen.

✝ 2. Mose 2,11-15

DONNERSTAG MÄRZ | 07

Als aber 40 Jahre verflossen waren, erschien ihm in der Wüste des Berges Sinai ein Engel in der Feuerflamme eines Dornbusches.
APOSTELGESCHICHTE 7,30

Was mir das Leben Moses zeigt (4)

40 Jahre Wüste, Arbeiten unter seinem Niveau, 40 Jahre vertane Zeit – gemessen an dem Anspruch, den Mose ursprünglich an sein Leben stellte. Was hätte er für Zukunftsaussichten aufgrund seiner Begabungen und seiner Ausbildung gehabt! Und nun lebte er nach seinem Absturz schon 40 Jahre in der Wüste. Wer kennt so etwas? Plötzlich gibt es einen Knick in der Lebensgeschichte, vielleicht durch Krankheit, Unfall, Verlust eines geliebten Menschen, Wegfall der Arbeitsstelle oder Änderung des politischen Systems. Plötzlich ist alles anders. Wo ist Gott? Hat er etwas übersehen, vergessen?

Das mag sich Mose gefragt haben. Doch dann begegnet ihm Gott auf ganz unerwartete Weise: in einem brennenden Dornbusch. Der Dornbusch ist ein Bild von Unbrauchbarkeit. Er bringt nichts hervor, was nützlich wäre. Darin ähnelt er Mose und uns allen. Wir sind durch unsere Sünde für Gott unnütz und können nichts hervorbringen, was vor ihm bestehen kann. Das Feuer steht für Gottes Heiligkeit und Gericht. Er muss unsere Sünde verurteilen, und er verurteilt auch das, was Mose getan hat. Und dennoch verbrennt der Dornbusch im Feuer des Gerichts nicht. Mose darf in Gottes Gegenwart treten, weil Gott ihm vergibt.

Jesus Christus ging stellvertretend für uns in das Gericht am Kreuz und überwand den Tod, als er auferstand. Und das tat er für jeden, der glaubt. Er streckt uns die Hand entgegen, um uns zu führen und zu stärken – für ein neues Leben, für neue Aufgaben und für ein Ziel, für das es sich zu leben lohnt. Mose nahm diese Hand an und verstand später, wofür die lange Zeit des Wartens nötig war. Auch wir können die ausgestreckte Hand Jesu annehmen und mit ihm durchs Leben gehen: an seiner wunderbaren Hand in eine gute Zukunft. *Marcus Nicko*

? Rechnen Sie mit Gott, wenn Sie in einer Sackgasse landen?

! Lesen Sie die Geschichte von Mose unter diesem Blickwinkel.

† 2. Mose 3,1-22

08 | MÄRZ — FREITAG

Und der HERR redete mit Mose ... wie ein Mann mit seinem Freund redet.

2. MOSE 33,11

Was mir das Leben Moses zeigt (5)

Kann man mit Gott reden? Hat sich Mose das nur eingebildet? Er erhielt von Gott nicht nur die Zehn Gebote, sondern auch viele Hinweise, nach denen er sich richtete und deren Erfüllung er erlebte: Zusammen mit dem Volk Israel fand er unterwegs in ein neues Land immer wieder einen Ausweg in auswegloser Situation, Wasser in der Wüste, Sieg über Feinde und Gegner und vieles mehr. Ist das heute auch noch möglich?

Eine mir bekannte ältere Frau hatte Jesus schon als Kind ihr Leben übergeben. Sie hatte ihn um Vergebung ihrer Sünden gebeten, ihm ihr ganzes Leben anvertraut und lebte mit ihm. Wie bei Mose, war auch für sie Gott kein Fremder, keine Fata Morgana, kein Hirngespinst. Gott war der Schlüssel ihres Lebens: Halt, Stütze, Freund, Vertrauensperson und Zukunftsgarant. Nun lag sie im Sterben und hatte schlimme Schmerzen. Sie spürte, dass ihr Leben zu Ende ging, und so bat sie Jesus Christus im Gebet noch um zwei weitere Tage, damit sie sich von allen verabschieden konnte. Sie wachte früh auf, es ging ihr ganz wunderbar, und sie konnte sich von ihren Kindern, Enkelkindern und manchen Bekannten verabschieden. Nach zwei Tagen kamen die Schmerzen wieder, und kurze Zeit später verstarb sie.

Es macht tatsächlich einen Unterschied, Gott zu kennen oder nicht, durch den Glauben an Jesus Gottes Kind zu werden und ihn sogar zum Freund zu haben. Nicht als Kumpel, aber als jemanden, der freundlich mit uns umgehen kann, weil wir das Opfer Jesu für unsere Sünden in Anspruch genommen haben. Und dann geschieht das Wunder, dass dieser Retter Jesus Christus persönlich erlebbar wird. Dass Gebete beantwortet werden, dass er in unser Leben hinein spricht. Und dass er der beste Freund wird, ein solcher Freund, der in jeder Situation da ist.

Marcus Nicko

? Wer ist Jesus Christus für Sie?

! Vertrauen Sie ihm Ihr Leben an, und er wird Ihnen Retter, Freund und der Garant für eine ewige Zukunft werden!

† 2. Mose 33,10-23

SAMSTAG   MÄRZ | 09

Du sollst nicht töten.
2. MOSE 20,13

Todesopfer
Am Abend des 9. März 2023 näherte sich ein 35-jähriger Mann mit einer Pistole den Versammlungsräumen einer Gruppierung in Hamburg-Alsterdorf. Dort befanden sich 36 Personen. Bereits auf dem Parkplatz eröffnete der Mann das Feuer auf einen Pkw, der von zehn Projektilen getroffen wurde. Schließlich drang der Täter in das Gebäude ein und schoss weiter, insgesamt über 100-mal. Bei diesem schrecklichen Amoklauf starben sieben Menschen. Zuletzt tötete der Täter sich selbst.

Unter den sieben Opfern waren vier Männer, zwei Frauen – und ein ungeborenes Mädchen. Durch die willkürliche Entscheidung eines Menschen wird dieses Kind, deren Mutter übrigens überlebte, nie die Chance haben, sein eigenes Leben zu erleben, die Liebe seiner Eltern zu spüren, sich von der Sonne wärmen lassen ... Zu Recht sprachen die Medien deshalb ausnahmslos auch in Bezug auf dieses ungeborene Kind von einem Menschen. Der NDR z. B. berichtete von »sieben Menschen«, die getötet wurden, »darunter ... ein ungeborenes Mädchen«.

Diese Berichterstattung hat mich aufhorchen lassen. Von niemandem wurde diesem Mädchen sein Status als vollwertiger Mensch und Opfer abgesprochen, obgleich es noch im Leib seiner Mutter war. Es entspricht offenbar unserem ethischen Empfinden, dass dieses im Werden begriffene Leben ein gleichberechtigtes Lebensrecht hat.

Doch während dies hier scheinbar selbstverständlich berichtet wurde, wird das Lebensrecht eines ungeborenen Menschen allgemein zusehends in Abrede gestellt. Sein Menschsein, seine Würde und seine Schutzbedürftigkeit werden ihm aberkannt. Dabei geschieht auch bei einer Abtreibung Vergleichbares: Einem wehrlosen Kind wird durch die Entscheidung eines anderen Menschen das Leben genommen.

Markus Majonica

❓ Wer entscheidet, wann ein Mensch kein Mensch (mehr) ist?

❗ Das Bestimmungsrecht über das Leben hat allein der Schöpfer des Lebens

✝ Psalm 139

10 | MÄRZ SONNTAG

Und wenn du in Not bist, rufe mich an! Dann will ich dich retten und du wirst mich ehren!

PSALM 50,15

Gott erhört Gebet

Heute vor 126 Jahren verstarb Georg Müller, der als Waisenhausvater von Bristol bekannt geworden ist. Nach einer gottlosen Jugend kam Müller durch einen Studienfreund zum Glauben an Jesus Christus und wurde Prediger einer kleinen Baptistengemeinde. 1832 zog er nach Bristol, wo sein Freund Henry Craik Prediger war. Die dortige christliche Gemeinde wuchs in kurzer Zeit auf über 600 Personen an. Im April 1836 gründete Müller das erste Waisenhaus in Bristol. Die meisten Eltern der Waisenkinder waren bei der Cholera-Epidemie von 1832 gestorben. Ohne jedes Startkapital nahm Müller in großem Gottvertrauen die Waisenkinder auf und betete im Glauben darum, dass Gott diese Kinder versorgt. Seine Gebete wurden immer wieder erhört und es entstanden im Laufe der Jahre 5 Waisenhäuser mit insgesamt 2000 Kindern. Der jährliche Geldbedarf betrug schließlich 30 000 Pfund Sterling.

Anfangs ging er morgens früh auf die Straßen, um arme Kinder zu sich zu rufen. Allen gab er ein Stück Brot zum Frühstück und erteilte ihnen danach Bibel- oder Leseunterricht. Später gründete er einen Verein, der den Zweck hatte, christliche Schulen zu errichten. Aber nicht nur die Bildung und Versorgung der Kinder lag ihm am Herzen, sondern auch, dass sie zum Glauben an Gott kommen und selbst erleben, dass Gott Gebete erhört.

Wie viele davon dies tatsächlich in ihrem weiteren Leben erfahren haben, ist nicht bekannt. Aber zweifellos wurden eine große Zahl von jungen Menschen auf einen Weg geleitet, der zu einem dauerhaften Frieden mit Gott und dem Erleben seiner Hilfe und Gnade führte. Das kann auch heute noch geschehen, z. B. indem man ernst nimmt, was in Gottes Wort steht und in diesem Andachtsbuch weitergegeben wird, und damit beginnt, zu Gott zu beten. *Uwe Harald Böhm*

? Haben Sie schon einmal eine Gebetserhörung erlebt?

! Beten Sie im Glauben, dass Gott sie liebt und hört.

† Psalm 50,14-23

MONTAG   MÄRZ | **11**

All denen jedoch, die ihn [Jesus] aufnahmen und an seinen Namen glaubten, gab er das Recht, Gottes Kinder zu werden.

JOHANNES 1,12

Ein Gott, der mich annimmt

Zutiefst verzweifelt schiebe ich mein Fahrrad über den steinigen Weg. Ich habe einen Platten, mehrere Kilometer von Zuhause entfernt. Als ob ich nicht schon genug Probleme hätte! Ich strample mich ab, gebe wirklich Gas und trotzdem laufen weder mein Privatleben noch mein Studium noch mein Nebenjob wie geschmiert. Im Gegenteil, das Leben entgleitet mir immer mehr und ich werde in ohnmächtiger Hilflosigkeit vom Schicksalsstrudel mitgerissen.

Obwohl ich zum Islam konvertiert und eine gewissenhafte Muslima bin, erlebe ich nicht, dass Allah auf meine Probleme eingeht, ja, dass er sich überhaupt für mich interessiert! Ich wünsche mir so sehr eine Beziehung zu einem Gott, der Gebete erhört, der Wegweisung gibt und für mich da ist. Der mich liebt und sich für mich einsetzt.

Zeitweise denke ich sogar über Selbstmord nach. Doch noch hält mich ein winziger Hoffnungsschimmer zurück: Es gibt ja noch den christlichen Gott, den, von dem die Bibel sagt, dass er aus Liebe eine Brücke zu den Menschen geschlagen habe. So ein Interesse am Menschen kenne ich von Allah nicht. Also wage ich etwas Verbotenes und bete zu diesem christlichen Gott: »Du Gott der Bibel, wenn es dich wirklich gibt, dann zeige dich mir!«

Kurze Zeit später stoße ich auf den oben zitierten Bibelvers. Zufall? Nein. Mir ist sofort klar: Hier hat der Gott der Bibel auf mein Gebet reagiert und geantwortet. Wenn ich zu ihm gehören möchte, muss ich an Jesus glauben, der für uns Menschen die Brücke zu Gott ist. Der Weg zu Gott führt ausschließlich über Jesus, der für uns gestorben und auferstanden ist. Und nur wenn ich Jesus in mein Leben aufnehme, kann meine tiefe Sehnsucht nach Angenommensein durch Gott gestillt werden.

Dina Wiens

? Haben Sie eine persönliche Beziehung zu Gott, die von Liebe und Annahme bestimmt ist?

! Wagen Sie es doch auch, zu Gott zu beten: »Du Gott der Bibel, wenn es dich wirklich gibt, dann zeige dich mir!«

✝ Johannes 10,7-15

12 | MÄRZ

DIENSTAG

Was immer auch geschieht, seid dankbar, denn das ist Gottes Wille für euch, die ihr Christus Jesus gehört.

1. THESSALONICHER 5,18

Heute ist ein Grund zur Dankbarkeit

Wussten Sie, dass sich Dankbarkeit positiv auf die Gesundheit auswirkt? Dankbar zu sein lässt uns leistungsfähiger und ausgeglichener werden, stärkt unsere zwischenmenschlichen Beziehungen und wirkt sich insgesamt stressmindernd aus. Das heißt, dankbare Menschen führen ein zufriedeneres Leben. Doch nun einmal Hand aufs Herz: Wie sieht es bei Ihnen und Ihrem Umfeld aus? Drehen sich Gesprächsthemen oder Nachrichten eher um positive oder negative Ereignisse? Wird mehr gejammert oder Freude geteilt?

Interessanterweise ist es, neben den gesundheitsstärkenden Effekten, sogar Gottes Wille für solche, die seinem Sohn Jesus Christus gehören, dass sie dankbar sind. Dass er sie für sich erkauft hat, ist wahrlich täglich Grund, dankbar zu sein, denn sie wurden von ihrer Sünde und Schuld erlöst. Dankbar zu sein, »egal was geschieht«, ist deshalb tatsächlich eine Option, weil die Beziehung zu Gott das Entscheidende im Leben ist, der alle, die ihm gehören, nie mehr fallen lässt. Ihr Leben und ihr Lebensglück müssen sie nicht von äußeren Umständen bestimmen lassen. Sie können jeden Tag neu ihren Fokus auf das richten, was sie haben und womit sie beschenkt sind, statt über das zu klagen, was ihnen fehlt oder was sie noch nicht erreicht haben.

Überlegen Sie doch einmal, womit Sie alles beschenkt sind, zum Beispiel an Talenten und Fähigkeiten, Beziehungen oder auch materiellen Dingen! Das alles kann zu Ihrer persönlichen Zufriedenheit und sogar zu einem gottgefälligen Leben beitragen, wenn Sie sich dazu entschließen, zu Gott umzukehren und seine Vergebung Ihrer Schuld anzunehmen. So kommt Ihr Leben vom Minus ins Plus, nicht weil Sie plötzlich ein pralles Bankkonto haben, sondern weil Sie im Schutz und in der Fürsorge des Höchsten stehen.

Annegret Heyer

? Für was sind Sie dankbar?

! Schreiben Sie sich jeden Tag mindestens drei Dinge auf, für die Sie dankbar sind.

✝ 2. Korinther 4,6-18

MITTWOCH MÄRZ | **13**

So seid ihr nun nicht mehr Fremde und Nichtbürger, sondern ihr seid Mitbürger der Heiligen und Gottes Hausgenossen.
EPHESER 2,19

Geflüchtet und aufgenommen

Im März 2022 kamen viele Frauen und Kinder aus der Ukraine zu uns nach Deutschland, weil in ihrer Heimat Krieg herrscht. Neun geflüchtete Jugendliche sind an der christlichen Schule aufgenommen worden, an der ich als Lehrer tätig bin. Neben dem vorrangigen Deutschunterricht erleben sie nun das Schulleben in den Regelklassen, in die sie eingeteilt sind. Für die Fremden gilt es, eine neue Kultur kennenzulernen und an einem neuen Platz heimisch zu werden. Sie haben hier nun auch die Gelegenheit, das Wort Gottes zu hören und eine neue (geistliche) Heimat zu finden. Zugang zu einem Vater zu bekommen, den sie bisher nicht kannten. Während ihr leiblicher Vater sich im Krieg befindet, gibt es die Chance, vom himmlischen Vater aufgenommen zu werden, der ewigen Frieden schafft.

Wer nämlich die frohe Botschaft von der Erlösung durch Jesus Christus annimmt und zur Umkehr von seinem bisherigen Leben kommt, ist Mitglied einer Familie geworden, die bei Gott zu Hause ist. Unser Tagesvers nennt sie Mitbürger der Heiligen und Gottes Hausgenossen. Diese neue Heimat ist mit dem alten Leben nicht zu vergleichen; sie ist der Ort, nach dem wir uns im Grunde alle sehnen. Wir waren alle ohne Gott und ohne Hoffnung in dieser Welt, doch die Umkehr zu ihm bringt uns an ein Ziel, wo nichts Bedrohliches mehr ist.

Das Reich Gottes wird in alle Ewigkeit bestehen bleiben und von niemanden bedroht werden können. Wer dort ist, wird nie mehr aus seiner Heimat vertrieben werden. Er wird nie mehr das Gefühl haben, fremd zu sein und Heimweh zu haben. Was für eine Aussicht! Doch solange das noch nicht erreicht ist, können wir uns hier für solche einsetzen, die ihre irdische Heimat verloren haben und deren Zuhause hier so grausam zerstört worden ist.

Uwe Harald Böhm

? Kennen Sie den Weg zum himmlischen Vaterhaus?

! Suchen Sie Kontakt zu Christen und fragen Sie, wie man Christ wird.

✝ Epheser 2,11-22

14 | MÄRZ   DONNERSTAG

Gott ist nicht ein Gott der Unordnung, sondern des Friedens.

1. KORINTHER 14,33

Die Fibonacci-Zahlenreihe (1)

Mathe war nie meine Stärke. Was ich vermisste, war der Bezug zur Realität und der Sinn dahinter. »Warum muss man irgendwelche fiktiven Dinge berechnen, um abstrakte Ergebnisse zu erhalten, die niemand je braucht?«, fragte ich mich. Mein Lieblingsfach war Kunst, und die Natur interessierte mich immer sehr. Mein Interesse an Mathe wäre sicher viel größer gewesen, wenn ich in meiner Schulzeit gelehrt worden wäre, dass die Schöpfung voller Mathematik ist – und das in kunstvoller Weise!

Der italienische Rechenmeister Leonardo Fibonacci entdeckte bereits im Mittelalter bestimmte Zahlenfolgen in der Natur, als er Kaninchenpopulationen studierte. Die nach ihm benannte unendliche Reihe natürlicher Zahlen 1, 1, 2, 3, 5, 8, 13, 21, 34, 55 … kann man in vielen fundamentalen Wechselwirkungen und Wachstumsmustern in der Natur wiederfinden. Jede Zahl in dieser Reihe ist die Summe der beiden vorangegangenen Zahlen. Angefangen beim Ahnenschema männlicher Bienen bis zur Anzahl der Blütenblätter blühender Pflanzen (z. B. Iris 3, Gänseblümchen 34, 55 oder 89, Hibiskus 5, Aster 21): Immer findet man auffallend häufig Zahlen aus dieser Reihe! Auch die Kerne der Sonnenblume sind spiralförmig in zwei Richtungen angeordnet mit 34 und 55 Spiralen, wodurch der Platz für die Samen bestmöglich ausgenutzt wird. Alle Blütenblätter und Samen stehen bezüglich der Pflanzenachse im »goldenen Winkel« von 137,5° angeordnet, was die Lichtausnutzung für die Pflanzen optimiert. Dieser Winkel kann auch mit der Fibonacci-Folge berechnet werden – unglaublich!

Sei es die Struktur von Tannenzapfen oder die perfekte Form eines Schneckenhauses – Gott hat seine ganze Schöpfung in eine göttliche Ordnung eingebunden. Und die kann man sogar berechnen!

Daniela Bernhard

? Wie stehen Sie zur Mathematik?

! Der Schöpfer hat auch uns Menschen geplant und auf wunderbare Art geschaffen.

† Hiob 38,4-38

FREITAG | MÄRZ | **15**

Der HERR ist groß und sehr zu loben, und seine Größe ist unausforschlich. Kindeskinder werden deine Werke preisen und deine gewaltigen Taten verkündigen.

PSALM 145,3-4

 ### Die Fibonacci-Zahlenreihe (2)

Gestern haben wir gesehen, dass sich mathematische Gesetze in der Natur wiederfinden lassen. Heute wollen wir über die »göttliche Proportion« (»divina proportione«) staunen, die bereits in der Antike unter Mathematikern, Baumeistern und Künstlern bekannt war. Später wurde sie vom italienischen Mathematiker Luca Pacioli (um 1445–1517) ausführlich beschrieben. Teilt man eine Strecke oder eine andere Größe so, dass sich der kleinere Teil zum größeren Teil genauso verhält wie der größere Teil zum Ganzen, ist dieses Teilungsverhältnis perfekt proportioniert: man erhält den »Goldenen Schnitt« oder das »Goldene Maß«. Die Teilung wirkt dann nicht als Zerstörung des Ganzen, sondern wird als ideale Harmonie empfunden, weshalb man diese Proportion in Kunst und Architektur sehr gerne benutzt. Sie entspricht dem Grundbedürfnis des Menschen nach Ästhetik und Schönheit. Besonders häufig ist dieses Prinzip auch in der Anordnung von Blüten, Blättern und Samenständen von Pflanzen in der Natur zu beobachten.

Es klingt unglaublich, aber auch dieses perfekte Teilungsverhältnis kann mittels der Fibonacci-Zahlenreihe berechnet werden! Wenn man nämlich eine Zahl dieser Reihe durch ihren Vorgänger teilt, so nähert sich dieser Wert für immer größere Zahlen dem goldenen Schnitt von 1,1618 ... mit unendlich vielen Stellen nach dem Komma. Interessant, oder?

Mit diesen Erkenntnissen erscheint mir Mathematik richtig spannend zu sein, und ich appelliere, dieses Schulfach öfter praxisnah und fächerübergreifend im Grünen abzuhalten – und dabei auch über den Schöpfer zu staunen, der Mathematik, Natur und unser Gefühl für Ästhetik perfekt aufeinander abgestimmt hat. *Daniela Bernhard*

❓ Kann jemals jemand erahnen, was für ein großartiger Schöpfer Gott ist?

❗ Messen Sie sich: Das Verhältnis von Pupille zu Augenwinkel oder Nase zu Lippen geht immer annähernd auf den Wert 1,1618.

✝ Psalm 136

16 | MÄRZ — SAMSTAG

Heute, wenn ihr seine Stimme hört, verhärtet eure Herzen nicht!
HEBRÄER 4,7

Klimakleber und Menschenretter

Haben sie denn nicht recht, diese jungen Leute, wenn sie die Lage als äußerst ernst, wenn nicht bereits hoffnungslos beschreiben? Sie sagen: Uns bleibt nur noch wenig Zeit. Es muss etwas geschehen, und zwar unverzüglich. Die Menschheit steuert auf ihren Untergang zu. Sie wollen nicht mehr untätig zusehen, wie wir alle in den Strudel einer eskalierenden, menschengemachten Klimakrise hineingeraten. Deshalb wollen sie die Menschheit unbedingt retten. Eine edle Absicht.

Aber wer sind sie, diese selbsternannten Menschenretter? *Extinction Rebellion, Letzte Generation, Klimakleber, Fridays for Future* und andere Gruppierungen. Es sind weitgehend junge Menschen, denen die Zukunft unter den Nägeln brennt. Und doch stellen sie die Fakten auf den Kopf. Nicht *sie* müssen die Menschheit retten. Sie selbst sind es, die sich retten lassen müssen.

Nein, ihr jungen Leute, ihr braucht die Welt nicht zu retten! Der Kölner Dom wird nicht bis zum Hals im Wasser stehen, wie der SPIEGEL es vor einiger Zeit auf der Titelseite darstellte. Gott hat sich dafür verbürgt, dass die Erde nie wieder in einer Wasserflut versinken wird (1. Mose 9,11). Selbst wenn für eine Klimawende Billionenbeträge ausgegeben werden, wird das uns Menschen nicht retten. Wie wir aber wirklich gerettet werden können, steht in 1. Timotheus 1,15: »Das Wort ist gewiss und aller Annahme wert, dass Christus Jesus in die Welt gekommen ist, um Sünder zu erretten.«

Wer jedoch den Schöpfer ignoriert und seine Existenz leugnet, ist von dieser Rettung weit entfernt. Wenn sich die Einsicht, vieles falsch gemacht zu haben, nicht mit der Umkehr zu Gott verbindet, um ihm als dem Schöpfer die Ehre zu geben, bleibt man auf verlorenem Posten – hier und jetzt, und sogar in Ewigkeit. *Rudolf Koch*

? Wie weit würden Sie gehen, um die Welt zu retten?

! Jesus gab sein Leben für uns – und allein das rettet uns für die Ewigkeit.

✝ 1. Timotheus 1,12-17

SONNTAG MÄRZ | **17**

So halten wir nun dafür, dass der Mensch gerecht wird ohne des Gesetzes Werke, allein durch den Glauben.
RÖMER 3,28

Sünden-Töter

»Sünden-Töter, Tod-Würger und Höllenfresser« – mit diesen wuchtigen Worten beschrieb der Reformator Martin Luther das Wirken des Gottessohnes Jesus Christus. Aber was heißt das? Es geht um drei große, schwerwiegende Probleme: Die Sünde, den Tod und die Hölle. Alle drei Dinge sind eine Realität: Sünden und Tod sind überall sichtbar, und die reale Existenz der Hölle erahnen doch in ihrem Inneren die meisten Menschen. Können wir diese drei Probleme lösen? Nein. Außer Jesus Christus hat bisher kein Mensch den Tod besiegt. Außer Jesus Christus war kein Mensch sündlos. Und damit kann kein Mensch an sich der Hölle entgehen, der gerechten Strafe Gottes für jede Sünde. Das bedeutet auch sehr klar, dass wir ohne Jesus Christus dem Schicksal von Sünde, Tod und Hölle hoffnungslos ausgeliefert sind. Wir selbst können, auch bei allergrößter Bemühung, auch mit den schönsten guten Taten, keines dieser drei Probleme wirklich lösen.

Aber der Tagesvers zeigt den Ausweg an: Durch den Glauben an Jesus Christus kann ein Mensch – ohne eigenes »Werk« – vollkommen gerecht werden. Das heißt Reinigung von jeder Sünde. Das bedeutet, dass der physische Tod nicht die Hölle, sondern ewiges Leben im Himmel nach sich zieht. Jesus Christus ist tatsächlich der, der die »Sünde tötet«, den »Tod erwürgt« und die »Hölle frisst«. Das ist sein Kerngeschäft. Hier können und müssen wir uns ganz und ausschließlich auf ihn verlassen. Seine Arbeit hat er vollständig getan.

Welch Augenöffner ist das für einen Menschen, der seine eigene Lebensschuld kennt, der sich unter der Last seines Versagens Tag für Tag ohne Perspektive dahinschleppt? Glauben Sie an den Sohn Gottes, vertrauen Sie ihm Ihr Versagen und Ihr Leben an – und Sie sind gerecht!

Markus Majonica

? Wer kümmert sich um Ihre Sünden?

! Lebenslast bei Jesus ablegen und den Blick himmelwärts richten!

Römer 5,1-11

18 | MÄRZ MONTAG

Nur wenn der Sohn euch frei macht, seid ihr wirklich frei.
JOHANNES 8,36

Vom Geldfälscher zum Nachfolger Jesu (1)

August Michel wurde am 20. März 1820 als siebtes Kind des Arztes Ernst Martin Michel und dessen Frau Anna Christine in Siegen geboren. Nach dem Besuch der Lateinschule erlernte er das Lithographenhandwerk, bei dem er aus Schieferplatten Druckvorlagen herstellte. Er war sehr begabt in seinem Fachgebiet und hätte sich durch ehrliche Arbeit ein schönes Leben machen können. Doch August Michel stand der Sinn nach anderen Zielen. Und so missbrauchte er sein Fachwissen als Druckvorlagenhersteller und wurde Geldfälscher und Falschmünzer. Da er keine Schlägerei noch Mutprobe ausließ, war er bald überall im Siegerland nur noch als »der wilde Michel« bekannt. Schon die Nachricht, er sei mit seinen Jungs im Anmarsch, verbreitete an manchen Orten Angst und Schrecken. Jeder fürchtete ihn und ging ihm tunlichst aus dem Weg.

Die Polizei suchte eifrig nach dem Fälscher, und natürlich führte die Spur irgendwann zu Michel – denn so viele Lithographen gab es zur damaligen Zeit noch nicht. Er wurde festgenommen und landete in Untersuchungshaft. Aber durch eine kleine Eisenfeile, die er in seinem üppigen Haarschopf in die Gefängniszelle geschmuggelt hatte, gelang ihm nach nur wenigen Tagen die Flucht in die Freiheit.

Doch war er nun wirklich frei? Wie ein wildes, aufgescheuchtes Reh musste er sich im Wald verstecken. Er musste einen weiten Bogen um andere Menschen machen, denn überall wurde nach ihm gesucht! Obwohl er nicht mehr hinter Gittern war, musste Michel schmerzlich feststellen: Er würde nie mehr die Freiheit genießen können, die er einmal gekannt hatte. Nur wenn er seine Schuld vor Gott und Menschen bereuen, sich der Polizei stellen und seine Strafe verbüßen würde, würde diese Hetzjagd ein Ende nehmen. *Tony Keller*

❓ Wann macht Ihnen Ihre Schuld zu schaffen?

❗ Ein schlechtes Gewissen ist wie Freiheitsentzug.

✝ Psalm 31,1-4

DIENSTAG   MÄRZ | **19**

Durch Gottes Gnade seid ihr gerettet, und zwar aufgrund des Glaubens. Ihr verdankt eure Rettung also nicht euch selbst; nein, sie ist Gottes Geschenk.
EPHESER 2,8

Vom Geldfälscher zum Nachfolger Jesu (2)

Mehrmals ging August Michel der Polizei ins Netz, doch er entkam ihr auch immer wieder. Schließlich floh er bis nach Frankreich. Wegen einer wilden Prügelei in einer französischen Kneipe nahm man den »wilden Michel« erneut fest. Erst auf der Wache wurde klar, was für einen »großen Fisch« man da geangelt hatte! Michel wurde der deutschen Polizei übergeben, und vom dort zuständigen Gericht zu 20 Jahren Haft verurteilt.

Jahre vergingen. In der Gefängniszelle kamen ihm die Worte seiner frommen Mutter wieder in den Sinn, und er erkannte, dass er so, wie er war, keinen Platz bei Gott im Himmel bekommen konnte. Große Verzweiflung packte ihn. Seine Selbstmordgedanken nahmen überhand, sodass er schließlich zu sich selbst sagte: »Zum letzten Mal noch hörst du dir den Pfarrer an.« Der Gefängniswärter war völlig überrascht, als August Michel am nächsten Morgen ohne zu zögern dem Aufruf zum Gottesdienst folgte. An diesem Tag predigte der Gefängnispfarrer über Jesaja 43,1: »Fürchte dich nicht, denn ich habe dich erlöst; ich habe dich bei deinem Namen gerufen, du bist mein.« Diese Worte trafen den Gefangenen mitten ins Herz! August Michel begann, in der Bibel zu lesen und stieß dabei irgendwann auf den heutigen Tagesvers: Epheser 2,8. Das war sein Durchbruch. Er fiel in seiner Zelle auf die Knie und schüttete sein Herz vor Gott aus, bereute aus tiefstem Herzen all seine Schuld. Endlich konnte er sie ganz bei Gott abgeben. Jetzt war er, obwohl noch im Gefängnis, wirklich frei!

Später begnadigte der König von Preußen August Michel. Doch das Größte ist, dass er durch Gottes Gnade gebändigt wurde! Er, der für viele so lange Zeit ein Schrecken gewesen war, sprach jetzt öffentlich davon, wie Jesus Christus sein Leben verändert hatte.   *Tony Keller*

❓ Was wäre aus August Michel ohne diese Umkehr geworden?

❗ Wer der Gnade Gottes begegnet, kann nicht unverändert bleiben.

📖 Psalm 32,5-11

20 | MÄRZ — MITTWOCH
Tag des Glücks

**Ich sage zum HERRN: »Du bist mein Herr.
Nur bei dir finde ich mein ganzes Glück«**

PSALM 16,2

Das eingebackene Glück?

Vor Kurzem waren wir in einem chinesischen Restaurant essen. Wie gewöhnlich gab es gegen Ende der Mahlzeit die bekannten Glückskekse. Wir öffneten die Verpackung, brachen die Kekse auf und brachten mit großer oder auch kleiner Erwartung die darin enthaltenen Sprüche zum Vorschein. Wir lasen alle vor und sprachen darüber. Uns fiel auf, dass wir es in den meisten Fällen mit ganz allgemeinen, logischen Schlussfolgerungen zu tun hatten wie z. B.: »Ein unerwartetes Geschenk wird dich erfreuen.« Fast alle Menschen freuen sich über unerwartete Geschenke! Die Sprüche erzeugen eine positive Stimmung, sagen eine tolle Zukunft voraus oder machen Komplimente. Sie sind meist allgemein formuliert, damit sie auf möglichst viele zutreffen. Manche nehmen diese Sprüche tatsächlich ernst und glauben an ihre »Voraussagen«.

Wenn ich die Bibel öffne und darin lese, dann bin ich auch gespannt, auf welche Worte ich stoßen werde. Darin treffe ich ebenfalls auf Voraussagen, allerdings wurden sie zum einen von Gott höchstpersönlich gemacht, sind also absolut zuverlässig, und zum anderen nicht nur positiv. Ich lese Texte, die mich mitten ins Herz treffen, zum Nachdenken anregen, mir Mut machen, mich kritisch hinterfragen, zum Weinen bringen oder mit Glück und Freude erfüllen.

Gott spricht durch die Bibel zu uns und hat sie uns gegeben, damit wir wissen, wie das Leben am besten funktioniert. In ihr können wir lesen, wer und wie Gott ist und was er uns mitteilen will. Da gibt es eine Menge Entdeckungen zu machen! Und die beglückendste ist, dass Jesus mich liebt, mir meine ganze Schuld vergeben und ewiges Leben schenken will. Das ist wahres Glück – nicht zu finden in Glückskeksen, sondern nur in der Bibel!

Gabriel Herbert

? Inwiefern wünschen Sie sich verlässliche Prognosen für Ihr Leben?

! Die Bibel schmeichelt nicht, sondern hält uns den Spiegel vor.

† 2. Petrus 2,19-21; 2,1-3; 3,17-18

DONNERSTAG · MÄRZ | 21

Ja, der HERR ist erhaben, doch er sieht den Niedrigen, und den Hochmütigen erkennt er von fern.
PSALM 138,6

Think BIG!

Ich schreibe gerne meine Gedanken auf, und nachdem wieder einmal eine Kladde vollgeschrieben war, hatte ich Lust auf Abwechslung. Die neue war ansehnlicher. Vorne stand in großen Lettern »Think big!«, und ich sagte mir: Das ist doch mal eine Herausforderung – bis ich tiefer darüber nachdachte. Im Business ist das ja ein beliebtes Schlagwort, aber was heißt das eigentlich? Nicht zu kleinkariert die Dinge des Lebens angehen? Bei allem einfach noch eine Schippe drauflegen, denn man gönnt sich ja sonst nichts? Jedenfalls müssten dem »groß denken« ja auch große Taten folgen, damit es am Ende auch wirklich »big« wird. Und da kommt man dann doch schneller an seine Grenzen, als man denkt.

Wirklich groß denken darf streng genommen nur der, der auch wirklich groß ist. Und das ist zweifellos der Gott der Bibel. Seinem Denken folgten Taten, und die sind wahrhaftig von einer Dimension, die unser Fassungsvermögen weit übersteigt. Die ganze Schöpfung hat er ins Dasein gerufen, und aller Überfluss darin zeigt uns, dass er mehr hervorbrachte als eigentlich notwendig war. Aber nicht einmal das reicht aus, um seine Größe und Erhabenheit zu erfassen.

Aber der große Gott hat auch einen Sinn für das Kleine und Unscheinbare. So war er sich nicht zu schade, in seinem Sohn Mensch zu werden, einer von uns. Und Jesus beanspruchte nicht den ersten Platz, sondern wandte sich den Niedrigen zu. Er diente uns, damit wir nicht um unserer Sünden willen ewig verloren bleiben, und entsprach damit einem göttlichen Prinzip: Werde klein, um Großes zu vollbringen! Daraus ist mehr entstanden, als zu erwarten war: eine ganz neue Art von Menschen, die groß von Gott denken und in seiner neuen Welt ewig leben dürfen. Das ist nicht nur »groß gedacht«, sondern auch »groß gemacht«!

Joachim Pletsch

❓ Wie groß denken Sie und was haben Sie davon bis jetzt zustande gebracht?

❗ Von Gott groß zu denken, bringt uns wirklich weiter.

✝ Psalm 138

22 | MÄRZ
Tag der Kriminalitätsopfer

·FREITAG

Sollte der Richter der ganzen Erde nicht Recht üben?
1. MOSE 18,25

Mitfühlen und Geborgenheit erfahren

Heute ist der »Tag der Kriminalitätsopfer«. Er soll das Bewusstsein für Opferbelange in Deutschland stärken und Informationen zu Prävention, Schutz und praktischen Hilfen geben.

In meiner über 42-jährigen Tätigkeit als Polizeibeamter hatte ich mit vielen Opfern von Kriminalität zu tun. So z. B. mit einer Ehefrau und ihren Kindern, die wiederholt vom Ehemann und Vater geschlagen wurden. Oder mit Frauen, die von Männern über Jahre hinweg gestalkt wurden; Opfern von Verkehrsunfällen, die unter Schock standen, weil sie z. B. den Tod von Mitmenschen erlebt oder sogar daran beteiligt waren. Ich könnte noch viel mehr aufzählen. Oft führen solche Vorkommnisse zur Berufsunfähigkeit, und man kann nur erahnen, was solche Menschen – nicht selten jahrelang – durchmachen.

Durch meinen Glauben entwickelte ich Empathie für diese Menschen. Ich ließ mir Zeit und suchte das Gespräch, um ein wenig zu helfen. Obwohl viele Täter nicht gefasst wurden oder relativ milde Strafen erhielten, weiß ich als Christ, dass Gott gar nichts von alledem entgeht. Das gab mir Ruhe und Hoffnung auf den Einzigen, der spätestens in der Ewigkeit für Gerechtigkeit sorgen wird.

Doch das ist für die meisten Opfer im Jetzt kein Trost. Eine Hinwendung zu Gott kann aber helfen, Leid und Ungerechtigkeit auszuhalten – besonders im Blick darauf, dass Gott denen, die ihn suchen und ihm Glauben schenken, ein Belohner sein wird (vgl. Hebräer 11,6). Das feste Vertrauen auf Gottes Zusagen ist dabei ein entscheidender Faktor. Und das hängt von der persönlichen Begegnung mit Gott ab, die wir durch Jesus Christus haben können. Wir dürfen durch den Glauben an ihn zu Gottes Kindern werden und dann dauerhaft seine väterliche Fürsorge und seinen Zuspruch erfahren! *Axel Schneider*

❓ Wann bekommen Sie die Ungerechtigkeit dieser Welt zu spüren?

❗ Wer sich geborgen in Gott weiß, kann Mitgefühl für andere zeigen.

✝ Offenbarung 20,11-15

SAMSTAG MÄRZ | 23

Denn wie Jona drei Tage und drei Nächte im Bauch des Fisches war, so wird der Menschensohn drei Tage und drei Nächte im Schoß der Erde sein.
MATTHÄUS 12,40-41

Das Zeichen des Jona

Im Rahmen eines Ostergottesdienstes an der Freien christlichen Schule im Siegerland haben meine Schüler das Musical Jona aufgeführt. Darin geht es um den Propheten Jona, der im 8. Jahrhundert vor Christus lebte und den Auftrag bekam, nach Ninive (der Hauptstadt von Assyrien) zu gehen. Dort sollte er den Einwohnern sagen, dass sie ihre bösen Handlungen unterlassen und zu Gott umkehren sollen. Sonst würde Gott ihre Stadt vernichten. Statt nach Ninive zu gehen, fuhr Jona mit einem Schiff in die entgegengesetzte Richtung nach Spanien, bis ein schweres Unwetter aufzog. Jona erzählte den Seeleuten, dass er dem Gott dient, der das Meer gemacht hat und dass der Sturm seinetwegen gekommen war. Daraufhin beschlossen sie, Jona über Bord zu werfen. Die Bibel berichtet, dass der Prophet im Bauch eines Fisches drei Tage überlebt hat und schließlich wieder an Land gespuckt wurde. Erst dann war er bereit, nach Ninive zu reisen und seine Botschaft zu überbringen. Die Einwohner hörten auf ihn und die Stadt wurde nicht zerstört.

Im Neuen Testament erwähnt Jesus die Begebenheit im Gespräch mit der religiösen Elite von Israel. Die Gesetzeslehrer forderten ein Zeichen von Jesus, aber dieser antwortete ihnen: »Dieser Generation wird kein Zeichen gegeben werden, nur das des Propheten Jona.« Jesus zieht anschließend einen Vergleich: Er würde drei Tage im Grab liegen und dann auferstehen. Ähnlich wie Jona drei Tage im Bauch des Fisches war und schließlich wieder an Land kam. Der Unterschied: Jona war nicht wirklich tot. Aber Jesus ist wirklich am Kreuz gestorben und hat das Gericht Gottes für unsere Sünden erduldet. Seitdem können Menschen für ewig gerettet werden – wenn sie das persönlich im Glauben annehmen und sich dem Auferstanden anvertrauen.

Uwe Harald Böhm

? Ist Ihnen klar, welchen Aufwand Gott treibt, damit Menschen gerettet werden?

! Das beweist, wie groß seine Liebe zu uns ist. Man muss sich aber auch retten lassen.

✝ 2. Korinther 5,14-21

24 | MÄRZ   SONNTAG

Wer Gott naht, muss glauben, dass er ist und denen, die ihn suchen, ein Belohner sein wird.

HEBRÄER 11,6

Ewiges Leben ernten

Im Frühjahr ist Aussaatzeit. Von März bis Mai können jede Menge Gemüse, Blumen und Kräuter vorgezogen und direkt im Balkon-Garten ausgesät werden. Natürlich braucht alles noch Schutz gegen die Kälte. Kleine Schalen werden mit Erde gefüllt, und fast alle Arten von Samen können darin gepflanzt werden. Schon bald treiben die ersten Schösslinge hervor und können, wenn die Frostgefahr endgültig gebannt ist, zum Weiterwachsen in die gut vorbereiteten Gartenbeete verpflanzt werden. Wenn keine Schädlinge sich darüber hermachen und genug Regen fällt, ist zu gegebener Zeit mit der erwarteten Frucht zu rechnen. All das beruht auf einem Prinzip der Natur, das der Schöpfer so eingerichtet hat und auf das man zuverlässig vertrauen kann: Ausgestreuter Samen geht auf und wächst zu der Pflanze heran, die in ihm angelegt ist.

Was in der Natur prinzipiell funktioniert, das ist auch in dem Bereich wirksam, der unser persönliches Leben betrifft. Auch da hat es Gott eingerichtet, das man das, was man sät, später ernten wird. Eins von diesen guten Saatkörner wollen wir uns heute einmal vor Augen führen. Das erste beschreibt uns unser Tagesvers. Er verspricht denen, die Gott nahen, ihm vertrauen und ihn suchen, Belohnung – und zwar von Gott selbst. Wie eines von diesen Schälchen mit dem ausgestreuten Samen zu Hause auf dem Balkon kann man auch Gott einen Platz in seinem Leben einräumen, aber nicht, um ihn bald wieder auszupflanzen, sondern um ihn für immer im Herzen, also mitten im Zentrum unseres Seins, zu haben und zu behalten. Dann wird all das Gute, was in Gott zu finden ist, auch in unserem Leben wachsen können, uns und andere ernähren und Freude bereiten, so wie das in der Natur die Pflanzen tun.

Joachim Pletsch

❓ Ist bei Ihnen auch schon Aussaatzeit?

❗ Nutzen Sie den Rest Ihres Lebens im Sinne des Tagesverses dazu. Dann werden Sie ewiges Leben ernten.

📖 Jakobus 1,16-18; 5,7-8

MONTAG MÄRZ | 25

Das ist das Wort des Glaubens, das wir predigen,
dass, wenn du ... in deinem Herzen glaubst,
dass Gott ihn [Jesus] aus den Toten auferweckt hat,
du gerettet werden wirst.
RÖMER 10,9

Tod und Auferweckung

Terra X hat wieder einmal die Fakten gecheckt. Passend zu Ostern werden die üblichen Clips in den sozialen Netzwerken gestreut, ob denn die Grundlagen des christlichen Glaubens wirklich auf Tatsachen beruhen: Ist die Grabeskirche in Jerusalem tatsächlich an dem Ort gebaut, wo der Leichnam Jesu nach der Kreuzigung bestattet wurde und – nach biblischem Zeugnis – seine Auferstehung stattgefunden hat? Das Ergebnis: Archäologisch lässt sich das letztendlich nicht beweisen. Zu oft wurde in der Stadt alles zerstört, neu überbaut und verändert. Und selbst wenn es tatsächlich der Ort ist, wo Jesus begraben wurde, ist die Auferstehung selbst aus heutiger Sicht nicht mehr greifbar und beweisbar. Wirklich nicht?

Unser Tagesvers sagt etwas anderes. Der Glaube vermag es sehr wohl zu erfassen, und es wird damit sogar eine sehr weitreichende Auswirkung verbunden: Wer in seinem Herzen glaubt, dass Gott Jesus aus den Toten auferweckt hat, wird errettet werden. Und das heißt: Er wird ebenso wie Jesus auferweckt werden – zu ewigem Leben!

Wie kann so ein Glaube entstehen? Er beruht auf Information, die sich auf wahre Tatsachen gründet. Und diese Tatsachen sind glaubwürdig, weil sie in der Bibel von solchen bezeugt werden, denen der auferstandene Jesus Christus erschienen ist. Und die Tatsache der Auferstehung ist auch deshalb glaubwürdig, weil durch das Sterben und Auferstehen Jesu bei denen, die glauben, eine tatsächliche Veränderung geschieht. Das neue Leben von Gott ist bei ihnen schon jetzt erkennbar. Sie denken anders, sie leben anders und sie sterben anders, weil ihr Blick ausgerichtet ist auf das, was ihnen versprochen ist: ein ewiges Leben in Gemeinschaft mit dem, der ihre Erlösung von Sünden bewirkt hat.

Joachim Pletsch

Glauben Sie auch etwas?

Es reicht nicht aus, irgendetwas zu glauben; nur der Glaube an Gottes Werk der Erlösung rettet zum ewigen Leben.

1. Korinther 15,1-11

26 | MÄRZ   DIENSTAG

Als nun Jesus die Mutter sah und den Jünger,
den er liebte, dabeistehen …
JOHANNES 19,26

Jesus sieht mich

Ich habe mich schon immer nach Ostern gesehnt. Allerdings war dieses Sehnen, bevor ich Jesus als meinen Erlöser kennengelernt habe, ein anderes als heute. Damals sehnte ich nach einer langen Zeit ohne Feiertage endlich wieder ein verlängertes Wochenende herbei und war froh, dass das Osterwochenende vor und nach dem Wochenende einen Feiertag hatte.

Als ich 1989 zum Glauben kam, begannen sich allerdings viele christliche Feiertage mit Sinn zu füllen, weil sie an bestimmte, existentiell wichtige Ereignisse erinnern, die in der Vergangenheit passiert und in der Bibel beschrieben sind. So war es auch mit dem Osterfest: Mir wurde auf einmal bewusst, dass Jesus damals auch für meine Schuld in den Tod gegangen ist, mich aber darüber hinaus in seine Auferstehung mit hineinnimmt und mir sagt: »Fürchte dich nicht!« Aus den theoretischen, ziemlich lang zurückliegenden Ereignissen, an die das Osterfest erinnert, wurde für mich ein sehr persönliches Fest.

Viele Details des biblischen Geschehens um Ostern bewegen mich seitdem sehr. Wenn ich z. B. im Johannesevangelium lese, wie Jesus noch aus dem Todeskampf vom Kreuz herab seine Mutter der Fürsorge seines Jüngers Johannes anbefahl, dann erkenne ich, wie wichtig jeder einzelne Mensch für ihn ist. Wenn ich darüber nachdenke, dann verstehe ich, dass Jesus auch mich ganz persönlich im Blick hat, mit meinen Nöten und Ängsten.

Für mich macht Ostern heute klar: Jesus sieht auch mich. Ich bin ihm nicht egal. Er ist besorgt um mich. Weil ich das verstanden habe, habe ich ihm mein Leben ganz bewusst anvertraut. Seitdem freue ich mich über seine Nähe. Diese Erfahrung wünsche ich jedem Menschen. Denn Jesus sieht nicht nur mich – er sieht auch Sie!   *Bernd Grünewald*

Wie persönlich ist Ostern für Sie?

Gott ist uns wirklich nah, und er sieht uns.

Markus 16,2-11

MITTWOCH MÄRZ | **27**

Aber der HERR sprach: Meinst du, dass du mit Recht zürnst?
JONA 4,4

Zorn

Ich kenne viele Haushalte, in denen Bibelverse an der Wand hängen, kunstvoll geschrieben und hübsch gerahmt. Es ist sicher eine gute Sache, auf diese Weise wichtige Passagen aus der Bibel sichtbar zu machen, denn es sind Worte des Lebens. Einen Bibelvers habe ich allerdings noch nie an einer Wand gesehen: »Meinst du, dass du mit Recht zürnst?«

Ich kann ein sehr cholerischer Typ sein; ich weiß, wovon ich rede. Als Student habe ich einmal mein Lehrbuch zerschlagen, weil ich eine Passage nicht verstanden habe. Schon oft wollte ich meinen PC verprügeln, weil er nicht das tat, was ich wollte. Der Impuls zur Wut kocht immer wieder hoch, z. B. im Straßenverkehr. Ich kann mich sehr ärgern über Äußerungen und Verhaltensweisen meiner Mitmenschen, auch wenn der Anlass banal ist.

Nun könnte ich sagen: So bin ich halt! Doch sind diese Impulse berechtigt? Habe ich wirklich Grund zum Zorn? In der Regel nicht. Des Menschen Zorn tut nicht, was vor Gott recht ist (vgl. Jakobus 1,20). Zorn ist kein guter Ratgeber. Viele Verbrechen sind schon aus Zorn geschehen. Wie friedensbewahrend wäre es, wenn jeder, der wie ich zum Zorn neigt, sich stets erst einmal die Frage stellte: »Zürnst du zu Recht?« Dann würden sehr wahrscheinlich die allermeisten Konflikte dieser Welt erst gar nicht entstehen.

Jesus Christus selbst ist (auch) hier das große Vorbild: Auf den Zorn der Menschen hat er mit Güte, Vergebung und Langmut geantwortet. Den völlig berechtigten Zorn Gottes auf unsere Sünden hat er auf sich gezogen, damit wir Frieden mit Gott haben können. Wie tragisch wäre es, dies zu ignorieren und im Zorn zu verharren: im eigenen zornigen Verhalten und vor allem im Zorn Gottes über die Ablehnung seines Sohnes.

Markus Majonica

❓ Wie gehen Sie mit Zornimpulsen um?

❗ Lassen Sie sich vom Frieden Gottes befrieden!

✝ 1. Thessalonicher 5,1-11

28 | MÄRZ
Gründonnerstag

DONNERSTAG

Sie werden ihn verspotten und geißeln und anspucken und ihn töten; und am dritten Tag wird er wieder auferstehen.

MARKUS 10,34

Der Tod, das schwarze Loch

Astronomen beschreiben ein Phänomen, das sie »Schwarzes Loch« nennen. Darunter verstehen sie ein Objekt von unvorstellbarer Masse auf kleinstem Raum. Seine Gravitation ist so stark, dass nichts dieses Objekt wieder verlassen kann. Selbst Licht kann ihm nicht entkommen. So kann man Schwarze Löcher auch nicht direkt beobachten. Aufgrund ihrer Auswirkungen auf ihre Umgebung schließt man auf ihre Existenz. Man könnte sagen, dass alles, was dem Schwarzen Loch zu nahe kommt, unwiederbringlich von ihm aufgesogen wird.

Der Tod ist wie solch ein schwarzes Loch. Er ist Tag und Nacht aktiv. Er zieht alles und jeden in sich hinein. Es gibt vor ihm kein Entkommen. Für niemanden. Er ist dunkel und man weiß nicht, was dann kommt. Der Tod ist das Letzte, was ein Mensch auf dieser Erde zu erwarten hat. Schwarze Löcher im Weltall mögen faszinieren, aber der Tod als schwarzes Loch macht hoffnungslos. Auch Jesus ging in dieses schwarze Loch. Er sagte seinen Jüngern voraus, dass und auf welche Weise er sterben würde. Er kündigte ihnen aber auch an, dass er nach drei Tagen auferstehen würde. Das heißt, er versicherte ihnen, dass er nicht vom Tod festgehalten werden wird. Und so geschah es auch.

An Ostern denken wir daran: Jesus Christus hat dem Tod seine Macht genommen. Seine Auferstehung beweist, dass es nun, allein durch ihn, einen Ausweg aus dem Schwarzen Loch des Todes gibt. Das ist das Gewaltige an Jesu Auferstehung. Er ist der Einzige, der die Hoffnungslosigkeit beenden kann, die mit dem Tod verbunden ist. Ohne Jesu Auferstehung gäbe es kein Entkommen. Aber weil sie geschehen ist, ist auch meine Auferstehung denkbar und wird geschehen, wenn ich zu Jesus gehöre. Der Tod hat dann seine Macht und Endgültigkeit verloren.

Manfred Herbst

❓ Ist für Sie der Tod noch das schwarze, hoffnungslose Loch?

❗ Nur der Glaube an die Auferstehung Jesu schenkt Hoffnung.

✝ Johannes 11,1-16

FREITAG MÄRZ **29**
Karfreitag

> Und sein Kreuz tragend, ging er hinaus nach der Stätte, genannt Schädelstätte, die auf hebräisch Golgatha heißt, wo sie ihn kreuzigten.
>
> JOHANNES 19,17

Der bedeutendste Ort

Mein vierjähriger Enkel entdeckte beim Spielen auf einem Erdhügel einen schalenförmigen Gegenstand. Gereinigt von Erde entpuppte er sich als eine menschliche Schädeldecke. Die Beamten staunten nicht schlecht, als der Kleine mit dem Skelettteil auf der Polizeiwache erschien. Nachforschungen wiesen jedoch nicht auf einen ungeklärten Kriminalfall, sondern auf den Aushub von einem Friedhof, der in freier Wildbahn entsorgt wurde.

Alle vier Schreiber der Evangelien legen Wert auf die Mitteilung, dass der Ort, wo Jesus Christus gekreuzigt wurde, »Schädelstätte« (Golgatha) hieß. Manche antiken Autoren führen diese Bezeichnung auf die Kontur des Felsens zurück, der von Weitem wie ein Schädel aussah. Andere sehen in dem Umstand, dass Golgatha eine Hinrichtungsstätte war, den Grund für diesen ungewöhnlichen Namen.

Das Wort Golgatha leitet sich von dem hebräischen Verb *galal* ab, das *rollen* oder *abwälzen* bedeutet, und hängt mit der Tatsache zusammen, dass Schädel nahezu rund sind. Auch der deutschen Redewendung *Köpfe rollen lassen* liegt dieser Tatbestand zugrunde. Aber was wurde denn auf Golgatha, diesem furchtbaren und gruseligen Ort, weggerollt und abgewälzt?

Dort bezahlten unzählige Verbrecher ihre schlimmen Taten mit ihrem Leben, aber Jesus Christus war der sündlose und vollkommen reine Sohn Gottes. Die Strafe für unsere schlechten Taten, unsere ganze Schuld, wurde auf ihn abgewälzt und er ertrug den gerechten Zorn des heiligen Gottes dafür. Wer daran glaubt, der muss nicht mehr selbst die Strafe für seine Sünden tragen. Er weiß, dass ihm vergeben und dass alle seine Schuld weggewälzt ist. Und so kann die schreckliche »Schädelstätte« zum Ausgangspunkt eines neuen Lebens werden. *Gerrit Alberts*

Sind Sie sich bewusst, dass Sünde eine schwere Last ist?

Christus hat aus Liebe die Strafe für fremde Sünden auf sich genommen.

Johannes 19,17-30

30 | MÄRZ
Karsamstag

SAMSTAG

> Eine Generation, deren Zähne Schwerter sind und Messer ihr Gebiss.
>
> SPRÜCHE 30,14

Junger Star und alter Mann

Er starb gestern vor 20 Jahren: das Multitalent Peter Ustinov. Er wurde durch seine Filmrollen weltbekannt, z. B. als wahnsinniger Nero in *Quo vadis?* (1951). Zunächst zögerte der Regisseur ein ganzes Jahr lang mit der Besetzung, da er den 30-jährigen Schauspieler für zu jung hielt. Doch dann erhielt der Produzent des Films von Ustinov die telegrafische Mitteilung, dass er für die Rolle bald zu alt sei, wenn man noch länger warte, da Nero selbst bereits mit 31 Jahren gestorben sei! Und so bekam er die Rolle. Mit der Darstellung des geisteskranken und größenwahnsinnigen Kaisers gelang Ustinov der internationale Durchbruch. Berühmt ist auch seine wehleidige Stimme in dem Zeichentrickfilm *Robin Hood* als Prinz John (der daumenlutschende Löwe mit zu großer Krone). Seine letzte Rolle spielte er – schon sichtlich gebrechlich – als Friedrich der Weise in *Luther* (2003).

Peter Ustinov sagte einmal: »Die Jugend braucht alte Männer. Sie braucht Männer, die sich ihres Altes nicht schämen, keine albernen Kopien ihrer selbst. Eltern müssen begreifen, dass sie die Knochen sind, an denen Kinder sich ihre Zähne schärfen (...) Was sind diese Knochen wert, wenn sie weich sind, wenn sie der suchenden Zunge ihr Mark bloßlegen, wenn sie nicht hart, ja unzerbrechlich sind?« Eine bemerkenswerte Beobachtung, die wohl nicht nur von ihm gemacht wurde.

Schon Agur im Buch der Sprüche (siehe Tagesvers) wusste um etwa 1000 v. Chr., wie angriffslustig und bissig Jugendliche mit ihren Eltern umgehen. Stoßen Kinder bei uns auf innere Festigkeit, auf Überzeugung und Unnachgiebigkeit? Dann schärfen wir ihr Profil. Oder legt ihre Kritik nur unsere Weichheit und Wert(e)losigkeit bloß? Dann sind wir nur alberne Kopien ihrer selbst.

Andreas Fett

? Wie können wir unseren Kindern Überzeugungen vermitteln?

! Lesen Sie in 5. Mose 6,5-7, was wir ihnen einschärfen sollen!

† 5. Mose 6,5-7

SONNTAG MÄRZ **31**
Ostersonntag

Wenn aber Christus nicht auferweckt wurde, ist euer Glaube sinnlos und ihr steckt immer noch in euren Sünden. Und die, die im Vertrauen auf Christus gestorben sind, wären alle verloren.

1. KORINTHER 15,17-18

Das leere Grab am Ostermorgen

Mit der Auferstehung steht und fällt der christliche Glaube, schreibt Paulus in unserem Tagesvers an die Gemeinde in Korinth. Doch immer wieder wird versucht, das Vertrauen auf die Auferstehung zu untergraben. Sogar von Theologen! Ein verbreiteter Erklärungsansatz besagt, Jesus sei lediglich im Geist seiner Jünger lebendig geworden, wenn sie von ihm sprachen.

Jedoch sollte man sich im Klaren sein: Entweder ist Jesus wirklich aus den Toten auferstanden oder er ist es nicht. Eine metaphorische Kompromisslösung hat keinerlei Wert, denn ohne physische Auferstehung Jesu ist das Christentum bedeutungslos.

Tatsächlich sind entgegen der landläufigen Meinung die Ereignisse rund um den Tod und die Auferstehung Jesu bestens belegt. Alle vier Evangelien bestätigen, dass Jesus mehrfach seinen Jüngern die Auferstehung angekündigt hat. Die Botschaft vom auferstandenen Jesus wurde zuerst in der Stadt verkündet, in der Jesus begraben worden war. Die Auferstehung war eine Tatsache, die niemand leugnen konnte. Selbst die jüdischen Führer gaben zu, dass das Grab leer war. Sie bemühten sich allerdings, das Gerücht in die Welt zu setzen, dass seine Jünger den Leichnam gestohlen hätten.

Paulus schreibt von mehr als 500 Personen, die den auferstandenen Jesus gesehen haben. Es stand damals überhaupt nicht zur Debatte, ob die Auferstehung wirklich geschehen war. Dafür gab es zu viele Augenzeugen, die man fragen konnte.

Die Zeugnisse der frühen Kirche belegen, dass alle Jünger, bis auf Johannes, den Märtyrertod starben. Es ist schwer vorstellbar, dass die Jünger für einen toten Jesus ihr Leben ließen, dessen Auferstehung sie nur erfunden hatten. Es wäre töricht, für eine Lüge, die man selbst erfunden hat, zu sterben.

Günter Seibert

❓ Glauben Sie an die physische Auferstehung Jesu?

❗ Wäre Jesus nicht wirklich auferstanden, dann wäre unser Glaube nur eine Illusion.

✝ Johannes 20,19-29

01 | APRIL
Ostermontag

MONTAG

In ihm war Leben, und dieses Leben war das Licht für die Menschen.
JOHANNES 1,4

Warum im Dunkeln umherirren?

Hier in Äthiopien kommt es nicht selten vor, dass wir im hell erleuchteten Haus plötzlich im Dunkeln tappen – Stromausfall. Ich habe mir deshalb angewöhnt, Dinge fein säuberlich anzuordnen, um mich auch ohne Licht zurechtfinden zu können. Und wie ich in den Medien lese, wird auch schon in Europa das Gespenst von Stromrationierung wegen möglicher Energie-Knappheit an die Wand gemalt. Wir leben in einer düsteren Welt, was durch den Ukraine-Krieg noch deutlicher wird. Viele sind verzweifelt und wissen weder ein noch aus.

Heute feiern wir Ostermontag, also den Tag nach Christi Auferstehung, mit der Jesus die Mächte der Finsternis überwunden hat und das Licht der Welt nach seiner dunklen Todesstunde (vgl. Lukas 23,44) alles überstrahlt. Dass Jesus Christus das Licht der Welt ist, wird schon am Anfang des Johannes-Evangeliums verdeutlicht: »In ihm war Leben und dieses Leben war Licht für die Menschen« (Johannes 1,4). Und im nächsten Vers geht es mit den Worten weiter: »Das Licht scheint in der Finsternis, und die Finsternis hat es nicht erfasst.« Gott hat in Jesus das personifizierte Licht auf die Erde gesandt, damit wir nicht mehr im Dunkeln umherirren müssen. Licht besiegt die Dunkelheit.

Deshalb berichten die vier Evangelien ausführlich über das Leben Jesu hier auf der Erde. Damit ist uns ein leuchtender Wegweiser in die Hand gegeben, mit dem wir den Weg zu Gott trotz uns umgebender Dunkelheit nicht verfehlen können. Wie befreiend das ist, das besang schon David in Psalm 119,105 mit den Worten: »Dein Wort ist Leuchte meinem Fuß und Licht für meinen Pfad.« Genauso, wie meine Ordnung mir hilft, meine Sachen auch im Dunkeln zu finden, beleuchtet mir die Bibel, Gottes Wort, den Weg auch in dunklen Zeiten.   *Martin Grunder*

❓ Wie finden Sie sich in der Dunkelheit dieser Welt zurecht?

❗ Folgen Sie dem Beispiel des Psalmisten!

✝ Lukas 23,44-48

DIENSTAG | APRIL | 02

Er, das Wort, wurde Mensch und wohnte unter uns.
JOHANNES 1,14

Heute nur 20 »likes«?

Gegen Ende des Jahres 2021 zeigten verschiedene Studien, wie erschreckend verbreitet die Verzweiflung vieler Jugendlicher ist, die oft sogar in Selbstmord endet. Sicherlich waren da die Kontakt- und Reisebeschränkungen wegen Covid-19 mitverantwortlich. Aber wenn die menschliche Nähe und Orientierung fehlt und der Ersatz nur noch virtuell in den sozialen Medien gesucht wird, sind Schwierigkeiten vorprogrammiert. Wenn dann auch noch die »likes« immer weniger werden, fühlen viele sich sofort verlassen, weil die realen sozialen Kontakte auf ein Minimum reduziert oder gar nicht mehr vorhanden sind.

Der Halt, den Gott uns geben will, gründet sich auf ein Geschehen, das überhaupt nicht virtuell, sondern ganz real war. Gott wurde in Jesus Christus, seinem Sohn, Mensch und kam auf diese Erde. Er wollte uns Menschen nah sein. Davon berichtet die Bibel, und sie zeigt uns auch, welche Konsequenzen das für uns haben kann, wenn wir uns darauf einlassen: Wer Jesus aufnimmt, an ihn glaubt und auf ihn vertraut, der bekommt das Recht, Kind Gottes zu werden. Er wird Teil der weltweiten Familie Gottes, deren Mitglieder durch Gottes Geist innerlich miteinander verbunden sind und füreinander da sind. Das drückt sich tausendfach an allen Orten aus, wo sich Christen treffen, gemeinsam Gott anbeten und auf sein Wort hören. Keine Internet-Community kann so etwas ersetzen oder auch nur annähernd erreichen.

Statt also im Internet herumzusuchen, um unsichere und oberflächliche »Kontakte zu knüpfen« oder widersprüchliche Antworten zu erhalten, sollte man lieber zur Bibel greifen, und sich mit dem verbinden, der darin geoffenbart wird, und der allein ein festes und starkes Lebensfundament bietet, das in alle Ewigkeit Bestand hat: Jesus Christus.

Martin Grunder

? Wie oft greifen Sie zum Handy und Internet, um Orientierung zu finden?

! Greifen Sie stattdessen zur Bibel!

† Johannes 1,1-14

03 | APRIL
Tag der älteren Generation

MITTWOCH

So lehre uns denn zählen unsere Tage, damit wir ein weises Herz erlangen!

PSALM 90,12

Altern

Das ist wirklich ein großer Reichtum: Jetzt haben wir schon sieben Enkel! Eigentlich fühle ich mich noch nicht so wirklich wie ein Opa. Aber ich bin es. Doch Kleinigkeiten fallen mir auf: Früher haben uns unsere Kinder in allem um Rat gefragt, mittlerweile brauchen wir ihren. Als 30-Jähriger war ich mit unseren Kleinkindern kaum ängstlich, heute, wenn wir Enkeltag haben, sehe ich überall Gefahren. Gestern noch war eine Reparatur ein Klacks, heute muss ich mich überwinden, sie anzugehen. Und ich sorge mich mehr. Früher habe ich geschlafen wie ein Stein, heute liege ich oft nachts wach, und ich weiß nicht einmal, warum.

Folgendes Gebet fand ich in meiner Zitatensammlung. Ich bete es gerne:

»Jesus Christus, ich spüre, dass ich älter werde; ich ahne, dass ich sehr bald zu den Alten gehöre. Du weißt das auch. Bewahre mich vor allem, was die Alten so unbeliebt macht. Behüte mich vor Geschwätzigkeit. Lass mich nicht meinen, ich müsse mich bei jeder Gelegenheit zu allem äußern. Gib mir die Einsicht, dass ich zuweilen unrecht haben kann. Befreie mich von dem eitlen Verlangen, jedermanns Angelegenheit in Ordnung bringen zu wollen. Halte mich frei davon, den anderen alle Einzelheiten meines Alltags aufzudrängen. Schenke mir Geduld, wenn andere mir ihre Leiden klagen; aber versiegle meine Lippen, wenn ich meine eigenen zunehmenden Schmerzen und Gebrechen ausbreiten möchte. Und wenn ich doch darüber spreche, dann lass es mich so tun, dass deine Güte dadurch nicht verdunkelt wird. Mach mich hilfsbereit, aber nicht geschäftig; fürsorglich, aber nicht herrschsüchtig. Am Ende aber lass mich nicht einsam sein. Ich brauche dann ein paar Freunde, lieber Herr Jesus, gute Freunde. Aber das weißt du auch.«

Peter Lüling

❓ Welche Herausforderungen haben Sie in Ihrem Älterwerden?

❗ Älter werden, neugierig bleiben, und dabei die Tage (nicht die Jahre) zählen!

✝ Prediger 12,1-8

DONNERSTAG　　　　　　　　　　　　　　　　APRIL | **04**

Er war voll Gnade und Wahrheit und wir wurden Zeugen seiner Herrlichkeit, der Herrlichkeit, die der Vater ihm, seinem einzigen Sohn, gegeben hat.
JOHANNES 1,14

 ## Wahrheit?

Seit April 2019 sitzt Julian Assange in einem Londoner Gefängnis. Der Gründer der Website »WikiLeaks« wurde bekannt durch seinen Enthüllungsjournalismus. Im Internet publizierte er geheime Akten aus dem US-Gefangenenlager Guantanamo, diplomatische E-Mails und Hinweise auf Kriegsverbrechen im Irak. Damit hat sich der Australier viele Feinde gemacht, insbesondere in den USA, die ihn vor Gericht stellen wollen.

Sowohl Person als auch Verhalten von Assange sind allerdings hoch umstritten. In Schweden wurde lange gegen ihn wegen des Vorwurfs der Vergewaltigung ermittelt. Er bestreitet alle diesbezüglichen Anschuldigungen. Doch sagt er die Wahrheit? Unabhängig von seinem Ruf haben die Informationen, die er »geleakt« hat, reißenden Absatz gefunden. Jeder wollte etwas über die von ihm in Umlauf gebrachten Dokumente wissen. Seine »Wahrheiten« wurden von vielen begeistert aufgenommen, wie belastbar sie auch immer sein mögen.

Damit steht das Phänomen Assange in krassem Gegensatz zu dem Phänomen Jesus. Dieser hatte einen absolut untadeligen Ruf. Alle gegen ihn erhobenen Vorwürfe haben sich stets als haltlos erwiesen. Nicht zwei übereinstimmende Zeugen fanden sich. Tatsächlich hat dieser Jesus wirklich die Wahrheit verkündigt, allerdings eine, die dem Menschen jede Illusion raubt: Die Wahrheit über die Verlorenheit der Menschen, die Wahrheit über das deswegen drohende Gericht eines heiligen Gottes. Und schließlich die Wahrheit von der Möglichkeit der Vergebung für den, der an Jesus glaubt. Für diese unbequeme Wahrheit hat Jesus nicht nur Gefängnis, sondern den grausamsten Tod in Kauf genommen. Erstaunlich ist, dass sich für diese wirklich lebensentscheidende Wahrheit nur wenige interessieren.　　　　　　　　　　　　*Tim Petkau*

? Welche Wahrheiten haben für Sie Bedeutung?

! Die Wahrheit von Jesus hat die Macht, jeden Menschen frei zu machen.

✝ 1. Johannes 1,5-10

05 | APRIL — FREITAG
Internationaler Tag des Gewissens

Betet für uns! Wir haben ein gutes Gewissen, denn wir wollen in jeder Weise ein Leben führen, das Gott gefällt.

HEBRÄER 13,18

Ein Kompass fürs Leben

Um herauszufinden, was das Gewissen tatsächlich ist, gibt uns die ursprüngliche Sprache des Neuen Testaments eine Hilfe. Genau übersetzt heißt »Gewissen« da: »Zusammenschau«. Unser Gewissen vergleicht also unsere Taten, Worte und Gedanken mit dem, was Gott von uns Menschen erwartet. Und wenn die Übereinstimmung nicht vorhanden ist, meldet es sich. Wir sagen dann, wir haben ein »schlechtes Gewissen«.

So jedenfalls sollte es sein. Leider wohnen wir hier auf der Erde im Zugriffsbereich des Teufels, wie uns die unzähligen Schwierigkeiten deutlich machen, von denen wir täglich hören oder die wir selbst erleben. Durch Jahrtausende lange Erfahrung weiß der Böse, wie er unser Gewissen, diesen genauen Kompass, entweder ausschalten oder irreführen kann. Da gibt es viele, deren Gewissen wie von einem Brenneisen verhärtet ist, während es bei anderen oft völlig unnötig Alarm schlägt und dadurch deren Besitzer von einer Angst in die andere treibt und ihnen beinahe alles verbietet, was Gott seinen Menschen zum fröhlichen Gebrauch schenken möchte.

Doch was kann einem einmal aufgeschreckten Gewissen wirklich Frieden geben? Der gute Vorsatz, nichts Schlechtes mehr zu tun, wird nicht helfen, denn das beseitigt keine Schuld und ist überdies illusorisch. Allein durch den Glauben an Jesus Christus kann ein Gewissen endlich zur Ruhe kommen, da er für uns trotz all unserer Sünden durch seinen Tod Frieden mit Gott gemacht hat.

Aber auch dann behält das Gewissen, wie der Tagesvers zeigt, seine Funktion. Es macht uns klar, wie wir als Nachfolger Jesu unser Leben praktisch führen sollen. Zu diesem Zweck muss das Gewissen, dieser Kompass des Lebens, stets auf Gott ausgerichtet bleiben und voll funktionsfähig sein.

Hermann Grabe

❓ Wie funktionsfähig ist Ihr Gewissen noch?

❗ Komplizierte Geräte muss man regelmäßig überprüfen lassen.

✝ Psalm 19,8-15

SAMSTAG   APRIL | **06**

Jesus, der uns rettet von dem kommenden Zorn.
1. THESSALONICHER 1,9-10

Die Notbremse

Am Sonntag nach Ostern besuchten wir im vergangenen Jahr in Wilhelmshaven das Marinemuseum. Bei einem Rundgang auf dem 2003 stillgelegten Lenkwaffenzerstörer Mölders entdeckten wir auf der »Brücke«, der zentralen Lenk- und Kommandozentrale des Schiffes, etwas völlig Unerwartetes: eine Notbremse! Ich fragte mich: Wie sollte so etwas auf einem so trägen Fortbewegungsmittel funktionieren? Und für welche Krisensituation war sie denn vorgesehen? Jedenfalls war sie auch an diesem ungewöhnlichen Ort wohl der Einsicht geschuldet, dass es manchmal eines abrupten Innehaltens bedarf, um etwas Schlimmeres zu verhüten.

Eine »Notbremse« muss man auch im Leben schon mal betätigen, etwa wenn man merkt, dass man – bildlich gesprochen – auf eine Katastrophe zurast: eine eheliche Beziehung, die zu zerbrechen droht, wenn man so weitermacht wie bisher. Ein finanzielles Fiasko, wenn man über seine Verhältnisse lebt und daran nicht radikal etwas ändert. Oder das Versäumnis, in Ausbildung und Beruf zu investieren, um eines Tages auf eigenen Füßen stehen zu können. Fast immer sind es Fehlentscheidungen, Irrtümer oder auch einfach Leichtfertigkeit, die uns in eine Situation bringen, in der wir unbedingt rechtzeitig die »Notbremse« ziehen und eine Kurskorrektur vornehmen sollten.

Ganz besonders gilt das aber in Bezug auf unsere Beziehung zu Gott. Wenn wir ohne ihn und nicht nach seinen Ordnungen leben, rasen wir auf eine Katastrophe, auf eine Kollision mit seiner Heiligkeit und Gerechtigkeit zu, bei der wir im Totalschaden enden. Damit es dazu aber nicht kommt, hat er uns so etwas wie eine »Notbremse« gegeben: Jesus, »der uns errettet vom kommenden Zorn« – wenn wir uns an ihn wenden und ihm das Steuerruder unseres Lebens übergeben.

Joachim Pletsch

? Haben Sie diese Notbremse schon genutzt?

! Nur Jesus kann uns vor allem Schaden unseres bisher falschen Kurses retten und bewahren.

✝ Apostelgeschichte 2,36-41

07 | APRIL
Weltgesundheitstag

SONNTAG

Erhöre mich Herr, denn deine Güte ist tröstlich; wende dich zu mir nach deiner großen Barmherzigkeit.

PSALM 69,17

Ein Recht auf Gesundheit?

Wird ein Übergewichtiger von einem Arzt nicht behandelt, weil er selbst schuld an den gesundheitlichen Folgen seiner Adipositas ist? Würde ein Raucher von einer Klinik abgewiesen, weil seine Lungenkrankheit selbstverschuldet ist? Nein! Jeder Arzt hat ein Gelöbnis abgelegt, wonach er verpflichtet ist, jeden Menschen nach bestem Wissen und Gewissen zu behandeln, egal welche Ursache die Krankheit hat. Die einzige Voraussetzung ist, dass der Patient zum Arzt geht. Wer seine Krankheit verheimlicht, dem kann nicht geholfen werden.

So ähnlich ist es auch bei Jesus Christus. Alle, die ihn aufnehmen, bekommen das Recht, Kinder Gottes zu werden (vgl. Johannes 1,12). Diese Verheißung gilt für jeden. Jeder darf zu Jesus kommen, egal, ob sein Leben scheinbar perfekt läuft oder ob er durch eigenes Fehlverhalten inmitten einer Menge von Problemen steckt. Voraussetzung ist nur anzuerkennen, dass man Jesus Christus nötig hat.

Genau dies fällt vielen Menschen sehr schwer. Einzugestehen, dass man ein Sünder ist, der Vergebung braucht, ist nicht leicht. Zuzugeben, dass man selbst nicht mehr weiterkommt und auf Hilfe von oben angewiesen ist, kann demütigend sein. Doch wenn man Schmerzen hat, geht man zum Arzt, so unangenehm das auch sein mag. Genauso ist es auch nur das Beste für uns, wenn wir unser Leben Jesus Christus anvertrauen. Er verspricht, unsere Seele gesund zu machen; ein Recht auf körperliche Gesundheit hat niemand. Obwohl Gott immer wieder Menschen von ihren Leiden heilt, garantiert er kein Leben ohne Krankheit. Aber er hat versprochen, uns in unserem Leid zu begleiten und uns zu trösten. Es lohnt daher auf jeden Fall, sich in einem ehrlichen Gebet an den himmlischen Arzt zu wenden!

Daniela Bernhard

? Haben Sie sich Jesus Christus schon anvertraut?

! Manchmal nutzt Gott Krankheiten, um sich zu offenbaren und zu verherrlichen.

✝ Lukas 8,43-48

MONTAG APRIL | **08**
Zeichne-einen-Vogel-Tag

Ich preise dich darüber, dass ich auf eine erstaunliche, ausgezeichnete Weise gemacht bin. Wunderbar sind deine Werke, und meine Seele erkennt es sehr wohl.
PSALM 139,14

Bunte Vogelwelt

Ein Besuch im Vogelpark Walsrode ist wirklich sehr amüsant! Es ist unglaublich, wie viel Variation und Vielfalt es in der Vogelwelt gibt. Schon die unterschiedlichen Schnäbel sind beachtenswert. Je nachdem, welches Futter die Vögel fressen, unterscheiden sich ihre Schnäbel. Da gibt es z. B. den Löffler mit seinem löffelartigen Schnabel. Der Schnabel des Pelikans dagegen hat elegante Linien auf der Oberseite. Der Schnabel des Hornvogels wirkt besonders extravagant mit seinem bunten Streifenmuster. Dann könnte man sich auch noch über das Gesichts-Make-Up und die extravagante Schuhmode der verschiedenen Vogelarten auslassen. Schade, dass man hier keine Bilder zeigen kann!

Beim Betrachten der Vögel wurde mir neu bewusst, was für ein genialer Künstler Gott sein muss, voller Gestaltungsideen und mit sehr viel Liebe zum Detail. Ihm gefällt Abwechslung, und man gewinnt den starken Eindruck, dass er auch Sinn für Humor hat. Wir bestaunen die Vielfalt und Schönheit der Natur, aber wir dürfen auch den kreativen Künstler bewundern, der dahinter steckt.

Der Schreiber des obigen Psalmverses preist Gott, weil er erkennt, dass er selbst auf eine erstaunliche, ausgezeichnete Weise geschaffen ist. Er ist überwältigt von Gottes wunderbaren Werken. Das gilt nicht nur für die Vogelvielfalt, sondern auch für jeden von uns. Jeder Mensch darf wissen: Gott hat mich gewollt und einzigartig geschaffen. Mit dem Temperament, das ich habe, mit meinen Begabungen, meinem Aussehen. Jeder kann etwas anderes besonders gut und kann damit etwas zur Allgemeinheit beitragen. Vergleiche, Konkurrenz und Schönheitswettbewerbe sind überflüssig. Und hin und wieder ist jeder von uns auch einmal ein »seltsamer Vogel«. *Manfred Herbst*

? Wo sind Sie unzufrieden damit, wie Sie gemacht sind?

! Sie dürfen wissen, dass Gott Sie gewollt und einzigartig geschaffen hat.

† Psalm 139,1-18

09 | APRIL DIENSTAG

Sammelt euch aber Schätze im Himmel,
wo weder Motte noch Fraß zerstören und wo
Diebe nicht durchgraben noch stehlen!

MATTHÄUS 6,20

Lebensleistung

In einem Urlaub an der Nordsee sind nicht nur Sonne, Strand und Meer im Angebot – manchmal sind es auch Regen und Sturm. Und dann hat man Zeit ins Museum zu gehen und sich ein Bild davon zu machen, was es mit der Region, die man besucht, auf sich hat. Im Deutschen Sielhafen-Museum (Carolinensiel) geht es um die Region an der ostfriesischen Wattenmeerküste. Ein Besuch dort brachte mich zum Staunen darüber, wie viel Lebensleistung hinter all dem steckt, was diese Region heute ausmacht. Wie mühevoll sie kultiviert wurde, wie die verschiedenen Erwerbszweige im Wandel der Zeit wuchsen und den für das Leben notwendigen Ertrag brachten. Ob nun Bauern, Fischer oder Schiffer mit ihren Handelsreisen bis nach Petersburg oder dem Schwarzen Meer, sie alle haben ein Leben lang dazu beigetragen, dass das Land sinnvoll genutzt und die Küste zuverlässig gesichert wurde. Heute genießen unzählige Touristen die Vorzüge dieser Region, oft ohne Kenntnis darüber, wem sie alles dort zu verdanken haben.

Ich muss dabei aber auch an jemanden denken, dessen Lebensleistung so einzigartig ist, dass schon mehr als 2000 Jahre unzählige Menschen davon profitieren. Ihr Leben bekam durch diese Lebensleistung einen neuen Sinn und ein neues Ziel – mit dem Brückenschlag zur Ewigkeit. Dieses *eine* Leben von Jesus Christus hat für sie *alles* verändert. Er überwand die Endgültigkeit des Todes. Er beseitigte die Trennung zu Gott, dem Schöpfer aller Dinge. Und er schuf eine neue Gemeinschaft von Menschen, die nicht mehr gegeneinander arbeiten, sondern miteinander an einem Projekt bauen, das nun schon seit 2000 Jahren wächst und wächst: Gottes Bau auf Erden, die Gemeinde, sein Volk, das er sich erwählt hat und für das er eine unvergleichliche Zukunft bereit hält.

Joachim Pletsch

? Ergibt es nicht einen Sinn, zu dieser neuen Gemeinschaft dazuzugehören?

! »Diese Welt mit ihren Begierden wird verschwinden. Doch wer tut, was Gott will, bleibt und lebt in Ewigkeit.« (1. Johannes 2,17)

✝ Lukas 18,18-30

MITTWOCH   APRIL **10**
Tag der Geschwister

Hütet euch vor aller Habgier! Denn das Leben eines Menschen hängt nicht von seinem Wohlstand ab.
LUKAS 12,15-16

Erbstreitigkeiten

Laut des Statistik-Portals Statista werden in Deutschland jährlich zwischen 100 000 und 150 000 steuerpflichtige Erbschaften und Schenkungen angetreten. Dabei wird Vermögen in Höhe von bis zu 400 Milliarden Euro an die nachfolgende Generation weitergegeben. Erfahrungsgemäß kommt es bei jeder fünften Erbschaft zu großen Streitereien unter den Erben. Ein Grund dafür ist, dass nur jeder vierte Erblasser ein Testament verfasst hat. Weitere Gründe, die Statistiken nicht erfassen, die jedoch uralt und zutiefst menschlich sind, sind Habgier, Neid und Eifersucht. Diese hässlichen Eigenschaften stecken tief im Herzen von uns Menschen und kommen besonders häufig unter Geschwistern zum Vorschein, wenn es ums Erbe geht. Familien, die sich eigentlich lieben sollten, verstricken sich oft in traurigen Fehden, bei denen manchmal nur noch über Anwälte kommuniziert wird.

Jesus lehrte, dass wir uns keine Sorgen um Nahrung und Kleidung machen sollen, da der himmlische Vater um alles weiß, was wir benötigen (vgl. Lukas 12,22–30). Gott ist sehr großzügig. Oft gibt er einem Menschen so viel, dass sogar dessen Kinder und Enkel noch davon zehren können. Vermögend zu sein ist ein Segen, der dankbar angenommen und gewissenhaft verwaltet werden sollte. Doch wahren Reichtum besitzt nur derjenige, der »reich in Gott« ist.

Wer weiß, dass Gott ihn für sich erkauft hat mit dem teuersten, was es gibt – nämlich dem Blut seines eigenen Sohnes –, der braucht sich keine Sorgen zu machen, im irdischen Leben zu kurz zu kommen. Im Diesseits sorgt Gott für ihn und nach dem Tod bekommt er ein unvergängliches Erbe, das ihm niemand wegnehmen kann, weil sich Gott persönlich in der Bibel dafür verbürgt hat.   *Daniela Bernhard*

? Was bedeutet es für Sie, reich zu sein?

! Auch der reichste Mensch auf der Erde verlässt diese so nackt und mittellos, wie er hineingeboren wurde.

† Prediger 2,17-27

11 | APRIL　　　　　　　　　　　　　　　DONNERSTAG

Sie schrien zum Herrn in ihrer Not. Der rettete sie aus ihrer Bedrängnis, führte sie aus dem Dunkel heraus und zerbrach ihre Fesseln.

PSALM 107,13-14

Gefangen!

Bei Nipptide, also wenn der Wasserpegel nach der Ebbe besonders niedrig ist, fiel bei Borkum ein Transatlantikkabel trocken. Dieses Kabel war mit einer schweren Kette verbunden. Drei Jungen machten sich einen Spaß daraus, die Kette anzuheben und sie klatschend in den Sand zurückfallen zu lassen. Einer der drei kam auf die Idee, seinen Fuß durch ein Kettenglied zu stecken und mit der Kraft seines Beines anzuheben. Als er seinen Fuß wieder lösen wollte, merkte er mit Entsetzen, dass dieser feststeckte, wahrscheinlich aufgrund einer Schwellung in Folge eines Blutergusses. Vergeblich versuchten seine Freunde, ihn zu befreien. Schon rauschten die ersten Flutwellen heran und unaufhaltsam kehrte das Meer zurück. Nach verzweifeltem Kampf mussten die beiden ihren Kameraden zurücklassen. Über ihm schlugen die Wellen zusammen. Aus Spaß war bitterer Ernst geworden.

In der Bibel ist von einer anderen Kette die Rede: »Jeder, der die Sünde tut, ist der Sünde Sklave« (Johannes 8,34). Die Missachtung der Regeln Gottes hat die tückische Eigenschaft, dass sie zunächst ganz lustig und aufregend ist. Aber eine Sünde zieht die nächste nach sich. Zunächst wollen wir die böse Tat, aber dann müssen wir sie tun. Der Fuß bleibt in der Kette gefangen und die Wogen der Verzweiflung schlagen über uns zusammen. Zum Schluss bleibt nur die bittere Erkenntnis: »Der Lohn, den die Sünde zahlt, ist der Tod« (Römer 7,23).

Doch zum Glück bleibt die Bibel nicht bei der Beschreibung unserer schrecklichen Situation stehen, sondern zeigt auch die Lösung: »Wenn also der Sohn (Gottes) euch frei macht, dann seid ihr wirklich frei« (Johannes 8,36). Wer an Jesus Christus glaubt, über den hat die Sünde ihre Macht verloren.

Gerrit Alberts

❓ Haben Sie schon einmal gespürt, dass eine Sünde Sie gefangen hält?

❗ Nur der Sohn Gottes kann uns frei machen!

✝ Johannes 8,31-36

FREITAG APRIL | **12**

Als aber Paulus von Gerechtigkeit und Enthaltsamkeit und von dem zukünftigen Gericht redete, erschrak Felix und antwortete: Für diesmal geh! Zu gelegener Zeit will ich dich wieder rufen lassen.

APOSTELGESCHICHTE 24,25

Heilsamer Schreck?

Markus Antonius Felix wurde im Jahr 52 n. Chr. Statthalter der Provinz Judäa. Seine Frau Drusilla war Jüdin. Eines Tages wurde ihm ein Mann namens Paulus vorgeführt. Dieser wurde von der jüdischen Obrigkeit vehement verfolgt, weil er überall Jesus Christus als Messias und Gottes Sohn bezeugte. Felix war mit dieser Bewegung um den Nazarener Jesus sehr gut vertraut und durch seine Frau in jüdischen Angelegenheiten recht bewandert. Daher ließ er den Gefangenen in einer Privataudienz vorführen, und das Ehepaar hörte Paulus gut zu. Dieser redete nun über den Glauben an Jesus Christus. Dabei kam Paulus auch auf die Themen Gerechtigkeit, Enthaltsamkeit und das zukünftige Gericht zu sprechen. Doch hierüber erschrak Felix sehr und beendete das Gespräch abrupt. Insgesamt zwei Jahre hielt er Paulus in Haft und besprach sich oft mit ihm. Dann wurde Felix abgelöst und versetzt. Ob die Rede des Paulus zu einer Veränderung in seinem Leben geführt hat, ist nicht bekannt.

Das Verhalten von Felix ist kein Einzelfall: Viele Menschen setzen sich mit Jesus Christus auseinander, sind interessiert und hören gerne zu. Doch irgendwann kommt der Punkt, an dem der aufmerksame Hörer merkt, dass Jesus mehr ist als nur ein interessanter Gesprächsgegenstand. Dieser Jesus erhebt als der Sohn Gottes Anspruch auf mein Leben: Es soll von Gerechtigkeit geprägt sein. Er ist der Bestimmer in moralischen Angelegenheiten. Und er fordert Rechenschaft über mein Leben. Dieser Anspruch mag erschrecken. Heilsam ist dieser Schrecken aber nur, wenn ich nicht, wie Felix, auf Distanz gehe, sondern mich dem Sohn Gottes ganz ausliefere. Nur bei ihm findet unsere Seele wirklich Ruhe und unser Gewissen echten, tiefen Frieden. Dafür hat Jesus sein Leben gegeben. *Markus Majonica*

> Hat die Begegnung mit Jesus in der Bibel Sie schon einmal aufgeschreckt?

> Gerade in diesen Momenten ruft Sie der Sohn Gottes, weil er Ihrer Seele Ruhe geben will.

> Matthäus 11,28-30

13 | APRIL SAMSTAG

Er wird sich unser wieder erbarmen, unsere Schuld unter die Füße treten und alle unsere Sünden in die Tiefen des Meeres werfen.
MICHA 7,19

Einfach Gras darüber wachsen lassen?

Letztes Jahr machten wir in unserem Garten eine interessante Entdeckung: Als wir in einer Ecke etwas Ordnung schafften, lugte unter einem Verschlag Betonboden hervor. Wir dachten zunächst, lediglich eine kleine Fläche sei davon betroffen. Als wir aber mit dem Graben fortfuhren und die Grasnarbe Stück für Stück entfernten, wurde klar, dass es sich doch um eine größere Fläche handelte. Letztendlich kam heraus, dass dort vor langer Zeit eine sehr große Betonplatte eingelassen worden war, die das Gras mittlerweile komplett überdeckte.

Dieses Erlebnis erinnert an die Redewendung, dass man »Gras über etwas wachsen lässt«. Wenn man über ein Problem Gras wachsen lassen will, dann hofft man insgeheim, es werde von ganz allein in Ordnung kommen oder zumindest in Vergessenheit geraten. So wie die Betonplatte: Sie war immer noch da, blieb lange vergessen, tauchte dann aber plötzlich wieder auf.

Auch wenn so manche Schuld für einen Menschen in Vergessenheit geraten ist, heißt das nicht, dass sie verschwunden ist. Sie ist nur »unter dem Gras« verborgen. Und wie sieht Gott das? Verliert er unsere Schuld aus dem Blick? Nein! Alles, was seinem Maßstab nicht entspricht, ist und bleibt für ihn sichtbar, ob nun »nur« ein schlechter Gedanke oder gar der Mord an einem Menschen.

Das klingt hart, oder? Gibt es da überhaupt eine Möglichkeit, mit Gott ins Reine zu kommen? Nur, wenn die Schuld beseitigt wird. Und genau das tat Jesus Christus am Kreuz für uns! Wer das Gras aufdeckt und seine Sünde und Schuld vor ihm bekennt, dem vergibt Gott seine Sünden, nimmt sie weg und wirft sie in die unzugänglichen Tiefen des Meeres! Jesus will kein »Gras« über unsere Schuld wachsen lassen, sondern »die Betonplatte« restlos beseitigen!

Gabriel Herbert

? Über welche Fehler Ihres Lebens versuchen Sie Gras wachsen zu lassen?

! Echte Freiheit findet man nur, wenn man sich rückstandslos von Schuld befreien lässt.

† Lukas 7,36-50

SONNTAG APRIL **14**

Dies tut zu meinem Gedächtnis!
LUKAS 22,19

Erinnerungskultur

Laut Wikipedia bezeichnet Erinnerungskultur den Umgang des Einzelnen und der Gesellschaft mit ihrer Vergangenheit und ihrer Geschichte. Dazu gehört nicht nur, worauf alle stolz sein können, sondern auch das, dessen man sich schämen muss. Gerade in Deutschland ist das oft vorrangig, z. B. wenn es um das geht, was den Juden in unserem Land in der Zeit des Nationalsozialismus (1933–1945) angetan wurde. Ausdruck dieser Erinnerungskultur sind Gedenkstätten und bestimmte Tage oder Zeiten, an denen man der Opfer gedenkt – zunehmend aber auch derer, die das alles überlebt, an den Folgen aber ihr Leben lang gelitten haben.

Auch Jesus hat seinen Jüngern eine Erinnerungskultur gestiftet, verbunden mit einem einfachen Mahl und den Symbolen Brot und Wein. Auch das Kreuz gehört zur christlichen Erinnerungskultur. Beides erinnert ebenfalls an ein Geschehen, das den Hass von Menschen zum Vorschein brachte. Schon damals war dies gegen einen Juden gerichtet, aber auch gegen den Sohn Gottes, der unermessliches Leid erdulden musste und am Kreuz für die Schuld der Menschen starb.

Warum aber gab Jesus seinen Jüngern Brot und Wein zur Erinnerung an ihn? Das Brot weist hin auf seinen Leib, den er für uns gab. Der Wein weist hin auf sein Blut, das zur Vergebung der Sünden geflossen ist. Beides war Grundlage der Erlösung von Menschen und notwendig, damit wir mit Gott versöhnt werden können. Es drückt aus, wie eng Christen mit ihrem Retter und untereinander verbunden sind, denn sie feiern nicht allein, sondern gemeinsam dieses Gedächtnismahl. Sie müssen dabei nicht trauern oder sich schuldig fühlen. Sie können sich freuen, weil darin die Liebe Gottes immer wieder in Erinnerung gebracht wird, die denen Heil bringt, die an Jesus glauben. *Joachim Pletsch*

? Welche Bedeutung hat für Sie Jesu Leiden und Sterben am Kreuz?

! Es ist auch um Ihrer Rettung willen geschehen. Danken Sie ihm dafür!

† Lukas 22,14-20

15 | APRIL
Titanic-Gedenktag

MONTAG

Einer der gehenkten Übeltäter aber lästerte ihn und sagte: Bist du nicht der Christus? Rette dich selbst und uns!

LUKAS 23,39

»Er musste sterben«

Diese Überschrift eines Online-Artikels ließ mich aufmerken. Was ich dann las, verblüffte mich: Auch 25 Jahre nach seinem legendären Kinoerfolg »Titanic« wird der Regisseur James Cameron mit der Frage konfrontiert, ob die Hauptfigur Jack Dawson, gespielt von Leonardo DiCaprio, nicht auch noch auf die Tür gepasst hätte, auf der seine Geliebte nach dem Untergang der Titanic im eisigen Pazifik trieb – und überlebte. War ihm als Regisseur ein Fehler unterlaufen? Wäre nicht ein einfaches Happy End möglich gewesen, bei dem beide gerettet worden wären?

Um diese Frage endgültig zu beantworten, hat sich Cameron wissenschaftliche Unterstützung geholt. Es wurde eigens ein Floß nachgebaut und Stuntleute spielten mit Sensoren ausgerüstet die Szene in verschiedenen Varianten nach, um die Überlebenswahrscheinlichkeiten zu ermitteln. Das Ergebnis fasst Cameron so zusammen: »Es gab keinen Weg, dass sie beide hätten überleben können. Nur einer konnte überleben. Er musste sterben. Es ist ein Film über Liebe und Opfer und Sterblichkeit. Die Liebe wird an dem Opfer gemessen, das sie bringt.«

Unwillkürlich musste ich an die Kreuzigungsszene aus der Bibel denken. Einer der Mitgekreuzigten rief Jesus spottend zu: Rette dich selbst und uns! Warum tat Jesus das nicht? Hätte Gott, der große Regisseur, dieses »Happy End« nicht einfach machen können?

Aber auch 2000 Jahre später steht unumstößlich fest: Jesus musste sterben. Es gab keinen anderen Weg, auf dem er sein Ziel, Menschen wie mich zu retten, hätte erreichen können. Er musste sterben, um am Kreuz die Strafe für meine Schuld zu bezahlen. Entweder er oder ich, er oder wir. Ich bin dankbar, dass seine Liebe bereit war, bis zum Äußersten zu gehen und dieses Opfer zu bringen. *William Kaal*

? Haben Sie schon mal darüber nachgedacht, warum Jesus sterben musste?

! Der Tod von Jesus am Kreuz war kein Fehler im Drehbuch, sondern Gottes Liebesbeweis für Sie.

✝ Römer 8,32-39

DIENSTAG | APRIL **16**
Welttag der Stimme

Und Josua sagte zu den Söhnen Israel: Tretet heran und hört die Worte des HERRN, eures Gottes!
JOSUA 3,9

In Hörweite

Um gut zuzuhören, müssen wir nah genug an den Sprecher herankommen, damit wir verstehen können, was gesagt wird, auch die leisen Zwischentöne. Das ist notwendig für eine gute Kommunikation. Ist der Abstand allerdings zu groß, ist man außerhalb der Hörweite. Dann kann man das Gesagte gar nicht oder zumindest nicht richtig verstehen. In diesem Fall muss man sich dem Sprecher nähern. Wir machen das im Alltag ganz ohne nachzudenken. Aber wenn es auf menschlicher Ebene normal ist, die Hörweite zu suchen, wie können wir dies auf Gott übertragen? Wie können wir uns einem Gott nähern, den wir nicht sehen, und auf »die Worte des HERRN« hören? Was muss ich tun, um Gott richtig zu verstehen?

Annäherung an den Sprecher ist auch hier entscheidend. Allerdings ist das nicht physisch gemeint. Es ist eine Bewegung des Herzens erforderlich, die nicht nur auf das Wort Gottes, sondern auch auf den Gott des Wortes ausgerichtet ist, ein Herz, das sich bewusst macht, wer Gott ist, und instinktiv seine Gegenwart, also seine Nähe sucht. Gott spricht auch heute noch. Dass wir ihn manchmal nicht hören, liegt nur an uns, die wir oft von anderen Dingen abgelenkt sind und seinem Wort nicht die gebührende Aufmerksamkeit schenken. Wir sind nicht in Hörweite, manchmal auch, weil wir uns von ihm entfernt haben. Also müssen wir zu ihm umkehren, zu ihm herantreten, um ihn hören zu können.

Gott redet und er ist denen nah, die ihn von Herzen suchen. Der Ausdruck »eures Gottes!« am Ende des Tagesverses weist ja auf einen nahen Gott hin. Er lädt uns ein, zu ihm zu kommen. Entfernen wir uns also nicht von ihm, sondern nähern wir uns, damit wir in Hörweite sind und damit wir erfassen können, was Gott uns sagen will!

Thomas Kröckertskothen

? Sind Sie nah dran oder sind Sie außer Hörweite?

! Gott hat jedem Entscheidendes zu sagen.

† Johannes 5,24-29

17 APRIL   MITTWOCH

Ich bin dazu geboren und dazu in die Welt gekommen, dass ich der Wahrheit Zeugnis gebe; jeder, der aus der Wahrheit ist, hört meine Stimme.
JOHANNES 18,37

Was ist Wahrheit?

Haben Sie manchmal den Eindruck, dass das, was wir von Medien oder anderen Menschen hören, nicht immer in vollem Umfang der Wahrheit entspricht? Manche Nachrichten machen sprachlos, stimmen nachdenklich. Es scheint, dass es immer schwerer wird, Wahrheit von Lüge zu unterscheiden.

Ich war mehr als 42 Jahre Polizei- und Kriminalbeamter. Wenn ich über all die Lügen, die mir gegenüber geäußert wurden, ein Buch schreiben müsste ... würde es wohl sehr dick werden. In den letzten Jahren meiner Dienstzeit war ich unter anderem mit vielen polizeilichen Vernehmungen betraut. Wenn mich Bekannte fragten, was ich an meinem Arbeitsplatz so tue, antwortete ich meist: »Mein Job ist es, den ganzen Tag belogen zu werden.« Das mag sarkastisch klingen, aber es war mein Alltag. Dabei stellte ich oft fest: Wenn man die Lüge nicht nachweisen kann, wird die Tat dadurch in den Augen vieler Beschuldigter »moralisch« richtig. Ohne Beweise keine Bestrafung und somit ist »alles okay«!

Nun könnten Sie zu Recht über mich denken: Sagt der mir die Wahrheit oder ist das eine erfundene Geschichte? Ist das, was mir Axel Schneider über Gott, Jesus und die Bibel erzählt, richtig oder falsch? Natürlich ist es Ihr gutes Recht, so zu denken und zu fragen, ob es Wahrheit oder Lüge ist. Im Tagesvers macht Jesus die unerschütterliche Aussage, dass er von der Wahrheit Zeugnis gibt. Er steht zu diesem Zeitpunkt vor Pontius Pilatus und erwartet seine baldige Verurteilung. Und der antwortet Jesus: »Was ist Wahrheit?« (Johannes 18,38). Mein Glaube hat mir deutlich und klar gezeigt, dass Jesus die Wahrheit ist. Was die Bibel über ihn sagt, ist Wahrheit. Sie brauchen nicht mir zu glauben, aber vertrauen Sie Jesus und glauben Sie ihm!

Axel Schneider

? Wem oder was schenken Sie Glauben?

! In Jesus findet sich die ganze Wahrheit.

† Johannes 1,6-18

DONNERSTAG APRIL | **18**

Er bewahrt deine Füße vor dem Stolpern;
er, dein Beschützer, schläft niemals. Ja, der
Beschützer Israels schläft und schlummert nicht!

PSALM 121,3-4

Sekundenschlaf

`07:30` Entsetzt reiße ich das Lenkrad intuitiv nach links, weg von den auf mich zurasenden Warnbaken. Glücklicherweise gibt es gerade keinen Gegenverkehr, als ich bei meinem Manöver auf die Gegenfahrbahn gelange. Mit klopfendem Herzen bringe ich das Auto wieder auf die richtige Bahn und fahre weiter. Ich bin eingeschlafen, realisiere ich. Sekundenschlaf. Und das am frühen Sommerabend. Kein Wunder: Die letzten Monate fordern nun ihren Tribut. Die Menge an Arbeit, Lernstoff und einander jagende Prüfungen waren eine große Belastung und haben mich vollkommen erschöpft. Während das Adrenalin noch durch meine Adern pumpt, danke ich Gott innig für seine Bewahrung vor einem Unfall. Es hätte auch anders enden können. Während ich unbemerkt am Steuer eingeschlafen bin, hat er gewacht und aufgepasst.

Wir Menschen können uns bis zum Zusammenbruch überlasten. Dann sind unsere Sinne nicht mehr geschärft, wir nehmen unsere Umwelt vielleicht nur noch wie durch einen Nebel wahr und taumeln von einem Tag in den anderen. Würde ich in so einem Zustand die Verantwortung für einen anderen Menschen übernehmen, wäre das unverantwortlich und riskant und könnte böse enden.

Es tröstet mich ungemein, dass Gott sich nicht überlasten kann. Sogar ein ganzes Volk wird ihm nicht zu viel. Er nimmt sich großer und kleiner Weltenbelange verantwortungsvoll an. Wenn ein Unglück passiert, dann weiß ich sicher, dass Gott kein Fehler unterlaufen ist. Er war nicht unaufmerksam, hat nicht gedöst oder gar geschlafen. Die Kontrolle entgleitet ihm nie. Ihm zu vertrauen ist darum kein Risiko. Bei Gott bin ich wirklich geborgen, egal wie die Umstände um mich herum auch sind. Daher befehle ich mich jeden Tag seinem Schutz an.

Dina Wiens

? Ist Gott auch schon Ihr Hüter und Bewahrer?

! Klären Sie das noch heute mit ihm!

✝ Psalm 121

19 | APRIL   FREITAG

Wir wissen aber, dass der Sohn Gottes gekommen ist und uns Verständnis gegeben hat, damit wir den Wahrhaftigen erkennen; und wir sind in dem Wahrhaftigen, in seinem Sohn Jesus Christus.

1. JOHANNES 5,20

Wissen macht Ah!

Die gleichnamige Sendung läuft bereits seit über 20 Jahren im deutschen Fernsehen. Sie erläutert seit ihrer Erstausstrahlung am 21. April 2001 jeweils anhand von fünf bis sechs Fragen in rund 30 min Sendezeit allerlei Wissenswertes. Die behandelten Fragen stammen oft aus dem Alltag: z. B., wie das Niesen funktioniert, wer den Radiergummi erfunden hat, woher Begriffe wie »Lampenfieber« kommen, wie Mundgeruch entsteht usw. Als Wissenschaftssendung für Kinder ab acht Jahren baut dieses Format nicht nur im Titel auf den »Aha«-Effekt. Dieser stellt sich – nach der von dem deutschen Psychologen Karl Bühler geprägten Begriffsverwendung – ein, wenn man schlagartig etwas versteht, was einem vorher unklar war. Von jetzt auf gleich erkennt man Zusammenhänge, und es macht: »Aha!« Dafür ist natürlich ein kompetenter Wissensvermittler äußerst hilfreich. Und ist einmal »der Groschen gefallen«, ist man in dem konkreten Punkt nicht mehr unwissend, sondern wissend.

Im Zusammenhang mit der Bibel wird allerdings zumeist in Abrede gestellt, dass man hier irgendetwas sicher wissen könne. Es gehe doch allein »um Glauben«, und Glauben heiße doch schließlich nicht Wissen.

Der Apostel Johannes, der Jesus Christus höchstpersönlich jahrelang erlebt hat und der auch Zeuge seiner Auferstehung wurde, macht jedoch deutlich, dass es in der Bibel sehr wohl um sicheres Wissen geht: »Wir wissen aber.« Er stellt – wie auch die Apostel Paulus und Petrus an anderer Stelle – klar, dass es in der Bibel um Fakten und Wahrheiten geht, die verstanden und gewusst werden können (und müssen). Und damit hier der »Aha«-Effekt eintritt, stellt Gott uns auch den allerbesten Lehrer zur Verfügung, der uns das Verständnis in den wirklich existentiellen Fragen geben will.

Markus Majonica

❓ Was wissen Sie über Gott und seinen Sohn?

❗ Gott allein vermittelt ewig gültiges Wissen.

✝ Johannes 6,66-69

SAMSTAG | APRIL | **20**

Tag der Anerkennung von Freiwilligen

Darum liebt mich der Vater, weil ich mein Leben lasse, damit ich es wieder nehme. Niemand nimmt es von mir, sondern ich lasse es von mir aus.
JOHANNES 10,17-18

Ehrenamt für Gott und Menschen

An dem Tag der Anerkennung von Freiwilligen geht es darum, Freiwillige und Ehrenamtliche, die ohne Vergütung für die Gemeinschaft arbeiten, zu ehren und ihnen zu danken. An welche Menschen denken Sie dabei? Wahrscheinlich als erstes an Mitarbeiter der Freiwilligen Feuerwehr. Sie sind jederzeit in Bereitschaft, lassen alles stehen und liegen und fahren sofort los, wenn ein Notruf kommt. Oft riskieren sie ihr Leben, um Menschen vor Feuer oder anderen Lebensgefahren zu retten. Viele tun diese Arbeit unbezahlt in ihrer Freizeit.

Aber es gibt auch noch viele weitere ehrenamtliche Arbeiter: Sozialarbeiter, Streetworker, Hausaufgabenbetreuer, Flüchtlingshelfer usw. Für sie alle können wir dankbar sein, denn sie opfern ihre Zeit und ihre Fähigkeiten für das Wohl ihrer Mitmenschen.

Dieses Wohl beschränkt sich allerdings auf das irdische Leben, das nur wenige Jahre dauert. Deshalb brauchen wir einen Ehrenamtlichen, der über dieses Leben hinaus für uns sorgt. Und ja, diesen Ehrenamtlichen gibt es. Er hat sein Leben nicht nur riskiert, sondern freiwillig aufgeopfert. Für Sie und für mich. Für jeden Menschen. Damit wir, wenn wir an ihn glauben, nicht in die Verdammnis kommen, sondern das ewige Leben in Gottes Gegenwart genießen können.

Sicher wissen Sie schon, wer dieser Ehrenamtliche ist: Es ist der Herr Jesus Christus. Er hat freiwillig die Sicherheit und Schönheit des Himmels verlassen, um auf dieser Erde den Menschen zu dienen und schlussendlich am Kreuz sein Leben für sie zu geben. Für ihn sind alle Menschen wichtig, und er möchte alle vor dem ewigen Tod retten. Dabei drängt er sich nicht auf, sondern lässt uns die freie Wahl, ob wir seine Hilfe und Errettung annehmen wollen oder nicht. *Beatrix Weißbacher*

❓ Auf welche Art feiern Sie den großartigsten Ehrenamtlichen?

❗ Treffen Sie eine gute Wahl, bevor es zu spät ist!

✝ Johannes 10,17-42

21 | APRIL
Kindergartentag

SONNTAG

Aber Jesus rief sie zu sich und sprach: Lasset die Kinder zu mir kommen und wehret ihnen nicht, denn solchen gehört das Reich Gottes.
LUKAS 18,16

Kinder wertschätzen

»Die Ethik pädagogischer Beziehungen« lautete das Thema des Vortrags bei einem Arbeitskreis von Kindertagesstätten und deren Leitungen. Dabei ging es darum, dass Kinder durch pädagogische Fachkräfte wie Erzieher und Lehrer oft herabgewürdigt und als Personen verletzt werden. Es wurde thematisiert, dass das Anerkennen und Würdigen des Erreichten seitens des Erwachsenen oftmals fehlt. Der Erwachsene sieht alles mit dem Blick eigener, schon entwickelter Fähigkeiten. Das kindliche Unfertige ist in seinen Augen nicht ausreichend. So wird das, was bereits erreicht ist, nicht gewürdigt. Statt Lob folgt Kritik und Geringschätzung. Das ist nicht allein bedeutsam für pädagogische Fachkräfte, sondern natürlich auch für Eltern und alle, die mit Kindern zu tun haben.

»Lasst die Kinder zu mir kommen und wehrt ihnen nicht«, spricht Jesus, als Kinder zu ihm gebracht werden und die Jünger das verhindern wollen. Sie fanden es störend, dass Kinder und Mütter zu Jesus kamen. Ihre Geschäfte waren in diesem Moment für sie viel wichtiger, da war keine Zeit für Kinder.

»Lasst die Kinder kommen!« Jesus wollte, dass sie kommen und einfach bei ihm sind. Ohne etwas zu leisten, ohne etwas Besonderes zu sein. Kinder machen ihren Wert nicht daran fest, was sie leisten oder erreicht haben. Das kommt aus der Welt der Erwachsenen. Jesus konnte jedem Menschen Aufmerksamkeit und Wert geben. Sogar den Kleinsten und, in den Augen der Jünger, den Geringsten. Bei Jesus haben sich nicht nur die Kinder wahr- und angenommen gefühlt, sondern auch die Erwachsenen und zwar unabhängig von dem, was sie waren. Das können wir selbst auch bei Jesus finden. Und wir können Aufmerksamkeit und Wertschätzung an andere weitergeben. An Kinder und Erwachsene.

Manfred Herbst

? Wie gehen Sie mit Kindern um?

! Für Jesus hat jeder Mensch Wert und Bedeutung.

† Psalm 131

MONTAG | APRIL **22**
Tag der Erde

> Du sollst ihnen die Augen öffnen, damit sie sich von der Finsternis dem Licht zuwenden und aus der Herrschaft des Satans zu Gott kommen.
> APOSTELGESCHICHTE 26,18

Nur zwei Alternativen

Die Erde besitzt genau zwei Pole: den Südpol und den Nordpol. Beide liegen einander entgegengesetzt. Sie werden sich nicht berühren. An einem Globus kann man das sehr gut sehen. Dieser Dualismus ist uns also aus der Natur ohne Weiteres bekannt und verständlich. In der geistlichen Welt ist es, wie der Tagesvers beleuchtet, tatsächlich ebenso, und für uns Menschen eigentlich nicht schwer zu verstehen: Es gibt einen Herrschaftsbereich des Teufels oder Satans. Dieser wird identifiziert mit der Finsternis. Das ist also kein guter Machtbereich, sondern ein schrecklicher. Die Auswirkungen des teuflischen Einflusses auf die Menschheit beobachten wir in den Nachrichten überall auf der Welt: Gewalt, Hass, Unterdrückung, Lüge, Mord usw. Denn der Teufel ist ein Lügner und Mörder vom Beginn der Geschichte an.

Dem gegenüber steht das Reich Gottes, das mit Licht identifiziert wird. Licht bedeutet Leben, Wärme und Kraft. Und Gottes Herrschaftsbereich ist tatsächlich durch Leben, durch Gottes Güte, Menschenfreundlichkeit und Liebe geprägt. Zwischen beiden Machtbereichen gibt es keine Grauzone, keinen neutralen Bereich. Beide Machtbereiche schließen einander aus: Ich kann nicht gleichzeitig unter der Herrschaft des Teufels sein und unter der Herrschaft Gottes, genauso wenig, wie ich gleichzeitig am Südpol und am Nordpol sein kann.

Die Bibel öffnet uns Menschen nun die Augen über die Wahrheit, dass jeder grundsätzlich zum Machtbereich des Teufels gehört. Das ist eine bittere, aber klare Erkenntnis. Doch das muss nicht so bleiben: Wir haben – Gott sei Dank – die Möglichkeit, dieser Erkenntnis entsprechend zu handeln, unser Leben zu Gott hin umzukehren, und uns auf diese Weise von da an in dem Machtbereich Gottes zu bewegen.

Markus Majonica

❓ Wo stehen Sie?

❗ Jesus ist der Weg, die Wahrheit und das Leben (vgl. Johannes 14,6).

✝ Kolosser 1,3-14

23 | APRIL DIENSTAG

Denn das Törichte Gottes ist weiser als die Menschen, und das Schwache Gottes ist stärker als die Menschen.
1. KORINTHER 1,25

Können uns kluge Gedanken mit Gott versöhnen?

Gestern vor 300 Jahren wurde in Königsberg, dem heutigen Kaliningrad, der deutsche Philosoph Immanuel Kant geboren. Er hat mit seinem Hauptwerk »Kritik der reinen Vernunft« eine »kopernikanische Wende« ausgelöst, indem er die zeitgenössische Philosophie vom Kopf auf die Füße zu stellen versuchte. Das Denken seiner Zeit war geprägt von der sog. Scholastik, einer Mischung aus Theologie und der Philosophie des Aristoteles. So wie Kopernikus erkannt hat, dass nicht die Sonne um die Erde kreist, sondern umgekehrt, hat Kant ganz grundsätzlich die Erkenntnisfähigkeit des Menschen infrage gestellt. Wie wir die Welt um uns sehen, hänge von unserer Wahrnehmung *und* von unserem Verstand ab. Er kommt zu dem Schluss, dass es Dinge gibt, die für den Menschen nicht erkennbar sind. Hierzu gehörte für ihn die Existenz Gottes, der Seele und der Anfang der Welt.

Dieser Schluss ist allerdings ein Beleg dafür, dass menschliche Weisheit – so brillant und bestechend sie sein mag – uns eben dann im Stich lässt, wenn es gerade um die Erkenntnis Gottes, der Seele und des Anfangs (und Endes) dieser Welt geht. Damit bleiben aber die existenziellen, ewigen Fragen unbeantwortet. Doch weil eben menschliches intellektuelles Bemühen nicht ausreicht, um Gott zu erkennen, hat Gott einen Weg gewählt, der jedem Menschen, und sei er auch nicht so klug wie die großen Philosophen, offensteht: Gott offenbart sich selbst, vor allem dadurch, dass er Mensch wird. In Jesus Christus kommt sein Wesen klar zum Ausdruck. Wer Jesus sieht, kann Gott verstehen. Wer betrachtet, wie Jesus gehandelt und geredet hat, sieht, wie Gott ist. Das mag töricht und lächerlich einfach klingen: Doch wer in Jesus Gott erkennt, ist in Gottes Augen der Klügste! *Bernhard Czech*

Wie weise muss man sein, um Gott erkennen zu können?

Erkenntnis Gottes kann jedem geschenkt werden, der sich zu Jesus Christus wendet.

Matthäus 11,25-30

MITTWOCH | APRIL **24**
Tag gegen Lärm

Seid still und erkennt, dass ich Gott bin.
PSALM 46,11

Unerträgliche Stille?

In Redmond, etwa eine halbe Stunde von Seattle entfernt, befindet sich die Zentrale von Microsoft. Der Campus hat so einiges zu bieten: Neben einer Shopping-Mall gibt es Sportplätze, ein Besucherzentrum und auch die »Anechoic Chamber«, den leisesten Raum der Welt. Kein Mensch hat es bisher länger als 45 Minuten in diesem Raum ausgehalten.

Oft empfinden wir Menschen Stille als beängstigend, weil sie uns unser Inneres bewusst macht. Plötzlich werden Geräusche hörbar, die wir sonst nur selten wahrnehmen: unser Herzschlag, das Glucksen unseres Magens oder Atemgeräusche. Doch Stille aushalten zu können ist wichtig. Wir brauchen sie, um überhaupt in Ruhe nachdenken und unsere Gedanken ordnen zu können.

In der Bibel erlebte der Prophet Elia, dass Gott nicht mit lauter Stimme im Donner zu ihm sprach, sondern mit einem leisen, säuselnden Wehen. Nicht in den lauten Momenten nahm er Gott wahr, sondern in der Stille. Wenn wir ehrlich sind, dann ist unser Leben oft ganz schön laut. Es sind nicht nur die vielen akustischen Geräusche wie Musik und Kinderlärm, sondern die ständige Geschäftigkeit, die uns nicht zur Ruhe kommen lässt und uns davon abhält, wirklich still zu werden.

Ich bin mir sicher: Gott möchte zu jedem von uns persönlich sprechen. Doch oft merke ich, dass es in meinem Leben so viel Lärm und Unruhe gibt, dass ich Gottes Stimme gar nicht hören kann. Ständig bin ich beschäftigt und abgelenkt. Wirkliche Ruhe gibt es in meinem Leben nur, wenn ich sie mir bewusst nehme. Um Gott näher kennenlernen zu können, müssen wir immer wieder bereit sein, Störquellen auszuschalten, unsere Bibel zu öffnen und ihm in der Stille zu begegnen.

Ann-Christin Bernack

? Was hält Sie davon ab, Gottes Nähe zu suchen?

! Nehmen Sie sich heute bewusst Zeit, um auf Gott zu hören.

† 1. Könige 19,9-13

25 | APRIL   DONNERSTAG

Kaum hatte Jesus aufgehört zu reden, lud ihn ein Pharisäer zum Essen ein. Jesus ging zu ihm ins Haus und nahm am Tisch Platz ...

LUKAS 11,37

Wie ist eine Begegnung mit Jesus?

Er fixierte mich schon aus großer Entfernung und steuerte mit seiner Vertretermappe auf mich zu. Ich hatte bereits einen sehr langen Tag hinter mir und kannte die zu erwartende Diskussion, daher war mir dieser Mann keineswegs willkommen. Mit Eile ging ich an ihm vorbei, wollte heim zu meiner Familie. Dort stand mir eine andere Art von Begegnung bevor: Meine Frau und mein Sohn warteten schon auf mich, und auf die freute ich mich sehr!

Als ich meine Frau das erste Mal zu einem Date ausführen durfte, war die Freude groß! Ich konnte es kaum fassen, dass sie sich mit mir treffen wollte und an mir interessiert war. Zuerst fand ich gar keine Worte, obwohl ich mir auf der über 700 km langen Fahrt genug Gedanken hätte machen können. Während die oben zuerst beschriebene Begegnung eine unerwünschte war und ich sie umgehen wollte, war die zweite eine gesuchte, zutiefst ersehnte. So verschieden können Begegnungen sein. So unterschiedliche Bedeutung haben die jeweiligen Personen für uns.

Wenn man in den Evangelien die Berichte über das Leben Jesu liest und dabei beobachtet, wie es zu Begegnungen zwischen ihm und seinen Mitmenschen kam und wie sie verliefen, kann man interessante Entdeckungen machen. Manche suchten Jesus und sehnten sich ehrlich nach ihm, viele von ihnen erfuhren eine lebensverändernde Begegnung. In der zitierten Stelle aus dem Lukasevangelium ließ sich Jesus zum Essen einladen. Eigentlich ein schöner Anlass; allerdings wird in der Geschichte klar, dass man dabei versuchte, ihm eine hinterlistige Falle zu stellen.

Wie würde eine Begegnung zwischen Ihnen und Jesus aussehen? Würden Sie mit Eile vorbeigehen, oder würde Ihre Freude darüber Ihnen die Worte rauben? Worüber würden Sie mit ihm sprechen?

Andreas Wanzenried

? Was macht eine gute Begegnung aus?

! In der Bibel können Sie auch heute noch Jesus persönlich begegnen.

† Lukas 11

FREITAG · APRIL **26**

Wer darf wohnen auf deinem heiligen Berg?
PSALM 15,1

Jenseits des Möglichen

»Unmöglich!« – »Nicht zu schaffen!« Das Urteil der Szene der Profibergsteiger war klar, als der junge Nepalese Nimsdai Purja ankündigte, er werde alle vierzehn Achttausender innerhalb einer einzigen Saison besteigen. Das Projekt war schlicht unvorstellbar – und doch gelang es! Zwischen dem 23. April und dem 14. August 2019 erklomm Purja tatsächlich alle höchsten Berge der Erde, mit Hilfe eines starken Teams, Flugtransfers von Basislager zu Basislager und dem Einsatz von Sauerstoffflaschen. Eine unglaubliche Leistung, die Bergsteiger-Geschichte schrieb. »Jenseits des Möglichen« lautet der Titel des Buches, das der Superstar der Achttausender über sein Leben schrieb. »Du kannst alles erreichen, was du willst. Es gibt keine Grenze«, ist sein Credo. Erstaunlich, was menschliche Leistung und Ehrgeiz vollringen können! Viel mehr als man glaubt, ist möglich. Doch ist tatsächlich *alles* möglich?

In unserem Vers geht es um die Frage, wer Gottes heiligen Berg besteigen und dort wohnen darf. Damit ist gemeint, welcher Mensch in Gottes Gegenwart kommen und die Gemeinschaft mit ihm genießen kann. Der Psalm fährt fort zu beschreiben, wie ein solcher Mensch sein müsste. Er müsste tadellos und vollkommen sein, genauso heilig wie Gott selbst. Und hier merken wir, dass wir alle diesen Maßstab nicht erreichen. So sehr wir uns auch anstrengen, diesen Berg erklimmen wir nie! Wir wollen wohl auf den Berg, aber wir können nicht.

Die gute Botschaft der Bibel ist, dass Gott selbst die unüberbrückbare Distanz überwunden hat, indem er zu uns herabkam. Sein Sohn wurde Mensch und trug am Kreuz die Strafe für unsere Schuld. Damit ist das Unmögliche möglich geworden: Unvollkommene, fehlerhafte Menschen können in die Gemeinschaft mit einem heiligen Gott kommen.

Elisabeth Weise

? Wo erleben Sie die Grenzen Ihrer Möglichkeiten?

! Die Gemeinschaft mit Gott kann man sich nicht erarbeiten.

✝ Psalm 15

27 | APRIL — SAMSTAG

> Der im Himmel thront, lacht,
> der HERR spottet über sie.
>
> PSALM 2,4

Der multidimensionale Gott

Sie wissen sicher, was mit der ersten, zweiten und dritten Dimension gemeint ist: die Linie, die Fläche und der Raum. Stellen Sie sich einmal zweidimensionale Wesen vor, die nur die Fläche kennen. Wenn deren Umfeld zunehmend feuchter wird, können sie nur an ein Wunder glauben, weil ja die Ursache, der Regen, aus der dritten Dimension kommt, die ihnen fremd ist. Wir »Dreidimensionalen« würden uns sicher amüsieren über ihre zahlreichen phantastischen Erklärungen für das Feuchtwerden ihrer »Welt«.

Ist es aber einwandfrei erwiesen, dass es nur diese uns vertrauten drei Dimensionen zuzüglich der Zeit als vierte gibt? Müssen wir nicht nur allzu oft den »Zufall« bemühen, wenn wir etwas erklären wollen, was unserem Wissen über Naturgesetzlichkeiten hartnäckig widerspricht? Behelfen sich die klugen Leute nicht zum Beispiel mit der Vorstellung von so vielen Universen, dass irgendwann auch ein so menschenfreundliches dabei herauskommen muss, dass es unser Leben ermöglicht? Und weil der Zufall höchstwahrscheinlich viel Zeit braucht, rechnet man Augenblicksmessungen auf Milliarden von Jahren hoch, ohne die geringsten Beweise dafür zu haben, dass alles immer so abgelaufen ist, wie wir es heute beobachten. Wir machen es also weithin in unserer Welt so wie die »Zweidimensionalen« in der ihren.

Gott, der seine multidimensionale Welt erschaffen hat, war persönlich bei uns, um uns davon zu berichten und er hat als Beweis dafür, dass er aus einer viel höheren Dimension zu uns herabgekommen ist, vor unseren Augen Dinge getan, die wir niemals erklären können. Seitdem können wir uns nicht mehr mit Unwissenheit herausreden, sondern müssen unseren hochmütigen Unglauben eingestehen, wenn wir nicht den Allmächtigen zum Feind behalten wollen. *Hermann Grabe*

? Welches Weltbild bestimmt Ihr Denken?

! Mit dem Schöpfer sollte man nicht im Streit leben.

† Psalm 2

SONNTAG — APRIL **28**
Welttag für Sicherheit und Gesundheit am Arbeitsplatz

> Es soll euch zuerst um Gottes Reich und Gottes Gerechtigkeit gehen, dann wird euch das Übrige alles dazu gegeben.
>
> MATTHÄUS 6,33-34

Karoshi

Seit 1969 in Japan ein gesunder 29-Jähriger einen tödlichen Schlaganfall aufgrund Überbelastung im Beruf erlitt, gibt es im Japanischen den Begriff »Karoshi«. Er beschreibt den Zustand, wenn sich jemand ganz und gar für seine Arbeit aufopfert und dadurch zu Tode kommt. Menschen mit Karoshi sterben beispielsweise an Herzversagen, einem Schlaganfall oder sie begehen Selbstmord, weil sie mit ihrem Leben, das hauptsächlich aus Arbeiten, Überstunden und Schlafmangel besteht, nicht mehr klarkommen. Die japanische Mentalität und Arbeitskultur, die langes, hartes Arbeiten als Beitrag zur Wirtschaftsstabilität einfordert, ist eine der Ursachen. Experten schätzen, dass über 20 000 Menschen jährlich an Karoshi sterben. Rund 40 Kliniken in Japan haben sich bereits auf Karoshi-gefährdete Patienten spezialisiert (Quelle: ABC).

Man muss nicht in Japan leben, um in der Gefahr zu stehen, sich zu Tode zu arbeiten. Menschen, die an ihrem Arbeitsplatz überfordert sind, gibt es überall. Dazu sind auch die Workaholics zu nennen, die sich so sehr in ihren Beruf einbringen, dass ihnen keine Zeit für Familie, Entspannung, Sport oder Gott mehr bleibt. Selbst wenn die berufliche Tätigkeit sinnvoll, spannend oder sogar ein Dienst an Menschen ist – der Beruf allein erfüllt die Seele nicht. Der Sinn des Lebens wird verfehlt, wenn Gott darin keine Rolle spielt. Am Ende des Lebens hat niemand etwas von einem dicken Bankkonto, einem Verdienstorden oder hohem Ansehen bei den Mitmenschen. Es zählt allein, ob man mit Gott im Reinen ist, ob man sein Erlösungsangebot angenommen hat und von seiner Schuld freigesprochen ist, weil Jesus Christus sie am Kreuz bezahlt hat. Der größte Reichtum und die eigentliche Erfüllung bestehen darin, Jesus als seinen Herrn zu haben.

Daniela Bernhard

❓ Wie wichtig ist Ihnen Ihr Beruf, und welche Rolle spielt Gott in Ihrem Leben?

❗ Die im Tagesvers gesetzte Priorität schützt nicht nur vor »Karoshi«.

✝ Prediger 2

29 | APRIL

MONTAG

Er schenkt denen Heilung, die ein gebrochenes Herz haben und verbindet ihre schmerzenden Wunden.

PSALM 147,3

Wertvolle Reparatur

Wenn uns zu Hause eine Schüssel herunterfällt und dabei zu Bruch geht, landet sie in den meisten Fällen im Müll – denn ihre Aufgabe, Flüssigkeiten zu halten, kann sie nicht mehr erfüllen und wird dadurch nutzlos. Selbst wenn man versucht, diese Schale mit einem Kleber wieder zusammenzufügen, bleiben die Bruchstellen sichtbar.

In Japan wurde deshalb vor ein paar Jahrhunderten eine spezielle Reparaturtechnik namens Kintsugi entwickelt. Kintsugi ist eine traditionelle Methode, zerbrochene Keramik- oder Porzellangegenstände wie Schüsseln oder Teller dekorativ zu gestalten. Hierbei werden einem speziellen Leim goldene oder silberne Pigmente hinzugefügt, um die Bruchstellen dann sorgfältig und mit viel Mühe kunstvoll hervorzuheben, statt sie zu verbergen.

Dieses Vorgehen ist ein passender Anschauungsunterricht für unser Leben. Denn Gott hat den Menschen mit der Aufgabe geschaffen, zu seiner Ehre zu leben. Wenn der Mensch nun einen anderen Weg geht und Gottes Maßstäbe bricht – und das tut letztlich jeder –, dann geht quasi der Sinn des Lebens zu Bruch. Das Leben hat sein Ziel verfehlt. An dem Punkt, wo wir die Schüssel in den Müll werfen würden, denkt Gott aber anders über uns. Denn er wirft den »kaputten« Menschen nicht weg, sondern will dessen Bruchstellen versorgen. Der himmlische Vater verbindet sie so, dass seine große Liebe zum Vorschein kommt – analog zu der Kintsugi-Methode, denn hier sticht das Gold- oder Silberfarbene hervor, was auf eine wundervolle, kostbare und liebevolle Reparatur hinweist. Wer versteht, was Jesus am Kreuz getan hat und was unsere Aufgabe im Leben ist, dem heilt Gott behutsam und sorgfältig die Bruchstellen, und der Sinn des Lebens wird wiederhergestellt.

Gabriel Herbert

? Wie gehen Sie mit den »Bruchstellen« Ihres Lebens um?

! Es ist eine der schönsten Erfahrungen, heil zu werden.

† Matthäus 8,5-13

DIENSTAG | APRIL **30**
Tag für gewaltfreie Erziehung

Aber Jesus rief sie zu sich und sprach: Lasst die Kinder zu mir kommen und wehrt ihnen nicht! Denn solchen gehört das Reich Gottes.

LUKAS 18,16

Wie ein Kind!

Menschen bringen hier Kinder zu Jesus. Seinen Begleitern, den Jüngern, missfällt dies. Sie sind unfreundlich zu den Kindern. Offenkundig waren diese in der damaligen Gesellschaft nicht hoch angesehen. Wertschätzung für und Freude über Kinder ist nach meiner Beobachtung auch heute nicht selbstverständlich. Wie leicht fühlen wir uns von Kindern gestört und sind deshalb ebenfalls unfreundlich zu ihnen.

Wie reagiert Jesus? Im Markusevangelium wird diese Szene ebenfalls beschrieben (Markus 10,13ff.). Danach wird er unwillig über die unwilligen Jünger. Er nimmt die Kinder in den Arm, legt ihnen die Hände auf und segnet sie. Und er fügt hinzu: »Wahrlich, ich sage euch: Wer nicht das Reich Gottes annimmt wie ein Kind, der wird nicht hineinkommen« (Lukas 18,17). Was können wir daraus lernen? In den Augen Gottes sind Kinder wichtig. Sie sind unbedingt schützenswert. Wer Kinder gering achtet, handelt nicht im Sinne Jesu. Allerdings dürfen wir aus dieser Schilderung nicht entnehmen, Kinder seien die besseren Menschen. Auch Kinder können böse Dinge tun. Auch sie müssen den Herrn Jesus annehmen, um zum Reich Gottes zu gehören. Doch gleichwohl hält Jesus uns gerade in diesem Punkt die Kinder als Vorbilder vor: Jeder Mensch muss das Reich Gottes wie ein Kind annehmen. Denn Kinder haben eine wichtige Eigenschaft: Sie können ein Geschenk annehmen. Einfach so. Ein Kind denkt, anders als die Erwachsenen, nicht sofort an eine Gegenleistung, sondern freut sich an dem Geschenkten.

Kein Mensch kann sich das Reich Gottes verdienen. Es muss angenommen werden als das, was es ist: ein Geschenk an Sünder, die Jesus vertrauen, von jeder eigenen Leistung absehen und sich daran freuen, dass Jesus alles getan hat. *Markus Majonica*

? Wie gehen Sie mit Kindern um?

! Für Jesus hat jeder Mensch Wert und Bedeutung.

+ Markus 10,17-31

01 | MAI
Tag der Arbeit

MITTWOCH

Aber mir hast du Arbeit gemacht mit deinen Sünden und hast mir Mühe gemacht mit deinen Missetaten. Ich, ich tilge deine Übertretungen um meinetwillen und gedenke deiner Sünden nicht.

JESAJA 43,24-25

Tag der Arbeit

Der 1. Mai ist seit langer Zeit eng mit der Arbeit verbunden. Als »Tag der Arbeiterbewegung« zeugt er von dem Streit um bessere Arbeitsbedingungen. Doch welches Bild von der Arbeit hat die Bibel? Bereits zu Beginn der Menschheit lässt Gott den Menschen nicht »arbeitslos«, sondern betraut ihn damit, den Garten Eden zu bebauen. Unter paradiesischen Arbeitsbedingungen stand die kreative Aufgabe im Vordergrund – und nicht Mühe und Last. Dies änderte sich schlagartig, als Adam und Eva die Verbindung zu ihrem himmlischen Arbeitgeber zerstörten, indem sie sein Vertrauen missbrauchten und sich an ihm schuldig machten.

Seitdem sind die irdischen Arbeitsverhältnisse mit Mühsal und Last verbunden (vgl. 1. Mose 3,17-19). Mühe und Arbeit kennzeichnen unser Leben (vgl. Psalm 90,10). Um diesen vom Menschen verursachten Zustand für den Einzelnen abzumildern und den Arbeiter zu schützen, hat Gott viele Anordnungen getroffen: Arbeitsruhe am siebten Tag der Woche für alle (vgl. 2. Mose 23,12), gerechte Bezahlung (ein Arbeiter ist seinen Lohn wert, vgl. 1. Timotheus 5,18), Schutz vor Ausbeutung (vgl. Jakobus 5,4) usw.

Doch das eigentliche Problem, warum wir Menschen trotz aller Arbeit nicht zur Ruhe kommen, ist nicht gelöst: Unser zerstörtes Verhältnis zu Gott, unserem Schöpfer. Hierzu muss allerdings das Trennende, unsere Schuld, beseitigt werden. Wer wäre für diese Aufgabe geeignet? Im Tagesvers macht Gott dies zur Chefsache. Und diese Arbeit war tatsächlich mit schrecklichster Mühe und Last, mit Blut, Schweiß und Tränen verbunden. Umgesetzt hat sie Gottes Sohn, indem er durch seinen Tod am Kreuz das Trennende zwischen Gott und Menschen ausräumte. Wer sich diesem Jesus anvertraut, hat die Perspektive ewiger Ruhe von jeder Arbeit.

Markus Majonica

? Ist Ihr Verhältnis zu Gott geklärt?

! Gott möchte jeden Menschen zu seinem Mitarbeiter machen.

† Johannes 19,16-30

DONNERSTAG MAI | 02

Und dass sie für gerecht erklärt werden, beruht auf seiner Gnade. Es ist sein freies Geschenk aufgrund der Erlösung durch Jesus Christus.
RÖMER 3,24

Einfach so – zehn Euro!

07:30 Als Ausländer hat man es nicht immer leicht mit der deutschen Bürokratie. Auch nach zwölf Jahren im schönen Deutschland darf ich noch immer verschiedenste Ämter aufsuchen, sei es, um meinen ausländischen Führerschein umzuschreiben oder um meine Aufenthaltsgenehmigung zu erneuern. So saß ich wieder einmal im Ausländeramt und sollte für ein Dokument, das mir gerade ausgestellt wurde, zehn Euro bezahlen. Doch in diesem Moment realisierte ich, dass ich meinen Geldbeutel zu Hause vergessen hatte. Wie ärgerlich und peinlich! Obendrein war ich noch mit dem Fahrrad da und hatte keine Zeit, nochmals nach Hause zu fahren, um den Geldbeutel zu holen, denn ich musste die Kinder vom Kindergarten abholen. Frustriert nahm ich eine Sprachnachricht für meine Frau auf, um ihr die Lage kurz zu schildern. Als ich mich danach auf mein Fahrrad setzen wollte, sprach mich eine ältere Dame an, die mir anscheinend zugehört hatte. »Hier sind zehn Euro, damit Sie Ihr Dokument abholen können – schenke ich Ihnen«, sagte sie. Ich war so verblüfft, dass ich zuerst gar nicht wusste, wie ich darauf reagieren sollte. Schlussendlich nahm ich es dankbar an.

An diesem Tag hörten alle, die mir über den Weg liefen, von der Großzügigkeit dieser Frau. Auch die Beamtin war erstaunt, als ich nur fünf Minuten später mit den zehn Euro wieder vor ihr stand. Als sie die Geschichte hörte, war ihr Kommentar: »Ja! Wo gibt's denn so was!«

Die Beamtin hatte völlig recht, »so was« gibt es eigentlich nicht! Doch selbst die unglaublichste menschliche Großzügigkeit wird von Gott weit übertroffen: Als Gott sich entschied, seinen Sohn der Welt zu schenken, hat ihn das *alles* gekostet. Solche Großzügigkeit gab es nie mehr! Doch auch das großzügigste Geschenk will angenommen sein. *Tony Keller*

? Wie würden Sie auf ein unverdientes, großzügiges Geschenk reagieren?

! Wer Gottes Gnadengeschenk angenommen hat, kann nicht für sich behalten, was ihm widerfahren ist.

† Römer 8,32

03 | MAI
Tag der Sonne FREITAG

Da redete Jesus abermals zu ihnen und sprach:
Ich bin das Licht der Welt. Wer mir nachfolgt,
der wird nicht wandeln in der Finsternis, sondern
wird das Licht des Lebens haben.

JOHANNES 8,12

Photovoltaik

Das Licht der Sonne ist unglaublich: Ich staune nach wie vor, dass man mit Solarzellen aus dem Sonnenlicht, das uns zur Verfügung steht, tatsächlich elektrische Energie erzeugen kann. Natürlich ist die Investition in diese Technik nicht billig, aber die Energiequelle selbst ist für uns Menschen kostenfrei zugänglich. Ich habe bei Wikipedia gelesen, dass die auf die Erdatmosphäre jährlich auftreffende Sonnenenergie knapp dem 12 000-fachen (!) des Primärenergieverbrauchs der Menschheit (Stand 2005) entspricht. Etwa die Hälfte davon erreicht die Erdoberfläche und könnte entsprechend genutzt werden. Was für eine Chance!

Oder man denke an die Photosynthese. Durch dieses System wandeln Pflanzen durch Sonnenlicht Wasser und Kohlendioxid in Kohlenhydrate (für das eigene Wachstum) und Sauerstoff um. Durch das auf diese Weise entstehende Pflanzenmaterial haben Menschen und Tiere eine Nahrungsgrundlage. Und der produzierte Sauerstoff gibt uns die Luft zum Atmen. Mit dem Sonnenlicht hat Gott uns also die wesentlichen Grundlagen unseres Lebens geschenkt, ganz zu schweigen von der Schönheit eines Sonnenaufgangs und der Wärme eines Sommertages.

Doch über dieses Licht hinaus hat Gott uns ein viel wesentlicheres lebensnotwendiges Licht geschenkt: Jesus Christus, seinen Sohn. Er bezeichnet sich nicht umsonst als *das* Licht der Welt. Wer ihm nachfolgt, erhält die notwendige Kraft, ein gelungenes Leben nach Gottes Maßstäben zu führen. Dieses Licht gibt uns Orientierung. Durch ihn kann auch die kälteste Seele warm werden. Es scheint auch dann, wenn die Wolken des Todes unser Leben verdunkeln wollen. Diese Lebensquelle ist ebenfalls frei verfügbar, für jeden Menschen. Doch nutzbar machen muss sie jeder für sich persönlich.

Markus Majonica

? Was wären wir ohne Licht?

! Nutzen Sie Gottes Licht!

† Johannes 3,16-21

SAMSTAG | MAI | **04**

Der Gottlose verlasse seinen Weg und der Mann der Bosheit seine Gedanken! Und er kehre um zu dem HERRN, so wird er sich über ihn erbarmen, und zu unserem Gott, denn er ist reich an Vergebung!

JESAJA 55,7

»Point of no return«

Das ist der Punkt, von dem aus man nicht mehr zurückkehren kann, von dem aus es nur noch ins Verderben geht. Schilder mit einer solchen Aufschrift stehen an Strömen und Flüssen, deren Wasser in einiger Entfernung in einem Wasserfall hinabstürzen. Wer sie missachtet, wird schließlich mit solcher Kraft vorwärts gerissen, dass keine Ruderkraft, kein Motor stark genug ist, dem zu widerstehen. Bei den Niagarafällen in Nordamerika geht es dann 57 Meter senkrecht in die Tiefe. Bei den Victoriafällen in Afrika sind es 110 Meter und bei den *Angel Falls* in Südamerika sogar 979 Meter.

Der *Point of no return* ist also ein deutliches Bild für die Warnung vor einem todsicheren Untergang. Dabei fängt alles langsam an. Doch mit der Zeit wird die Strömung immer schneller, bis ihr nicht mehr zu widerstehen ist. So ist es besonders mit den Versuchungen aller Art, denen wir überall ausgesetzt sind. Da mag es um Pornographie gehen, um Alkohol oder Drogenkonsum usw. Allem wäre anfangs leicht zu widerstehen, wenn man es denn wollte; doch zunächst fühlt man sich noch stark genug und wird dadurch verleitet, nicht auf das besagte Warnschild zu achten. Wagemut und Stolz tun ihr Übriges, um den Versuchten ins Verderben zu ziehen.

Doch was macht man, wenn man schlagartig für sich erkennt, dass man diesen »Punkt ohne Wiederkehr« in seinem Leben bereits überschritten hat? Dass das eigene Leben unrettbar auf den tödlichen Abgrund zurast. Muss man dann alle Hoffnung fahren lassen?

Wenn scheinbar nichts und niemand mehr helfen kann – dann gibt es doch einen, dessen starke Hand aus jeder Not retten kann, solange man lebt: Gott. Nicht als Ausrede für ein »weiter so«, sondern als (letzte?) Chance für alle Hoffnungslosen!   *Hermann Grabe*

? An welchem Punkt stehen Sie?

! Ergreifen Sie Gottes Hand! Er kann Sie aus dem Abgrund reißen.

† Psalm 32

05 | MAI — SONNTAG

Wie zahlreich sind deine Werke, o HERR! Du hast sie alle mit Weisheit gemacht, die Erde ist voll deines Eigentums.

PSALM 104,24

Ein Platz in der Schöpfung

Munter brummen die Hummeln im Frühjahr bereits bei Temperaturen ab sechs Grad Celsius durch Vorgärten, Felder und Wälder, während es den Bienen noch zu kalt ist. Damit gehören sie zu den wichtigsten Bestäubern von Pflanzen, die schon früh im Jahr blühen und deren Blüten durch spontane Nachtfröste schnell erfrieren können.

Bis zu 3000 Blüten steuert eine Hummel pro Tag an und gilt dabei als besonders effizienter Bestäuber. Effizient, weil Hummeln bei der Bestäubung strukturiert von Blüte zu Blüte eines Feldes mit Pflanzen fliegen. Dadurch hat die Hummel häufiger die richtigen Pollen für die Befruchtung einer Blüte dabei als beispielsweise eine Biene, die bei der Auswahl der Blüten wählerischer ist.

Doch Effizienz und Kälteunempfindlichkeit sind nicht die einzigen Vorzüge der Hummel. Sie bestäubt auch zahlreiche Pflanzen, die andere Bestäuber unattraktiv finden, die für Menschen jedoch von großer Bedeutung sind. Umso besorgniserregender ist die Entwicklung, dass die Hummelbestände in Deutschland und Europa seit Jahren zurückgehen. Hummeln bestäuben besonders viele Kulturpflanzen und tragen daher einen wichtigen Teil zur Sicherung menschlicher Nahrungsgrundlagen bei. Ein Aspekt, der vor dem Hintergrund einer stetig wachsenden Bevölkerung in Zukunft immer wichtiger wird.

Gott, der Schöpfer, hat jedem Lebewesen seinen Platz zugewiesen – auch uns Menschen. Leider hat der Mensch mit seinem Eingriff in die Abläufe der Natur vieles aus dem Gleichgewicht gebracht. Doch nicht nur die Hummeln erinnern daran, dass diese Natur weiterhin seiner geschaffenen Ordnung folgt. Auch für uns Menschen wäre das gut. Und durch Jesus ist es möglich geworden, dass man auch in seinem Verhältnis zu Gott wieder »ins Gleichgewicht« kommt. *Günter Seibert*

❓ Wer gab der Hummel ihren Platz in der Schöpfung?

❗ Gott hat alles geplant und an alles gedacht.

✝ Römer 5,1-11

MONTAG MAI | 06

Sie schrien aber: Weg, weg mit dem! Kreuzige ihn! Spricht Pilatus zu ihnen: Soll ich euren König kreuzigen? Die Hohenpriester antworteten: Wir haben keinen König außer dem Kaiser.

JOHANNES 19,15

Not my king

Heute vor einem Jahr war es endlich so weit: Der »ewige« Prince of Wales, Charles, wurde in Westminster Abbey als Charles III. zum König von England gekrönt. In dem feierlichen Gottesdienst schwor das Volk seinem neuen Monarchen die Treue. Er erhielt die Insignien seiner Königsherrschaft, z. B. das »Zepter der Gerechtigkeit und Gnade«. Schließlich setzte der Erzbischof von Canterbury dem neuen König die kostbare Krone auf sein Haupt. Es gab aber auch kritische Stimmen, die die Monarchie für überholt und die ganze Veranstaltung überhaupt für viel zu teuer hielten. Manche skandierten sogar laut: »Not my king« – »nicht mein König«. Doch als der neue Monarch sich seinen Untertanen in London zeigte, jubelte ihm die Mehrheit begeistert zu: »God save the King«!

Dieses Ereignis hat mich an eine ganz andere »Krönung« erinnert, die vor rund 2000 Jahren in Jerusalem stattfand. Dort wurde ein Mann, Jesus von Nazareth, zum »König der Juden« gemacht. Allerdings war seine Krone nicht aus Gold, sondern aus spitzen Dornen. Sein Zepter war nur eine Art Rohr. Die Krönungszeremonie erfolgte nicht durch einen hohen Geistlichen, sondern durch Soldaten, die diesen König verspotteten und quälten. Sein Titel wurde nicht mit Würde proklamiert, sondern über seinem Kopf am Kreuz aufgehängt, an das man ihn schlug. Diese Hinrichtung erfolgte, nachdem die allermeisten Menschen ihn verworfen und seine Ermordung gefordert hatten: Not our king!

An diesem Jesus scheiden sich auch heute noch die Geister: Für die einen ist er der Sohn Gottes, der wahre König über die ganze Welt, der jeder Anbetung und Ehre wert ist. Für die anderen ist er schlicht »not my king«. Doch anders als bei König Charles hängt an meiner Haltung zu diesem Jesus mein ewiges Schicksal. *Markus Majonica*

? Wer regiert in Ihrem Leben?

! Wer Jesus folgt, hat Anteil an seinem ewigen Reich.

† Matthäus 27,15-30

07 | MAI

DIENSTAG

Du bist es, der den Himmel ... geschaffen hat, die Erde mit allem, was auf ihr ist, die Meere mit allem, was in ihnen ist; ... der dies alles am Leben erhält und den das himmlische Heer anbetet.

NEHEMIA 9,6

Aus Freude am Leben

»Mama, der Silberfisch ist eben von der einen Wand über die Decke zur anderen Wand gekrabbelt!« Mit leuchtenden Augen steht mein Sohn morgens um 5:30 Uhr an meinem Bett und berichtet begeistert von seiner Entdeckung. Unnötig zu erwähnen, dass mein Schlaf damit abrupt endet, denn Silberfische gehören nicht gerade zu meinen Lieblingstieren.

Während der Filius staunend den weiteren Weg des silbernen Winzlings beobachtet, denke ich über die Sinnhaftigkeit und Daseinsberechtigung dieses Insekts nach: Weshalb hat Gott es wohl geschaffen? Meine Gedanken wandern weiter zu dem obigen Vers und mir wird klar, dass Gott dieses Insekt gewollt hat. Also, nicht einfach so ein gleichgültiges Wollen aus einem zufälligen Laborunfall heraus – nein, er hat sich bewusst Gedanken darüber gemacht: über seinen Körperbau und seine Farbe, seinen Lebensraum und seine Aufgabe. Zudem erhält Gott es auch am Leben, indem er sich vorher die Nahrungs- und Fortpflanzungsart überlegt hat. Wenn jemand so viel schöpferische Kraft und so viel Liebe fürs Detail in die Kreation eines solchen scheinbar nutzlosen Insektes steckt, wie viel mehr Freude muss er dann an der bloßen Existenz dieses Winzlings haben! Wie viel Lust am sprühenden Leben, an Farben, Mustern und Proportionen, wenn er alles am Leben erhält!

Wenn nun dieser Winzling sein Leben Gott zu verdanken hat, wie viel mehr wir Menschen, die wir die Krönung seiner Schöpfung sind. Jeder Mensch ist von Gott gewollt und mit großer Detailliebe gebildet, auch Sie! Diese Tatsache darf uns über den kreativen Gott staunen lassen. Gleichzeitig ist uns damit eine ungeheure Verantwortung übertragen worden: Was mache ich aus und mit dem Leben, das Gott mir geschenkt hat?

Dina Wiens

? Wie denken Sie über das Leben, das Ihnen geschenkt wurde?

! Dankbarkeit kann Worte finden. Darüber freut sich Gott.

✝ Psalm 145

MITTWOCH   MAI | 08

Sie liebten die Ehre bei den Menschen mehr als die Ehre bei Gott.
JOHANNES 12,43

Achillesferse

Achilles ist eine Sagengestalt in Homers epischem Werk »Ilias«. Seine Mutter Thetis tauchte ihn als Kind in den Unterweltfluss Styx; von da an war er unverwundbar! Nur seine Ferse wurde nicht vom Wasser benetzt (weil Thetis ihn an dieser Stelle festhielt) und blieb als einzige Schwachstelle. Später traf ihn der trojanische Königssohn Paris genau dort mit einem giftigen Pfeil. So verloren die Griechen ihren stärksten Helden und Achilles sein Leben.

Wir alle haben solche Schwachstellen, die uns zum Verhängnis werden können – schon bei den Personen in der Bibel war das so. Man liest da von so manchen Leuten, die zwar genau wussten, was richtig war, aber es trotzdem nicht taten und dadurch zu schwerem Schaden kamen. Ein paar Beispiele:

Der Herrscher Herodes Antipas wusste, dass Johannes der Täufer ein gerechter und heiliger Mann war. Er war jedoch in sexuelle Unmoral verstrickt, indem er seinem Bruder die Ehefrau ausgespannt hatte. Unter ihrem Einfluss ließ er Johannes umbringen. Judas hatte den Erlöser aus nächster Nähe kennengelernt, doch sein wunder Punkt war die Geldgier. So hatte er zwar bald die Taschen voller Silbermünzen, aber beging kurz darauf verzweifelt Selbstmord. Pilatus bestätigte mehrfach Jesu Unschuld, doch seine Achillesferse war die Angst um seinen Job. Immerhin drohte der jüdische Hohe Rat, ihn beim Kaiser anzuschwärzen! Der römische Statthalter Felix war schwer beeindruckt und aufgewühlt, als Paulus vom kommenden Gottesgericht sprach. Aber weder brachte er sein Leben mit Gott in Ordnung noch ließ er den gefangenen Apostel frei, weil er bei den Juden Punkte sammeln wollte.

Welche Schwachstellen halten uns davon ab, unser Leben mit Gott in Ordnung zu bringen? *Gerrit Alberts*

? Was ist Ihre »Achillesferse«?

! Im entscheidenden Moment muss man die richtige Entscheidung treffen, indem man Gott mehr gehorcht als den Menschen.

† Apostelgeschichte 4,13-22

09 | MAI
Vatertag

DONNERSTAG

Denn dieser mein Sohn war tot und ist wieder lebendig geworden, war verloren und ist gefunden worden.

LUKAS 15,24

Es gibt einen Weg zurück

Es war einmal ein reicher Mann, der hatte zwei Söhne. Der Jüngere wollte etwas erleben, nicht immer nur zu Hause sein. Doch dafür brauchte er Geld. Deshalb bat er: »Vater, gib mir jetzt schon mein Erbe!« Der Vater zahlte seinen Sohn aus und dieser zog glücklich los. Endlich konnte er Partys feiern, sein Leben genießen! Aber dann wendete sich das Blatt: In der Gegend, in die er gereist war, kam es zu einer Krise mit Lebensmittelknappheit. Dem Sohn ging das Geld aus und keiner seiner neuen »Freunde« war bereit, ihm zu helfen. Nach langer Suche ergab sich immerhin eine Jobmöglichkeit auf einem Bauernhof. Das war zwar eine Drecksarbeit, aber der junge Mann hatte keine andere Wahl.

Als er jedoch mit den Schweinen auf dem Feld war und ihm sogar verboten wurde, seinen Hunger an dem Schweinefutter zu stillen, fing er an nachzudenken. Wie gut war es ihm doch bei seinem Vater gegangen! Selbst die einfachen Angestellten wurden dort gut versorgt. Wie dumm war er gewesen, die Liebe seines Vaters so zurückzuweisen! Und da entschied der junge Mann: »Ich will zu meinem Vater umkehren und ihm sagen, was ich falsch gemacht habe. Sicher kann ich nicht mehr als Sohn bei ihm leben, aber vielleicht stellt er mich wenigstens bei sich an.« Und so ging der Sohn zurück nach Hause. Und was passierte? Der Vater sah ihn schon von Weitem und lief ihm entgegen. Er umarmte und küsste ihn, besorgte neue Kleider und organisierte eine Willkommensfeier.

Diese Geschichte erzählt Jesus im Lukasevangelium Kapitel 15. Der Vater ist ein Bild für Gott. Wir alle sind von ihm weggelaufen, um unser eigenes Leben zu leben. Doch wir können umkehren, so wie der jüngere Sohn in dieser Geschichte. Gott wartet nur darauf, dass wir diesen Schritt tun. Was hält Sie davon ab? *Verena John*

? Warum suchen wir so oft unser Glück weit weg von Gott?

! Gott wartet mit offenen Armen auf den, der zu ihm umkehrt.

✝ Lukas 15,11-32

FREITAG · MAI 10

Trachtet aber zuerst nach dem Reich Gottes und nach seiner Gerechtigkeit!

MATTHÄUS 6,33

Edelweißkränzchen oder Bibelstunde?

Ich war gerade im Ausschank beschäftigt, als eine Gruppe Studenten ihre Bestellung aufgab. Sie diskutierten dabei lebhaft, wie sie wohl an eine Karte für das begehrte »Edelweißkränzchen« (traditionelles Tanzfest des Edelweißclubs Salzburg) kämen. Ihnen schien das unmöglich. Ich bekam das Begehren mit und fragte spontan: »Soll ich euch eine Karte besorgen?« – »Ja, gern«, antworteten sie verwundert. »Gut, dann kommt in einer Woche wieder zur gleichen Zeit und ich werde eine Karte haben.«

Da hatte ich mir etwas eingebrockt! Aber versprochen ist versprochen. So bemühte ich mich, alle Möglichkeiten auszuschöpfen, um so eine Karte zu bekommen. Es vergingen Montag, Dienstag, Mittwoch, nichts passierte. Doch am Donnerstag erhielt ich einen Anruf einer früheren Arbeitskollegin, deren Mann von meinem Begehren gehört hatte. Und er hätte gleich zwei Karten für mich! Das Suchen wurde belohnt. Man kann sich denken, wie sehr ich mich auf den nächsten Sonntag freute. Tatsächlich kamen die Studenten zur vereinbarten Zeit. Als ich sagte, ich hätte gleich zwei Karten, umarmten sie mich begeistert. Welch riesige Freude das auslöste!

Inzwischen habe ich Gott kennengelernt. Freunde luden mich zu Vorträgen ein und beteten für mich. Ich las das erste Mal in der Bibel – das Neue Testament. Was ich las, war interessant, es hatte eine eigene »Dynamik«; es ging mir ins Herz. Dass Jesus für meinen Unglauben an ihn starb, hat mich so getroffen, dass ich ihm meine Sünden bekannt habe und ihn einlud, mein Herr zu sein. Da kam tiefer Frieden in mein Herz, und es begann ein neuer Lebensabschnitt. Mein Leben wurde ganz neu ausgerichtet. Nun freue ich mich auf ein himmlisches Fest, zu dem ich durch Jesus freien Zutritt habe. *Helmut Glöcklhofer*

? Was würde bei Ihnen größte Freude auslösen?

! Die Teilhabe am Reich Gottes übertrifft alles, was wir hier und jetzt kennen.

✝ Lukas 14,15-24

11 | MAI SAMSTAG

Rette dich, es geht um dein Leben! Sieh nicht hinter dich, und bleib nicht stehen in der ganzen Ebene des Jordan; rette dich auf das Gebirge, damit du nicht weggerafft wirst!

1. MOSE 19,17

Rettung aus dem Sudan

Am 25. April 2023 titelte unsere Zeitung: »Die Welt rüstet mächtig auf« und »Rettung aus dem Sudan«. Der Ukraine-Krieg und Spannungen in Fernost führen zum rasanten Anstieg der Verteidigungskosten. Im Sudan bekämpfen sich neuerdings zwei Volksgruppen. Dort bangen zwischen die Fronten geratene Ausländer um ihr Leben. Eine dreitägige Waffenruhe hielt zum Glück. In diesem Zeitfenster konnten Regierungen ihre Staatsbürger nach Jordanien ausfliegen. Mehr als 1000 Menschen war dies gelungen, 300 davon durch die Luftwaffe, die am 26. April ihre Evakuierungsflüge einstellte.

Unser Tagesvers zeigt uns eine Situation mit Parallelen zum Sudan. Vor 3700 Jahren waren die Menschen von Sodom und Gomorra so moralisch böse, dass Gott beschloss, die Städte durch Feuer vom Himmel zu vernichten. Abrahams Bruder Lot wohnte samt Familie in Sodom, war aber ein Gläubiger. Gott wollte ihn deshalb retten. Er beschloss, ihn samt Frau und zwei Töchtern durch zwei Engel aus der Stadt bringen und ihnen einen sicheren Fluchtort zeigen zu lassen. Lots Schwiegersöhne blieben zurück und Lots Frau verhielt sich falsch und musste sterben. Lot blieb allein mit seinen Töchtern übrig.

Auch Christen steht bald eine »Evakuierung« bevor. Die Welt rüstet auf. Kriege werden Bestandteil von Gottes Gericht sein. Gott wird diese Erde einem schlimmen Gericht unterziehen. Nur ein Teil der Menschen wird nach Jesu Wiederkunft ins Reich Gottes auf dieser Erde gelangen. Für alle, die bis dahin gestorben sind, kommt am Ende entweder die Auferstehung zum Leben oder zum Gericht. Es liegt an uns, jetzt Gottes Rettung anzunehmen, um dabei zu sein, wenn Jesus Christus die an ihn Glaubenden, für die er am Kreuz gestorben ist, zu sich in den Himmel holt.

Hartmut Ulrich

? Sind Sie dabei, wenn Jesus Christus die Seinen zu sich holt?

! Sorgen Sie für Sicherheit, dass Sie dann nicht zurückbleiben!

† 1. Thessalonicher 4,13-18; 5,1-11

SONNTAG   MAI | **12**
Muttertag

Der Geist des Herrn ist auf mir ... er hat mich gesandt, zu heilen, die zerbrochenen Herzens sind, Gefangenen Befreiung zu verkünden ... Zerschlagene in Freiheit zu setzen.

LUKAS 4,18

Abhängig versus unabhängig

Welches dieser zwei Wörter spricht Sie beim oberflächlichen Hinschauen mehr an: »Abhängigkeit« oder »Unabhängigkeit«? Wahrscheinlich zunächst letzteres. Doch es lohnt sich, darüber näher nachzudenken.

Versetzen wir uns in die Lage eines Sklaven, sagen wir zu Recht: Unabhängigkeit ist gut! Denn der Sklavenhalter meint es in der Regel nicht gut mit seinen Sklaven, beutet sie aus und unterdrückt sie. Diese Abhängigkeit ist schlecht und zerstörerisch. Aber: Ist Abhängigkeit tatsächlich in jedem Fall schlecht? Ein Neugeborenes z. B. ist grundlegend abhängig von seinen Eltern, besonders von der Mutter. Sie sichert sein Überleben, und diese Abhängigkeit ist – jedenfalls im Regelfall – eingebettet in eine liebevolle Beziehung. Kann es etwas Besseres für einen neuen Erdenbürger geben als diese Abhängigkeit? Was wäre die Alternative?

Gleich zu Beginn der Bibel wird der Versuch des Menschen geschildert, sich aus der Abhängigkeit von seinem Schöpfer zu lösen und unabhängig zu werden. Anlass hierzu war allerdings eine Lüge: Der Teufel stellte die Abhängigkeit von Gott als Sklaverei dar, als etwas Schlechtes und Zerstörerisches, aus dem man sich befreien müsse. Tatsächlich kann man das Verhältnis Mensch-Schöpfer aber viel besser vergleichen mit dem des Neugeborenen zu seiner Mutter: Es ist eine existentiell notwendige Beziehung, geprägt von Liebe und Fürsorge. Wie kurzsichtig erscheint der Versuch des Menschen, von seinem Gott unabhängig zu sein! Und führt das wirklich in die Freiheit – und nicht vielmehr in die Unfreiheit der Sünde?

Der Sohn Gottes öffnet uns den Weg zurück: Durch den Glauben an ihn können wir Kinder Gottes werden und in die gute Abhängigkeit zu unserem liebevollen Schöpfer zurückkehren. *Sebastian Weißbacher*

[?] In welchen Abhängigkeiten sind Sie ein Gefangener?

[!] Kommen Sie zurück in die Abhängigkeit von Gott! Das befreit.

[†] Johannes 1,1-18

13 MAI — MONTAG
Tag der Kinderbetreuung

> Und sie nannte den Namen des HERRN, der mit ihr redete: Du bist ein Gott, der mich sieht. Denn sie sprach: Gewiss hab ich hier hinter dem hergesehen, der mich angesehen hat.
>
> 1. MOSE 16,13-14

Wer sieht mich?

Jedes fünfte Kind in Deutschland gilt als verhaltensauffällig (herder.de). Das stellt Eltern, Erzieher und Lehrkräfte an Schulen vor große Herausforderungen. »Verhaltenskreative« Kinder zeigen verschiedene Störungen des Sozialverhaltens, wie z. B. ein hohes Maß an Unaufmerksamkeit, Hyperaktivität, wiederkehrende Wutausbrüche oder Lügen. So ein Verhalten kann verschiedene Ursachen haben. Häufig wollen solche Kinder Aufmerksamkeit erregen, und ihr Benehmen ist im Grunde ein Hilferuf. Die Reaktionen der Umwelt bestärken oft ihr Gefühl, unverstanden und ungeliebt zu sein. Doch Anerkennung und Liebe sind wichtige Faktoren in der menschlichen Entwicklung. Das Wissen, angenommen und geliebt zu sein, gibt einem Kind Sicherheit und Vertrauen.

Auch Erwachsene brauchen Anerkennung und Wertschätzung. Nicht wenige Menschen haben das Gefühl, ihre Arbeit werde für selbstverständlich gehalten, weil sie nie ein Lob dafür bekommen. Dabei sind wir doch von Gott bedingungslos geliebte Wesen. Sind wir uns dessen bewusst?

Viele Menschen fühlen sich wie »unsichtbar«, weil sie nicht beachtet werden. Andere erfahren sogar Ablehnung und Hass. In der Geschichte von Hagar (siehe 1. Mose 16) lesen wir aber, dass sich Gott gerade um die Geringgeachteten, Vertriebenen und Einsamen kümmert. Er sieht, wie es jedem von uns geht, wie wir uns fühlen, was wir denken. Er kennt und achtet den Wert und die Würde jedes Einzelnen. Durch sein Sterben am Kreuz hat Jesus bewiesen, wie wichtig wir ihm sind. Was für eine gute Botschaft: Es gibt einen Gott, der uns sieht – ganz besonders die Schwächsten! Und wenn wir diese offenbarte Liebe Gottes persönlich in Anspruch nehmen, wird eine ewig bleibende Beziehung daraus.

Daniela Bernhard

? Wollen Sie wirklich von Gott gesehen werden?

! Niemand ist zu klein, um von Gott gesehen zu werden.

† Matthäus 18,1-6

DIENSTAG | MAI | **14**

**Denn der Sohn des Menschen ist gekommen,
um zu suchen und zu retten, was verloren ist.**
LUKAS 19,10

»Lord of the Lost«

Mai 2023 – der 67. Eurovision Song Contest wird mit dem üblichen Pomp und Glamour in der englischen Hafenstadt Liverpool ausgetragen. Wie üblich traten im Finale die verschiedenen Sänger und Gruppen für ihre Heimatländer in diesem internationalen Wettbewerb gegeneinander an. Können Sie sich noch an den deutschen Beitrag erinnern? Mit dem Titel »Blood & Glitter« ging die deutsche Band »Lord of the Lost« an den Start – und erreichte den letzten Platz.

Mich hat weniger der (erneute) Misserfolg eines deutschen Teilnehmers an diesem Wettbewerb erstaunt, sondern vor allem der Name der deutschen Gruppe: »Lord of the Lost« (»Herr der Verlorenen«) – ist das ein guter Name für einen potentiellen Gewinner? Wer möchte denn schon gerne ein »Verlorener« sein? Und wenn man »Herr« von irgendwem sein könnte, dann doch wohl lieber von coolen, erfolgreichen Leuten, als von Verlorenen, von Loosern. Ob die Mitglieder der Formation gut über ihren Namen nachgedacht haben?

Ein Mann in der Geschichte der Menschheit hatte aber tatsächlich ein Herz für die Verlorenen, und er wollte ihr Herr werden: Jesus Christus. Der Sohn Gottes hat das Elend einer Menschheit gesehen, die durch eigenes Verschulden ihrem tödlichen Schicksal entgegenrennt. Er hat sein Leben hingegeben, um Menschen zu retten, die ohne sein Eingreifen rettungslos verloren sind.

Was ist aber erforderlich, dass ich in den Genuss dieser Rettungsaktion komme? Zunächst muss ich mir eingestehen, dass ich tatsächlich ohne Gottes liebevolles Eingreifen ein Verlorener bin, einer, über dem das göttliche Todesurteil zu Recht schwebt. Zum anderen muss ich wollen, dass dieser Jesus wirklich mein »Lord«, mein Herr wird, der Bestimmer meines Lebens. *Markus Majonica*

? Wer beherrscht Ihr Leben?

! Das Gegenteil von verloren ist geliebt.

† Lukas 15

15 | MAI
Tag der Familie

MITTWOCH

Der Herr ist mein Fels, meine Festung und mein Befreier. Mein Gott ist meine Zuflucht, mein Schild und mein starker Retter, meine Burg in sicherer Höhe.
PSALM 18,3

Atombunker zu verkaufen

Als »höchst sicheren Zufluchtsort für den Schutz der Familie unter extremsten Bedingungen« bot ein Makler 2022 einen atombombensicheren Bunker in Xanten an. Lange Zeit war die Anlage aus den 1960er-Jahren nur noch als Abstellraum genutzt worden. Doch nach Beginn des Angriffskriegs Russlands gegen die Ukraine rechnete der Verkäufer mit einem deutlich gestiegenen Sicherheitsbedürfnis. Dementsprechend hoch setzte er den Preis fest: Stolze 1,6 Millionen Euro sollte der Atombunker kosten.

Diese Preisvorstellung übersteigt meine Möglichkeiten bei Weitem. Doch auch ich sehne mich nach einem sicheren Ort, an den ich in gefährlichen Situationen fliehen kann. Gibt es einen Zufluchtsort, der mir auch dann offensteht, wenn ich kein Geld dafür bezahlen kann?

In Psalm 18 bezeichnet David Gott als seinen Ort der Sicherheit. Aus eigener Erfahrung beschreibt er Gott als Burg, in der er Schutz erlebt. Damit meint David nicht, dass uns im Leben alle Gefahren oder Anfeindungen erspart bleiben, wenn wir an Gott glauben. Im Gegenteil: Der Psalm spricht ausdrücklich von Feinden, die David nachgestellt haben. Häufig wurde Davids Leben bedroht. Mehrfach musste er fliehen und sich versteckt halten. Doch trotz aller Gefahren gibt ihm die Beziehung zu Gott einen persönlichen Halt im Leben. Oft hat er erlebt, wie Gott seine Gebete um Hilfe und Schutz erhört hat. Doch auch, wenn Gott es zulassen sollte, dass Feinde ihn bezwingen, weiß er: Sein Leben ist auch nach seinem Tod sicher in Gottes Hand. Denn Gott hat denen, die ihm vertrauen, ewiges Leben in seiner Gegenwart versprochen. Gott gibt ihm eine Sicherheit, die weit über dieses kurze Leben hinausreicht. Dieser Zufluchtsort steht auch für mich offen! *Andreas Droese*

? Was sagt der heutige Tagesvers über das aus, was Gott für uns Menschen sein möchte?

! Bei dem unbesiegbaren allmächtigen Gottes gibt es eine Sicherheit, die in alle Ewigkeit besteht.

† Psalm 18,26-37

DONNERSTAG   MAI | **16**

**Denn von innen aus dem Herzen der Menschen
kommen die bösen Gedanken hervor: ... Hochmut.**
MARKUS 7,21

 ## Hochmut

Ich bin froh, Eltern zu haben, die mich schon früh mit der Bibel und dem Glauben an Gott vertraut gemacht haben. Dadurch habe ich viel Gutes gelernt. Nach der Schule machte ich eine Ausbildung zur Erzieherin. In meiner Arbeit begegnete ich oft Eltern, die allem Anschein nach mit ihren Kindern völlig überfordert waren. Oft stellte ich mich innerlich über diese Eltern. Unsere eigenen Kinder entwickelten sich gut, und in meinem Herzen war ich deshalb oft stolz. Ich klopfte mir innerlich auf die Schulter, wie gut ich alles gemacht hatte und was für eine tolle Mutter ich doch war. Erst als wir selbst Probleme mit einem unserer Kinder bekamen, fing ich an, meine eigene Erziehung zu hinterfragen. Ich realisierte, dass auch ich nicht alles richtig gemacht und deshalb gar nicht das Recht hatte, andere zu verurteilen. Was gut gelaufen war in meinem Leben, das hatte ich nicht meinem Können, sondern letztlich Gottes Güte zu verdanken.

Neulich war meine Enkelin bei uns. Sie ist ein sehr begabtes Mädchen und merkt mittlerweile, dass sie vieles besser kann als andere Kinder. Ich sagte ihr, dass ihre Begabung ein Geschenk Gottes an sie sei und dass es keinen Grund gebe, deswegen hochmütig zu sein. Sie antwortete mir ehrlich: »Laut sagen würde ich es nicht, dass ich stolz bin, aber in meinem Herzen habe ich es schon manchmal gemerkt.«

Geht es uns nicht oft auch so? Wir sagen es zwar nicht laut, aber sind innerlich doch stolz auf unsere eigene Leistung. Wir erheben uns über andere, obwohl viele von den Dingen, auf die wir uns etwas einbilden, doch nur von Gott kommen. Wir sollten ihn um Vergebung für den Hochmut in unserem Herzen bitten und dankbar werden für all das Gute, das er uns unverdienterweise schenkt.   *Anna Schulz*

❓ Was ist in Ihrem Herzen?

❗ Gott sieht, was wir vor anderen verbergen.

✝ Sprüche 29,23

17 | MAI

Welttelekommunikationstag

FREITAG

> Im Anfang war das Wort, und das Wort war bei Gott, und das Wort war Gott.
>
> JOHANNES 1,1

Ein Gott der Kommunikation

»Wie kann ich meine Botschaft möglichst zielgruppengerecht formulieren?« – Diese Frage musste ich mir als Referentin für Unternehmenskommunikation immer wieder stellen. In meinem Studium hatte ich dazu verschiedene theoretische Modelle auswendig gelernt, zum Beispiel das Kommunikationsquadrat von Schulz von Thun. Dieses sagt, dass jede Äußerung vier Ebenen enthält. Ein kurzes Beispiel: Eine Frau fährt ihren Mann im Auto zu seiner Arbeit. Sie bleiben vor einer roten Ampel stehen. Kurz nachdem die Ampel grün wird, sagt der Mann zu seiner Frau: »Die Ampel ist grün.« Neben der Sachinformation, dass die Ampel grün ist, stecken in seiner Aussage noch drei weitere mögliche Botschaften: »Ich habe es eilig« (Selbstoffenbarung), »Ich fahre besser als du« (Beziehung) und »Fahr jetzt los« (Appell).

Als ich zum ersten Mal bewusst in der Bibel las, begann ich mit dem Johannes-Evangelium. Dort steht: »Im Anfang war das Wort, und das Wort war bei Gott, und das Wort war Gott« (Johannes 1,1). Beim ersten Lesen verstand ich noch nicht viel. Doch irgendwann später wurde mir klar: Gott ist das Wort. Er ist der Inbegriff aller Wörter. Er möchte sich mitteilen und redet durch die Bibel zu uns Menschen. Man könnte auch sagen: Er ist ein Gott der Kommunikation.

Gottes Worte, die Bibel, sind mehr als eine reine Ansammlung von Sachinhalten. Auch in ihr lassen sich alle vier Seiten des Kommunikationsquadrates wiederfinden: Sie ist ein Buch von Gott an den Menschen, sozusagen eine Anleitung für unser Leben auf der Erde. In ihr offenbart sich Gott als unser Schöpfer und Retter. In ihr macht er deutlich, wie sehr er auf eine persönliche Beziehung zu uns hingearbeitet hat. Und in ihr fordert er uns dazu auf, an ihn zu glauben und ihm nachzufolgen.

Sina Marie Driesner

? Wann haben Sie das letzte Mal mit Gott kommuniziert?

! Im Gebet können Sie Gott Ihr Herz ausschütten. Er wartet nur darauf.

† Matthäus 6,5-15

SAMSTAG | MAI | **18**

Von nun an, alle Tage der Erde, sollen nicht aufhören Saat und Ernte, Frost und Hitze, Sommer und Winter, Tag und Nacht.

1. MOSE 8,22

Perpetuum Mobile

Es war schon seit langer Zeit immer wieder der Traum von Erfindern, eine Maschine zu bauen, die ohne weiteren Antrieb von außen von allein läuft. Solch eine Maschine nennt man Perpetuum Mobile, vom lateinischen »sich ständig Bewegendes«. Die ersten Berichte gehen auf die Zeit um das Jahr 1000 zurück, wo indische Gelehrte über dieses Problem nachgedacht haben. Bekannter sind die Überlegungen und Zeichnungen von Leonardo da Vinci (1452–1519). Allerdings hat sich gezeigt, dass solch eine Maschine unmöglich ist. Es ist immer eine Energiezufuhr notwendig, damit ein Prozess am Laufen bleibt.

Der Bibelvers könnte den Eindruck erwecken, dass unsere Erde ein Perpetuum Mobile ist und immer weiter läuft. Allerdings ist auch hier eine ständige Energiezufuhr notwendig. Die Energie kommt von der Sonne. Die Sonnenenergie sorgt dafür, dass es Jahreszeiten, Wind und Regen gibt, dass wir Wärme und Nahrung haben und dass wir uns fortbewegen können.

Gott selbst verspricht uns, dass das nicht aufhören wird. Allerdings hat er dem Ganzen auch einen festen Zeitrahmen gegeben. Er spricht von »alle Tage der Erde«, und die sind gezählt. Einmal wird hier alles ein Ende haben und zwar nicht erst in Millionen von Jahren, wenn die Sonne ausgebrannt ist. Gott selbst setzt diesen Zeitpunkt fest. Dann wird er die Erde richten. Sie wird aufgelöst werden, und Gott schafft einen neuen Himmel und eine neue Erde. Dort werden nur Menschen leben, die in ihrem jetzigen Leben Vergebung ihrer Schuld erfahren haben und eine Beziehung zu Gott – das neue Leben – bekommen haben. Jetzt ist noch die Gelegenheit, das Angebot, das Gott uns in Jesus Christus macht, anzunehmen und damit eine »Lebensversicherung« zu haben, die über die Existenz dieser Erde hier hinaus gilt. *Bernhard Volkmann*

? Haben Sie auch diese Vorstellung, dass immer alles so weiter geht?

! Es ist entscheidend wichtig, sich über die fernere Zukunft Gedanken zu machen.

† 2. Petrus 3,7-14

19 | MAI
Pfingstsonntag

SONNTAG

Es kommt aber die Stunde und ist jetzt, dass die wahrhaftigen Anbeter den Vater in Geist und Wahrheit anbeten.
JOHANNES 4,23

Anbeten

Anbeten ist mehr als Danken und Loben und ganz gewiss weit mehr als Bitten. Bei der Anbetung Gottes geht es nämlich nicht darum, von ihm etwas zu erbitten oder ihm für etwas zu danken oder ihn wegen einer seiner Eigenschaften zu loben. Nein, es geht beim Anbeten darum, vor der Majestät des allmächtigen, allwissenden und allgegenwärtigen Gottes still zu werden und sich darüber zu freuen, dass man die unverdiente Gunst erhalten hat, in seine Gegenwart treten zu dürfen – um nichts mehr zu wünschen, nichts mehr zu betrauern, nichts sonst mehr zu wollen, als diese Nähe zu genießen.

Ich habe da das Bild eines satten Hundes vor Augen, der sich nichts weiter wünscht, als zu den Füßen seines Herrchens zu liegen. Hunden geht es sogar so sehr darum, an diesem Platz ganz in der Nähe ihres Herrchens sein zu dürfen, dass heiße Kämpfe darum entbrennen können, wenn sie keine Einzeltiere sind. Selbstverständlich handelt es sich hier um ein natürliches, in den Instinkten verankertes Verhalten, das keiner Überlegung bedarf. Es gehört keine Überwindung widerstrebender Empfindungen dazu, und darum ist es moralisch auch völlig neutral.

Ganz verborgen im Text der Ursprache des Neuen Testaments ist sogar dieser Anhänglichkeit der Hunde ein ewiges Denkmal gesetzt, das uns zugleich mit der höchsten Berufung des Menschen in Verbindung bringt. Das Wort für »anbeten« heißt: *proskynein*. Es setzt sich aus der Vorsilbe *pros* = *hinzu* und dem Verb *kynein* = *sich niederwerfen* zusammen – wobei das Verb mit dem Substantiv *kuon* = *Hund* verwandt ist, also davon spricht, sich wie ein Hund zu benehmen. Dieses Bild zeigt uns aber auch, für wie unnatürlich Gott es hält, wenn wir Menschen von uns aus gar keine Sehnsucht nach dieser Nähe verspüren.

Hermann Grabe

❓ Wie denken Sie über diese wichtige Angelegenheit?

❗ Bevor wir nicht zu Anbetern werden, kann Gott nicht mit uns zufrieden sein.

✝ Johannes 4,1-26

MONTAG   MAI | **20**
Weltbienentag

Bring meine Söhne von fern her und meine Töchter vom Ende der Erde, jeden, der mit meinem Namen genannt ist und den ich zu meiner Ehre geschaffen, den ich gebildet und gemacht habe!

JESAJA 43,6-7

Geschaffen für einen bestimmten Zweck

»Nur Arbeit war ihr Leben.« Dieser Satz könnte über dem Leben vieler Bienen stehen, denn diese kleinen Tiere arbeiten tatsächlich unermüdlich. Ihre Hauptaufgabe ist das Sammeln von Nektar. Dafür nutzt die Biene ihre Fühler, die sensorische Meisterwerke sind. An jedem Fühler befinden sich 2000 Riechhaare und 65 000 Riechzellen. Letztere sind spezialisiert auf bestimmte Duftmoleküle und können schon geringste Mengen davon wahrnehmen. Wenn diese Fühler allerdings verkleben, was beim Sammeln von Nektar häufig vorkommt, sind sie völlig nutzlos. Deshalb hat die Biene eine spezielle Putzvorrichtung, nämlich eine kleine Aussparung an ihrem Vorderbein, die sogenannte Putzscharte. Diese hat exakt den Durchmesser des Fühlers. Wenn die Biene ihren Fühler in diese Scharte hineinlegt, klappt sie ein kleines Scharnier, den Putzsporn, davor und zieht den Fühler zur Reinigung einige Male vor und zurück. So wird der Fühler von Schmutz befreit und bleibt voll funktionsfähig.

Immer wieder können wir sehen, wie genial vieles in der Natur angelegt ist. Der Schöpfer hat passgenau gearbeitet! Die Biene hat alles, was sie braucht, um ihre Aufgaben perfekt zu erfüllen. Es wäre absurd, sich eine Biene vorzustellen, die plötzlich grasen und Milch produzieren möchte! Dafür wurde sie einfach nicht geschaffen.

Ich glaube, dass viele Menschen vergessen haben, wozu sie ursprünglich gemacht wurden. Was ist der Sinn unseres Daseins? Wir wurden geschaffen, um Gott, unseren Schöpfer, zu ehren. Wir haben Emotionen, um ihn zu lieben. Wir haben einen Verstand, um mehr über ihn zu erfahren. Wir haben Lippen, um ihm Danke zu sagen. Wir sind perfekt für unsere Bestimmung geschaffen. Die Frage ist nun, ob wir diese Bestimmung auch erfüllen.

Jannik Sandhöfer

? Was ist der Sinn Ihres Lebens?

! Wer die Absichten des Schöpfers kennt, kann gemäß seiner Bestimmung leben.

† Psalm 104,19-24

21 | MAI — DIENSTAG

> Groß ist der Zorn des HERRN, der sich gegen uns entzündet hat, dafür, dass unsere Väter auf die Worte dieses Buches nicht gehört haben, nach allem zu tun, was unsertwegen aufgeschrieben ist.
>
> 2. KÖNIGE 22,13

Ein heilsames Erschrecken

07:30 Josia war der König eines kleinen Landes. Er suchte schon früh den Gott seines Vaters David. Und doch fuhr ihm eines Tages ein gewaltiger Schrecken in die Glieder. Der Tempel des HERRN wurde in seinen Tagen renoviert. Und dabei fiel dem Priester Hilkija das *Buch des Gesetzes* in die Hände. Darin waren die Worte geschrieben, die der HERR einst zu Mose gesprochen hatte. Das war inzwischen schon rund 1000 Jahre her. Die Rolle des Buches war sicher etwas vergilbt und verstaubt. Der Priester brachte diese Rolle dem König und las ihm die darin geschriebenen Worte vor.

Und dann kommt der Augenblick, als der König zusammenzuckt und seine Kleider zerreißt (eine damalige Bekundung der Reue und Buße). Ihm wird nämlich ganz plötzlich bewusst, dass der Zorn Gottes groß sein muss angesichts der Missachtung dessen, was er schon viele Jahre zuvor und seitdem immer wieder hatte verkünden und aufschreiben lassen. Denn schon lange hatte sich kein Mensch in Israel mehr um Gottes klare Worte geschert.

Ich kenne auch diesen Moment, in dem einem durch die Lektüre der Bibel schlagartig und siedend heiß klar wird, dass man schon lange auf einem völlig falschen Weg ist, weil man Gottes Willen für sein Leben ignoriert hat. Manchmal ist ein persönliches Scheitern Auslöser für diese plötzliche Erkenntnis. Gibt es dann noch eine Chance, das Ruder herumzureißen und die Fehler der Vergangenheit wiedergutzumachen? Oder ist der Zug abgefahren und Gottes Zorn unausweichlich?

Wenn Gott jemanden – wie hier den Josia – durch seine Worte wachrüttelt, dann hat er stets die Absicht, den Betroffenen zur Umkehr zu bewegen. Das gilt für Einzelne wie für ganze Völker. Voraussetzung ist nur, dass man diese Gelegenheit zur Umkehr dann auch ergreift.

Rudolf Koch

? Hat Gott Sie schon einmal eiskalt erwischt?

! Wenn Gott Sie aufrüttelt, dann meint er es gut mit Ihnen.

✝ 2. Könige 22,1-20

MITTWOCH | MAI **22**
Tag der biologischen Vielfalt

Geh hin zur Ameise, du Fauler, sieh ihre Wege an und werde weise!

SPRÜCHE 6,6-7

Von Ameisen lernen

Kann man von Ameisen lernen? Das ist eine interessante Frage. In der Bibel werden uns diese kleinen, flinken Tiere tatsächlich als Vorbild hingestellt. Wenn man eine Weile dem Treiben rund um einen Ameisenhaufen zuschaut, kann man nur staunen, nach welchen faszinierenden Gesetzmäßigkeiten das Leben hier abläuft und wie gut die Tiere miteinander harmonieren: Einige schleppen in Teamarbeit Nahrung in den Bau, andere bauen Straßen, wieder andere kümmern sich um die Fortpflanzung. Unermüdlich fleißig und organisiert meistern Ameisen ihren Tagesablauf. Dazu sind sie äußerst teamfähig; sie konkurrieren nicht untereinander, sondern helfen sich gegenseitig. Jede einzelne Ameise kommt ihrer Aufgabe zuverlässig und loyal nach.

Ameisen erfüllen die Aufgaben, die sie innerhalb ihres Ameisenvolkes haben, ohne darüber nachzudenken. Es gehört einfach zu ihrer Natur. Anders ist das bei uns Menschen: Wir haben eine Wahl. Wir können uns an die Ordnungen des Schöpfers halten oder uns dagegen auflehnen. Wir können fleißig sein oder faul. Wir können uns für wichtige Dinge einsetzen oder unser Leben egoistisch verschwenden. Doch am Ende wird Gott uns einmal fragen, ob wir an unserer Bestimmung vorbeigelebt, oder ob wir ihm die Ehre gegeben und unser Leben in die richtigen Dinge investiert haben. Viele werden dann mit Erschrecken feststellen, dass sie das Wichtigste verpasst haben.

Wer durch Jesus Christus eine Beziehung zum lebendigen Gott bekommen hat, der hat ein Ziel und einen Sinn in seinem Leben. Gott wird ihm die Aufgaben zeigen, die er für ihn vorbereitet hat. Das werden Aufgaben sein, die dem Wohl anderer Menschen dienen, und die man jeden Tag fröhlich und fleißig anpacken sollte.

Elisabeth Weise

? Was können Sie von Ameisen lernen?

! Vertrödeln wir unser Leben nicht, sondern fragen wir unseren Schöpfer, was wir heute tun sollen.

† Kolosser 3,22-25

23 | MAI   DONNERSTAG

Solange Himmel und Erde bestehen, wird auch nicht ein Punkt oder Strich vom Gesetz vergehen, bis alles geschieht.

MATTHÄUS 5,8

Ein unumstößliches Grundgesetz

Heute vor 75 Jahren, am 23. Mai 1949, wurde das Grundgesetz der Bundesrepublik Deutschland vom Parlamentarischen Rat genehmigt und angenommen. Sein Inkrafttreten gilt als Geburtsstunde der Bundesrepublik, die unmittelbar nach Ende des 2. Weltkrieges aus den drei Westzonen hervorgegangen ist.

Das Grundgesetz ist die Verfassung unseres Landes und steht über allen anderen Rechtsnormen; es stellt eine Balance zwischen Demokratie und Rechtsstaat her. Die Unantastbarkeit der Menschenwürde ist Verpflichtung aller staatlichen Gewalt (Artikel 1). Das Grundgesetz ist für die Menschen da – zu ihrem Nutzen, um für Rechtssicherheit zu sorgen und vor staatlicher Willkür zu schützen. So ist z. B. die Unverletzlichkeit der eigenen Wohnung (Artikel 13) ein hohes und schützenswertes Rechtsgut, das gerade in der NS-Zeit durch staatliche Stellen massiv untergraben wurde. Doch selbst nach Inkrafttreten des Grundgesetzes gab es in Deutschland Fälle, in denen gegen dieses Grundrecht verstoßen wurde – denn dort, wo der Mensch das Sagen hat, werden auch Gesetze gebrochen und Grundlagen der Demokratie infrage gestellt.

Lange vor der Entstehung des Grundgesetzes ist Jesus, Gottes Sohn, als Mensch auf die Erde gekommen und hat den Menschen seine »Verfassung« in der vielzitierten Bergpredigt (siehe Matthäus 5–7) mitgeteilt – ein unumstößliches göttliches Grundgesetz. Und im Gegensatz zu menschlichen Gesetzgebern hält sich der Urheber der Bergpredigt selbst ohne Wenn und Aber an seine eigene Verfassung. Wir tun gut daran, seinen Maßstab ernst zu nehmen! Denn gegen Ende seiner Rede sagt Jesus: »Nicht jeder, der zu mir sagt: Herr, Herr!, wird in das Reich der Himmel hineinkommen, sondern wer den Willen meines Vaters tut, der in den Himmeln ist« (Matthäus 7,21). *Axel Schneider*

? Was tun, wenn man am Maßstab der Bergpredigt scheitert?

! Suchen Sie Anschluss an den, der Gottes Gesetz vollkommen erfüllt hat.

† Matthäus 5–7

FREITAG   MAI | **24**

Es sprach aber auch ein anderer: Ich will dir nachfolgen, Herr; zuvor aber erlaube mir, Abschied zu nehmen von denen, die in meinem Hause sind.

LUKAS 9,61

»Ja, ich will!«

Stellen Sie sich ein Brautpaar am Traualtar vor. Die Braut wird gefragt, ob sie den erschienenen Bräutigam zum Ehemann nehmen will. Sie antwortet freudig mit »Ja«! Dann ist die Reihe am Bräutigam: Willst du die erschienene Braut zur Ehefrau nehmen? Er antwortet: »Nun, im Prinzip ja, aber bitte, ich habe da noch ein paar Bedingungen ...« Die Braut würde wahrscheinlich sofort die Reißleine ziehen und mit wehender Schleppe die Kirche verlassen – zu Recht. Am Altar geht es um eine klare Entscheidung, nicht um ein Aushandeln von Konditionen für das weitere Zusammenleben. Hier gibt es nur ein klares Ja oder Nein. Alles darüber hinaus offenbart Unreife für die Ehe.

Durchaus vergleichbar ist die Szene des Tagesverses: Im Zusammenhang geht es darum, dass Jesus drei verschiedenen Menschen begegnet, und jedes Mal geht es um die Nachfolge. Auch der hier erwähnte »andere« spielt mit dem Gedanken, Jesus nachzufolgen. Er macht Jesus das aus seiner Sicht großzügige Angebot, sich auf die Nachfolge einzulassen, aber er stellt gleichzeitig Bedingungen: »Zuvor aber erlaube mir«!

Die Reaktion des Sohnes Gottes auf diese »Initiativbewerbung« für die Nachfolge ist indes eindeutig: »Niemand, der die Hand an den Pflug gelegt hat und zurückblickt, ist tauglich für das Reich Gottes« (Lukas 9,62). Der Wunsch des Mannes, vor Beginn der Nachfolge Abschied von den Menschen zu nehmen, die ihn bisher begleitet haben, mag verständlich sein. Aber Jesu Antwort zeigt, dass sein Ruf in die Nachfolge bedingungsfeindlich ist. Sie erfordert eine klare, unbedingte Antwort. Denn die Bindung an diesen Jesus in der Nachfolge darf nicht weniger vorbehaltlos erfolgen als die Antwort des Brautpaares vor dem Traualtar.

Markus Majonica

?   Welche Bedingungen stellen Sie an die Nachfolge Jesu?

!   Sagen Sie: »Ja, ich will!«

†   Lukas 14,26-33

25 | MAI

SAMSTAG

Das Gras ist verdorrt, die Blume ist verwelkt. Aber das Wort unseres Gottes besteht in Ewigkeit.

JESAJA 40,8

Niemals vergessen

Heute vor 41 Jahren, am 25. Mai 1983, gewann der Hamburger Sport-Verein (HSV) in Athen durch ein Tor des heute noch bekannten Fußballers und späteren Trainers Felix Magath gegen Juventus Turin den Europapokal der Landesmeister (vergleichbar mit der heutigen Champions League). Das ist erst 41 Jahre her, aber nur manche hartgesottenen Fans dürften sich daran erinnern. Wir anderen haben das längst vergessen und werden höchstens durch die heutige mediale Informationstechnik daran erinnert, die jedes nur erdenkliche Filmmaterial wieder zum Vorschein bringen und zu den Menschen tragen kann.

Es ist interessant, dass Christen sich an ein Ereignis erinnern, das schon viel länger zurückliegt als der Triumph dieser Fußballer. Die Ereignisse um Jesus Christus, den Sohn Gottes, der als Mensch diese Erde betrat, sind schon etwa 2000 Jahre her. Seine Lehren, sein Wesen und vor allem seine Liebe zu den Menschen sind uns in der Bibel für alle Zeiten übermittelt. Dieses Buch der Bücher ist uns durch die Jahrhunderte hindurch erhalten geblieben. Es ist auch heute noch ein Bestseller, ja, das meistverkaufte Buch aller Zeiten. Das Guinness-Buch der Rekorde spricht von fünf Milliarden verbreiteten Exemplaren der Bibel. Das, was uns Gott in seinem Wort hinterlassen hat, ist größer und eindrucksvoller als jedes scheinbar noch so wichtige Ereignis.

Umso erstaunlicher ist, dass sich die Menschen damit so wenig beschäftigen. Zum Beispiel mit der wichtigen Mitteilung, dass in der Schöpfung durch die Sünde alles vergänglich wurde und dem Tod geweiht ist. Aber sie teilt uns auch mit, dass dieser nicht das traurige Ende unseres Daseins bedeuten muss, denn Gott hat durch seinen Sohn, Jesus Christus, die Möglichkeit geschaffen, ewiges Leben zu gewinnen.

Axel Schneider

> Begnügen Sie sich damit, vergänglich zu sein, oder liegt Ihnen etwas daran, ewig zu leben?

> Durch Jesus können wir ewiges Leben gewinnen.

> 2. Timotheus 3,13-17

SONNTAG MAI | **26**

Erhebt, ihr Tore, eure Häupter, und erhebt euch,
ihr ewigen Pforten, dass der König der Herrlichkeit
einzieht! ... Der HERR der Heerscharen, er ist der
König der Herrlichkeit!

PSALM 24,9-10

Der Ritter der Gerechtigkeit

Die Kinder kamen aus dem Staunen nicht mehr heraus, als wir durch den bunten Mittelaltermarkt schlenderten, der Ende April bei uns im Nachbardorf stattfand. Es war eine Reise in eine andere Zeit. Wir erlebten hautnah die Ära des Mittelalters, die sich zwischen 450 und 1550 n. Chr. abspielte. Irgendwo hämmerte ein Waffenschmied, anderswo wurden Holzschwerter verkauft und dann gab es noch mittendrin einen kleinen Streichelzoo! Den Höhepunkt bildeten aber mit Abstand die Ritterspiele. Gespannt saßen unsere Kinder auf ihren Plätzen und bewunderten die schönen, majestätischen Pferde und Kostüme der Reiter. Ein Ritterturnier wurde nachgespielt, Holzlanzen zersplitterten vor unseren Augen! Und dann kam der Höhepunkt der Vorführung: Das Tor ging auf und ein Ritter auf einem weißen Pferd kam hereingaloppiert. Der Herold, der uns den neuen Ritter ankündigte, rief: »Applaus für Winrich von Bosweil, den Ritter der Gerechtigkeit!«

Alle Augen waren auf den stolzen, eleganten Ritter und sein prachtvolles Pferd gerichtet. Dieser Recke kam, um dem bösen schwarzen Ritter die Stirn zu bieten; und tatsächlich entschied er das Turnier schlussendlich ruhmvoll für sich. Auf dem Heimweg war der kühne Held bei meinen Jungs das Gesprächsthema Nummer 1 – für mich ein Anlass, ihnen von dem wahren Ritter der Gerechtigkeit zu erzählen, der bald auf seinem weißen Pferd kommen wird (nachzulesen in Offenbarung 19,11): Jesus Christus.

Kein Ritter hat im Mittelalter durch seine Kämpfe und Kriege echte Gerechtigkeit und Frieden für die Welt gebracht. Aber wenn Jesus auf diese Erde kommt, dann wird er für wahre und bleibende Gerechtigkeit sorgen! Er ist majestätisch und herrlich, treu und wahrhaftig. Und alle Augen werden sich auf ihn richten.

Tony Keller

? Welche Rolle werden Sie bei diesem zukünftigen Ereignis spielen?

! Wer sich heute nicht für diesen Retter entscheidet, muss ihn zukünftig als seinen Richter erleben.

Offenbarung 19,11-16

27 | MAI

MONTAG

Wir werden aber alle verwandelt werden, ... in einem Augenblick, bei der letzten Posaune; ... und die Toten werden auferweckt werden, unvergänglich sein, und wir werden verwandelt werden.

1. KORINTHER 15,51-52

Metamorphose

Der Begriff »Metamorphose« stammt aus dem Griechischen und bedeutet Umwandlung. Man bezeichnet damit auch die Entwicklungsstufen eines Schmetterlings, vom Ei über die Raupe zur Puppe und schließlich zum ausgewachsenen Falter. Wenn man sich diesen Vorgang näher anschaut, kommt man aus dem Staunen nicht mehr heraus. Aus den Eiern, die vom Falter auf der Unterseite eines Brennnesselblattes angeheftet wurden, schlüpfen kleine Raupen, die nichts anderes tun als nur fressen.

Nach einer Fresszeit von etwa einem Monat verpuppen sich die Raupen. Was in der Puppe geschieht, ist ein wahres Wunder: Aus einer stacheligen schwarzen Raupe mit eingeschränkter Sicht, die mühsam über die Brennnesselblätter kroch, wird ein farbenfroher Schmetterling, der sich von Nektar ernährt und – mit einem außergewöhnlichen Navigationssinn ausgestattet – bis zu 80 Kilometer am Tag zurücklegen kann.

Zum einen ist dieser Vorgang ein deutlicher Hinweis auf Gott, der das alles geschaffen hat. Zum anderen ist es aber auch ein Gleichnis für das, was mit den Menschen geschehen wird, die in ihrem Leben an Gott geglaubt haben. Auch sie werden verwandelt werden und erhalten einen völlig neuen Körper, der an nichts mehr erinnert, was uns hier im irdischen Leben Kummer und Sorgen bereitet hat. Gottes Wort, die Bibel, verspricht uns das: »Wir wissen aber: Wenn es offenbar wird, werden wir ihm gleich sein; denn wir werden ihn sehen, wie er ist« (1. Johannes 3,2). »Wir werden sein wie die Träumenden« (Psalm 126,1).

Während bei manchen Schmetterlingsarten das Leben als Schmetterling relativ kurz ist im Vergleich zum Dasein als Raupe, ist es bei dem, was Gott uns verspricht, genau umgekehrt. Unser Leben auf dieser Erde ist sehr kurz im Vergleich zur Ewigkeit.

Günter Seibert

❓ Welche Vorstellung haben Sie von einem Leben nach dem Tod?

❗ Lesen Sie selbst, was uns Gott in der Bibel über unsere Zukunft mitteilen lässt:

✝ 1. Korinther 15,53-58

DIENSTAG · MAI 28
Weltspieltag

Und er [Jesus] ist vor allem, und es besteht alles in ihm.

KOLOSSER 1,17

Bauklötze

Bauklötze gibt es seit dem 19. Jahrhundert. Ihre Entwicklung wird dem Naturwissenschaftler und Pädagogen Friedrich Wilhelm August Fröbel (1782–1852) zugeschrieben. Mit den zumeist in einfachen Formen gehaltenen Holzteilen kann man wunderbare Dinge bauen: vor allem Türme! Je höher, desto besser! Doch was ist das Hauptvergnügen, wenn man einen besonders hohen Turm gebaut hat? Man zieht den untersten Stein, den Eckstein, auf dem alles ruht, weg, und schon stürzt der stolzeste Turm mit lautem Gepolter unwiderruflich ein.

Dieses vergnügliche Bild hat eine sehr ernste Parallele im Tagesvers: Danach ruht alles, also wirklich alles, auf Jesus Christus. Alles ist durch ihn geschaffen. Was geschieht, wenn ich diesen Grundstein aus der Schöpfung wegnähme? Alles bräche von jetzt auf gleich zusammen. Die Schöpfung könnte keine Sekunde ohne ihn existieren.

Dasselbe gilt auf der gesellschaftlichen Ebene: Wenn ein Volk den grundlegenden Baustein Jesus Christus aus seinem »Gebäude« entfernt, wird auch das stolzeste Staatengebilde unaufhaltsam in sich zusammenstürzen. Wenn man diesen Eckstein verwirft, woher will man dann seine Ordnung und seine moralische Orientierung herbekommen, wenn nicht von dem, durch den alle Dinge gemacht sind und in dem alles seinen Grund hat?

Ganz besonders gilt dies schließlich im Leben des einzelnen Menschen: Viele Menschen hören etwas von Jesus, dem Sohn Gottes. Doch irgendwann entscheiden sie sich, ihn, den Gekreuzigten, den Auferstandenen, den Sohn des lebendigen Gotts, in dem die Güte und Menschenliebe Gottes sichtbar erschienen ist, aus ihrem Leben herauszunehmen. Dann bleibt kein Halt mehr. Wer die Basis des Lebens aus seinem Leben entfernt, verwirft das Leben selbst. *Markus Majonica*

? Was ist der Grundpfeiler Ihres Lebens?

! Ohne festes Fundament kann das himmelstrebenste Gebäude nicht bestehen.

✝ Markus 12,1-12

29 | MAI   MITTWOCH

Wenn nun deinen Feind hungert, so speise ihn; wenn ihn dürstet, so tränke ihn; denn wenn du dieses tust, wirst du feurige Kohlen auf sein Haupt sammeln.
RÖMER 12,20

Das ergibt doch gar keinen Sinn!

07:30 Bam! Völlig aus dem Nichts heraus schlug mir mein Klassenkamerad sein Schulbuch ins Gesicht. Warum hat er das getan? Zorn stieg in mir auf, am liebsten hätte ich ihm direkt eine verpasst. Nachdem ich zu Hause alles meinen Eltern erzählt hatte, meinte mein Vater: »Dani, ich habe einen Vorschlag. Du wirst das jetzt wahrscheinlich nicht verstehen, aber eines Tages vielleicht.« Er schnappte sich die Autoschlüssel, und wir fuhren zum Supermarkt. Dort angekommen fragte mein Vater: »Was ist seine Lieblingssüßigkeit? Morgen in der Schule kannst du sie ihm dann schenken.«

Wie bitte? Das ergibt doch gar keinen Sinn! In mir sträubte sich alles gegen diesen Rat, aber schließlich ließ ich mich darauf ein. Am folgenden Morgen ging ich geradewegs auf meinen Klassenkameraden zu. Mit den Worten »Hier, hab dir was mitgebracht« gab ich ihm den Schokoriegel. Völlig irritiert und mit weit aufgerissenen Augen nahm er den Riegel und brachte ein kurzes »Danke« hervor, ehe er schweigend an seinen Platz zurückkehrte.

Das Fazit dieser Geschichte ist fast nicht zu glauben: Im Laufe der Schulzeit wurden wir nicht nur sehr gute Freunde, unser Kontakt blieb sogar noch viele Jahre darüber hinaus erhalten. Und das nur aufgrund eines Schokoriegels!

Wie kam mein Vater dazu, mir diesen weisen Ratschlag zu geben? In der Bibel heißt es, dass wir unseren »Feinden« nicht Böses mit Bösem vergelten sollen. Sie geht sogar noch einen Schritt weiter: Vergelte Böses mit Gutem! Dann wirst du »feurige Kohlen« auf dem Kopf des anderen sammeln – das heißt, du wirst den anderen durch dein Verhalten zutiefst beschämen. Wie dankbar bin ich heute, mich auf diesen biblischen Rat meines Vaters eingelassen zu haben! *Daniel Beck*

❓ Wie gehen Sie mit einem gegen Sie gerichteten Verhalten um?

❗ Die Grundlage für die biblische Vergebung ist, dass Jesus alle Sünden für uns auf sich nahm – meine und Ihre gleichermaßen.

📖 Römer 12,9-21

DONNERSTAG MAI 30
Fronleichnam

Wenn aber diese Dinge anfangen zu geschehen, so blickt auf und hebt eure Häupter empor, weil eure Erlösung naht.

LUKAS 21,28

 ## Trotz allem!

»Die schönen Tage in Aranjuez sind nun zu Ende.« So beginnt Schillers Drama »Don Carlos«. Und diese Zeile drückt aus, was selbst den größten Optimisten unserer Tage zu dämmern beginnt, dass nämlich auch für uns die Zeiten immer üppigeren Wohlstands vorüber sind. Grauer Pessimismus greift um sich, und zu allem entschlossene Aktivisten nennen sich bereits »die letzte Generation«, und sie mögen Recht haben, wenn es weiter so steil bergab geht. Allein eine Inflation von jährlich 10 % vermindert den Geldwert in fünf Jahren um die Hälfte. Und Leute, die noch vor Kurzem »Frieden schaffen, ohne Waffen« auf ihren Fahnen umhertrugen, bauen heute so viele Panzer, wie sie nur irgend können.

Hoffnungslose Zustände? Anscheinend ja. Aber wenn man dann unseren Tagesvers liest, kommt doch ein ganz neuer Ton in die triste Musik. Bei allem zu Anfang Gesagten haben wir nur die von uns Menschen ruinierte Horizontale betrachtet. Gott will unseren Blick auf die Vertikale, also nach oben richten.

Schon vor ewigen Zeiten, noch bevor es Himmel und Erde gab, hatte Gott Gedanken des Friedens mit seinen Menschenkindern. Leider haben sie sich in immer wilderem Aufstand von ihm losgesagt. Aber das hat Gottes Absichten nicht durchkreuzt. Er selbst hat das Heilmittel für die größten Schäden bereitgestellt. Wer davon Gebrauch macht, wird von ihm so freundlich aufgenommen, als hätte er nie gegen den Allmächtigen opponiert, nie gegen ihn gesündigt. Der darf dann auch unseren Tagesvers für sich in Anspruch nehmen und auf die endgültige Erlösung warten. Und worin besteht sie? Der Herr Jesus hat für seine Leute ein ewiges Vaterhaus im Himmel eingerichtet. Dahin wird er alle bringen, die ihm vertrauen.

Hermann Grabe

? Wann werden Sie von diesem Angebot Gebrauch machen?

! Es wird höchste Zeit dafür!

✝ Lukas 21,10-28

31 | MAI — FREITAG

Wehe dem Gottlosen! Es wird ihm schlecht gehen, denn das Tun seiner Hände wird ihm vergolten.
JESAJA 3,11

»Don't look up!«

In der gleichnamigen Satire versuchen zwei Astronomen, die Welt davon zu überzeugen, dass ein Komet auf die Erde zurast und diese in sechs Monaten zerstören wird. Doch sie stellen fest, dass diese dramatische Information auf keine angemessene Reaktion stößt: Während die Politik die drohende Tatsache überwiegend totschweigt, machen sich die Medien über die beiden Wissenschaftler lustig. Schlussendlich muss der Zuschauer fassungslos mitansehen, wie der Versuch, den Kometen aufzuhalten, abgebrochen wird, da ein Technikmogul immense Gewinnchancen in den Materialien des Kometen wittert. Als der Komet schließlich für das normale Auge sichtbar wird und nicht mehr zu leugnen ist, gründet man die »Don't-look-up«-Bewegung, die die Menschen davon abhalten soll, das Offensichtliche zu sehen: die drohende Katastrophe.

Es ist nicht schwer zu erkennen, worauf die Satire anspielt. Es gibt heute viele brisante Themen, die verharmlost oder lächerlich gemacht werden, obwohl sie doch die gesamte Menschheit gefährden. Aber vor allem eine Tatsache, die sicher auf jeden Menschen zukommt, wird konsequent ignoriert: Dass jeder Mensch sich einmal vor Gott verantworten muss und die gesamte Ewigkeit von diesem Gericht abhängen wird, ist unumstößlich und unvermeidbar. Doch dagegen wird eingewandt: »Es gibt keinen Gott« – »Jeder soll selber für sich entscheiden, was für einen selbst wahr und was falsch ist.« – »Entspann dich, nach dem Tod kommt das Nichts.« – »Ich bin doch ein guter Mensch!« usw. Aus allen Richtungen hört man »Don't look up!« – Beschäftige dich nicht mit diesem Problem!

Doch das wird die herannahende Tatsache nicht ändern. »Look up«, sollte es heißen. Überlegen Sie, wie Sie dem allwissenden Gott gegenüber treten wollen! *Marielena Klein*

? Werden Probleme weniger drängend, wenn man sie ignoriert?

! Durch Jesus Christus können wir heute noch mit Gott reinen Tisch machen.

Lukas 21,1-18

SAMSTAG | JUNI | 01

Die Wolke löst sich auf und verschwindet, und wer zu den Toten fährt, steigt nicht wieder auf. Er kehrt nicht mehr in sein Haus zurück, und seine Stätte kennt ihn nicht mehr.

HIOB 7,9-10

Reisepass ungültig

Wie jedes Jahr planten wir 2022 wieder unseren Kroatienurlaub. Nach einer intensiven Packaktion – vier Kinder und zwei Erwachsene mussten bedacht werden – war es endlich so weit: Unser Urlaub konnte beginnen. Die Fahrt sollte am frühen Sonntagmorgen starten, doch am späten Samstagabend stellte sich heraus: Die Reisepässe der Kinder waren abgelaufen! Was nun? Sollte der gut geplante Urlaub ins Wasser fallen? Musste das perfekt gepackte Auto wieder ausgeladen werden? Ein Anruf bei der Bundespolizei sorgte für Erleichterung: Man könne uns an der deutsch-österreichischen Grenze vorläufige Kinderpässe ausstellen. Wir sollten uns aber nicht zu früh freuen, denn womöglich würden uns die Kroaten trotzdem nicht passieren lassen! Es gebe keine Garantie. Was, wenn man uns zurückschicken würde? Das Drama war vollständig. Sollten wir uns wirklich darauf einlassen?

Dieses Erlebnis ließ uns innehalten. Wir Menschen planen unser Leben optimal, wir richten uns häuslich ein, leben ein gutes Leben ... Oft, ohne über dessen »Gültigkeit« nachzudenken. Vielleicht sind wir gleichgültig in Bezug auf unser Lebensende; der Grenzübergang zwischen dem Hier und dem Jenseits kann ja so schwer nicht sein – eine Fahrt ins Ungewisse eben.

An der kroatischen Grenze ließ man uns schließlich ohne Weiteres passieren. Glück gehabt!

Aber wie steht es um die »Gültigkeit« unseres Lebens? Unser Dasein hat vielleicht in unseren Augen Gültigkeit, aber wie denkt Gott darüber? In seinen Augen braucht jeder Mensch beim Passieren der Lebensgrenze einen gültigen Reisepass. Dieser Pass ist Jesus! Erst durch den Glauben an ihn bekommt unser Leben Gültigkeit, sodass wir die Ewigkeit bei Gott verbringen werden.

Rudi Löwen

❓ Wie steht es um die Gültigkeit Ihres »Reisepasses«?

❗ Am Ende unseres Lebens gibt es für uns keine Vorläufigkeit, sondern nur noch Endgültigkeit.

✝ Lukas 16,19-31

02 | JUNI
Tag des Hundes

SONNTAG

Weil er sich an mich klammert, darum will ich ihn erretten.
PSALM 91,14

Absolute Treue

Wer schon einmal einem Schäfer bei seiner Arbeit zugeschaut hat, der hat auch dessen gute Beziehung, ja, man könnte sagen inniges Verhältnis zu seinen Hunden bewundern können. Diese Tiere sind einerseits unerlässlich, wenn er eine große Schafherde beieinander halten will, andererseits hat man den Eindruck, die Hunde wollten um jeden Preis ihrem Herrchen dienstbar sein. Wo gibt es dieses gegenseitige Abhängigkeits- und Treueverhältnis heute noch unter den Menschen?

Auch Friedrich der Große wusste die Treue seiner Hunde zu schätzen, weil er sie bei den Menschen je länger umso weniger entdecken konnte. Er wollte sogar bei seinen Hunden beerdigt sein. In Sichtweite seines Schlosses Sanssouci ist er auch zu ebener Erde mit ihnen begraben worden. Dort liest man auf der rechten Seite seiner Grabplatte seinen Namen, während auf der linken Seite Biche, Alcmène, Thisbe, Superbe, Pax und Hasenfuß, die Namen seiner Hunde zu lesen sind.

Aber bei aller Tierliebe dürfen wir nicht sentimental werden. Hunde als Rudeltiere können, wenn sie nicht psychische Schäden haben, gar nicht anders, als dem zu folgen, den sie als Rudelführer anerkennen. Das ist bei Menschen ganz anders. Sie können seit dem Sündenfall kaum noch treu ergeben sein, sondern müssen Eigenwillen, Egoismus und Herrschsucht zeigen. Das sind alles Eigenschaften, die für ein friedliches Füreinander tödlich sind.

Auch um das zu ändern, kam Gott selbst in der Person Christi zu uns. In seinem liebenden und für uns leidenden Vorbild zeigte er wahre Treue, und durch sein Sterben am Kreuz erwarb er den an ihn Glaubenden die Kraft, auch treu und liebevoll sein zu können, wenn sie in seiner Nähe bleiben.

Hermann Grabe

❓ Wie ist es bei Ihnen um bedingungslose Treue bestellt?

❗ Wir brauchen gute Vorbilder. Am besten werden wir selbst eins.

✝ 1. Mose 24,1-27

MONTAG   JUNI | **03**
Europäischer Tag des Fahrrads

Der HERR ist meine Stärke und mein Schild; auf ihn hat mein Herz vertraut, und mir ist geholfen worden; daher jubelt mein Herz, und ich will ihn preisen mit meinem Lied.

PSALM 28,7

Ein Riesenknall

07:30 Ein Platten am Fahrrad. Kein Problem. Das Rad ausgebaut, den Mantel auf einer Seite abgezogen, den Schlauch herausgenommen. Ein bisschen Luft eingepumpt und dann in ein Wasserbecken getaucht. Das Loch war schnell gefunden. Die defekte Stelle aufgeraut, Gummikleber drauf und einen Flicken aufgepresst. Fertig. Den Mantel kontrolliert, alles gut, kein Nagel oder Dorn in der Reifendecke. Der Schlauch war schnell wieder eingezogen, etwas Luft eingepumpt.

Doch es zischte verdächtig, mehr als vorher. Der Schlauch war doch zu porös. Ich hatte vorgesorgt und neue Schläuche auf Vorrat. Also noch einmal von vorne, den alten Schlauch herausgeholt, den neuen rein und etwas Luft pumpen. Der Mantel war schnell aufgezogen, und dann aufpumpen. Laut Hersteller sollte ich 4 Bar Druck geben. Das Manometer der Handpumpe zeigte gerade erst 3 Bar an, dann plötzlich ein Riesenknall. Der Mantel flog auf einer Seite von der Felge und der Schlauch kam zum Vorschein, zerfetzt und völlig zerrissen.

Mein Kopf dröhnte, mir wurde schwindelig und am linken Ohr war es, als wäre ein Rohr hineingeschoben worden. Mein erster Gedanke war: Das Trommelfell ist geplatzt. Der HNO-Arzt machte alle möglichen Tests, das Trommelfell war in Ordnung. Doch ich hatte ein Knalltrauma und in der Folge tagelang Probleme mit Schwindel und teilweiser Übelkeit. Dennoch konnte ich meinem Vater im Himmel danken, dass nicht mehr passiert war. Wie leicht hätte ich das Gehör ganz verlieren können!

Glück gehabt? Kann man so sehen, doch als Christ sehe ich mehr die bewahrende Hand Gottes. Dass ich vor Schlimmerem bewahrt blieb, nehme ich nicht als selbstverständlich an. Ich vertraue auf ihn und habe schon oft erlebt, wie mir geholfen wurde. *Joschi Frühstück*

> Nehmen Sie es als selbstverständlich an, wenn Sie heil durch den Tag kommen?

> Danken Sie doch einmal Gott dafür, wenn Sie vor etwas Schlimmeren bewahrt wurden.

2. Korinther 1,8-11

04 | JUNI DIENSTAG

Meine Lippen und meine Seele, die du erlöst hast,
sollen fröhlich sein und dir lobsingen.
PSALM 71,23

Aus sibirischer Gefangenschaft befreit

Der sowjetische Jude Natan Scharansky (geb. 1948) hatte sich jahrelang für politische Freiheit und die Rechte von Juden in der Sowjetunion eingesetzt. Im Jahr 1977 wurde er wegen angeblicher Spionage verhaftet und ein Jahr später zu 13 Jahren Haft verurteilt. 1986 wurde er nach Berlin geflogen und im Rahmen eines Agentenaustauschs auf der Glienicker Brücke gegen einen sowjetischen Spion ausgetauscht. Anschließend wurde er zu einer Veranstaltung im Weißen Haus eingeladen, bei der er auf Präsident Ronald Reagan traf.

Zunächst erkannte Scharansky den Präsidenten nicht, da er in den Jahren seiner Inhaftierung keinerlei Nachrichten aus dem Ausland erhalten hatte. Als er dann realisierte, wer vor ihm stand, war er überwältigt von Emotionen und sagte unter Tränen zum Präsidenten: »Ich weiß, dass Sie sich für meine Freiheit eingesetzt haben, und ich danke Ihnen dafür.« Reagan erwiderte: »Natan, wir haben immer an Sie gedacht und gebetet, dass Sie freigelassen werden.« Dass ein amerikanischer Präsident sich für die Freilassung eines Dissidenten einsetzt, der in einem Straflager in Sibirien vor sich hinvegetierte, war für diesen unfassbar. Umso dankbarer und freudiger war er über seine vorzeitige Freilassung.

Der Schöpfer des Universums hat ebenfalls viele Hebel in Bewegung gesetzt, um Sie und mich aus der Gefangenschaft der Sünde zu retten. Im Unterschied zu Scharansky wurden wir zu Recht verurteilt. Es drohte gar der Tod als der Sünde Lohn (vgl. Römer 6,23). Doch dann fand ein »Gefangenenaustausch« statt, den die Welt noch nie gesehen hatte: Gott sandte Jesus Christus, seinen Sohn, zu uns auf die Erde herab. Dieser nahm am Kreuz unsere Stelle ein und ließ das Todesurteil für unsere Sünden an sich vollstrecken. *Tony Keller*

? Wie reagieren Sie darauf, was Jesus für Sie tat?

! Wer Jesu Tat für sich in Anspruch nimmt, kann in Freiheit heraustreten und fröhlich sein und Gott lobsingen.

† Galater 1,3-5

MITTWOCH JUNI **05**
Tag der Umwelt

Wir erwarten aber nach seiner Verheißung neue Himmel und eine neue Erde, in denen Gerechtigkeit wohnt.

2. PETRUS 3,13

»Wir haben nur diese eine Erde«

Bewegungen wie »Last Generation« (»Letzte Generation«) haben sich auf die Fahnen geschrieben, vor einem unmittelbar drohenden Klimakollaps zu warnen, der aus ihrer Sicht unsere Erde endgültig bedroht. Diese und viele andere Gruppierungen, wie z. B. »Fridays for Future«, motiviert ausdrücklich die Sorge, dass wir mit einer einzigartigen Ressource, nämlich unserem Planeten, so schlecht umgehen, dass diese für kommende Generationen nicht mehr nutzbar sein könnte. Sollte dies tatsächlich eintreten, wäre dem Menschen damit seine einzige Lebensgrundlage entzogen. Eine andere Erde haben wir nicht zur Verfügung.

Wie ist dies aus biblischer Sicht zu beurteilen? Grundsätzlich haben wir Menschen von Gott bereits zu Anfang unserer Geschichte den Auftrag erhalten, die Erde zu bebauen und zu bewahren. Diese Ressource ist uns nur zur Verwaltung übergeben und wir sollen gute, sorgsame und verantwortungsbewusste Verwalter sein. Allerdings ist die Grundannahme, dass der Fortbestand der Menschheit mit dieser einen Erde stehe und falle, aus biblischer Sicht verkehrt. Gott hat uns in Aussicht gestellt, dass er eine neue Erde schaffen werde. Diese wird völlig ungetrübt von unserem bisherigen Versagen sein. Sie wird im Gegensatz zu unserer aktuellen Lage von Gerechtigkeit geprägt sein. Umweltprobleme sind sicher drängend, aber tatsächlich haben wir eine viel dramatischere menschengemachte Verschmutzung, die bis heute jeden Tag, an jedem Ort der Welt, unzählige Menschenleben kostet: Gewalt, Egoismus, Mord, Folter usw.

Um eine wirkliche Zukunft mit Bestand zu haben, bedarf es daher eines echten Neustarts der Schöpfung. Nichts weniger als das verspricht Gott denen, die ihr Leben auf ihn setzen. *Markus Majonica*

? Sind wir die »Last Generation«?

! Mit Gott haben wir eine ewige, sichere Zukunft.

✝ Offenbarung 21,1-6

06 | JUNI DONNERSTAG

Der Stachel des Todes aber ist die Sünde, ... Gott aber sei Dank, der uns den Sieg gibt durch unsern Herrn Jesus Christus!

1. KORINTHER 15,56

Gift im Pelz

Sie haben riesige Kulleraugen, die viel zu groß für das runde Gesicht wirken, sind nicht größer als eine Katze und haben ein flauschiges, hellbraunes Fell: Plumploris entlocken fast jedem einen entzückten Ausruf. Nicht nur Tierfreunde möchten die kleinen Äffchen am liebsten direkt in die Arme schließen und mit nach Hause nehmen. Doch hinter der niedlichen Fassade verbirgt sich ein verheerendes Geheimnis: Der im Regenwald beheimatete Primat gehört zu den wenigen giftigen Säugetieren dieser Erde! An seinen Armen sondert er ein giftiges Sekret ab, das sich durch die Fellpflege auf seinen Zähnen verteilt und so seinen Biss zu einer tödlichen Waffe macht.

So ähnlich verhält es sich auch mit der Sünde. Oft kommt sie in harmloser, geradezu attraktiver Gestalt daher. Seit dem Garten Eden hat das Böse sogar eine gewisse Anziehungskraft für den Menschen. Man lässt es an sich heran, sucht vielleicht geradezu seine Nähe und merkt nicht, was sich hinter der Fassade verbirgt. Es dauert, bis die Sünde ihr wahres Gesicht offenbart, doch dann ist es oft schon zu spät und man kann sich selbst nicht mehr befreien.

»Der Stachel des Todes aber ist die Sünde«, sagt uns der Tagesvers. Oft ist die Sünde nur ein schleichendes Gift, das zu Beginn ganz harmlos aussieht. Doch die Bibel ist in ihrem Urteil klar: Sünde führt schlussendlich immer zum Tod.

Wenn man den Bibeltext weiterliest, stößt man jedoch auf eine Aussage, die uns eine wunderbare Hoffnung schenkt: Jesus Christus hat den Tod und die Sünde besiegt! Das bedeutet, dass er stärker als alles Böse ist, auf das wir hereingefallen sind. Weil er am Kreuz für uns gestorben ist, kann er unsere Sünde wegnehmen, wenn wir ihn ehrlich darum bitten.

Carolin Nietzke

❓ Welche Sünde hat in Ihrem Leben ganz »harmlos« angefangen?

❗ Jesus ist der Sieger – auch über die Sünde und den Tod!

✝ 1. Korinther 15,54-58

FREITAG　　　　　　　　　　　　　　　　　　JUNI | **07**

Es war aber einer krank, Lazarus, von Betanien,
aus dem Dorf der Maria und ihrer Schwester Marta.
JOHANNES 11,1

Asthenisch

Asthenie ist ein aus dem Griechischen entlehnter Begriff und bedeutet so viel wie Schwäche oder Kraftlosigkeit, in der Regel infolge einer schweren Krankheit. Asthenisch bezeichnet auch eine Persönlichkeitsstörung, die u. a. durch geringes Selbstbewusstsein und depressive Grundstimmung geprägt ist. Asthenie ist also kein begehrenswerter Zustand. Doch genau damit bezeichnet der Tagesvers wörtlich den Zustand des Lazarus: Er ist asthenisch, also schwach und krank. Überdies wohnt er in einem Dorf, dessen Name kein gutes Aushängeschild ist. Er bedeutet in etwa »Haus des Elends«. Wir haben hier also einen Schwachen, der im Haus des Elends wohnt! Tatsächlich wirkt seine Schwäche sogar tödlich. Er stirbt, wird begraben und liegt über vier Tage in seinem Grab. Hier erfüllt sich scheinbar das unausweichliche Schicksal eines schwachen, hinfälligen Menschen.

Lazarus ist damit aus meiner Sicht eine gute Illustration für unser Menschsein: Aus den Nachrichten können wir lernen, dass die Welt in weiten Teilen ein Haus des Elends ist. Ich beobachte an mir und in meiner Umgebung, dass viel Schwachheit und Krankheit herrscht. Und in der Tat führt dies unweigerlich – früher oder später – zum Tod. Wir sind eine schwache, eine elende, eine todgeweihte Menschheit.

Der dem Tagesvers folgende Bibeltext schildert uns aber eine unglaubliche Wendung: Jesus Christus, der Herr des Lebens, lässt – trotz des drohenden Verwesungsgeruchs – das Grab öffnen. Dann ruft er den Toten zu neuem Leben! Und tatsächlich tritt der Gestorbene aus dem Grab hervor, noch eingewickelt in seine Grabtücher. Mit Jesus zieht neue Hoffnung in das Haus des Elends, in die Schwäche des Menschen, und das Leben siegt über den Tod! *Markus Majonica*

? Was bedeutet für Sie Schwachheit?

! Mit Jesus gibt es keine hoffnungslosen Situationen.

✝ Johannes 11,17-46

08 | JUNI
Tag der Ozeane

SAMSTAG

Durch Glauben verstehen wir, dass die Welten durch Gottes Wort bereitet worden sind, sodass die Dinge, die man sieht, nicht aus Sichtbarem entstanden sind.
HEBRÄER 11,3

Die fünf Weltmeere

»Die Erde hat jetzt fünf statt vier Weltmeere« heißt es auf dem Nachrichtenportal welt.de. Ich lese die Zeile und bin erstaunt: Wurde ein neuer Ozean entdeckt, der bislang nicht erforscht wurde? Oder hat sich gar ein neues Meer – ganz aus dem Nichts – vor uns aufgetan? Nicht ganz. Es wurde nur von allen anderen Ozeanen ein Teil weggenommen und zu einem neuen Ozean zusammengefasst. 2021 hat die Behörde für Ozeanografie *National Oceanic and Atmospheric Administration* (NOAA) das circa 20 327 Millionen Quadratkilometer große Meer rund um den antarktischen Kontinent als Ozean kategorisiert. Es ist damit nach dem Arktischen Ozean das zweitkleinste Weltmeer. Der Pazifik, der Atlantik und der indische Ozean sind größer. Auch der bekannte Verlag *National Geographic* bringt seitdem Karten heraus, auf denen jeweils alle fünf Meere eingezeichnet sind.

Ich bin ein wenig enttäuscht: Es ist also kein neues Weltmeer, das aus heiterem Himmel entstand und jetzt erst gefunden wurde. Wie sollte das auch funktionieren? Es entsteht ja nicht einfach etwas auf dieser Erde aus dem Nichts. Oder doch? Wenn wir der Bibel Glauben schenken, im wahrsten Sinne des Wortes, dann berichtet sie uns genau das: Gott schuf aus dem Nichts, mit seinen bloßen Worten. Er sprach die Dinge ins Leben: die Sonne, Sterne, alle Pflanzen und Lebewesen, darunter auch den Menschen. Durch seine – Gottes – Worte entstanden sie.

Ist das wirklich Fakt, oder macht erst der Glaube daraus eine »Tatsache«? So denken heute viele. Was aber, wenn Gott wirklich alles so erschuf? Dann müssen wir ebenso ernst nehmen, was uns die Bibel noch bezeugt: dass Gott uns seinen Sohn als Retter sandte, um uns von unseren Sünden zu erlösen und ewiges Leben zu geben jedem – der glaubt!

Tim Petkau

❓ Worin besteht der gewaltige Unterschied zwischen Mensch und Gott?

❗ Wir können zwar Weltmeere bestimmen und benennen, aber etwas aus dem Nichts erschaffen können wir nicht.

✝ Psalm 104

SONNTAG JUNI | **09**

Wer an mich glaubt, aus dem werden ...
Ströme lebendigen Wassers fließen.

JOHANNES 7,38

Anspruch und Wirklichkeit

Wie weit darf man gehen, um sich glaubhaft vor anderen darzustellen? Wenn jemand sich um eine Anstellung bewirbt, sollte er auch den Anforderungen entsprechen, die in dem Stellenangebot beschrieben sind. Es bringt am Ende gar nichts, wenn man diese nur vortäuscht und spätestens dann entlarvt wird, wenn es gilt, in der Praxis diesen Anforderungen zu genügen. Auch ein Politiker, der nicht hält, was er verspricht, ist bald wieder abgewählt. Was aber ist davon zu halten, wenn man jemanden ablehnt, der alle Erwartungen erfüllt und sämtliche Anforderungen sogar übertrifft?

So war es bei Jesus Christus. Sein Anspruch war gewaltig. Überall, wo er auftrat, bewies er unzweifelhaft seine Legitimation und Qualifikation, der erhoffte Retter für alle Menschen zu sein: Kranke wurden geheilt, von Dämonen Besessene wurden befreit und sogar Tote wurden auferweckt. Noch nie hatte jemand so vertraulich und intim von Gott geredet und seine Gnade und Barmherzigkeit gezeigt wie Jesus. Er gab sogar denen Hoffnung, die längst von allen anderen abgeschrieben waren. Ist er jemals über das Ziel hinausgeschossen? Nein. Konnte er immer halten, was er versprach? Ja, denn Anspruch und Wirklichkeit waren bei ihm deckungsgleich (vgl. Johannes 8,25). Er war nicht nur ein Prophet, sondern sogar Gottes Sohn, Herr aller Herren und König der Könige. Einer, der über allen stand und doch den Menschen diente, damit sie heil würden an Leib und Seele.

Was könnte man sich mehr wünschen, als so jemanden auf seiner Seite zu haben, der sich beharrlich für uns Menschen einsetzte und sogar trotz aller Ablehnung noch durch seinen Tod bewirkt hat, dass wir mit Gott versöhnt werden können? Dazu muss man sich allerdings persönlich auf seine Seite stellen und ihn um Aufnahme bitten.

Joachim Pletsch

? Haben Sie bisher diesen Anspruch Jesu ignoriert?

! Wenn es dabei bleibt, wird man irgendwann von der Wirklichkeit eingeholt, etwas ganz Entscheidendes verpasst zu haben.

† Johannes 7,37-53

10 JUNI MONTAG

Denn so spricht der Herr, HERR, der Heilige Israels:
Durch Umkehr und durch Ruhe werdet ihr gerettet.
In Stillsein und in Vertrauen ist eure Stärke. Aber ihr
habt nicht gewollt.

JESAJA 30,15

Stille, um sehen zu können

Die Ausrüstung zum Schnorcheln gehört unbedingt dazu, wenn wir als Familie Urlaub an der Adria machen. Das klare Wasser lädt nicht nur zum Schwimmen ein, sondern auch zum Unterwasserforschen. Das Gold der Schnorchler: Muscheln. Umso größer, desto besser. Sobald der Strand abgesucht ist, schnappen sich unsere Kinder ein Stand-Up Paddle-Board, um die unbekannten Gewässer weiter draußen auf dem Meer unter die Lupe zu nehmen. Um die Muscheln sehen zu können, muss die Tauchermaske aufgesetzt sein – sobald der Kopf im Wasser ist, wird der Meeresgrund abgesucht. Nur so sind die Muscheln zu finden.

Selten ist die Wasseroberfläche wirklich ganz still. Manchmal hat man nur in den frühen Morgenstunden das Glück einer ruhigen See. Wer dann auf sein Stand-Up Paddle-Board steigt und über die glatte Wasseroberfläche dahingleitet, braucht keine Taucherausrüstung mehr, um die Muscheln zu finden. Selbst aus einer Entfernung von 3-4 Metern können die Muscheln problemlos mit dem bloßen Auge erkannt werden. Die Stille der See lässt sehen.

Stille ist auch sonst im Leben wichtig – unsere Alltagshektik verwischt oft den Blick für wichtige Dinge. Wir sind dann abgelenkt und gestresst, haben keine Zeit und keine Ruhe, um über unser Leben nachzudenken, uns zu sammeln und uns neu zu orientieren. Aber vorwiegend in der einsamen Stille können wir dem begegnen, der uns gemacht hat. Er sichert uns zu: »Wer mich sucht, der wird mich finden!« Wenn unsere Gedanken einmal zur Ruhe kommen und Stille in den hektischen Alltag einkehrt, können wir Gott begegnen. Die Frage ist: Wollen Sie das? Wer weiß, welche Schätze Gott für Sie und Ihr Leben verborgen hält? Erst die Stille kann den Blick für diese Schätze klar werden lassen. Erst die Stille lässt Sie sehen.

Rudi Löwen

Was bedeutet Ihnen Stille?

Ziehen Sie sich heute für 15 Minuten aus allem zurück, um Gott zu begegnen.

Johannes 1,14-18

DIENSTAG · JUNI 11

> Wer den Armen verspottet, verhöhnt den, der ihn gemacht hat; wer sich über Unglück freut, bleibt nicht ungestraft.
>
> SPRÜCHE 17,5

Seife, Suppe, Seelenheil!

Unsere Überschrift ist ein alter Slogan der »Heilsarmee«. Und das wieder ist eine von dem Engländer William Booth im 19. Jahrhundert gegründete Organisation, die auch in Deutschland arbeitet. Sie setzt sich mit aller Kraft für die Rettung auch der Allerärmsten ein. In dem Bewusstsein, dass missionarische Einzelkämpfer oft von der Größe und Vielfalt der Nöte überfordert sind, zog Booth seinen »Heilssoldaten« Uniformen an und ließ sie gruppenweise arbeiten. Dabei waren die vollzeitlich Arbeitenden die »Offiziere« und die nur zeitweilig Mitwirkenden waren die »Soldaten«. Um sich deutlich bemerkbar zu machen, zogen sie als Blaskapellen durch die Städte, verteilten Schriften und luden zu ihren Gottesdiensten ein. Sie suchten auch die Obdachlosen auf, die unter Brückenbogen und in Hauseingängen – sogar in der Winterzeit – zu überleben versuchten, und brachten sie in ihren Heimen unter. Manche der Geretteten hatten sich seit Jahren nicht gewaschen, darum die Seife; und viele hatten nicht genug zu essen gehabt, darum die Suppe, bevor man daran denken konnte, ihnen etwas von Gott und seinem Seelenheil zu erzählen.

Ich selbst habe in England als armer Student die überströmende Hilfsbereitschaft der »Salvation Army« erlebt. War William Booth nun ein überdrehter Philanthrop, oder erwartet Gott von allen seinen Leuten einen Abglanz seiner eigenen Menschenliebe, die ihn dazu brachte, seinen Sohn um unsertwillen in den Tod zu geben? Ein herzliches »Dankeschön!« oder ein tröstlicher Händedruck kosten nichts. Und wenn wir sparsamer wirtschaften als bisher, bleibt noch mancher Euro für solche, die sonst verhungert wären. Und über allem steht das Wort des Herrn Jesus: »Geben ist seliger als Nehmen.«

Hermann Grabe

❓ Was könnten Sie tun, um den Ärmsten der Armen zu helfen?

❗ Es gibt täglich viele Möglichkeiten, Gottes Liebe widerzuspiegeln.

✝ 2. Samuel 9

12 | JUNI MITTWOCH

Jesus redete nun wieder zu ihnen und sprach: Ich bin das Licht der Welt; wer mir nachfolgt, wird nicht in der Finsternis wandeln, sondern wird das Licht des Lebens haben.

JOHANNES 8,12

Es gibt einen Ausweg

Ich erlebe immer häufiger etwa Gleichaltrige, die am Ende ihres Berufslebens stehen und völlig erschöpft sind. Die schnelllebige Zeit und die immer größer werdenden Ansprüche überfordern und führen oft zu psychischen Krankheiten wie zum Beispiel Burnout. Sowohl meine Frau als auch ich haben als Betroffene diesbezüglich Erfahrungen gesammelt und sind an unsere Grenzen und darüber hinaus gekommen. Doch was ist der Ausweg aus diesem Dilemma? Oder gibt es gar keinen Ausweg? Müssen wir uns einfach der Überforderung hingeben? Müssen wir wie andere »auf den gleichen Zug aufspringen«, um nicht den Anschluss zu verlieren?

Ich habe selbst erlebt, wie mir in solchen ausweglosen Situationen Gott geholfen hat. Mein Glaube an den Gott der Bibel, der mich beständig trägt, auch wenn ich mutlos und verzweifelt bin, hat sich dadurch tief gefestigt. Meine Frau und ich reden oft darüber, und wir verstehen nicht, wie Menschen ohne Gott aus diesen schlimmen Nöten und Zukunftsängsten befreit werden sollen.

Doch – Gott sei Dank – wir haben in Jesus einen Ausweg gefunden. Wir dürfen täglich seine Liebe und Hilfe erfahren, die wir zunächst darin erlebten, dass wir durch den Glauben an ihn von unseren Sünden gerettet und auf einen Kurs gebracht wurden, der zum wahren Leben führt. Unsere Hinwendung zu Jesus war der Beginn einer Beziehung zu ihm, die wir täglich durch Gebet und Lesen in der Bibel pflegen dürfen. Er gibt uns die Kraft, in den täglichen Herausforderungen standzuhalten, die im Alter nicht weniger werden. Das Beste aber ist, dass er uns zu einem herrlichen Ziel im Himmel führt, wenn unser Leben hier einmal zu Ende geht. Ich wünsche mir sehr, dass noch viele »auf *diesen* Zug aufspringen«, denn er führt zu dem Anschluss, den wir tatsächlich brauchen.

Axel Schneider

? Haben Sie den Eindruck, dass sich Ihr Leben immer mehr festfährt?

! Der Weg des Glaubens ist befreiend.

✝ Hiob 33,14-30

DONNERSTAG   JUNI | **13**

Und darum ist er Mittler eines neuen Bundes, damit, da der Tod geschehen ist zur Erlösung von den Übertretungen unter dem ersten Bund, die Berufenen die Verheißung des ewigen Erbes empfangen.
HEBRÄER 9,15

Erben gesucht!

Man schätzt, dass jährlich allein in Deutschland Vermögen von mehr als 200 Milliarden Euro vererbt werden. In den meisten Fällen stehen die Erben fest, aufgrund eines Testaments oder aufgrund gesetzlicher Erbfolge. Doch beileibe nicht alle Nachlässe finden ihren Erben. Es gibt international tätige Rechtsanwaltskanzleien, die sich auf die Erbenermittlung spezialisiert haben. Das zeigt, dass es sich um ein lukratives Geschäft handelt, Erben für »herrenlose« Nachlässe zu finden. Viele träumen von dem unbekannten »reichen Onkel aus Amerika«, der einem unerwartet ein Vermögen hinterlässt. Tatsächlich fand ich vor Kurzem in einer Zeitung die Nachricht, dass in einer westfälischen Kleinstadt Erben für einen sechsstelligen Nachlass gesucht werden – und das ist nur ein Fall. Stellen Sie sich vor: Auf Sie wartet irgendwo großer Reichtum, und Sie wissen nichts davon! Und wenn Sie davon erfahren, würden Sie eine solche Erbschaft ausschlagen?

Tatsächlich gibt es einen unvorstellbar großen Schatz, den jeder Mensch erben kann. Es ist die Teilhabe an der himmlischen Herrlichkeit. Keine Strandvilla in Kalifornien, kein Aston Martin und kein Geld der Welt kann sich damit messen. Dieses Erbe ist ewig, anders als alle materiellen Werte. Und für diesen Schatz werden Erben gesucht! Wer kann in den Genuss dieser Erbschaft kommen? Im Römerbrief lernen wir: Sind wir Kinder (Gottes), so sind wir auch Erben, nämlich Gottes Erben und Miterben Christi (Römer 8,17)! Und wie werde ich ein Kind Gottes? Indem ich Jesus Christus in mein Leben aufnehme und an seinen Namen glaube (Johannes 1,12). Das Vorhandensein dieses großen Erbes ist also nicht mehr unbekannt. Um in seinen Genuss zu kommen, muss man sich für Jesus Christus entscheiden.   *Markus Majonica*

❓ Wäre es nicht verrückt, dieses Erbe auszuschlagen?

❗ Wer ein Kind Gottes wird, hat Gott zum Vater und ist damit erbberechtigt.

✝ Johannes 1,9-18

14 | JUNI

FREITAG

Denn es ist kein Unterschied zwischen Jude und Grieche, denn er ist Herr über alle, und er ist reich für alle, die ihn anrufen.

RÖMER 10,12

Ein Leben als Millionär verpasst

Das war's! Auch die letzte Chance ist verstrichen: Weil ein Anspruch in Höhe von 11,3 Millionen Euro nicht rechtzeitig eingelöst wurde, ist in Baden-Württemberg ein großer Lottogewinn verfallen. Die Summe fließe nun in den Topf für Sonderauslosungen, sagte der Geschäftsführer der Staatlichen Toto-Lotto GmbH. Regelmäßige Meldungen und Ausrufe nach dem Gewinner blieben unbeantwortet, niemand weiß, warum der Gewinn nicht abgeholt wurde.

In Deutschland und anderen Ländern gibt es zahlreiche Beispiele ähnlicher Fälle, unter anderem mit deutlich höheren Summen, wobei der Lottoschein aus Baden-Württemberg der höchste nicht abgeholte Betrag innerhalb der Bundesrepublik ist. Der Gewinn über exakt 11 300 368 Euro wäre komplett steuerfrei gewesen. Um ihn zu erhalten, hätte nur die gültige Spielquittung vorgelegt werden müssen. Doch nun ist es zu spät, denn Lottogewinne verjähren drei Jahre nach Ablauf des Kalenderjahres, in dem gespielt wurde.

Diese Begebenheit erinnert mich an die vielen Menschen, die das größte Geschenk, das es gibt, nämlich Jesus Christus, einfach nicht annehmen. Er selbst ist die große Gabe Gottes an die Menschen. Was beinhaltet dieses göttliche Geschenk? Es beinhaltet unter anderem Sündenvergebung (vgl. Apostelgeschichte 13,38), das ewige Leben (vgl. Römer 6,23) und die Gewissheit einer herrlichen Zukunft nach dem Tod (vgl. Epheser 2,7). Alle diese Gaben sind kostenlos, man braucht sie nur im Glauben an Jesus Christus anzunehmen. Es ist ein ewiger Reichtum, der noch viel mehr wert ist als 11,3 Millionen Euro. Ein Reichtum, für den man nichts tun muss, weil Jesus Christus schon alles getan hat, indem er für die Menschen starb. Ich bitte Sie: Lassen Sie diesen großartigen Gewinn nicht verfallen, denn eines Tages kann es zu spät sein.

Thomas Kröckertskothen

❓ Haben Sie das Rettungsangebot Gottes schon angenommen?

❗ Verpassen Sie nicht das beste Angebot, das es gibt!

✝ Johannes 3,13-18

SAMSTAG | JUNI | **15**

Und der HERR, Gott, rief den Menschen und sprach zu ihm: Wo bist du? Da sagte er: Ich hörte deine Stimme im Garten, und ich fürchtete mich, weil ich nackt bin, und ich versteckte mich.

1. MOSE 3,9-10

Verstecken?

07:30 Als Spiel ist es vermutlich schon seit Jahrtausenden bekannt: Verstecken! Ein kleines Kind zählt 1, 2, 3 ... 10 und ruft: »Ich komme!« Dann werden die anderen Kinder, die sich in der Zwischenzeit versteckt haben, gesucht. Dass Menschen sich vor Menschen verstecken, hat aber nicht immer nur spielerische Gründe. Oft genug müssen sich Menschen aus Todesangst verstecken. Viele Juden beispielsweise haben sich in der Zeit des Nationalsozialismus verborgen oder wurden von barmherzigen Mitbürgern heimlich aufgenommen und versteckt!

Doch es gibt nicht nur ein Verstecken aus Angst vor Menschen, sondern auch aus Angst vor Gott. Zu Beginn seiner Geschichte hatte der Mensch eine offene, enge Gemeinschaft mit Gott. Doch dann brachen Adam und Eva die einzige von Gott vorgegebene Regel. Damit luden sie Schuld auf sich. Plötzlich kamen Scham und Furcht auf, und vorbei war es mit dem ungetrübten Miteinander. Damit wurde Adam der erste Mensch, der versuchte, sich vor Gott zu verstecken. Und das ist bis heute bei vielen weiteren Menschen so geblieben. Sogar für die Zukunft wird in der Bibel beschrieben, wie sich die Großen, Reichen und Mächtigen, aber auch die einfachen Menschen in Höhlen und Felsklüften vor den Augen Gottes verstecken wollen, aus Furcht vor dem gerechten Zorn Gottes über all ihre Ungerechtigkeit (vgl. Offenbarung 6,15-17). Doch dieses Verstecken hilft nicht.

Der Ausweg ist ein ganz anderer: Um die Trennung von Gott zu überwinden, darf man seine Lebensschuld nicht weiter verheimlichen, sondern muss sie Gott bekennen. Damit tritt man aus der Finsternis in das Licht Gottes hinein. Und weil Gott zur Vergebung bereit ist, ist Verstecken unnötig und ungetrübte Gemeinschaft wieder möglich geworden.

Martin Reitz

? Kennen Sie das Bedürfnis, sich zu verstecken?

! Bekennen ist die Voraussetzung für die Gemeinschaft mit Gott.

† 1. Johannes 1,5-9

16 | JUNI   SONNTAG

Ich habe sie behütet, und keiner von ihnen ist verloren, als nur der Sohn des Verderbens.
JOHANNES 17,12

Socken sortieren

07:30 Es ist doch erstaunlich! Nach jeder Wäsche, bei der in unserer fünfköpfigen Familie so einiges zusammenkommt, geht es ans Falten und Sortieren. Am spannendsten dabei ist das Zusammenbringen der Socken und Strümpfe, die zueinander gehören. Auf wundersame Weise gehen immer wieder welche verloren, obwohl sie doch niemand vorher weggeworfen hat. Irgendwie ist das kein schönes Gefühl, wenn ein Paar nicht mehr vollständig vorhanden ist. Und wer will sich schon mit nur einer Socke zufrieden geben?! Eigentlich eher eine Bagatelle, aber der Verlust selbst nur einer Socke schmerzt doch jedes Mal ein bisschen.

Verloren gegangen ... Kann man das auch von Menschen sagen? Ja, gewiss! Und das ist um einiges ernster als der Verlust eines Kleidungsstücks, das wir leicht durch ein neues ersetzen können. Denn der Verlust eines Menschen ist nicht zu ersetzen, weil jeder Mensch einmalig ist.

Jesus spricht im Tagesvers von solchen, die *nicht* verloren gegangen sind. Er meinte damit seine Jünger, die mit ihm gegangen und ihm nachgefolgt waren. Er hatte sie »gefunden« und zu sich gerufen, um ihnen immerwährenden Schutz zu bieten. Dazu hat er ihnen das genommen, was ihnen zum Schaden war und ihr Leben bedrohte – ihre Sünden. Und weil sie dem zugestimmt und es dankbar angenommen hatten, war nun ein Band zwischen ihnen geknüpft, das in Ewigkeit nicht mehr gelöst werden wird. Und so etwas kann auch heute noch jeder erleben, der an Jesus glaubt, sich ihm anschließt und seine Vergebung und Liebe dankbar in Anspruch nimmt. Doch alle, die das als vermeintlich unnötig verschmähen, werden verloren gehen. Nicht, weil Gott das so wollte, sondern weil sie sich ihren eigenen Weg gesucht haben, der zuletzt ins Verderben führt.

Joachim Pletsch

? Gehören Sie schon zu denen, die Jesus behütet?

! Lassen Sie sich von ihm finden und ergreifen, um nicht verloren zu gehen!

† Johannes 17,6-26

MONTAG | JUNI **17**

Wer aber sein Leben verliert um meinetwillen und um des Evangeliums willen, wird es retten. Denn was nützt es einem Menschen, die ganze Welt zu gewinnen und sein Leben einzubüßen?

MARKUS 8,35-36

 ## Was macht das Leben lebenswert?

Die Goldsucher in Alaska baggern ganze Landschaften um, und manchmal finden sie in einer Schaufel ein winziges kleines Klümpchen – Gold. Sie freuen sich dann riesig und baggern weiter. Wenn man sich die Internetseiten der Presse anschaut, geht es uns oft ähnlich: Hurra, da ist endlich etwas Lesenswertes in diesem ganzen Informationsschutt. Eine ähnliche Erfahrung machte ich vor einiger Zeit auch, und ich zitiere aus dem Schlussteil eines Artikels über Reinhold Messner, den Extrembergsteiger, der ohne Sauerstoffgerät als erster den Mount Everest bestieg:

»Mitgebracht hat Messner aber nicht nur trübe Prognosen, sondern auch noch ein paar metaphysische Weisheiten aus seinem Leben, auch wenn er die Besteigung der höchsten Berge heute als ›nutzloses Erobern‹ einordnet. Doch ›dieses unnütze Tun hat mich zur Erkenntnis gebracht, dass nicht die Nützlichkeit das Wichtige ist, sondern die Sinnhaftigkeit‹.« Die Sinnhaftigkeit müsse gegeben sein, »wenn ich etwas Unnützes mit derartiger Vehemenz betreibe«. Er, der demnächst 80 wird, erkenne nun, »dass das Leben im Grund absurd war«.

Alles Irdische ist tatsächlich »sinnlos«, wenn ihm der Rahmen fehlt, den die biblische Botschaft für die Menschen bereitstellt. Gott will uns in Jesus Frieden bringen, eine Ruhe der Seele, die allen Verstand übersteigt und eine Hoffnung, die Bestand hat auch in den Tagen, die wir gegenwärtig erleben. Dann werden wir mit 80 Jahren keineswegs zu dem Schluss kommen, dass das Leben absurd war. Ein Leben, das für Gott gelebt wurde, zu seiner Ehre, das vergeht nicht und behält seinen Sinn auch über den Tod hinaus. »Gott sucht das Entschwundene wieder hervor«, heißt es im Buch Prediger (3,5). Das betrifft jeden von uns.

Karl-Otto Herhaus

? Welcher Eindruck entsteht bei Ihnen im Rückblick auf Ihr Leben?

! Der Blick auf Vergangenes verändert sich, wenn man eine Zukunft hat.

✝ Markus 8,31-38

18 | JUNI

DIENSTAG

Der Kranke antwortete ihm: Herr, ich habe keinen Menschen, der mich in den Teich bringt, wenn das Wasser sich bewegt; wenn ich aber hinkomme, so steigt ein anderer vor mir hinein.

JOHANNES 5,7

Chancenlos?

Dass Chancen häufig nicht gleich verteilt sind, ist eine traurige, aber beinahe banale Tatsache. Wir haben heute so viele Möglichkeiten, aber nicht jedem stehen diese offen. In der Pandemiezeit, in der die Schule häufig online lief, hat sich gezeigt, dass wirtschaftlich schwächer aufgestellte Familien oft nicht über die Möglichkeiten verfügten, mit ihren Kindern dem Unterrichtsgeschehen ungestört zu folgen. Soziale Teilhabe ist eben oft eine Frage des Geldes. Besonders deutlich wird der Unterschied zwischen Chance und tatsächlicher Teilhabe bei Menschen, die durch eine Behinderung die Möglichkeiten, die scheinbar allen offenstehen, nicht nutzen können. Jede Treppe zum Klo in einem Restaurant stellt für einen Rollstuhlfahrer ein unüberwindliches Hindernis dar. Ohne Hilfe bleibt die offene Chance unerreichbar.

So ging es auch dem Gelähmten im heutigen Bibelvers. Die Chance auf Heilung durch ein Bad im Teich Betesda war in greifbarer Nähe, aber der Weg dahin nicht barrierefrei. Und selbst wenn der Betroffene sich auf den Weg gemacht hätte, wären andere schneller gewesen. Auf sich allein gestellt war dieser Mann ohne jede Hoffnung. Chancenlos.

Jesus Christus sieht diese Hilflosigkeit und heilt den Chancenlosen. Dabei geht es dem Sohn Gottes aber nicht um Teilhabe im Hier und Jetzt, denn die Welt bleibt ungerecht. Jesus sieht vor allem die Hilflosigkeit der Menschen in Bezug auf die himmlische Ewigkeit, wie die des Gelähmten, in das heilende Wasser zu kommen. Ohne seine Hilfe bleibt uns diese Teilhabe verwehrt. Doch mit dem Beispiel des für sich chancenlosen Gelähmten macht er deutlich, dass jeder, der sich ihm anvertraut, bei ihm die gleiche Chance hat, an das Ziel des ewigen Lebens zu kommen.

Markus Majonica

? Haben sich Ihnen schon einmal Lebenschancen verschlossen?

! Jetzt ist die beste Gelegenheit, Jesu Angebot anzunehmen!

✝ Matthäus 9,1-8

MITTWOCH JUNI | **19**

**Wie zahlreich sind deine Werke, HERR!
Du hast sie alle mit Weisheit gemacht.**
PSALM 104,24

Wunderkind

Man kann sich schon wundern, wenn ein Kind in jungen Jahren ganz außergewöhnliche Fähigkeiten zeigt. Blaise Pascal war so eines. Er wurde am 19. Juni 1623, also vor über 400 Jahren, geboren. Mit zwölf entwickelte er selbstständig die euklidische Geometrie bis zum 32. Lehrsatz. Er erstellte das nach ihm benannte Pascalsche Dreieck. Mit 16 schrieb er über die Kegelschnitte und erlangte große Bekanntheit in der wissenschaftlichen Welt. Als er 19 Jahre alt war, wollte er seinen Vater, einen Kaufmann, bei dessen Berechnungen unterstützen und begann, eine Rechenmaschine zu entwickeln: Die Pascaline war die erste mechanische Rechenmaschine für Grundrechenarten und damit der Vorläufer des Computers. Pascal war der Auffassung, mathematische Theorie müsse etwas mit der Lebenspraxis zu tun haben. Später beschäftigte er sich mit dem Phänomen des Luftdrucks und entwickelte das erste Barometer; nach ihm ist auch die Einheit des Luftdrucks benannt.

Pascal lebte in der Zeit der Renaissance, der Aufklärung – einer Epoche der Abwendung von kirchlichen Traditionen und darüber hinaus grundsätzlich vom Glauben an Gott. Blaise Pascal hingegen hat sich trotz (oder: gerade wegen?) seiner hohen wissenschaftlichen Kompetenz sehr konsequent zum christlichen Glauben bekannt. Er zeigte auf, dass die Wissenschaft nur erkennen kann, was Gott geschaffen hat.

Pascal hatte eine persönliche Beziehung zu Gott. Für ihn war Jesus Christus sein Retter und Herr. In seinen Pensées (einer Gedankensammlung über Glaube und Wissenschaft) formuliert er geniale und scharfsinnige Gedanken, die die Verlorenheit des Menschen ohne Gott und die Notwendigkeit der Erlösung belegen. Er hat vorgelebt, dass Glaube und Wissenschaft vereinbar sind. *Bernhard Volkmann*

? Wie denken Sie über die Erkenntnisse und Erfolge der Wissenschaft?

! Gott gibt sich auch unserem Verstand zu erkennen, wenn wir ihn suchen.

✝ Psalm 14

20 JUNI — DONNERSTAG
Sommeranfang

Wer den Sohn hat, der hat das Leben; wer den Sohn Gottes nicht hat, der hat das Leben nicht.
1. JOHANNES 5,12

Im Krankenhaus

Ich lag im Krankenhaus auf der Orthopädie mit Knochenkrebs im Brustbein. Ich war nicht allein im Zimmer, zwei andere Frauen warteten ebenfalls auf ihre Operation. Beide waren ziemlich nervös, ich dagegen durfte ruhig und getrost sein. Meine Bettnachbarinnen erzählten, welche Eingriffe ihnen bevorstanden. Eine wurde an der Schulter operiert und die andere Dame bekam eine neue Hüfte. Dann fragten sie mich, auf welche OP ich wartete.

So erzählte ich: »Ich habe ein 5 x 3 cm großes Chondrosarkom im Brustbein, das entfernt werden muss. Da der Tumor bösartig ist, wird er großräumig herausgeschnitten. Das heißt, das ein Stück vom Brustbein, den Rippen und vom umliegenden Gewebe entfernt wird.« Meine Mitbewohnerinnen waren erstaunt, dass ich trotz dieser Aussicht so ruhig und fröhlich sein konnte. Sie konnten nicht verstehen, warum ich vor so einem gefährlichen Eingriff nicht voller Sorgen war. Sie meinten: »Was ist, wenn etwas schiefläuft? Was passiert dann?«

»Ja«, sagte ich, »ich weiß, dass eine Komplikation während der OP lebensbedrohliche Folgen haben kann, weil wichtige Organe wie Herz und Lunge und auch große Blutgefäße in der Nähe sind. Aber ich habe keine Angst vor dem Sterben, denn ich weiß, dass ich nach dem Tod auf ewig bei Jesus im Himmel sein werde. Im Johannesevangelium 11,25-26 verspricht er: ›Ich bin die Auferstehung und das Leben. Wer an mich glaubt, wird leben, auch wenn er stirbt; und jeder, der lebt und an mich glaubt, wird in Ewigkeit nicht sterben. Glaubst du das?‹«

Ich glaube daran. Jesus ist mein Herr, der für meine Sünden gestorben ist, damit ich ewig leben darf. Mein Leben liegt in seiner Hand. Deswegen kann ich ruhig und fröhlich bleiben, was auch passiert.

Beatrix Weißbacher

? Was wäre Ihre Reaktion auf eine schlimme Diagnose?

! Nehmen Sie Jesus Christus an, damit Sie auch ewig leben können.

✝ Johannes 11,1-45

FREITAG · JUNI | **21**

Dies wurde vor langer Zeit aufgeschrieben, damit wir daraus lernen. Es soll uns Hoffnung geben und ermutigen, sodass wir geduldig auf das warten, was Gott in der Schrift versprochen hat.

RÖMER 15,4

Karl-May-Festspiele

In meiner Heimatstadt im Ruhrgebiet haben mein Bruder und ich früher an den städtischen Ferienspielen teilgenommen. Für uns beide waren das absolute Highlight im Programm natürlich die Karl-May-Festspiele in Elspe im Sauerland! Also stellten wir uns schon früh morgens in einem städtischen Gebäude vor einer Tür an, um nach Öffnung um 8.00 Uhr eine der heißbegehrten Karten zu erhalten.

Ein lieber Freund lud mich kürzlich wieder nach Elspe ein. Das Spektakel ist noch viel größer als früher geworden! Das Ganze heißt nun »Elspe Festival«; die Karl-May-Festspiele sind nun der Höhepunkt von etlichen anderen Events und üben auf den Naturbühnen eine große Faszination auf Jung und Alt aus. Und doch gibt es etwas, das dieses Spektakel oder auch die Filme bei Weitem übertrifft: das Original – die Bücher, auf welche die Filme und Festspiele meist nur teilweise zurückgreifen.

Original bleibt Original! Dies gilt umso mehr für die Bibel. Und dieses Original muss man kennen, denn damit hat sich Gott selbst verbunden und uns seine Gedanken und Absichten mitgeteilt. Es wäre tragisch, dies alles nur auf einer Bühne und zu unserer Unterhaltung zu inszenieren; denn die Bibel wurde geschrieben, damit verlorene Menschen von Gott und Jesus Christus erfahren. Und von dem, was vor rund 2000 Jahren am Kreuz geschah: Dort starb Jesus real und grausam für unsere Sünde, damit wir gerettet werden können. Das ist keine belanglose Geschichte, sondern Hintergrund all dessen, was wir heute erleben. Um all das Elend, Leid, Krankheit, Tod und Verderben, das durch die Sünde in die Welt kam, zu beseitigen, reichen weder Winnetou noch Old Shatterhand aus. Dazu musste Gottes Sohn auf diese Erde kommen!

Martin Reitz

? Kennen Sie die Bibel schon als Original oder z. B. nur von Verfilmungen?

! Wenn Sie Gott wirklich kennenlernen möchten, müssen Sie dort suchen, wo er sich offenbart hat.

✝ Hebräer 11

22 | JUNI — SAMSTAG

Wer aber den Willen Gottes tut, bleibt in Ewigkeit.
1. JOHANNES 2,17

In den Sand gesetzt

In Miami, Florida, stürzte am 24. Juni 2021 ein Teil eines Hochhauses zusammen. 140 Menschen kamen dabei ums Leben. Zwei Tage vor dem Einsturz war ein Gutachten veröffentlicht worden, in dem von erheblichen Bauschäden die Rede war. Vermutlich gingen sie auf die Absenkung des Fundaments zurück. Laut einer Studie hatte sich in den 1990-er Jahren der Boden in der Küstenregion jährlich um etwa zwei Millimeter gesenkt.

Im Februar 2023 fand in der Türkei und in Nordsyrien ein verheerendes Erdbeben statt. Einstürzende Häuser begruben Menschen unter Schutt. Zahlreiche Verantwortliche wurden wegen Pfusch am Bau festgenommen. Mit anderen Worten: Manche Menschen könnten noch am Leben sein, wenn solide gebaut worden wäre.

Nicht nur Häuser benötigen ein stabiles Fundament und eine solide Konstruktion, sondern auch wir selbst, und zwar für unser Leben auf Erden und für die Ewigkeit. Worauf kann man bauen, wenn sich Normen und Wertvorstellungen um uns herum ständig verändern? Der Dichter Georg Neumark gab vor fast 350 Jahren diese Antwort: »Wer Gott, dem Allerhöchsten, traut, der hat auf keinen Sand gebaut.« Er bezog sich auf ein Gleichnis Jesu Christi: »Jeder, der auf meine Worte hört und tut, was ich sage, gleicht einem klugen Mann, der sein Haus auf felsigen Grund baut. Wenn dann ein Wolkenbruch niedergeht und die Wassermassen heranfluten, wenn der Sturm tobt und an dem Haus rüttelt, stürzt es nicht ein, denn es ist auf dem Felsen gegründet.« Wer allerdings nicht auf die Worte Jesu hört und danach handelt, gleicht einem Mann, der sein Haus auf den Sand setzt. Wenn die Katastrophe kommt, bricht es zusammen und wird völlig zerstört. Es gibt eben nicht nur Pfusch am Häuserbau, sondern auch am Bau unseres Lebens. *Gerrit Alberts*

? Ist Ihr Lebensfundament sicher für jeden Sturm?

! Gott ist der beste Grund für ewige Sicherheit.

✝ Lukas 6,47-49

SONNTAG

JUNI **23**
Internationaler Tag der Witwen

Siehe, zum Heil wurde mir bitteres Leid: Du, du hast liebevoll meine Seele von der Grube der Vernichtung zurückgehalten.

JESAJA 38,17

Gott, Leid und wir

»Es tut immer noch so weh«, sagte meine Bekannte, die im letzten Jahr ihren Mann verloren hat. »Auch wenn ich daran glaube, dass Gott alles gut macht, vermisse ich meinen Mann oft sehr. Auf der anderen Seite habe ich Gott in diesem Jahr erlebt wie nie zuvor. Einige gute Dinge sind passiert, die nicht stattgefunden hätten, wenn mein Mann noch bei uns gewesen wäre. Gott macht keine Fehler. Darauf will ich vertrauen und weiter an ihm festhalten.«

Trauer, Leid und Schmerz sind ein Teil unseres Lebens. Wir alle erleben sie, Christen und Nicht-Christen, der eine mehr, der andere weniger. Schon immer haben Menschen einen Widerspruch gesehen zwischen einem allmächtigen, liebenden Gott auf der einen und der Realität von Schmerz und Leid auf der anderen Seite. Leid und Gott – beides in Übereinstimmung zu bringen fällt wirklich schwer. Denn erst im Rückblick werden wir erkennen, wie alles zusammenläuft.

Der Atheismus hat scheinbar eine einfache Lösung für dieses Problem gefunden: Er verzichtet auf Gott. Wenn es keinen Gott gibt, dann muss man sich mit der Frage, warum schlimme Dinge passieren und Menschen sterben, die doch noch gebraucht werden, nicht auseinandersetzen. Es ist sowieso alles Zufall und läuft nach unpersönlichen, rein naturwissenschaftlichen Gesetzmäßigkeiten ab. Es gibt keinen Sinn und keinen Plan. Doch das Problem dieses Ansatzes ist, dass man dadurch das Leid nicht aus unserer Realität herausreden kann. Auch Atheisten erleben Trauer und Schmerz. Und mit wem können sie diesen Schmerz dann teilen?

Wer an einen persönlichen Gott glaubt, der ist in schweren Zeiten nicht allein. Er versteht vielleicht sein Handeln nicht – aber er weiß, dass Gott sogar aus Leid Gutes hervorbringen und Trost schenken kann.

Elisabeth Weise

❓ Wie reagieren Sie auf schwere Dinge in Ihrem Leben?

❗ Wer Gott aus seinem Leben ausklammert, steht am Ende mit allem alleine da.

✝ Hiob 38,1-20

24 | JUNI   MONTAG

Und seid dankbar!
KOLOSSER 3,15

Zum Ende der Spargelsaison

In einem Brief bat Goethe seine Schwiegertochter Ottilie im Jahr 1824 einmal, »einen recht verbindlichen Dank« auszurichten, weil ihm eine größere Menge Spargel zugesandt worden war. Auch Christen essen gerne Spargel, vielleicht nicht alle, doch vielen ist er ein Vergnügen, auch mir. Dass Goethe ihn zu schätzen wusste, verwundert nicht, denn er war ein großer Freund guten Essens und Trinkens. Solange seine Mutter lebte, sorgte sie dafür, dass der Rheinwein aus der Heimat stets für ihren Liebling vorhanden war; und seine Schwiegertochter wusste ebenfalls, was ihrem Schwiegervater wohl gefiel.

Wie wir aus der Schrift zur Kenntnis nehmen dürfen, war Jesus keiner, der die Nase rümpfte, wenn die Hochzeitsgäste wie in Kana dem Essen und besonders dem Wein kräftig zusprachen. Er sorgte sogar für »Nachschub« in Bezug auf den Wein. Wir dürfen daraus ruhig die Kenntnis mitnehmen, dass der Herr der Herrlichkeit und Schöpfer der Erde den Menschen sowohl den Spargel wie den Wein gegeben hat, um sich daran zu erfreuen. Auch für die »kleinen Dinge«, die uns das Leben bereichern, hat er ein Gespür. Jedoch hat er weitaus mehr als dieses im Sinn, und es ist tragisch, wenn sich Menschen nur auf die angenehmen Seiten des Lebens ausrichten, während sie den wirklich weitreichenden Problemen zu wenig oder gar keine Aufmerksamkeit schenken.

Denn bei allem Schönen dürfen wir nicht vergessen, dass unsere Sünde uns zu schaffen machen wird, spätestens wenn wir vor Gott Rechenschaft für alles Tun geben müssen. Doch Gott hat sich auch darum gekümmert und gewährt jedem, der zu ihm umkehrt und im Glauben annimmt, was Jesus für uns tat, Vergebung. Und gerade dafür sollten wir – neben den »kleinen Dingen« – noch viel dankbarer sein!

Karl-Otto Herhaus

? Sind Sie ein Genussmensch?

! Wirklich sorgenfrei genießen kann man nur, wenn man Gottes größte Gabe aller Gaben – Jesus Christus – angenommen hat.

✝ Matthäus 6,31-34

DIENSTAG

JUNI **25**
Tag des Seefahrers

Der Soldaten Plan aber war, die Gefangenen zu töten, damit nicht jemand wegschwimmend entkam. Der Hauptmann aber, der Paulus retten wollte, hinderte sie an ihrem Vorhaben ...

APOSTELGESCHICHTE 27,42-43

Der Mensch denkt, Gott lenkt

Meine Frau und ich lieben das Meer und die Seefahrt. Bei Fahrten mit Fähren, 3-Mast-Segelschiff, Tonnenleger, Ruderboot, Auslegerboot usw. hatten wir schon manche gute Fahrt. Aber wenn wir mit einer »Nussschale« den Naturgewalten ausgesetzt waren, haben wir durchaus auch gefährliche Situationen überstanden! Nie haben wir sie vorhersehen können, aber immer erlebt, dass Gott uns herausgeholfen hat.

Eine bis heute verwendete alte römische Weisheit lautet: »Vor Gericht und auf hoher See sind wir allein in Gottes Hand.« Das stimmt tatsächlich. Allerdings gilt es für buchstäblich jede Lebenssituation, nicht nur vor Gericht und auf hoher See. Unser Tagesvers bestätigt das: Paulus und andere Gefangene sind mit dem Schiff, das sie nach Italien bringen soll, in einen extremen Sturm geraten. Das Schiff muss aufgegeben werden, alle schweben in Lebensgefahr! Den Soldaten, die die Gefangenen bewachen, droht die Todesstrafe, falls Häftlinge wegschwimmen und fliehen. Deshalb planen sie, sämtliche Sträflinge vorsichtshalber lieber gleich zu töten. Doch dann kommt alles ganz anders. Ausgerechnet der Hauptmann stellt sich diesem Plan in den Weg! Das musste so kommen. Gott hat nämlich vorher Paulus durch einen Engel mitteilen lassen: »Gott wird deinetwegen allen, die mit dir fahren, das Leben schenken.« Somit konnte zwar das Schiff auseinanderbrechen, aber keine der 276 Seelen an Bord sind umgekommen – weder durch die Soldaten noch durch Ertrinken.

Gott zeigt hier, dass er alles in der Hand hat und wir uns nicht wundern sollen, wenn vieles anders kommt, als wir es erwartet oder selbst geplant haben. Diesem Gott kann man sich getrost anvertrauen, denn er hat sogar die Macht, uns zu ewigem Leben zu retten. *Hartmut Ulrich*

? An welchen Stellen Ihres Lebens kam alles anders als geplant?

! Unerwartete Wendungen sind oft Denkzettel Gottes.

✝ Apostelgeschichte 27

26 | JUNI
Tag des Verzeihens

MITTWOCH

Wenn wir unsere Sünden bekennen, ist Gott treu und gerecht, dass er uns unsere Sünden vergibt und uns reinigt von jeder Ungerechtigkeit.

1. JOHANNES 1,9

Tschuldigung

Wie oft tun oder sagen wir etwas, was andere Menschen ärgert, innerlich verletzt oder ihnen sogar Schaden zufügt. Schnell sagt man dann »Entschuldigung. Tut mir leid. War nicht so gemeint.« Allerdings sind wir darauf angewiesen, dass der andere uns verzeiht. Oft genug ist das aber schwierig, und die Situation bleibt angespannt.

Heute ist der Tag des Verzeihens. Ein weltweiter Gedenktag, der uns daran erinnern soll, wie wichtig und notwendig es ist, einander zu verzeihen, einander Schuld zu vergeben. Schuld kann ja nicht ungeschehen gemacht werden. Was passiert ist, ist passiert. Was gesagt ist, ist gesagt. Schuld belastet die Beziehung und trennt. Vergebung ist der einzige Weg, Schuld beiseite zu räumen und sich wieder frei und offen begegnen zu können. Wenn ich nicht bereit bin zu vergeben, dann hängt die Schuld des anderen an mir wie eine Eisenkugel am Bein. Ich bin nicht mehr richtig frei. Wenn ich meinen Ärger und Zorn oder mein inneres Verletztsein pflege, dann werde ich selbst nicht mehr froh.

Unsere Schuld vor Gott, die die Bibel auch Sünde nennt, schafft ebenfalls eine Trennung zwischen uns und Gott. Die Beziehung ist gestört und wir sind dem Urteil Gottes ausgesetzt. Vergebung ist die einzige Möglichkeit, unsere Schuld zu beseitigen. Genau das bietet Gott uns an. Wenn wir unsere Schuld bekennen und eingestehen, ist Gott bereit, uns zu vergeben und uns von aller Schuld zu reinigen. Er nimmt unsere Schuld weg, beseitigt sie. Das hat er uns versprochen (siehe Tagesvers), und wir können uns darauf einlassen. Dann ist der Weg zu Gott frei, und wir werden nicht gerichtet. Allerdings hat das Gott etwas gekostet. Unsere Schuld hat er an seinem Sohn Jesus Christus gerichtet. Er hat stellvertretend für uns dafür gesühnt.

Bernhard Volkmann

? Haben Sie das auch schon erlebt, wie schwer es ist, dem anderen zu vergeben?

! Wie großartig ist es doch, dass Gott uns vergibt! Dann sollten auch wir vergeben.

† Matthäus 18,21-35

DONNERSTAG JUNI **27**

Ihr Heuchler! Denn ihr gleicht übertünchten Gräbern, die von außen zwar schön scheinen, innen aber voll von Totengebeinen und aller Unreinigkeit sind.
MATTHÄUS 23,27

Der Problem-Adler

Der Berliner Flughafen Tempelhof wurde 2008 geschlossen. Vormals von den Nazis als größter Flughafen Europas geplant, in monumentalen Ausmaßen bis zum Kriegsbeginn errichtet, rettete er wenige Jahre später den Berlinern das Leben. Denn während der Berlin-Blockade (24.06.1948 bis 12.05.1949) sicherten die dort landenden so genannten »Rosinenbomber« die Versorgung der Stadt. Die Amerikaner als neue Machthaber fragten sich jedoch: Was tun mit der fast fünf Meter hohen Reichsadler-Statue über dem Flughafen-Hauptgebäude – dem über neun Tonnen schweren Vogel, der noch immer die Weltkugel umkrallt hielt? Die Amis mit ihrem Pragmatismus fanden eine zufriedenstellende Lösung. Der stolz blickende Vogelkopf wurde kurzerhand abgetrennt und von amerikanischen Soldaten zum »American eagle« umfunktioniert – einfach mit etwas weißer Farbe! Schon war aus dem deutschen Reichsadler das Wappentier der USA geworden: Der Weißkopf-Seeadler. Etwas Tünche hatte den braunen Nazi-Adler entnazifiziert.

Ach, wäre es mit anderen Altlasten auch so einfach. Doch da trägt keine Schönfärberei zur Lösung bei. Ganz im Gegenteil – Licht muss in die Sache. Heuchelei wird von Jesus Christus knallhart entlarvt und als eine veredelte Form der Lüge demaskiert. »Ihr Heuchler! Denn ihr gleicht übertünchten Gräbern, die von außen zwar schön scheinen, innen aber voll von Totengebeinen und aller Unreinigkeit sind.« Was für eine drastische, harte Formulierung!

Nach Außen scheint bei uns alles in Ordnung, aber was verbirgt sich tief im Innern? Wir Menschen sehen nur, was vor Augen ist, aber Gott sieht auf das Herz (vgl. 1. Samuel 16,7). Er lädt ein, unsere Erbärmlichkeit nicht zu verbergen, sondern sie ihm zu offenbaren und sein Erbarmen zu erfahren.

Andreas Fett

❓ Welche Vergehen der Vergangenheit werden bei Ihnen sichtbar, wenn der Lack ab ist?

❗ Bei Gott wird Schuld nicht überstrichen, sondern durchgestrichen.

✝ Epheser 4,17-32

28 | JUNI — FREITAG

Aber ich weiß, dass mein Erlöser lebt!
HIOB 19,25

Transoxanien?

Sagt Ihnen Transoxanien etwas? Schon mal gehört? Der Name Transoxanien bedeutet »jenseits des Oxus« und bezeichnet eine Region, die nordöstlich des Flusses Amudarja liegt. Dieses Territorium befindet sich überwiegend auf dem Gebiet des heutigen Staates Usbekistan, also in Mittelasien. Schon im antiken Griechenland war diese Gegend bekannt. Die berühmte Seidenstraße, die bis nach China führte, verlief durch diesen Landstrich, der eine wechselvolle Geschichte erlebte: Alexander der Große fügte das Land zu seinem Weltreich hinzu. Es folgten u. a. Chinesen, Türken, Araber, Perser, Mongolen und Russen. Städte wie Samarkand und Buchara verkörpern das reiche geschichtliche Erbe Transoxaniens.

Woher ich das weiß? Eher zufällig stieß ich im Internet auf dieses Wort. Mit ein bisschen Recherche in den einschlägigen Suchmaschinen konnte ich die Fakten schnell ermitteln. Doch bringt mich dieses Wissen irgendwie weiter? Vielleicht wird es relevant, wenn die 1-Millionen-Euro-Frage in der Quizsendung sich einmal auf dieses Land beziehen sollte. Doch wie wahrscheinlich ist das? Mit der allergrößten Sicherheit entfaltet dieses kleine Fleckchen Wissen, das nur in ganz groben Zügen die Geschichte eines Landes umfasst, niemals Bedeutung für mein Leben.

Das Wissen, das im Tagesvers zum Ausdruck kommt, ist da von ganz anderer Qualität. Hier spricht Hiob, ein Mann, der schwerste Prüfungen erlebte. Doch trotz der widrigsten Umstände wusste er, dass das nicht das letzte Wort ist. Er wusste von seinem Erlöser, der ihn retten wird, der lebendig und mächtig ist. Dieses Wissen ist lebensentscheidend. Es hatte die Kraft, Hiob auch in größter Not aufzurichten. Und es gab ihm eine ewige Perspektive. *Markus Majonica*

? Was wüssten Sie gerne?

! Nicht jedes Wissen nützt, manches lenkt nur von der Wahrheit ab.

✝ Römer 8,23-32

SAMSTAG JUNI | **29**

Der Mensch sieht auf das, was vor Augen ist, der HERR aber sieht das Herz an.
1. SAMUEL 16,7

Kennen Sie Pampel?

Wilhelm Jungbluth (1897–1960) war Maler »mit 99 Nebenberufen«. Er war Fleischbeschauer, Bademeister und Krankenwagenfahrer. Geboren 1897 in Hagen wurde er spätestens nach dem Ersten Weltkrieg in Eslohe im Sauerland sesshaft. Dort engagierte er sich im Dorfleben, war ein beliebtes Mitglied des Gesangsvereins und der Laienspielbühne. Nach seinem Tod hat die Gemeinde ihm mit einer Bronzestatue ein Denkmal gesetzt. Sie heißt wie Wilhelm Jungbluths Spitzname: »Pampel.« Eine der vielen Pampelgeschichten ist dort auf einer Tafel angebracht: »Bekanntmachung: Wer mich weiterhin Pampel nennt, den werde ich gerichtlich belangen! Gezeichnet: Pampel«. Noch lange nach seinem Tod blieb Pampel in aller Munde. Weshalb? Ein Zeitzeuge urteilte: »Sein ganzes Leben bestand ja aus Sensatiönchen.«

So weit ein paar Splitter aus Pampels Leben. Ich frage mich: Was wird man über Sie und mich einmal sagen? Was hinterlassen wir der Nachwelt? Das Entscheidende ist allerdings nicht, was Menschen über uns meinen, sondern was Gott zu unserem Leben sagt. Ich weiß nicht, wie es bei Pampel war, aber oft sieht es bei Leuten, die nach außen immer lustig und engagiert wirken, im Inneren ganz anders aus. Den allwissenden Gott können wir jedenfalls nicht mit ein paar lustigen Geschichten beeindrucken. Er kennt ja unser ganzes Leben, auch unsere dunklen Stunden. Er weiß, wo wir etwas Böses gedacht haben, obwohl wir nach außen freundlich wirkten.

Sein Urteil über unser Leben muss daher vernichtend sein. Doch zum Glück gibt es einen Ausweg: Weil Jesus Christus am Kreuz gestorben ist und unsere Schuld getragen hat, kann jeder, der daran glaubt, Vergebung seiner Sünden bekommen. Dann wird am Schluss nur noch das Gute übrigbleiben, das Gott in ihm bewirkt hat. *Martin Reitz*

? Welchen Eindruck sollen unsere Mitmenschen von uns bekommen?

! Gott sieht tiefer als die Menschen und lässt sich nicht täuschen.

† 1. Samuel 16,4-13

30 | JUNI   SONNTAG

Auch wenn ich wanderte im Tal des Todesschattens, fürchte ich nichts Übles; denn du bist bei mir.
PSALM 23,4

Fühlen Sie sich einsam?

Wir Menschen werden in der Bibel mit Schafen verglichen, weil Gott uns als Gemeinschaftswesen erschaffen hat und nicht als Einzelgänger. Sonst würde er uns mit Katzen vergleichen, die außer in der Paarungszeit am besten ganz allein fertig werden.

Unser Gemeinschaftsbedürfnis wurde z. B. in den zurückliegenden Pandemiezeiten besonders deutlich. Die Absonderung von anderen wurde als extrem belastend empfunden. Man sehnte sich nach menschlicher Gemeinschaft und Geselligkeit. Aber statt sich nun zumindest der eigenen Familie stärker zu widmen, sorgte die intensive Nutzung moderner Medien eher zu einer noch stärkeren Vereinzelung. Viele fanden (und finden) einfach nicht mehr zueinander. Weil man aber unbedingt ein Gegenüber braucht, haben sich heute sehr viele Leute Hunde angeschafft.

Überall sieht man in den Parks und Anlagen die Leute mit ihren Hunden spazieren gehen. Doch ist das ein adäquater Ersatz? Solch ein Hund ist ein geduldiger Zuhörer, dem man, so oft man es nötig hat, sein Leid über die Bosheit anderer Menschen klagen kann. Er fühlt sich auch warm und weich an und lässt sich – meistens wenigstens – streicheln und liebkosen. Aber machen wir uns da nicht etwas vor? Kann der Hund unsere Klagen wirklich begreifen? Und vor allem: Verfügt er über die Möglichkeit, uns wirklich aus unseren Sorgen und Nöten zu helfen?

Gott, der Menschen und Tiere erschaffen hat, hört nicht nur unsere Klagen. Er kennt unsere Situation besser als wir selbst, und er hat versprochen, aufrichtige Gebete zu erhören. So sagte Gott einst zu Mose: »Gesehen habe ich das Elend meines Volkes, …. und sein Schreien … habe ich gehört, und ich bin herabgekommen, es …. zu erretten« (2. Mose 3,7). *Hermann Grabe*

❓ Was tun Sie gegen Einsamkeit?

❗ Gott ist immer und überall – also auch in Ihrer Nähe!

📖 Psalm 139

MONTAG   JULI | **01**

Alle Schrift ist von Gott eingegeben und nützlich zur Lehre, zur Überführung, zur Zurechtweisung, zur Unterweisung in der Gerechtigkeit.

2. TIMOTHEUS 3,16

Gottes Schreibwerkzeuge

Am 1. Juli 1874 brachte die US-Firma Remington mit dem Modell *Sholes & Glidden Type-Writer* die erste industriell gefertigte Schreibmaschine auf den Markt. Ursprünglich als Hilfsmittel für extrem kurzsichtige oder blinde Menschen gedacht, machten technische Verbesserungen den weltweiten Siegeszug der Schreibmaschine möglich. Die Vorteile: Alles ist gut lesbar einschließlich eines Durchschlags als Kopie. Ob die Nachfolgemodelle nun »Erika«, »Gabriele« oder »Olympia« hießen: Schreibmaschinen gehörten seitdem bis weit in das 20. Jahrhundert zum Büroalltag. Heute sind diese Schreibwerkzeuge durch Computer abgelöst. Was geblieben ist, sind allerdings die klassischen Tastaturbelegungen: Je nach Verwendungsland sind diese unterhalb der Ziffernfolge mit QWERTZ, QWERTY oder AZERTY standardisiert worden.

Doch viel wichtiger als alle Schreibwerkzeuge, Schrifttypen und Tastaturbelegungen ist stets derjenige, der die »Eingabe« des Textes vornimmt, also der Autor. Denn jedes Schreibutensil verschriftet nur das, was der geistige Urheber verschriften will.

Der Tagesvers macht deutlich, dass dies mit der Bibel gut vergleichbar ist. Die »Heilige Schrift« ist durch viele sehr unterschiedliche Schreiber verschriftet worden. Da gab es den sanftmütigen Mose, den mutigen David, den weisen Salomo, den emphatischen Jeremia, den Heißsporn Petrus, den Arzt Lukas, den Beziehungsmenschen Johannes, den Worttitanen Paulus usw. Doch hinter diesen »Schrifttypen« stand stets ein und derselbe Autor: Gott. Er selbst hat den Text »eingegeben« und dadurch dafür Sorge getragen, dass trotz der Unterschiedlichkeit der eingesetzten (menschlichen) Werkzeuge seine lebensnotwendige Botschaft verlässlich dokumentiert ist, mit zahlreichen »Durchschriften« für jeden.

Herbert Laupichler

? Wie wichtig sind Ihnen Texte von einem solchen Urheber?

! Ein erster Schritt wäre, sie einmal zu lesen – und dem Geschriebenen dann auch zu glauben.

✝ Apostelgeschichte 8,26-40

02 | JULI — DIENSTAG

So wahr ich lebe, spricht Gott der HERR: Ich habe kein Gefallen am Tode des Gottlosen, sondern dass der Gottlose umkehre von seinem Wege und lebe.

HESEKIEL 33,11

Hart ausgebremst

07:30 Während eines Urlaubs auf Kreta mieteten wir einen Wagen, um die Insel zu erkunden. Mit dem Navigationsgerät ist es ja in der Regel kein Problem, die richtige Strecke zu finden. Dann kamen wir durch eine größere Ortschaft, wo sich die Straße gabelte; ein Teil führte links um den Ortskern herum, der andere rechts. Aus meiner Sicht konnte man wählen, und da es links herum leerer war, wollte ich dorthin. Die Straße schien auch ausreichend breit für Verkehr und Gegenverkehr. In diesem Moment kam mir ein großer Geländewagen entgegen, der seine Spur verließ und frontal auf mich zuhielt. Ich habe mich sehr erschrocken: »Was macht der denn da?!«

Da erkannte ich, dass die von mir gewählte Spur eine Einbahnstraße war – und ich im Begriff, sie verkehrt herum zu befahren! Ich musste tatsächlich rechts um den Ortskern fahren. Trotz seines unkonventionellen Eingreifens war ich dem Geländewagenfahrer sehr dankbar; denn was wäre passiert, wenn ich wirklich verkehrt herum die Einbahnstraße befahren hätte? Die Reaktion des Einheimischen hat mich vor einem fatalen Fehler bewahrt.

Diese Szene ging mir unter die Haut. Manchmal wählen wir im Leben eine Fahrspur, weil uns der eingeschlagene Weg leichter und schneller erscheint. Doch oft übersehen wir die damit verbundenen Risiken. Andere machen uns auf die drohenden Gefahren aufmerksam, aber wir ignorieren die Warnungen – und geraten so in Schwierigkeiten. Besonders dramatisch wird das, wenn wir unser Leben auf eine Spur setzen, die Gottes Wort – der Bibel – widerspricht. Doch der gütige Gott will uns nicht einfach »verkehrt herum in die Einbahnstraße« fahren lassen. Er möchte, dass wir umkehren und den richtigen Weg nehmen, bevor das nicht mehr geht.

Markus Majonica

? Wo hat Sie schon einmal jemand zu Ihrem Glück »ausgebremst«?

! Gottes Korrektur ist überlebensnotwendig.

† Psalm 25,4-18

MITTWOCH　　　　　　　　　　　　　　　　　　JULI | 03

Wer der Gerechtigkeit und Gnade nachjagt, findet Leben, Gerechtigkeit und Ehre.
SPRÜCHE 21,21

Auf der Jagd nach Gnade

Vor Kurzem las ich das Interview eines Reporters mit meinem ehemaligen Klassenkameraden. Das war für mich sehr spannend, hatten wir doch sieben Jahre zusammen die Schulbank gedrückt. Schon damals war nicht zu übersehen: Für ihn hatte seine Violine immer die erste Priorität. Bereits als Kleinkind übte er eisern Tag für Tag. Das zog sich durch seine ganze Schulzeit. Es folgte ein exzellentes Musikstudium. Und nun hat er es geschafft: Er ist Erster Konzertmeister in einem renommierten europäischen Profiorchester. – Als ich das las, habe ich meinem ehemaligen Schulkameraden innerlich gratuliert. Aber ich habe mich auch gefragt: Ist das das Lebensglück?

Wir Menschen jagen gern Dingen nach, die wir uns selbst erarbeiten; auf die wir stolz sein können, wenn wir sie erreicht haben. Wir meinen, genau das bringe uns das erfüllte Leben und die Ehre, die wir uns wünschen. Aber der obige Bibelvers sagt: Wer wirkliche Ehre und ein Leben will, das diese Bezeichnung auch verdient, der muss zuallererst Gerechtigkeit und Gnade nachjagen. Erfolg und finanzielle Sicherheit mögen vernünftige Ziele sein, aber sie sind nicht das Leben und Gerechtigkeit.

Der Tagesvers fordert auf: Jagt Gerechtigkeit und Gnade nach! Jagen ist mit Mühe, Energie und Zeitaufwand verbunden. Wozu diese Metapher? Dieser Vers will uns auf das entscheidende Lebensziel hinweisen, das es anzuvisieren und beharrlich zu verfolgen gilt, wie einen wertvollen Schatz. Von allein würden wir nicht darauf kommen, dass es im Leben nicht in erster Linie um Erfolg, sondern um Gnade geht. In welchen Jagdgründen ist diese göttliche Gnade zu finden? Im göttlichen Buch, der Bibel. Wer in diesem Buch auf die Pirsch geht, der wird dem Thema »Gnade und Gerechtigkeit« auf Schritt und Tritt begegnen.

Jacob Ameis

? Wonach jagen Sie?

! Unternehmen Sie doch einen Streifzug durch die Jagdgründe, wo die Gnade anzutreffen ist: Lesen Sie die heutige Bibellese!

✝ Epheser 2,4-10

04 | JULI   DONNERSTAG

Denn wir wissen, dass, wenn unser irdisches Zelthaus zerstört wird, wir einen Bau von Gott haben, ein nicht mit Händen gemachtes, ewiges Haus in den Himmeln.
2. KORINTHER 5,1

Unwiderruflicher Verfall

»So früh schon beginnst du zu altern ...« titulierte die TV-Marke Quarks in einem ihrer informativen Posts. Weiter heißt es dort: »Schon mit 30 Jahren nimmt die Elastizität der Knorpel langsam ab und die Bandscheiben werden dünner. Der Wassergehalt im Körper beginnt zu sinken. Die Elastizität der Augenlinse nimmt sogar schon ab dem 15. Lebensjahr ab, das Scharfstellen wird über die Jahre immer schwieriger.« Wenn man dann Menschen erlebt, die ein hohes Alter erreicht haben, wird der körperliche Verfall immer deutlicher spürbar und erkennbar. Man könnte sagen: Unser Körper lässt uns im Stich, wir können ihn nicht länger erhalten und müssen schließlich unweigerlich dem Tod ins Auge sehen.

Welche Hoffnung vermittelt da die Zusage in unserem Tagesvers! Der Vergleich mit einem Zelthaus ist wirklich treffend: schnell auf- und abgebaut, wenig solide und anfällig für den Sturm, der oftmals durch unser Leben fegt und uns wieder ein Stück Lebenskraft kostet. Aber Gott hält für die, die auf ihn vertrauen, etwas Neues, Unzerstörbares bereit. Und hier wechselt das Bild: Es ist ein fester Bau, nicht mit Händen gemacht und auf Ewigkeit angelegt. Je älter man wird, umso mehr kann man sich das vor Augen halten. Bald hat alles Seufzen und Klagen ein Ende, dann wird man neu eingekleidet, wie Paulus in einem weiteren Bild diese christliche Hoffnung beschreibt.

Und wie bekommt man Anteil an ihr? Indem man sich durch Jesus Christus mit Gott versöhnen lässt, der »für uns zur Sünde gemacht [wurde], damit wir Gottes Gerechtigkeit wurden in ihm« (2. Korinther 5,21). Die Sünde, die letztlich der Grund für die Zerstörung unseres Körpers ist, wurde gesühnt, und für jeden, der das glaubt, sind mit dem Übergang in Gottes Herrlichkeit alle ihre Auswirkungen endgültig beseitigt.

Joachim Pletsch

? Wie erleben Sie Ihren körperlichen Verfall?

! »Wenn jemand in Christus ist, so ist er eine neue Schöpfung; das Alte ist vergangen, siehe, Neues ist geworden.« (2. Korinther 5,17)

✝ 2. Korinther 5,1-10

FREITAG   JULI | **05**

Gott ist wahrhaftig, jeder Mensch aber Lügner.
RÖMER 3,4

Kann denn Lüge Sünde sein?

Jeder Mensch ist ein Lügner? Also auch gerade Sie, die Sie jetzt diese Zeilen lesen. Stört Sie so eine Aussage? Oder sind Sie davon überzeugt, dass es wohl richtig ist, dass viele Menschen lügen, aber es auch einige gibt, die das nicht tun?

Was ist überhaupt Lüge? Eine Lüge ist zunächst eine einzelne Aussage, die unwahr ist und mit der jemand die Absicht verfolgt, sie als glaubwürdig erscheinen zu lassen. Andererseits sprechen wir auch von einer Lebenslüge, d. h. jemand lebt sein ganzes Leben lang eine Lüge, z. B. indem er sich vormacht, sein Konto bei der Bank sei unerschöpflich und er könne deshalb unbegrenzt konsumieren. Doch irgendwann holt ihn diese Lüge ein.

Ich muss gestehen: Wenn ich das überdenke, komme ich zum dem Schluss, dass ich schon oft gelogen habe. Und ich bin mir sicher, dass ich es in Zukunft auch noch oft tun werde. Die Ursache dafür liegt in der menschlichen Natur begründet. Lüge ist Sünde! Und wir alle sind nun einmal Sünder. Die Bibel sagt sogar: »Wenn wir sagen, dass wir keine Sünde haben, betrügen wir uns selbst, und die Wahrheit ist nicht in uns.« Und zwei Verse weiter heißt es: »Wenn wir sagen, dass wir nicht gesündigt haben, machen wir ihn zum Lügner« (1. Johannes 1,8.10). Wenn wir behaupten, nicht gesündigt zu haben, machen wir Gott zum Lügner, und betrügen oder belügen uns selbst.

Der Einzige, der wahrhaftig ist, ist Gott. Und wenn Gott kein Lügner ist, dann trifft alles zu, was er uns mitteilt; und das können wir nicht verdrängen oder für unwahr erklären. Sondern wir müssen uns der Wahrheit stellen, Gott recht geben, uns vor ihm beugen und seine Vergebung in Anspruch nehmen. Denn dazu ist er gerne bereit (1. Johannes 1,9). Wir müssen nur zu ihm kommen.   *Axel Schneider*

? Glauben Sie jetzt, dass Sie ein Lügner sind?

! Bestätigen Sie Gottes Wahrhaftigkeit, indem Sie ihm Ihre Sünden bekennen, sodass er Ihnen vergibt!

✝ 1. Johannes 1,5–2,2.

06 JULI
SAMSTAG

**Fürwahr, ich bin der HERR, der Gott alles Fleisches:
Sollte mir irgendetwas unmöglich sein?**
JEREMIA 32,27

Der Problemlöser

»Ihr werdet definitiv Durchfall haben, nehmt Medikamente dagegen mit und Elektrolyte. Das alles gibt es dort nicht.« Vollgepackt mit den empfohlenen Medikamenten machten wir uns als Familie in den tiefsten Busch Afrikas auf. Drei Monate ohne schnell erreichbare medizinische Hilfe lagen vor uns ... Von wegen Durchfall! Unser Sechsjähriger kann nun schon seit Tagen nicht mehr auf Toilette gehen – er hat eine ordentliche Verstopfung. Und mir fällt schmerzlich auf: Ich habe vergessen, Medizin gegen Verstopfung mitzunehmen! Selbstvorwürfe und Selbstzweifel an meinen Mamaqualitäten machen sich in mir breit. Unser Sohn wird von (Bauch-) Schmerzen gequält, weint ständig und schläft schlecht. Ich werde symptomhörig und male mir das Schlimmste aus.

Eine Nacht ist besonders schlimm für ihn. Während sich mein Gedankenkarussell immer schneller dreht und mir vor lauter Hilflosigkeit immer schwindeliger wird, schreie ich zu Gott: »Jesus, mein Herr und Heiland, bitte hilf du ihm! Pass du auf ihn auf! Ich weiß nicht mehr, wie ich ihm helfen kann.« Und in der Stille dieser Nacht, hinein in den Lärm des Gedankenkarussells höre ich ihn antworten: »ICH bin der HERR, dein Arzt« (2. Mose 15,27). Ein einziger Satz, in Ruhe und Festigkeit gesprochen. Aber er beruhigt mich augenblicklich und beendet das laute Chaos in meinem Kopf. Ich verstehe: »Vertraue deinen Sohn *mir* an! Ich, der ihn geschaffen hat, weiß, was los ist. Ich bin der Richtige für dieses Problem.« Und dann half Gott meinem Sohn und mir in unserer Not.

Es ist beeindruckend: Gott ist sich nicht zu schade, sich unserer kleinen und großen alltäglichen Nöte anzunehmen. Dabei handelt er nicht nach Schema F, sondern individuell und persönlich! Man muss ihn nur bitten.

Dina Wiens

? Haben Sie in einer Krise schon einmal Gott erlebt?

! Gott hat ein Herz für alle, die sich vor ihm beugen und ihn demütig um Hilfe bitten.

† 1. Petrus 5,6-7

SONNTAG JULI | **07**

Das Herz allein kennt seinen eigenen Kummer.
SPRÜCHE 14,10

Wer sieht meinen Herzenskummer?

Nach einem längeren Afrikaaufenthalt sitzen wir als Familie in der Wartehalle des Flughafens und warten auf unseren Rückflug in die Heimat. Etwas Seltsames liegt auf dem Gesicht der Frau, die mir gegenübersitzt. Auch Minuten später, als ich wieder zu ihr hinüberschaue, hat sich ihr Gesichtsausdruck nicht verändert. Ist es Trauer? Oder Angst? Ich kann es nicht richtig greifen. Ich sehe nur, dass ihr irgendetwas schwer auf der Seele liegt ... Kummer.

Zurück in Deutschland fragen mich meine Arbeitskollegen, wie meine Zeit in Afrika gewesen sei. »Insgesamt gut«, antworte ich. »Es gab aber auch weniger schöne Erlebnisse.« Das füge ich fairerweise hinzu. Ich erzähle ein wenig von den schweren Situationen, die wir durchgestanden haben. Aber was mein Herz in dieser Zeit wirklich im Herzensgrund bekümmert hat, verrate ich ihnen nicht. Warum denn auch? Sie würden es doch nicht verstehen. Vor meinen Kollegen verberge ich meinen innersten Kummer. Zum Glück habe ich noch meine Ehefrau und gute Freunde, mit denen ich offen reden kann. Wie gut das tut! Doch selbst wenn sie mich einmal nicht verstehen – einer versteht mich immer: Gott. Es ist eine unsagbare Wohltat, ihm meinen Kummer mitzuteilen.

Wie viele von uns kennen keinen Menschen, vor dem sie ihr Herz frei und offen ausschütten könnten! Gehören Sie vielleicht auch dazu? Ich fühle mit Ihnen. Und ich möchte Ihnen ans Herz legen, Ihren Kummer auf jeden Fall vor Gott auszubreiten. Er kann ihn zutiefst nachvollziehen und ist in der Lage, Sie zu trösten. Kennen Sie vielleicht außerdem noch eine vertrauensvolle Person in Ihrem Umfeld? Womöglich jemanden, der diesen Gott des Trostes kennt und für Sie beten kann? Dann wagen Sie es, auch mit dieser Person zu reden. *Paul Wiens*

? Wer kennt Ihren Herzenskummer?

! Sagen Sie Gott heute alles, was Ihnen Kummer macht!

† Psalm 40

08 | JULI — MONTAG

Von seiner Macht hängt alles Leben ab.
HIOB 12,10

»Pass gut auf dich auf!«

 Das sagen Eltern, wenn ihre Kinder sich z. B. auf den Weg zur Schule begeben. Das sagt auch ein Ehepartner zum anderen, wenn er morgens zur Arbeit geht; und noch für viele andere Abschiedsszenen haben sich diese Worte fest eingebürgert. Die stehende Wendung ist auf einen Fernsehpfarrer zurückzuführen, der bis 2005 nach jeder Sendung seine Zuschauer mit ebendiesen Worten ins raue Leben entließ. Mittlerweile ist die Phrase im allgemeinen sprachlichen Alltag fest verankert.

»Pass gut auf dich auf!« Damit wollen Eltern eigentlich sagen: »Am liebsten würde ich jetzt deinen Schutz übernehmen, aber da ich nicht mitgehen kann, musst du eben selber auf dich aufpassen ...« In diesen Worten schwingt Sorge mit und die Hoffnung, dass der geliebte Mensch wieder wohlbehalten nach Hause zurückkehrt. Aber geht das überhaupt, auf sich selbst aufpassen? Haben wir das in der Hand? Freilich kann ich achtsam durch den Tag gehen, Risiken meiden und vorsichtig sein. Aber selbst dann kann so vieles passieren! Schon so mancher Fußgänger überquerte die Straße bei grüner Ampel und wurde trotzdem von einem unaufmerksamen Autofahrer überfahren.

Letztlich muss ich mir immer wieder bewusst machen, dass mein Leben unterm Strich allein von Gottes Macht abhängt. Das klingt vielleicht etwas bedrohlich, muss es aber nicht! Denn durch den Glauben an den sühnenden Tod Jesu Christi am Kreuz von Golgatha dürfen Christen zu diesem Gott »Vater« sagen und finden bei ihm Geborgenheit. Bewusst spricht Jesus von Gott als dem Vater der Gläubigen, denn ein himmlischer Vater weiß eben um die Bedürfnisse seiner Kinder und kümmert sich um sie. Darum ist es am allersichersten, sich diesem Gott anzubefehlen!

Herbert Laupichler

❓ Wer passt auf Sie auf?

❗ Suchen Sie Schutz bei dem, der alles weiß und in der Hand hat!

✝ Psalm 86

DIENSTAG | JULI | **09**

Nachdem Christus einmal geopfert worden ist, um vieler Sünden zu tragen, wird er zum zweiten Mal denen, die ihn erwarten, ... erscheinen zur Errettung.

HEBRÄER 9,28

Die Schlacht bei Sempach

Der 9. Juli ist für Schweizer unvergessen. Warum? Wegen der Schlacht bei Sempach im Kanton Luzern. Im Sommer 1386 kam es zum entscheidenden Kampf der Eidgenossen gegen das Herzogtum Österreich. Leicht bewaffnet standen sie in Unterzahl einer gepanzerten Habsburger Ritterschar gegenüber. Dennoch konnten die Schweizer einen spektakulären Sieg erringen. Kein Wunder, dass dieser Tag für die Schweiz zum Mythos wurde.

Wie konnten die Eidgenossen, obwohl unterlegen, dennoch gewinnen? Zum Erstaunen der Habsburger griffen die mutigen Eidgenossen an – in keilförmiger Schlachtordnung. Eine alte Zürcher Chronik von 1476 schildert den Hergang: Es war die bewundernswerte Tat »eines getreuen Mannes« – Arnold von Winkelried. Er sprang dem Bericht zufolge hervor und rief: »Sorgt für mein Weib und meine Kinder!« Dann stürzte er sich mit ausgebreiteten Armen den Habsburger Lanzen entgegen, raffte deren Speerspitzen zusammen und lenkte sie alle auf seine Brust. Durchbohrt von vielen Spießen starb er. Seine letzten Worte waren: »Der Freiheit eine Gasse!« In die Phalanx der Gegner war eine Bresche geschlagen. Durch diese Schneise konnte das Schweizer Fußvolk die Österreicher schlagen.

Die Aufopferung von Arnold ist Geschichte. Die Aufopferung von Jesus jedoch findet einen zukünftigen Abschluss: Der Evangelist Johannes als Augenzeuge der Schlacht auf Golgatha zitiert eine alte Weissagung: »Dies geschah, damit die Schrift erfüllt würde: (...) Sie werden den anschauen, den sie durchstochen haben« (Johannes 19,37). In seinem letzten Buch beteuert Johannes: Dieser Durchbohrte wird bald wiederkommen! »Siehe, er kommt mit den Wolken, und jedes Auge wird ihn sehen, auch die, die ihn durchstochen haben« (Offenbarung 1,7).

Andreas Fett

❓ Auf welcher Seite stehen Sie? Kommt Jesus für Sie als Retter oder als Richter?

❗ Wohl dem, der sich auf die Wiederkunft von Jesus freuen kann.

📖 Apostelgeschichte 1,4-14

10 JULI — MITTWOCH

Kommt her zu mir, alle ihr Mühseligen und Beladenen! Und ich werde euch Ruhe geben.
MATTHÄUS 11,28

Im Schlafzimmer der Königin

Am 9. Juli 1982 war das Undenkbare geschehen: Einem Eindringling war es tatsächlich gelungen, ungehindert ins Schlafzimmer der englischen Königin zu gelangen. Michael Fagan hatte nicht vor, Elisabeth II. irgendein Leid anzutun. Der arbeitslose Dekorateur sagte später, dass er unzufrieden mit seinem Leben gewesen sei und der Königin einfach von seinen Problemen erzählen wollte: »Die da oben wissen ja gar nicht, was uns einfache Leute bewegt.«

Dem ist wahrscheinlich wirklich so. Zwar bemühen sich die Royals um Nähe zum Volk, aber doch ist das Sprichwort wahr, das sagt: »Egal, wo die Königin hinkommt, es riecht dort immer frisch gestrichen.« Zwar besucht sie viele Schulen und Krankenhäuser, aber doch ist dort alles extra für sie vorbereitet worden. Kann die Königin wirklich wissen, wie es einem einfachen, arbeitslosen Bürger geht?

Auch Gott erscheint vielen Menschen weit weg zu sein. Weiß er überhaupt, was es bedeutet, in einem menschlichen Körper zu leben, Müdigkeit, Hunger und Schmerzen zu empfinden? Was es heißt, von Freunden enttäuscht zu werden und harte körperliche Arbeit zu tun? Vielleicht haben auch wir das Bedürfnis, Gott endlich mal zu sagen, wie sich das Leben »hier unten« wirklich anfühlt.

Doch wir sagen Gott damit nichts Neues, denn als Jesus Christus auf dieser Erde war, hat er all das selbst erlebt. Er versteht uns – und ist doch gleichzeitig der mächtige Gott, der die Welt regiert und alles in seiner Hand hält. Deswegen ist Jesus der perfekte Adressat für unsere Gebete. Um zu ihm zu kommen, müssen wir uns nicht einmal auf illegale Weise Zutritt verschaffen. Nein, er lädt uns sogar ein, ihm die Nöte und Sorgen unseres Lebens zu bringen. Was für ein Angebot!

Elisabeth Weise

? Was ist Ihre Reaktion auf diese großartige Möglichkeit?

! Seit Jesu Himmelfahrt sitzt ein verherrlichter Mensch auf dem himmlischen Thron.

✝ Hebräer 4,14-16

DONNERSTAG　　　　　　　　　　　　　　　　　　JULI | **11**

Den Tod wird er für immer verschlingen, und Gott, der Herr, wischt die Tränen von jedem Gesicht.
JESAJA 25,8

Was tut Gott aktuell in der Welt? (1)

Gott hatte die Welt einst vollkommen erschaffen. Unzählige Herrlichkeiten und Wunder leuchten vor unseren Augen immer noch auf. Allerdings ist ein zerstörendes Prinzip eingedrungen, über das große Rätsel herrschen. Eine Frage drängt sich uns allen auf: Warum ist diese Welt so, wie sie ist? Warum all die Zerstörung und Not? Warum ist unsere Welt eine »Fließbandproduktion von Leichen«? Was ist der Grund?

Das dritte Kapitel der Bibel beschreibt, wie das Elend in die Welt gekommen ist (1. Mose 3,1-19). Paulus fasst das im Römerbrief so zusammen: »Gleichwie durch einen Menschen die Sünde in die Welt gekommen ist und durch die Sünde der Tod, und so der Tod zu allen Menschen hindurchgedrungen ist, weil sie alle gesündigt haben« (5,12). Der Ursprung des Niedergangs war die Loslösung der Menschen vom Schöpfer. Der Großteil der Menschheit wählte die Unabhängigkeit von Gott. Deshalb liegt unsere Welt in Scherben. All ihre Schönheit ist verwoben mit Bösem und Katastrophen und Krankheiten und Scheitern.

Gott sieht diese Zerrüttung nicht als einen natürlichen Teil des Lebens an. Als Antwort auf die moralische und geistliche Auflehnung von uns Menschen unterwarf Gott die physische Welt den Katastrophen (Erdbeben, Hungersnöte, Pandemien, Kriege usw.). Sie sind Weckrufe. Wenn die Not unseren Körper bedroht, dann gewinnt Gott plötzlich unsere Aufmerksamkeit.

Wie geht die Geschichte der Welt weiter? In der derzeitigen Situation unserer Welt ist kaum erkennbar, dass im Hintergrund ein Plan wartet, der eine herrliche, neue Dimension der Schöpfung und der Welt verbirgt: eine Welt ohne Tränen und Schmerzen; eine Welt ohne Krieg, ohne Krankheit und Leid. Auch den Tod wird es nicht mehr geben (Offenbarung 21,4).　　　　　　　　　　　　　　*Sebastian Weißbacher*

❓ Was ist das Resultat einer Unabhängigkeit von Gott?

❗ Für eine Lösung des Problems brauchen wir Gott.

✝ Römer 5,8-11

12 | JULI FREITAG

Als er aber auf dem Ölberg saß, traten die Jünger allein zu ihm und sprachen: Sage uns, wann wird dies geschehen, und was wird das Zeichen deiner Wiederkunft und des Endes der Weltzeit sein?

MATTHÄUS 24,3

Was tut Gott aktuell in der Welt? (2)

Wir machen uns bereit für Gottes neue Welt, indem wir jetzt im Vertrauen zu Jesus Christus kommen. Er hat die einzige Lösung für unser Problem der Loslösung von Gott. Am Kreuz hat Jesus die Vergebung unserer Sünde bewirkt und dadurch die Möglichkeit einer Rückverbindung zu Gott geschaffen. Wenn wir umkehren zu ihm, reicht uns Jesus die Hand – bis zum Zeitpunkt seiner Wiederkehr.

Jesus sagte, dass es Hinweise auf sein Kommen geben wird. Kriege, Hungersnöte und Erdbeben werden von ihm beschrieben als »Wehen« (Matthäus 24,7-8). Jesus vergleicht die Erde mit einer Frau, die in den Wehen liegt und die neue Welt entbinden will, die Jesus mit seinem zweiten Kommen bringen wird. Der Apostel Paulus greift diesen Gedanken auf und beschreibt unsere Vergänglichkeit und die daraus entstehenden Nöte als Teil der Geburtswehen dieser Welt (Römer 8,22).

Jesus will, dass wir diese »Wehen« als Erinnerungen und Alarmrufe verstehen. Wir sollen auf sein Kommen vorbereitet sein: »Darum seid auch ihr bereit! Denn der Sohn des Menschen kommt zu einer Stunde, da ihr es nicht meint« (Matthäus 24,44). Wir können keinen Termin in unserem Kalender eintragen, aber wir sollten sehr ernst nehmen, was Jesus sagt. Die Wehen der ganzen Schöpfung einschließlich unserer persönlichen Nöte bringen uns die Botschaft, dass wir im Hinblick auf das Kommen Jesu wachsam sein sollen. Sehr viele Menschen schlafen jedoch tief und fest. Obwohl bereits viele Male irrtümlich das Ende der Welt vorausgesagt wurde, bleibt es wahr, dass Jesus Christus wiederkommen wird: »Ihr Männer von Galiläa, was steht ihr hier und seht zum Himmel? Dieser Jesus, der von euch weg in den Himmel aufgenommen worden ist, wird in derselben Weise wiederkommen, wie ihr ihn habt in den Himmel auffahren sehen!« (Apostelgeschichte 1,11) *Sebastian Weißbacher*

? Wie kann man sich dem Plan Gottes für die Zukunft so zuordnen, dass man teilhat an seiner neuen Welt?

! Indem man Jesus Christus als seinen Retter und Herrn akzeptiert.

✝ 1. Thessalonicher 1,2-10

SAMSTAG JULI | **13**

Und er [Jesus] ... heilte jede Krankheit und jedes Gebrechen unter dem Volk.

MATTHÄUS 4,23

Er hat alles gut gemacht!

Die wenigsten Leute interessieren sich heute noch für Religion, und die meisten, die sich noch damit beschäftigen, halten unseren Tagesvers für bewusste Volksverdummung durch die ersten Nachfolger Jesu. Wenn man aber bedenkt, dass beinahe alle diese Jünger für ihren Glauben an Jesus den Märtyrertod auf sich genommen haben, dann müsste es doch schwerfallen, hier von Propagandatricks auszugehen. Denn wer würde für eine selbst erfundene Lüge sterben wollen?

Nein, Jesus Christus wollte uns mit seinen Heilungswundern zeigen, dass er kein gewöhnlicher Mensch, sondern der Sohn Gottes war, der einst die Welt erschaffen hatte, wie das Neue Testament mehrfach sagt.

Und nun war er in seine Schöpfung eingetreten, um sie aus ihrem desolaten Zustand zu befreien, in den der Teufel sie versetzt hatte. Er trat nicht in furchterregender Machtfülle auf, weil er keine angstschlotternden Heuchler suchte, sondern Menschen, die sich an ihm maßen und dann aufrichtig zu dem Schluss kamen, dass sie vor Gott nicht bestehen konnten und Vergebung ihrer Schuld nötig hatten.

So trat er ganz sanft und demütig auf, andererseits aber auch mit so viel Segen, dass es damals in Israel ganze Landstriche gab, in denen es keinen Kranken mehr gab. Das sollte uns Menschen Mut machen, nicht nur mit unseren körperlichen Leiden, sondern auch mit unserem Versagen, mit unseren Sünden, zu ihm zu kommen.

Von Jesus galt wirklich die Aussage im letzten Vers von Psalm 23, wo es heißt: »Nur Güte und Huld werden mir folgen.« Wohin er kam, war überall schreckliche Verwüstung und Öde, und wenn er vorübergezogen war, glich alles einem paradiesischen Garten. Das kann man heute noch erleben! *Hermann Grabe*

? Was bedeutet Ihnen diese Botschaft?

! Auch Sie können den Frieden Gottes heute schon genießen.

📖 Matthäus 4,18-25

14 | JULI — SONNTAG

Jesus Christus sagt: »Ich und der Vater sind eins.«
JOHANNES 10,30

Jesus Christus ist einmalig

Jesus Christus ist einzigartig. Das wird z.B. deutlich, wenn wir Ansprüche bekannter Personen mit denen von Jesus Christus vergleichen.

Lenin sagte während der Russischen Revolution von 1918, dass es für jeden Haushalt genügend Brot geben würde, falls der Kommunismus vollendet würde. Doch er hatte nicht den Mut zu sagen: »Ich bin das Brot des Lebens. Wer zu mir kommt, wird nicht hungern; und wer an mich glaubt, wird nie mehr dürsten«, wie es Jesus in Johannes 6,35 tat.

Buddha lehrte die Erleuchtung, doch als er starb, suchte er immer noch Licht. Er sagte aber niemals: »Ich bin das Licht der Welt; wer mir nachfolgt, der wird nicht in der Finsternis wandeln, sondern wird das Licht des Lebens haben« (Johannes 8,12).

Mohammed beanspruchte für sich und seine Stämme, dass sie von Ismael aus, der auch ein Sohn Abrahams war, Nachkommen Abrahams seien. Aber er sagte nicht: »Ehe Abraham war, bin ich« (Johannes 8,58).

Siegmund Freud war davon überzeugt, dass Psychotherapie seelische Schmerzen der Menschen heilen würde. Aber er konnte nicht sagen: »Frieden lasse ich euch, meinen Frieden gebe ich euch; nicht wie die Welt gibt, gebe ich euch. Euer Herz werde nicht bestürzt, sei auch nicht furchtsam.« (Johannes 14,27).

Fernöstliche **Mystiker** sprechen von Reinkarnation, also von der Wiederverkörperung in einer anderen Daseinsform auf dieser Erde. Jesus Christus sagte: »Ich bin die Auferstehung und das Leben; wer an mich glaubt, wird leben, auch wenn er gestorben ist; und jeder, der da lebt und an mich glaubt, wird nicht sterben in Ewigkeit.« (Johannes 11,25).

Wir tun gut daran, uns weiter mit der Frage zu beschäftigen, wer Jesus Christus ist. Denn in IHM zeigt sich der allmächtige Gott. Er ist Gottes Sohn!

Hartmut Jaeger

❓ Haben Sie eine persönliche Beziehung zu Jesus Christus?

❗ Lesen Sie das Johannes-Evangelium, um Jesus besser kennenzulernen!

✝ Johannes 1,35-51

MONTAG JULI | **15**

Und Jesus sprach: Wer ist es, der mich angerührt hat? Als aber alle es abstritten, sprach Petrus: Meister, die Volksmengen drängen und drücken dich!

LUKAS 8,45

(Un)Nahbar

Eines morgens auf dem Weg zum Büro stand ich an einer Ampel und wartete auf »Grün«. Plötzlich stoppten zwei Polizisten auf ihren Motorrädern an der Kreuzung und hielten die Fahrzeuge aus der Seitenstraße auf. Auf der freien Hauptspur erschienen rund ein Dutzend weitere Polizeimotorräder mit Blaulicht. Es folgte eine Fahrzeugkolonne aus mehreren Mannschaftswagen, gefolgt von drei schweren Limousinen. Dahinter kamen weitere Einsatzfahrzeuge. Als ich an einem der Karossen den »Stander« mit dem Bundesadler sah, verstand ich: Der Bundespräsident besuchte Düsseldorf, und die Polizei sorgte dafür, dass er ohne Störung zügig und sicher durchfahren konnte. Auf diese Weise werden rund um die Welt Staatsoberhäupter davor geschützt, dass Unbefugte ihnen zu nahe kommen.

Wie anders sah es im Leben des Sohnes Gottes aus. Als er die Erde aufsuchte, regelten keine Ordnungskräfte den Verkehr, sorgten keine Bodyguards für genügend Abstand von der Menge, ganz im Gegenteil. Von Kindesbeinen an suchte er die Nähe der Menschen. Jesus wich auch der Begegnung mit solchen Menschen nicht aus, um die alle anderen einen großen Bogen machten: Arme, Wahnsinnige, Besessene, sogar Aussätzige und Tote berührte er und überwand damit jede Distanz. Manchmal wurde er – wie in der Situation des Tagesverses – so von Menschen umringt, dass man nicht mehr sagen konnte, wer ihn gerade berührt hatte.

Für die Frau, die in dem Geschehen rund um den Tagesvers Jesu Nähe suchte und ihn heimlich von hinten berührte, hatte diese Nähe wunderbare Folgen: Sie wurde sofort von einer langjährigen Krankheit geheilt. Das zeigt: Wer die Nähe Jesu sucht und ihm vertraut, in dessen Leben bleibt Jesu Nähe nicht ohne wunderbare Folgen! *Markus Majonica*

❓ Was hält Sie davon ab, die Nähe Jesu zu suchen?

❗ Zu Jesus kann man jederzeit kommen.

📖 Lukas 8,40-56

16 | JULI — DIENSTAG

Hiob hatte drei Freunde. ... Sie hörten von dem Unglück, das Hiob getroffen hatte, und verabredeten sich, ihn gemeinsam zu besuchen. Sie wollten ihm ihr Beileid bezeugen und ihn trösten.

HIOB 2,11

Wahrer Trost in schweren Zeiten

In der biblischen Geschichte von Hiob lesen wir, wie dieser schwer auf die Probe gestellt wird: Innerhalb kürzester Zeit verliert er sein ganzes Hab und Gut, seine Familie und seine Gesundheit. Wie gut ist es, dass Hiob Freunde hat, die von seiner Not erfahren, sich aus ihren alltäglichen Verpflichtungen lösen und sich aufmachen, um ihm beizustehen, mit ihm zu trauern und buchstäblich mit ihm mitzuleiden! Ganze sieben Tage sitzen die Freunde neben Hiob auf dem dreckigen Erdboden, ohne ein Wort zu sagen, da sein Schmerz sie sprachlos macht. Mich berührt diese Anteilnahme und Hingabe und ich möchte sie mir insoweit zum Vorbild nehmen.

Im weiteren Verlauf der Geschichte müssen wir jedoch feststellen, dass die drei Freunde Hiobs nur mittelmäßige, um nicht zu sagen schlechte Tröster sind. Sie fangen an, über die Ursachen für Hiobs Leid zu spekulieren. Sie denken in einfachen Ursache-Wirkung-Kategorien. Doch damit kratzen sie nur an der Oberfläche. So ist schließlich nicht nur Hiob ihr »nichtiges Geschwätz« leid, auch Gottes Urteil über das unsensible Reden der Freude fällt eindeutig aus. Doch dann redet Gott selbst zu Hiob. Nun erkennt Hiob, der Gott für sein Leid zur Rechenschaft ziehen wollte, Gottes Autorität über sein Leben an. Er beginnt zu verstehen, wie groß Gott wirklich ist, und was es für den Menschen bedeutet, dass dieser große Gott sich uns in Liebe und Fürsorge zuwendet. Seine Beziehung zu dem Schöpfer aller Dinge erhält eine ganz neue Qualität und Tiefe, die weit über das Leben vor seinem Leiden hinausgeht.

Der Schlüssel zu Hiobs Trost ist die Erkenntnis, das Gott uns nicht, aber wir sehr wohl Gott brauchen. Er ist die Quelle unseres Lebens. Und er kann auch da trösten, wo menschlicher Trost versagt. *Judith Pohl*

? Bei wem suchen Sie Trost in Leid und schweren Zeiten?

! Durch die Bibel möchte der »Gott allen Trostes« auch zu Ihnen sprechen.

† 2. Korinther 1,3-7

MITTWOCH JULI | **17**

Wende dich zu mir und sei mir gnädig, denn einsam und elend bin ich.

PSALM 25,16

 ### Eine Ministerin für Einsamkeit

Weil sich nach Umfragen mehr als neun Millionen Briten oft oder ständig einsam fühlen, hat Großbritannien 2018 als erstes Land weltweit eine Einsamkeitsministerin eingesetzt: Tracey Crouch. Viele andere Staaten, die dasselbe Problem bei ihren Bürgern feststellen, wollen von der Initiative lernen.

Eine Statistik zeigt, dass jüngere Menschen sich insgesamt häufiger einsam fühlen als ältere. Laut Crouch spielt es eine Rolle, dass die sozialen Medien in Wirklichkeit gar nicht so sozial sind. Die junge Generation ist so stark vernetzt wie nie zuvor, und doch nimmt hier das Gefühl von Einsamkeit besonders deutlich zu; es ist für viele bereits traurige Realität des modernen Lebens. In Deutschland hat sich besonders der Psychiater und Bestsellerautor Prof. Dr. Manfred Spitzer zu diesem Thema geäußert. Wegen verschiedener Folgeerkrankungen erklärte er Einsamkeit zur »Todesursache Nummer eins«.

Auch in der Bibel ist Einsamkeit ein wichtiges Thema. Wussten Sie, dass Jesus Christus Einsamkeit erlebte, als er auf dieser Erde lebte? Er war wie in einsamer Vogel auf dem Dach (vgl. Psalm 102,8). Vergeblich wartete er auf Mitleid und einen Tröster, als er in größter Not war (vgl. Psalm 69,21). Als er festgenommen wurde, »verließen ihn alle und flohen« (Markus 14,50). Jesus versteht es, wenn man einsam ist! Und er wartet darauf, dass sich Menschen in ihrer Not an ihn wenden.

Wer Gott an seiner Seite hat, braucht nicht mehr einsam zu sein – Thomas Eger hat das in einem Lied vertont: Ein Mensch muss weder einsam sein, noch hoffnungslos und leer; denn Gott macht das Leben neu, wenn man ihn als seinen Herrn anerkennt. Er geht mit, lässt einen nie im Stich. Er liebt uns väterlich, weil er unsere Sehnsucht kennt.

Martin Reitz

? Wie gehen Sie mit Einsamkeit um?

! Jesus Christus hat starke Einsamkeit bis zum Tod erlebt und kann deshalb auch Ihnen helfen.

† Psalm 25,11-22

18 | JULI — DONNERSTAG

Meine Urform sahen deine Augen. Und in dein Buch waren sie alle eingeschrieben, die Tage, die gebildet wurden, als noch keiner von ihnen da war.

PSALM 139,16

Ab wann ist ein Mensch Mensch?

Natürlich haben sich die Menschen aller Zeiten darüber Gedanken gemacht und dazu ihre Theorien entwickelt. In der Neuzeit, und vor allem seit Darwin, kam aus zweierlei Gründen Bewegung in diese Frage. Die Wissenschaften wurden weitgehend atheistisch. Ferner stellte sich immer mehr heraus, dass die Schöpfung kein statisches Gebilde war, sondern dass sich die Welt »irgendwie« entwickelt hatte. Das war insofern eine neue Lehre, als die Weltsicht der Aufklärung davon ausging, dass die Welt immer so war, wie sie sich augenblicklich darbot, und dass sie immer so bleiben würde.

Nun aber war durch Darwin »Entwicklung« angesagt, und darauf baute Darwin seine Evolutionslehre auf. Der Menschheit wurde nun nahegebracht, dass sie, »salopp gesagt«, vom Affen abstammte. Der Mensch wurde auf das biologisch Greifbare seines Wesens reduziert. Sonst war er also nichts. Ernst Haeckel, Biologe und Bewunderer Darwins, befasste sich mit der Entwicklung des menschlichen Embryos und versuchte zu beweisen, dass der Embryo bis zur Geburt alle Evolutionsstufen durchlaufen würde. Das aber stellte sich als falsch heraus. Der Mensch ist also doch von seinem Anfang an Mensch. Das aber passt nicht so recht in unsere Welt, in der erlaubt ist, was gefällt, und wo die Achtung vor dem Menschen als Geschöpf Gottes nicht gern gehört wird, weil sie dem eigenen Tun entgegensteht.

Wer jedoch daran festhält, was schon vor rund 3000 Jahren jemand zum Ausdruck brachte (siehe Tagesvers), um den ist es nicht schlecht bestellt. Er weiß sich gehalten von einem Schöpfer, der sich in Jesus Christus als der treue und zuverlässige Gott bewiesen hat, der uns Menschen liebt und unsere »Entwicklung« zu einem Ziel zu bringen vermag, das wir niemals von uns aus erreichen könnten. *Karl-Otto Herhaus*

? Was erscheint Ihnen sinnvoller? Sich einer Evolution zu überlassen oder auf einen allmächtigen Gott zu vertrauen?

! Gott vermag uns schon zu lieben, wenn wir noch gar nicht da sind. So viel bedeutet ihm der Mensch.

† Psalm 8

FREITAG • JULI 19

Ich bin gekommen, um ihnen Leben zu bringen und alles reichlich dazu.
JOHANNES 10,10

Die Leere in uns

In einer Tageszeitung fand ich folgenden Titel: »Die Leere in uns mit Netflix oder Nahrung stopfen.« Das regt doch zum Nachdenken an. Erstens ist so etwas doch ein Eingeständnis, dass in unserer Gesellschaft etwas Nachhaltiges fehlt. Und zweitens betrifft die Leere in uns offenbar nicht nur Einzelfälle, sonst wäre es keine Zeitungsmeldung wert gewesen. Und wenn man dann noch bedenkt, wie gut das Geschäft für Netflix sowie Restaurants und Nahrungsmittel-Hersteller läuft, könnte das ein Indiz dafür sein, dass sich viele durch Nahrungsaufnahme und Filmkonsum tatsächlich Erfüllung erhoffen. Allerdings fragt man sich, ob die Leere hinterher nicht genauso groß oder noch größer ist, wenn all das immer wieder neu erfolgen muss.

Dabei gibt es einen Lebensspender und -ratgeber, der echte und bleibende Erfüllung anbietet: JESUS. Im Tagesvers bringt er das unmissverständlich zum Ausdruck: gekommen, um Leben zu bringen und alles reichlich dazu! Nutznießer seines Angebots sind aber nur solche, die sich an ihn wenden und zu seinen Nachfolgern werden. Was bedeutet das? Nun, es bedeutet, sich auf Jesus einzulassen und eine Beziehung zu ihm aufzunehmen. Zuhören, was er sagt. Nachahmen, wie er gelebt hat. In Anspruch nehmen, was er für uns Menschen getan hat. Stellvertretend für uns erduldete er den Kreuzestod, um unsere Schulden vor Gott zu begleichen. Wer das in Anspruch nimmt, erlebt einen Neustart. Die Leere wird gefüllt, aber nicht mit Schnitzel, Kaviar und Kino, sondern mit Glaube, Liebe und Hoffnung. *Glaube* an einen grenzenlosen Gott, *Liebe* von einem barmherzigen Gott und *Hoffnung* auf einen ewigen Gott, der allen, die sich zu ihm wenden und an seinen Sohn Jesus Christus glauben, ewiges Leben gibt. *Martin Grunder*

❓ Womit füllen Sie »die Leere in uns«?

❗ Wie wunderbar und erfüllend ein Leben mit Jesus ist, weiß man erst dann, wenn man sich darauf einlässt.

✝ Johannes 6,33-35

20 | JULI SAMSTAG

Der HERR ist mein Hirte.
PSALM 23,1

Niemals verlassen

Meine Mutter sagte zuweilen: »Der redet wie ein Blinder von der Farbe.« Sie wollte damit ausdrücken: »Der weiß überhaupt nicht, wovon er redet!« Ich habe den Eindruck, in Bezug auf Depressionen ist das häufig so. Wer diese Erkrankung nicht aus eigenem Erleben kennt, versteht wenig bis gar nichts davon. Sie saugt jede Lebensenergie aus einem heraus, man möchte sich nur zurückziehen, jeglicher Antrieb geht verloren. Was andere Menschen heiter stimmt – Sonne, Freizeit, körperliche Gesundheit – vertieft eher noch die innere Not. »Mensch, es geht dir aber doch ansonsten ganz gut!« ist eine wohlmeinende Reaktion Außenstehender. Doch damit wird das Gefühl, an der eigenen Hilflosigkeit selbst schuld zu sein, nur erhöht. Auf der Suche nach echtem Verständnis und kompetenter Hilfe gehen gerade Depressive oft leer aus.

Nun gibt es leider kein Allheilmittel für diese schwere Belastung. Ich möchte aber gern aufzeigen, dass die Bibel auch diese große Not kennt: Insbesondere in den Psalmen trifft man auf Schicksalsgenossen, die sich in schlimmsten Depressionen wiederfanden. Sie haben in Worte gefasst, wie es ihnen erging und was ihnen letztlich geholfen hat. Immer wieder wird dabei deutlich, dass der lebendige Gott unser Inneres genau kennt und dadurch wirklich helfen kann. Wer mit seinen inneren Nöten im Gebet zu Jesus Christus kommt, wird von ihm niemals ignoriert oder wieder weggeschickt. Die Bibel sagt, dass Gott bei den Menschen ist, »die zerbrochenen Herzens sind« (Jesaja 57,15). Wenn Sie sich Jesus anvertrauen, dürfen Sie sich seiner besonderen Gegenwart bewusst sein. Er spricht zu Ihnen: Ich werde dich nicht verlassen noch vergessen. Ich bin dein Hirte (vgl. Hebräer 13,5; Psalm 23,1).

Thomas Lange

? Kennen Sie das Gefühl, dass alles um Sie herum nur schwarz ist?

! Gott kennt Ihre Not ganz genau. Sie sind ihm nicht gleichgültig.

✝ Jesaja 57,15; Hebräer 13,5

SONNTAG JULI | **21**

Jesus von Nazareth, wie Gott ihn mit Heiligem Geist und mit Kraft gesalbt hat, der umherging und wohltat und alle heilte, die von dem Teufel überwältigt waren, denn Gott war mit ihm.
APOSTELGESCHICHTE 10,38

Uwe Seeler – ein Idol Deutschlands

Am 21. Juli 2022, heute vor zwei Jahren, starb Uwe Seeler – einer der ganz Großen im Fußball der Nachkriegsgeschichte Deutschlands. Er verkörperte den volksnahen und bodenständigen Fußballer. Von 1946 bis 1972 trug er das Trikot des Hamburger SV und widerstand allen finanziellen Verlockungen aus dem Ausland – heute kaum noch vorstellbar! Nicht nur Hamburg, ganz Deutschland feierte Seeler. Der Star, den man anfassen konnte, der allen gehörte. Der auf Reichtum verzichtete und zum Idol aufstieg. Eine Zeitung schrieb: »Uwe Seeler krempelte die Ärmel hoch, er arbeitete Fußball, er kämpfte, wühlte, biss, wollte. Er warf sich in den Dreck und verkörperte die Werte der jungen Bundesrepublik nach dem Krieg – Einsatz, Fleiß, ehrliche Arbeit.« Seeler war einfach einer von uns. Deshalb wurde er auch »Uns Uwe« genannt.

Doch es gibt einen Menschen, der noch bodenständiger, noch nahbarer, noch vorbildlicher war: Jesus Christus. Er lebte nicht für sich selbst, sondern gab alles verschwenderisch für die Menschen: Er tat ihnen wohl, wie es im Tagesvers ausgedrückt wird. Und er »ging umher« – war also ständig unterwegs im Einsatz für die Menschen, hatte noch nicht einmal ein Bett zum Schlafen. Und man konnte ihn sehen, hören und betasten. Für jeden und alle war er zugänglich. Dann heißt es noch: »Gott war mit ihm.« Er war einfach der Inbegriff eines Menschen, wie Gott ihn sich gedacht hatte.

Aber im Gegensatz zu Uwe Seeler, den das deutsche Volk feierte, wollte man Jesus loswerden, schlug ihn ans Kreuz und ermordete ihn; auch heute noch lehnen ihn viele ab. *Wie kann das sein?*, fragt man sich. Die Antwort lautet: Im Gegensatz zu ihm sind wir Sünder, die Vergebung brauchen. Und in diesem Sinne war er keiner »von uns«. *Martin Reitz*

❓ Ist Ihnen klar, dass Jesus uns allen »wohltun« muss, damit wir von unserer Sünde gerettet werden?

❗ Jesus gab sein Leben auch für Sie hin, und ist es wert, dass Sie Ihres für ihn hingeben.

✝ Matthäus 4,23–5,12

22 JULI — MONTAG

Der Mund des Gerechten lässt Weisheit sprießen, aber die falsche Zunge wird ausgerottet.
SPRÜCHE 10,31

Worte können verheerende Folgen haben

Zu Sokrates kam ein Mann und sagte: »Höre, ich muss dir etwas Wichtiges über deinen Freund erzählen!« – »Warte ein wenig«, unterbrach ihn der Weise, »hast du schon das, was du mir erzählen willst, durch die drei Siebe hindurchgehen lassen?« – »Welche drei Siebe?«, fragte der andere. »So höre: Das erste Sieb ist das der Wahrheit. Hast du dich von der Wahrheit der Sache vergewissert?« – »Nein, ich habe es von anderen gehört«, erwiderte der Mann. »Nun denn, das zweite Sieb ist das der Güte. Ist die Ursache dafür, dass du diese Nachricht weitergeben willst, einem gütigen Motiv deines Herzens entsprungen?« Der Mann musste schweigen. »Das dritte Sieb schließlich ist das der Nützlichkeit. Glaubst du, dass diese Nachricht meinem Freund oder mir von Nutzen sein wird?« Der Mann drehte sich wortlos um und ging fort.

Unsere Zunge kann Worte hervorbringen, die verheerende Kraft haben. Unbedachte Worte können Auswirkungen wie ein Flächenbrand haben (vgl. Jakobus 3,5). Sie bringen zum Ausdruck, womit unser Herz »gefüllt« ist. Und wie viele Worte werden ohne Nutzen und Bedeutung tagtäglich ausgesprochen!

Sokrates redete weise Worte zu dem Mann, aber der einzige Mensch, der mit seinen Worten jemals weder Unwahres noch Unnützes geredet hat, ist Jesus Christus. An seinen Worten, die zum ewigen Leben führen, können und sollen wir uns daher orientieren. Jesus sagt uns auch, wie ernst es ist, unachtsam mit unseren eigenen Worten umzugehen: »Ich sage euch aber: Von jedem unnützen Wort, das die Menschen reden werden, werden sie Rechenschaft geben am Tag des Gerichts« (Matthäus 12,36). An diesem Tag wird alles aufgedeckt, was wir an unwahren, ungütigen und nutzlosen Worten jemals ausgesprochen haben, und noch vieles mehr.

Sebastian Weißbacher

? Wie achtsam gehen Sie mit Worten um?

! Lernen Sie von Jesus gute, wertvolle, hilfreiche Worte, die zum Leben führen und anderen zum Nutzen werden!

† Jakobus 3,3-12

DIENSTAG | JULI **23**

… des Enos, des Set, des Adam, des Gottes.
LUKAS 3,38

Ahnenforschung

Mein Onkel betrieb früher Ahnenforschung. Um die Wurzeln unserer Familie aufzuspüren, reiste er bis nach Italien. Er lernte dabei unbekannte Verwandte kennen und fand heraus, dass sich die Familie sogar bis Südamerika verzweigte. So wuchs ein immer umfangreicherer »Stammbaum«, der bis in das 17. Jahrhundert zurückreicht, leider ohne berühmte Vorfahren …

Im Neuen Testament finden sich in Bezug auf Jesus Christus auch zwei Stammbäume: im Matthäus- und im Lukasevangelium. Das erstaunt, denn Jesus Christus war ja tatsächlich Gottes Sohn. Seine Zeugung fand ganz ohne menschliches Zutun statt. Aber er hatte eine Mutter, Maria, die ihn entband, und einen Adoptivvater, Joseph, den man für seinen leiblichen Vater hielt. Diese beiden Menschen hatten ihrerseits Vorfahren, auf die die Evangelien eingehen. Matthäus legt sein Augenmerk vor allem auf die Abstammung der menschlichen Eltern Jesu vom König David. Lukas spannt den Bogen weiter – bis zum ersten Menschen Adam. In einer langen Reihe steht dort »Sohn des …« usw. Ganz am Ende – oder am Anfang, wie man's nimmt – steht »Adam, des Gottes«. In diesem »des Gottes« steckt viel drin: Wir sind nicht zufällig entstanden, sondern Gott selbst hat den ersten Menschen Adam geschaffen, »nach seinem Bilde«: Was für eine Herkunft! Doch dieser Stammbaum macht auch deutlich, was wir letztlich verloren haben, als Adam durch seine Schuld seine Beziehung – und diejenige all seiner Nachfahren – mit Gott zerstörte.

Um diese Beziehung wieder zu heilen, musste Gott erneut eingreifen. Er setzte seinen einzigen wahren Sohn in die Ahnenfolge der Menschheit ein. Nun kann jeder, der diesem Jesus sein Leben anvertraut, selbst mit vollem Recht ein Kind Gottes werden. *Markus Majonica*

? Auf welchen Vorfahren sind Sie besonders stolz?

! Gott ist der beste Vater!

✝ Johannes 1,1-13

24 | JULI — MITTWOCH

Vertraue auf den HERRN von ganzem Herzen und verlass dich nicht auf deinen Verstand; erkenne ihn auf allen deinen Wegen, so wird er deine Pfade ebnen.
SPRÜCHE 3,5-6

 ## Sprung in der Schüssel?

Als jemand einmal seinen Glauben vor seiner Mutter bekannte, erwiderte diese: »Du hast wohl einen Sprung in der Schüssel.« Darauf antwortete der humorvoll: »Ja, Mama, und dieser Sprung lässt das Licht herein.«

Für manche Menschen gleicht der Glaube an Jesus Christus tatsächlich einem Sprung in der Schüssel. An Jesus als den Sohn Gottes zu glauben, ist für sie gleichbedeutend damit, den Verstand über Bord zu werfen. Dass Jesus für ihre Sünden am Kreuz starb, erscheint ihnen ebenfalls absurd. Für noch unglaublicher halten sie seine Auferstehung aus den Toten. Und doch lässt sich das alles völlig einsichtig begründen, wenn man bestimmte Voraussetzungen als gegeben anerkennt. Wenn wir Menschen z. B. Sünder sind, wie die Bibel es sagt, und diese Sünde uns von Gott trennt, dann ergibt es Sinn, wenn jemand diese Sünden stellvertretend für uns auf sich nimmt und sie unwirksam macht, indem er die Strafe dafür trägt. Wer das einsieht und glaubt, dem geht dann ein Licht auf. Und sein Verstand leidet nicht im Geringsten darunter.

Es gibt übrigens vieles, was wir glauben und tun, obwohl es unseren Verstand übersteigt. Tatsächlich ist das sogar häufig notwendig. Wenn z. B. ein Mensch zu ertrinken droht, wird er mit Händen und Füßen versuchen, sich über Wasser zu halten. Was muss er aber tun, wenn ein Rettungsschwimmer kommt, um ihn aus dem Wasser zu holen? Er muss aufhören zu strampeln und sich vertrauensvoll in die Arme des Retters legen. Nur so kann er vor dem Ertrinken gerettet werden. Und niemand würde behaupten, er sei ohne Verstand, weil er zu strampeln aufhört.

Es ist nicht dumm, Gottes Rettung vertrauensvoll anzunehmen und seine Worte ernst zu nehmen. Tatsächlich ist das sogar das Beste, was wir machen können! *Paul Wiens*

❓ Wem vertrauen Sie mehr, Ihrem Verstand oder Jesus Christus?

❗ Stützen Sie sich in Ihrem Leben mehr auf Gott und sein Wort!

✝ Hosea 14,10

DONNERSTAG JULI 25

Ich bin das Alpha und das Omega, spricht der Herr, Gott, der da ist und der da war, und der da kommt, der Allmächtige.

OFFENBARUNG 1,8

Gott – immer und ewig Derselbe!

Der Tagesves zeigt uns Gott in seiner unfassbaren Größe, Allmacht und Unendlichkeit. Ich frage mich: Müsste der heilige, ewige und allmächtige Gott seiner Menschen endlich überdrüssig werden, weil es tatsächlich keinen gab, gibt und geben wird, der ihn nicht durch seine Sünden zutiefst beleidigt hat?

Aber zum Glück enthält die Bibel auch Stellen, die uns sagen, dass dieser ewige Gott sein großes Ziel nie aus den Augen verloren hat und es auch nie verlieren wird. Er will alle wahrhaft Gläubigen einmal bei sich im Himmel haben. Drei Stellen finde ich da besonders eindrucksvoll:

(1) Epheser 1,3-4: »Gelobt sei Gott, der Vater unseres Herrn Jesus Christus, der uns ... schon vor Gründung der Welt erwählt« hat;

(2) 2. Korinther 1,3-4: »Gepriesen sei der Gott und Vater unseres Herrn Jesus Christus. ... In allem Druck, unter dem wir stehen, ermutigt er uns«; und

(3) 1. Petrus 1,3-4: »Gepriesen sei Gott, der Vater unseres Herrn Jesus Christus! In seiner großen Barmherzigkeit hat er uns wiedergeboren und uns durch die Auferstehung von Jesus Christus aus den Toten eine lebendige Hoffnung geschenkt. Ein makelloses Erbe hält er im Himmel für euch bereit, das nie vergehen wird und seinen Wert nie verliert.«

In der letzten Stelle lesen wir, dass Gott seinen vor ewigen Zeiten gefassten Plan zu einem großartigen Ende führen wird.

Vielleicht sagt jemand, dass er leider nicht zu den Auserwählten gehöre, und darum aus seinem bisschen Erdenleben eben rausholen müsse, was rauszuholen ist. Weil das aber niemand wissen kann, wäre die unvermeidliche Folge solchen Denkens die ewige Gottesferne, die Hölle. Deshalb sollten auch solche Leute heute noch Gottes unerschütterliche Gnade erbitten, um für ewig gerettet zu werden.

Hermann Grabe

? Was wäre wert, gegen einen solchen, von Ewigkeit zu Ewigkeit reichenden Plan eingetauscht zu werden?

! Keiner ist zu schlecht, zu klein oder zu wankelmütig, um zu Gott zurückkehren zu können.

✝ Lukas 23,39-43

26 | JULI FREITAG

Wie kommst du dazu, dich vor Sterblichen zu fürchten, vor Menschen, die vergehen wie Gras, und Gott zu vergessen, der dich gemacht hat …?

JESAJA 51,12-13

Angst und Furcht

Die Ängste der Menschen haben viele Gesichter und Schuld daran sind oft die Menschen selbst. Ich denke, fast alle von uns haben in bestimmten Momenten eine bestimmte Furcht vor Menschen. Furcht vor dem Chef, Furcht vor dem Ehepartner, Furcht vor den Eltern oder Kindern, Furcht davor, von jemandem verlacht oder gedemütigt zu werden, oder gar Furcht davor, unterdrückt und misshandelt zu werden. Angst kann Menschen regelrecht lähmen. Durch Ängste kann man Menschen manipulieren und ihren Willen brechen.

Es gibt wahrscheinlich kaum einen Mensch, der völlig frei von Angst ist. Angst in einem gewissen Maße ist unser ständiger Wegbegleiter. Dennoch müssen wir diesen Ängsten begegnen, damit wir sie besser kontrollieren und kanalisieren können. Der Glaube an Gott bietet dabei wirkliche und beständige Lösungen. Wer auf Gott vertraut, der kann seine Angst vor Menschen oder anderen Einflüssen besser bewältigen. Denn der Glaubende ist sicher in Gottes Hand, auch wenn das nicht immer erkennbar ist.

Nichts auf dieser Welt kann mich als Kind Gottes von der Liebe Gottes trennen. In Not, Anfechtungen, Krankheiten und selbst im Tod ist Gott immer an meiner Seite, der ich ihm im Glauben vertraue. Ich muss mich daher nicht von Menschenfurcht beherrschen lassen. Gott, der Herr über das gesamte Universum, ist doch mein Herr. In jeder Phase meines Lebens stehe ich vor meinem Schöpfer, ganz unmittelbar und real. Menschenfurcht ist daher eigentlich widersinnig und unlogisch.

Wenn mich trotzdem Angst und Ungewissheit überfällt, so will ich dies meinem Herrn Jesus im Gebet sagen. Ich will ihm meine Schwachheit und mein mangelndes Vertrauen demütig bekennen, und ich bin gewiss, er wird mich verstehen und mich stärken. *Axel Schneider*

? Wie gehen Sie mit Ängsten um?

! Jesus kann Ängste nehmen.

✝ Matthäus 10,26-33

SAMSTAG | JULI | **27**

Jesus spricht zu ihr: Ich bin die Auferstehung und das Leben. Wer an mich glaubt, wird leben, auch wenn er stirbt.

JOHANNES 11,25

Tod – und dann?

Die meisten Menschen fürchten den Tod. Sie möchten nicht an ihn erinnert werden. Selbst beim Anblick eines Leichenwagens bekommen sie schon ein mulmiges Gefühl. Sie möchten es nicht wahrhaben, dass sie sterben müssen, obwohl es das einzig Sichere auf der Welt ist. Der Tod wird verdrängt, totgeschwiegen oder ignoriert, so als gäbe es ihn überhaupt nicht.

Salvador Dali soll gesagt haben, er glaube nicht an seinen Tod, und doch musste er mit 85 Jahren sterben.

Viele Menschen leben so wie einst die Passagiere auf der Titanic. Sie meinten, dieses Schiff sei unsinkbar, es könne nicht untergehen. Doch dann kam plötzlich und unerwartet die Kollision mit dem Tod in Form eines Eisbergs. Dann ging die Titanic trotz aller Vorhersagen doch unter. Ja, dann war Panik auf der Titanic. Auf einen Schlag waren alle Wünsche, Hoffnungen und Planungen zunichte gemacht. Das scheinbar unsinkbare Schiff hat 1514 (!) Menschen mit in die Tiefe gerissen. Ich denke, wir können uns die zuvor durchlittene Qual und die Ängste derjenigen nicht vorstellen, die davon betroffen waren. Es war ein unbeschreiblich schrecklicher, aussichtsloser Kampf mit den Naturgewalten. Ganz anders war es beim Apostel Paulus. Er schrieb in Philipper 1,21 und 23: »Christus ist mein Leben, und Sterben ist mein Gewinn. Ich habe Lust aus der Welt zu scheiden und bei Christus zu sein, was auch viel besser wäre …«

Wie geht es Ihnen bei dem Gedanken an Ihren Tod? Bekommen Sie auch Panik, oder können Sie mit Paulus sagen: »Sterben ist mein Gewinn«? Klar, wir möchten alle noch gerne ein paar Jahre leben, vor allem, wenn es uns gut geht. Doch leider haben wir unser Leben nicht in der Hand, es kann schon morgen vorbei sein. Was dann?

Robert Rusitschka

? Halten Sie Ihr Lebensschiff auch für unsinkbar?

! Halten Sie sich fest an Jesus Christus! Er allein gibt uns ewiges Leben.

† Philipper 1,12-23

28 | JULI SONNTAG

Jesus spricht zu ihm: Ich bin der Weg und die Wahrheit und das Leben. Niemand kommt zum Vater als nur durch mich.

JOHANNES 14,6

✝ Nur ein Weg

Stellen Sie sich vor, Sie setzen sich in Ihr Auto, um nach Juneau, der Hauptstadt Alaskas, zu fahren. Dort würden Sie garantiert nicht ankommen, egal wie sehr Sie sich auch bemühen, welches Navigationsgerät Sie benutzen oder welche Schleichwege Sie kennen. Denn: Juneau kann man ausschließlich per Flugzeug oder Schiff erreichen, da es dorthin keine einzige Straßenverbindung gibt.

Die Menschen in unserer Zeit verhalten sich oft wie ein Autofahrer, wenn es um die Frage geht, wie man zu Gott kommen kann. Sie sind sehr kreativ und meinen, viele Wege finden zu können, von denen sie überzeugt sind, dass sie zu Gott führen. Sie vertrauen auf ihre Frömmigkeit, auf ihre guten Taten, auf ihren Lebensstil und vieles mehr. Dabei verkennen sie aber, dass der erste Schritt zu Gott ist, »aus dem Auto auszusteigen«, d. h., auf die eigenen vermeintlichen Möglichkeiten zu verzichten. Denn es geht nicht darum, irgendeine Straße zu finden, sondern um eine ganz andere Art von Weg.

Gott selbst hat uns einen Weg zum Himmel gebahnt, indem er Jesus Christus, seinen Sohn, auf diese Erde schickte. Das war nötig, weil unsere Versuche, zu Gott zu gelangen, alle an unserer Sünde scheitern. Jesus kam, um für unsere Sünden am Kreuz zu sterben, wodurch der Weg zu Gott frei wurde. Im heutigen Tagesvers erklärt das Jesus selbst, indem er sagt: »Ich bin der Weg« und »niemand kommt zum Vater als nur durch mich«.

Es ist eigentlich ganz einfach: Nur Jesus führt uns zu Gott. Wer sich also Jesus anschließt, ihn als Retter im Glauben annimmt und ihm nachfolgt, der gelangt an das hoffentlich ersehnte Ziel. Und nicht erst für die Zukunft hat das Sinn, sondern macht schon jetzt einen Unterschied, ob man Gott zum Vater und einen vertrauten Umgang mit ihm hat.

Niels Jeffries

❓ Ist es für Sie erstrebenswert, zu Gott zu finden?

❗ Dann steigen Sie »aus Ihrem Auto aus« und lassen Sie sich auf Jesus als den einzigen Weg zu Gott ein!

✝ Johannes 15,9-17

MONTAG   JULI | **29**

**Und siehe, ich bin bei euch alle Tage
bis an der Welt Ende.**
MATTHÄUS 28,20

Zeitgenossen

Als Zeitgenosse beschreibt man üblicherweise eine Person, die zur gleichen Zeit lebt, beziehungsweise gelebt hat, wie eine andere. Wir nennen daher unsere Mitmenschen manchmal unsere Zeitgenossen, von denen es nette, harmlose, merkwürdige oder sogar auch unangenehme gibt. Allen Zeitgenossen ist gemeinsam, dass sich ihre Lebenszeit zumindest teilweise überschneidet, sie also über einen gewissen Zeitraum gleichzeitig gelebt haben.

Das gilt auch für historische Zeitgenossen: In dieser Weise war z. B. Otto von Bismarck Zeitgenosse des deutschen Kaisers Wilhelm I., Martin Luther Zeitgenosse des Papstes Leo X., Kaiser Karl der Große Zeitgenosse des Kalifen Harun ar-Raschid, Julius Cäsar ein Zeitgenosse der ägyptischen Königin Kleopatra usw. Da aber z. B. Julius Cäsar schon lange tot ist, kann er nicht mehr unser Zeitgenosse sein. Zeitgenossenschaft ist also auf die Lebenszeit der Beteiligten beschränkt. Dies gilt grundsätzlich auch für die Zeitgenossen Jesu Christi: Ein Kaiser Augustus kann ebenso wenig unser Zeitgenosse sein wie ein Petrus oder Johannes. Diese sind ebenfalls längst verstorben. Erlebt haben wir diese Personen nicht mehr. Sie sind längst Geschichte.

Gänzlich anders ist es aber mit Jesus Christus selbst. Jesus Christus war zwar auch Zeitgenosse von Augustus, Petrus und Johannes. Aber er ist auch *unser* Zeitgenosse, denn er lebt heute noch. Er ist nicht Geschichte, sondern Gegenwart. Er ist zwar nicht sichtbar wie unsere sonstigen Zeitgenossen, aber dennoch ganz wirklich da, erlebbar, erfahrbar. Dass wir *heute* leben und nicht vor rund 2000 Jahren, schließt uns also nicht davon aus, Jesus Christus, den Sohn Gottes, auch heute noch persönlich kennenzulernen. *Markus Majonica*

? Zu wessen Zeit hätten Sie gerne gelebt?

! Lernen Sie Jesus heute noch kennen!

✝ 2. Korinther 5,19–6,2

30 | JULI
Tag der Freundschaft

DIENSTAG

Da deckten sie das Dach über der Stelle ab, wo Jesus sich befand, und machten eine Öffnung, durch die sie den Gelähmten auf seiner Matte herunterließen.
MARKUS 2,2-4

Freundschaft

Es ist nicht festzustellen, ob sich der Gelähmte im obigen Bibeltext aus Eigeninitiative mit seinem Gebrechen an Jesus wenden will. Offensichtlich ist nur, dass seine Freunde ihn unbedingt zu ihm bringen wollen. Sie sind überzeugt, dass dieser Jesus, der schon viele Menschen von ihren Krankheiten befreit hat, auch ihrem gehbehinderten Freund helfen wird. Sie lassen sich von nichts aufhalten, sodass sie sogar das Dach des Hauses, in dem Jesus ist, abdecken!

Was für eine krasse Zielstrebigkeit! Was für ein tiefes Vertrauen! Haben sie keine Bedenken, wegen Sachbeschädigung belangt zu werden? Ist ihnen egal, für wie verrückt sie die Leute halten? Der Gelähmte ist den Vieren sehr wichtig, es verbindet sie offenbar wahre Freundschaft. Es ist ein Phänomen: Menschen, die Jesus kennengelernt haben, wollen ihn anderen Menschen, ihren Freunden und Angehörigen, bekannt machen. Wurde jemandem durch Jesus die Schuld vergeben und darf er als erlöster Mensch befreit leben, ist die Freude riesengroß! Diese Freude und Erlösung will man dann unbedingt seinen Mitmenschen weitergeben. Sie müssen Jesus ebenfalls kennenlernen! Im biblischen Bericht lobt Jesus die vier für ihre ausgefallene Heldentat, er sieht ihren unerschütterlichen Glauben. Zur Verwunderung aller Anwesenden vergibt er dem Gelähmten seine Schuld und heilt ihn dann auch körperlich.

Für den fortan Geheilten sind seine vier Freunde ein echter Segen gewesen. Ohne ihre Beharrlichkeit wäre ihm womöglich nie geholfen worden! Falls Sie Ihr Leben Jesus noch nicht anvertraut haben und Sie jemanden kennen, der Sie zu ihm »bringen« will, lassen Sie es zu. Sie haben nichts zu verlieren. Ganz im Gegenteil: Sie werden das Leben gewinnen.

Daniela Bernhard

? Mit welchen Menschen verbindet Sie wahre Freundschaft?

! Jesus möchte auch Ihr »Heiland« werden.

† Markus 2,1-12

MITTWOCH JULI | 31

Da ist ein Weg, der einem Menschen gerade erscheint, aber zuletzt sind es Wege des Todes.
SPRÜCHE 14,12

Kriegserklärung an Russland (1914)

Ich war zutiefst erschrocken, als im vorigen Jahr unsere Außenministerin sagte, Deutschland sei mit Russland im Krieg, denn am 1. August vor 110 Jahren kam es tatsächlich zur Kriegserklärung des deutschen Kaiserreiches an Russland.

Diese Kriegserklärung wirkte in der außerordentlich angespannten Situation in Europa so, als hätte jemand ein brennendes Streichholz in ein Fass Benzin geworfen: Schnell folgten eine Reihe von weiteren Kriegserklärungen, und nur kurze Zeit später fand sich Europa in einem Weltbrand wieder, den es in diesem Ausmaß bis dahin noch nicht gegeben hatte. Es gab nicht nur Millionen von Toten, sondern die mühsam austarierte europäische Friedensordnung brach zusammen mit schwersten wirtschaftlichen Folgen, sozialem Elend und Revolutionen. Im Grunde wurde hier bereits der Nährboden für Hitler und den Zweiten Weltkrieg gelegt, denn der »böhmische Gefreite« gehörte zu den vielen Menschen, die sich mit der deutschen Niederlage im Ersten Weltkrieg nicht abfinden wollten.

Wie treffend beurteilt die Bibel das unbesonnene Tun der Menschen in diesen Augustwochen von 1914! Nach vierjähriger Kriegsschlachterei beteuerten alle Beteiligten: »Das haben wir nicht gewollt!« Aber vorher hatten sie nichts getan, um diesen furchtbaren Krieg zu verhindern. Zweimal im Buch der Sprüche, in Sprüche 14,12 und 16,25, warnt Gott uns ausdrücklich vor der blauäugigen Haltung, die Folgen des eigenen Tuns nicht zu bedenken. Es nutzt nichts, im Strudel furchtbarer Ereignisse Gott anzuklagen, wie er all das Schreckliche nur zulassen konnte, wenn man ihn vorher ignoriert und seine Gebote missachtet hat. Lieber sollten wir uns unter die mächtige Hand des Herrn der Weltgeschichte beugen, ihn im Gebet suchen und sein Reden in unserem Leben ernst nehmen.

Karl-Otto Herhaus

? Wo missachten wir Gottes Warnung?

! Noch ist es nicht zu spät, zu Gott umzukehren.

† Sprüche 14,1-12

01 | AUGUST DONNERSTAG

Denn ein Kind ist uns geboren, ein Sohn uns gegeben, und die Herrschaft ruht auf seiner Schulter; und man nennt seinen Namen: Wunderbarer Ratgeber, starker Gott, Vater der Ewigkeit, Fürst des Friedens.

JESAJA 9,5

Sehnsucht nach Frieden

Urkatastrophe. Zivilisationsbruch. »The Great War« – Am 1. August 1914, heute vor genau 110 Jahren, erklärt das Deutsche Reich Russland den Krieg. Die Tage darauf folgt Kriegserklärung auf Kriegserklärung. Schon bald versinkt die Welt in einem bis dato nie gekannten Strudel der Gewalt. Eine ganze Generation junger Männer findet in barbarischen Schlachten den Tod. Das wahre Grauen dieses Krieges deuten unsere Schulbücher höchstens an. *Krieg*. Allein das Wort löst in uns schon ein beklemmendes Unbehagen aus. Seltsamerweise hatten damals nicht wenige Dichter und Denker Europas jahrelang mit einem Krieg geliebäugelt, manche ihn sogar herbeigesehnt als »reinigende Kraft der Völker«. »The War to end all wars« – Der Krieg, der alle Kriege beenden würde. Ein weit verbreiteter Irrglaube. Denn der nächste Weltkrieg ließ nicht lange auf sich warten.

Auch wenn wir in Europa nun schon seit vielen Jahrzehnten vor solch einem erneuten Flächenbrand verschont geblieben sind, herrscht gleichwohl kein endgültiger Frieden. Weltweit gibt es bis heute zahlreiche Konflikte, und auch in Deutschland rückt der Krieg wieder bedrohlich nahe. *Weltfrieden* ist deshalb nach wie vor ein ersehntes Ziel. Doch ich fürchte, wir sind – auf uns gestellt – nicht zu dauerhaftem Frieden fähig. Um wirklich ein globales Friedensreich aufzurichten, bedarf es Gottes Hilfe. Sein Sohn Jesus Christus wird im heutigen Tagesvers nicht umsonst »Fürst des Friedens« genannt. Denn eines Tages wird er tatsächlich allen Kriegen auf der Erde ein Ende machen. Doch Zutritt zu diesem ersehnten Friedensreich erhalten nur die, die sich ihm schon jetzt anvertrauen. Mit Fug und Recht darf man sagen: Der Schlüssel zu ewigem Frieden ist eine *Person:* Jesus Christus. *Jan Klein*

❓ Haben Sie Kriegserinnerungen von Eltern oder Großeltern erzählt bekommen?

❗ Gott ist ein Gott des Friedens!

✝ Römer 15,13

FREITAG   AUGUST | 02

Denn so hat uns der Herr geboten: »Ich habe dich zum Licht der Nationen gesetzt, dass du zum Heil bist bis an das Ende der Erde.«
APOSTELGESCHICHTE 13,47

Für alle Kinder dieser Welt

2016 führten uns die Ferien in ein Dorf in der Nähe von Wien. Der große Vorteil dieses Standortes war nicht nur seine Lage direkt an einem See, sondern auch seine verkehrstechnisch gute Anbindung zu der österreichischen Hauptstadt. Denn in dem Ort lag ein Bahnhof, über den man in rund 30 Minuten mitten in Wien sein konnte. Als wir uns im Internet über die Fahrpreise informierten, stellten wir überrascht fest: Schulkinder fahren während der Ferien kostenlos! Na, das würde sicherlich nur für Wiener Schulkinder gelten, dachten wir. Vielleicht noch für Österreicher. Aber auch für unsere deutschen (Schul-) Kinder? Ein Anruf bei der Hotline der Verkehrsbetriebe brachte Klarheit: Auf meine Frage, ob auch unsere nicht österreichischen Kinder in den Genuss dieses Geschenks kommen könnten oder nur Landeskinder, sagte der freundliche Mitarbeiter mit typisch wienerischem Dialekt: »Na, des is für alle Kinder dieser Welt!«

Dieses Erlebnis hat mich an den großen Plan Gottes mit uns Menschen erinnert. Die Bibel berichtet, dass Gott zunächst mit der Familie Abrahams, dann mit dessen Nachkommen, dem Volk Israel, seine Geschichte schreibt. Doch bereits im Alten Testament macht Gott deutlich: Das ist mir nicht genug. Meine Güte und Rettung sollen bis an die Enden der Erde reichen (vgl. Jesaja 49,6). Diesen Plan nimmt Paulus im Neuen Testament in seiner Verkündigung auf. Die Frohe Botschaft von der Vergebung und Errettung durch Jesus Christus gilt allen Menschen, ganz gleich, ob Israelit oder nicht.

Wir haben seinerzeit – als Nichtösterreicher – das freigiebige Geschenk der Wiener Verkehrsbetriebe dankbar angenommen und die Bahn häufig benutzt. Auch das Heil Gottes wird jedem angeboten. Annehmen und nutzen muss es aber jeder für sich.   *Markus Majonica*

Würden Sie ein solches Geschenk ausschlagen?

Auch das großzügigste Geschenk muss man annehmen, um in dessen Genuss zu kommen.

Apostelgeschichte 13,44-49

03 | AUGUST SAMSTAG

HERR, du erforschest mich und kennest mich.
PSALM 139,1

Reparatur beim Hersteller

In den vergangenen Jahren haben mein Mann und ich viele handwerkliche Dinge gelernt. Das geerbte Haus haben wir zunächst entkernt und anschließend von Grund auf wieder aufgebaut. Unser ständiger Begleiter dabei war ein Akkuschrauber; ziemlich einfach lassen sich damit die vielen benötigten Schrauben setzen. Doch neulich standen wir vor einem Problem: Der Akkuschrauber funktionierte nicht mehr! Ab und an bewegte er sich etwas, vor allem rückwärts, aber so richtig zuverlässig lief er nicht. Was tun?

Bei technischen Geräten, seien es Akkuschrauber, Handy oder Laptop, scheuen wir uns in den Regel nicht, den Hersteller zu kontaktieren. Wir wissen, dass er sich auskennt und den Fehler beheben kann. Doch wie ist das eigentlich bei mir selbst? Gibt es auch dort Fehlermeldungen? Wer repariert dann diese Fehler?

Wenn ich ehrlich bin, stelle ich immer wieder fest, dass ich ungerecht über meine Mitmenschen urteile, schlecht über sie rede oder andere anlüge. Die Bibel nennt so ein Verhalten Sünde und macht deutlich, dass alle Menschen gesündigt haben (vgl. Römer 3,23). Bei jedem von uns kommt es zu einer »Fehlermeldung«. Gott aber ist perfekt, ohne Sünde und kann mit niemandem Gemeinschaft haben, der sündig ist.

Wir wollen allzu oft das Problem der Sünde selbst lösen. Doch das funktioniert nicht. Kein Mensch kann durch eigene Anstrengungen oder Taten seine Sünde loswerden und die »Fehlermeldung« beheben. Aber Gott hat durch seinen Sohn Jesus Christus schon eine Lösung geschaffen. Wenden wir uns doch mit unserer Sünde und unserem kaputten Leben an den Hersteller – an Gott! Er kennt sich damit aus, weil er unser Schöpfer ist und uns in seinem Sohn Vergebung und Heilung anbietet.

Ann-Christin Bernack

❓ Warum fällt es uns leicht, bei Technikgeräten den Hersteller zu kontaktieren, nicht aber bei uns selbst?

❗ Wenden Sie sich an den Schöpfer. Er kennt Sie ganz genau.

📖 1. Johannes 1,8-10

SONNTAG   AUGUST | **04**

Denn das Gesetz des Geistes des Lebens in Christus Jesus hat dich frei gemacht von dem Gesetz der Sünde und des Todes.

RÖMER 8,2

Aus Versehen entführt

Am 4. August 1988 wurde Alberto Minervini, ein Kleinunternehmer aus Kalabrien, in Italien versehentlich entführt. Was wie eine lustige Geschichte klingt, war für den 60-Jährigen allerdings ein Albtraum. Die Entführer hielten ihn für einen wohlhabenden Unternehmer, legten ihn in Ketten und verschleppten ihn in ein Erdloch auf dem Berg Aspromonte. Für Monate wurde er dort auf engstem Raum wie ein Tier gefangen gehalten. In seiner Verzweiflung und Todesangst rief er zu Gott: »Herr! Herr! Hilf mir, auch wenn ich nur ein Sünder bin. Gib mir die Kraft, aus dieser Hölle herauszukommen!«

Gott erhörte sein Gebet; es gelang ihm, die Ketten zu öffnen. Er konnte in die Berge fliehen, immer in Angst, seinen Entführern zu begegnen. Mit zerbrochenen Ketten um den Hals kam er in ein Dorf, wo er in die Carabinieri-Kaserne gebracht wurde und Kleidung und Essen bekam. Er konnte seine Familie umarmen und machte sich tatsächlich sofort auf die Suche nach dem Gott, der ihm geholfen hatte. Und der ließ sich finden: Jemand schenkte Minervini eine Bibel, und als er in diesem Buch las, verstand er, dass die eisernen Ketten seiner Entführer nicht die einzigen Bindungen waren, aus denen er befreit werden musste. Ihm wurde bewusst, dass er Erlösung von seinen Sünden brauchte. Denn die Sünde ist wie eine Kette, die unser Leben unfrei macht. Sie ist ein Gängelband, an dem wir vielleicht ohnmächtig zerren, es aber nicht lösen können. Diese Bindung führt wie eine Gesetzmäßigkeit immer wieder zu neuen Sünden.

Er verstand aber auch, dass Jesus Christus diese geistlichen Ketten lösen kann: durch Vergebung. Als er die für sich annahm, erlebte er den Erlass seiner Lebensschuld und wurde wirklich frei.

Thomas Kröckertskothen

? Sind Sie noch an die Sünde gebunden, oder haben Sie schon Befreiung erlebt?

! Gott hat für jede Bindung eine Lösung.

† Lukas 8,26-39

05 | AUGUST | MONTAG

Feste Speise aber ist für die Vollkommenen, die durch den Gebrauch geübte Sinne haben, Gutes und Böses zu unterscheiden.

HEBRÄER 5,14

Der Tag nach der Fahrprüfung

07:30 Nichts kann das Hochgefühl eines 17-Jährigen beschreiben, der am Vortag seine Führerscheinprüfung bestanden hat und nun endlich selbst am Steuer sitzt. Zwar noch mit der Mutter als Begleitung, aber ohne den peinlichen Fahrschulaufdruck thront er auf dem Fahrersitz der Familienkutsche. Alle schlecht animierten Szenarien und Vorfahrtsdilemmata hat er genau im Kopf. Doch was ist mit den Situationen, die nicht in den Theoriestunden vorkamen? Der erste Stau, ein unerwartetes Hindernis auf der Fahrbahn oder Glatteis – schon sinkt der gerade noch so selbstsichere Teenager auf dem Fahrersitz in sich zusammen und würde am liebsten rechts ranfahren.

Wer zum Glauben an Jesus Christus kommt, fühlt sich oft wie ein Teenager mit gerade erworbenem Führerschein. Anweisungen der Bibel wie: »Seid dankbar!« oder: »Achte andere höher als dich selbst!« klingen auf dem Papier oder aus dem Mund eines anderen gar nicht so schwer zu befolgen. Ist man jedoch auf der Arbeit herausgefordert oder kommt es zu einem Konflikt in der Familie, verwandelt sich die anfängliche Überschwänglichkeit schnell in Frustration.

Die Bibel sagt uns an vielen Stellen, wie ein Leben aussieht, das Gott gefällt. Doch selbst, wenn wir diese Prinzipien kennen und bejahen, müssen wir wie ein Fahranfänger erst lernen, die theoretischen Wahrheiten auf unsere ganz persönliche Situation anzuwenden. Wie wir im Tagesvers lesen, werden unsere Sinne durch den Gebrauch geübt, sodass wir im Lauf der Zeit immer besser das Richtige vom Falschen unterscheiden können. Diese Schulung ist ein Prozess, der ein Leben lang andauert. Gut zu wissen, dass Gott seine Kinder dabei niemals sich selbst überlässt, sondern nur ein Gebet weit entfernt ist!

Carolin Nietzke

? Scheitern Sie auch manchmal daran, Bibelverse in Ihren Alltag zu übertragen?

! Lassen Sie sich nicht entmutigen, sondern kommen Sie vertrauensvoll zu Gott!

✝ Jakobus 1,2-8

DIENSTAG　　　　　　　　　　　　　　　　　AUGUST | **06**

Denn dies ist mein Blut des Bundes, das für viele vergossen wird zur Vergebung der Sünden.
MATTHÄUS 26,28

What I've done ...

07:30 »What I've done – was ich getan habe ...« So titelt eine US-amerikanische Rockband. In ihrem Video schneidet die Gruppe viele gesellschaftliche Probleme unserer Zeit an: Krieg, Rassismus, Terror, Umweltverschmutzung, Abtreibung usw. »What I've done – was ich getan habe«: Diesem Problem müssen wir uns aber nicht nur als Gesellschaft stellen, sondern auch als Einzelne: Bei mir z. B. gibt es eine Menge Dinge, die ich gerne ungeschehen machen würde. Was habe ich da nur getan?

Welche Lösung bieten die Songwriter? Im weiteren Text wird die Gnade (»mercy«) bemüht, die alles wegwaschen soll. Das klingt beinahe christlich. Doch im Weiteren formuliert der Liedtext sinngemäß: Ich lasse los, was ich getan habe, ich starte neu und vergebe (mir), was ich getan habe.

Und genau hier liegt der Fehler: Denn tatsächlich kann man zwar selbst durch sein Verhalten Schuld auf sich laden. Doch man kann sich dieser Schuld nicht allein entledigen, indem man sich einfach selbst vergibt. Stellen Sie sich einen Dieb vor, der – statt das Gestohlene zu erstatten – sich selbst vergibt; den Schuldner, der sich seine Schuld selbst erlässt, statt das Geschuldete zurückzuzahlen. All das würde zu Recht kein Bestohlener, kein Kreditgeber gegen sich gelten lassen. Und so ist es auch bei Gott: Wenn wir gegen Gottes Regeln verstoßen, werden wir (auch) seine Schuldner, und diese Schuld muss beglichen werden: Jede Lüge, jede Lieblosigkeit usw.

Doch was kann bei Gott Schuldenerlass bewirken? Schuld kann nur durch das Blut des Sohnes Gottes wirklich gesühnt werden. Doch dieses Sühnemittel wirkt nicht wie eine Art Blankoscheck für alle: Schuld muss individuell bekannt und an Jesus Christus individuell geglaubt werden.　　　　　　　　　　　　　　　　　　　*Markus Majonica*

? Was ist Ihr Sühnemittel für Schuld?

! Gehen Sie mit Ihrer Schuld zu Gott!

✝ 1. Johannes 1,5-10

07 | AUGUST MITTWOCH

Ich bin die Tür: Wenn jemand durch mich eingeht, wird er gerettet werden.
JOHANNES 10,9

Das letzte Hemd

1957 singt Hans Albers das Lied »Das letzte Hemd hat leider keine Taschen«. Damit wird ein Mann getröstet, der trotz aller Sparsamkeit sehr arm war: »Im Himmel braucht der Mensch bestimmt, bestimmt kein Geld.« Das Lied stimmt mich nachdenklich. Gesetzt den Fall, man könnte die Taschen seines letzten Hemdes doch noch mit Geld füllen und käme nach dem Tod wirklich in den Himmel – wofür bräuchte man dann das Geld? Der Himmel ist doch ein Ort paradiesischer Zustände. Wer dort erst einmal angekommen ist, hat freien Zugang zu allem, was die himmlische Welt bietet. Im Himmel selbst ist Geld tatsächlich völlig nutzlos.

Wozu es also dann mitnehmen? Um sich womöglich mit dem Geld eine Eintrittskarte in den Himmel zu erkaufen? Tatsächlich trifft zu, dass wir Menschen einen gegen uns gerichteten Schuldschein haben. Und solange der nicht abbezahlt ist, bekommen wir keinen Zutritt zum Himmel. Und die Wahrheit ist: Es gibt nichts, was wir Gott geben könnten, um diesen Schuldschein zu begleichen. Absolut nichts. Gott akzeptiert kein Geld, um diese Schuld zu begleichen! Man kann also Gott nicht dafür bezahlen, um sich sein eigenes Seelenheil zu erwerben. Ebenso wenig kann man ihn dafür bezahlen, einen geliebten Menschen in den Himmel zu lassen. Wie aber erhält man dann Zutritt?

Auch darauf hat Gott eine Antwort: Jesus Christus. Der hat den Eintrittspreis für den Himmel bezahlt! Er selbst wurde die Tür zum Himmel, indem er am Kreuz unseren Schuldschein beglich (vgl. Kolosser 2,13-15). Damit hat er den Zugang zu Gott für alle geöffnet, die an ihn als einzige »Eintrittskarte« glauben. Selbst wenn unsere letzten Hemdtaschen voller Geld wären – solange wir Jesus nicht als Eintrittskarte haben, nützt uns das Geld gar nichts!   *Dina Wiens*

? Was denken Sie über Jesus Christus als Eintrittskarte in den Himmel?

! Investieren Sie nicht in zeitliche, sondern ewige Dinge!

† Psalm 49

DONNERSTAG AUGUST **08**
Tag der Kletterer

Denn mit dir kann ich Wälle erstürmen und mit meinem Gott über Mauern springen.

2. SAMUEL 22,30

Unüberwindbar?

Seit mindestens fünf Minuten stehe ich vor der Kletterwand in einer Boulderhalle und frage mich, wie um alles in der Welt ich da hochkommen soll. Wenn andere das machen, wirkt es so einfach. Aber ob ich es auch schaffe?

Eine Mitarbeiterin kommt vorbei. Ob alles in Ordnung sei, fragt sie. Ich erkläre ihr mein Dilemma. Kurzerhand klettert sie mir den Pfad vor und fordert mich dann auf: »Und jetzt du!« Noch immer zögerlich nähere ich mich dieser besonderen Herausforderung. Vorsichtig beginne ich, die Wand zu erklimmen. Hinter meinem Rücken ertönen die Anweisungen: »Jetzt den rechten Fuß! Ja genau, noch höher. Nimm den Griff links oben.« Und auf einmal bin ich oben. Direkt beim ersten Mal. Wahnsinn! Es ist nur eine Wand, und auch nur eine vergleichbar leichte Route. Aber was für mich unüberwindbar schien, habe ich nun doch gemeistert. Wie froh ich jetzt bin, dass ich mich getraut habe! Und wie nett, dass die Mitarbeiterin mich so ermutigt hat! Allein hätte ich das nicht geschafft.

Dieses Erlebnis war für mich ein echtes Highlight und eine Lektion für mein Leben. Wie oft stehe ich mir selbst im Weg und überlege wie der sprichwörtliche Ochs vorm Berg, wie das nun wieder funktionieren soll. Manchmal vergesse ich, dass ich als Christ ja nicht allein durch dieses herausfordernde Leben gehen muss. Gott geht mit, und mit ihm kann ich überwinden, was unüberwindlich erscheint. Doch dazu muss ich zuerst zugeben, dass ich es allein nicht schaffe und seine Hilfe brauche. Und ich muss vertrauensvoll den Anweisungen folgen, die Jesus mir in der Bibel gibt. Er hat den Überblick über mein Leben und weiß, was der richtige nächste Schritt ist. Ich bin so froh, dass ich ihn habe und mit ihm sicher ans Ziel kommen werde!

Eva Rahn

Vor welcher Herausforderung stehen Sie gerade?

Beten Sie doch einmal für diese Sache!

Römer 8,28-39

09 | AUGUST   FREITAG

Der HERR stützt alle Fallenden, er richtet auf alle Niedergebeugten.

PSALM 145,15

Selbstlosigkeit

Im August 2022 konnte man bei den European Championships ein gutes Beispiel für Selbstlosigkeit sehen. Der dänische Sprinter Axel Christensen stürzte beim Hindernislauf und blieb verletzt auf der Laufbahn liegen. Sein andorranischer Mitläufer drehte sich um, half ihm auf, zog ihn von der Bahn und beendete dann das Rennen als Letzter. Was für eine selbstlose Handlung! Als Nahuel Carabena stehen blieb, um seinem Konkurrenten zu helfen, wusste er, dass er das Rennen verlieren würde. Aber er stellte das Wohl des Dänen über seinen eigenen möglichen Sieg.

Eine noch viel selbstlosere Haltung hat Jesus Christus gezeigt, als er auf diese Erde kam. Er hatte es nicht nötig, sich um gefallene Menschen zu kümmern, und doch erniedrigte er sich dazu. Er stellte sich selbst zurück, um Gottes Rettungsplan zu erfüllen. Was war das für ein Plan? Durch unsere schlechten Taten, Gedanken und unsere Abkehr von Gott – dies alles nennt die Bibel Sünde – ist eine Trennung zwischen uns Menschen und dem heiligen Gott entstanden. Nur Jesus Christus, der Sohn Gottes, konnte durch sein vollkommen sündloses Leben die Strafe, die jeden Menschen erwartet, stellvertretend auf sich nehmen. Statt einer Auszeichnung für seine Leistungen, erlitt er den größten Verlust, es kostete ihn sein Leben. Doch durch seinen freiwilligen Tod ist es möglich, dass wir Menschen wieder mit Gott Gemeinschaft haben können.

Wir sind Jesus nicht egal. Er hat alles aufgegeben, um uns zu helfen und uns mit Gott zu versöhnen. Und er möchte auch in den täglichen Schwierigkeiten unseres Alltags derjenige sein, der uns immer wieder aufrichtet. Das tut er für jeden, der sich im Glauben an ihn wendet. Axel Christensen hat sich nach seinem Sturz helfen lassen. Wie ist das bei uns?

Ann-Christin Bernack

❓ Was hält Sie davon ab, sich helfen zu lassen?

❗ Jesus möchte auch Sie aufrichten.

✝ Psalm 145

SAMSTAG — AUGUST 10

Denn er wird seinen Engeln über dir befehlen,
dich zu bewahren auf allen deinen Wegen.
Auf den Händen werden sie dich tragen, damit
du deinen Fuß nicht an einen Stein stoßest.

PSALM 91,11-12

Schutzengel mit Variation

In Norwegen liegt die größte europäische Hochebene, das Hardangervidda. Um abseits von den Touristenströmen wandern zu können, war ich auf einer kleinen Straße ca. 20 km weit in den Nationalpark hineingefahren. Die Straße hatte immer wieder Schlaglöcher, und so fuhr ich äußerst vorsichtig, um ja keine Panne zu riskieren. Entlang eines Stausees war die schmale Straße allerdings gut befahrbar, und als ein Auto an einer Haltebucht auf mich wartete, fuhr ich etwas schneller. Aber genau, als ich vorbeifuhr und meine Hand zum Dank erhob, hörte ich zwei harte Schläge: bamm, bamm! Ein spitzer Stein hatte auf der Straße gelegen und zwei meiner Räder waren platt. Da stand ich nun »in der Mitte von Nirgendwo«, 20 km von der nächsten Autowerkstatt entfernt!

Sofort schoss mir der heutige Tagesvers durch den Kopf. Heißt es da nicht, »damit du deinen Fuß nicht an einen Stein stoßest«? Ich betete: »Aber Gott, in diesem Fall ist doch mein Autoreifen wie mein Schuh und der hat einen gewaltigen Stoß bekommen. Du siehst meine schwierige Lage. Bitte hilf mir!« Auf einmal tauchte ein Einheimischer auf und fragte mich, ob ich Hilfe brauchte. Ich zeigte ihm meine zwei platten Reifen. Der Mann bot mir freundlicherweise an, mich zur Werkstatt zu fahren und auch wieder zurückzubringen. Auf dem Armaturenbrett seines Autos lag eine Bibel. Der Fremde erklärte mir, er habe den Eindruck gehabt, dass es heute sein Auftrag von Gott sei, mir zu helfen.

Da staunte ich nicht schlecht! Gott hatte zwar keinen Engel gesandt, der mich *vor* dem Stein bewahrte, aber er hatte mein Gebet erhört und mir einen Engel *in* der Not gesandt. Nur ein paar Stunden später war ich wieder startklar und fuhr mit dankbaren Herzen weiter.

Thomas Pommer

? Glauben Sie, dass Gott Sie in Ihrer Not sieht und Ihnen helfen möchte?

! Manchmal hilft Gott nicht vor der Not, aber in der Not.

✝ Psalm 91

11 AUGUST — SONNTAG

Als sie von Jesus gehört hatte, kam sie in der Volksmenge von hinten und rührte sein Gewand an.
MARKUS 5,27

Kaiserbesuch in Dortmund

Am 11. August 1899 wurde Kaiser Wilhelm II. zur Eröffnung des großen Dortmunder Binnenhafens erwartet. Durch den neuen Hafen war es nun möglich, von Dortmund aus über den Dortmund-Ems-Kanal auf direktem Weg den Rhein und damit die Nordsee zu erreichen. Millionen Tonnen Kohle, Stahl und weitere Güter konnten jetzt kostengünstig in die ganze Welt gebracht werden.

Am feierlichen Eröffnungstag war der Hafen besonders geschmückt, und im neuen, wunderschönen Hafenamt-Gebäude war der edelste Raum sogar nach dem Kaiser benannt worden! Alles sah prächtig aus. Begeisterte Bürger säumten die Straßen – in der Hoffnung, den Monarchen zu sehen, ihm zuzujubeln und ihm vielleicht sogar ein Anliegen vortragen zu können?

Doch dann die Enttäuschung: Der Kaiser betrat nicht einmal das Gebäude und zog stattdessen – hoch zu Ross – direkt weiter über die Münsterstraße in Richtung Rathaus. Zu den Menschen nahm er keinen Kontakt auf. Die meisten der festlich gekleideten Gäste blieben für den Kaiser unbemerkt. Die Menschentrauben, die bunten Tücher der Winkenden aus den Fenstern der Münsterstraße, die Hoffnung in den Herzen, die Anliegen – der Kaiser nahm sie nicht wahr.

Wie völlig anders ist Gott! Er übersieht niemanden und kennt alle unsere Gedanken »von ferne«. Aber er ist uns auch nahe gekommen in Jesus Christus, seinem Sohn. Und von diesem berichtet die Bibel, dass er selbst im dichtesten Gedränge die Not einer kranken Frau bemerkte, bevor sie etwas sagen konnte. Sie hatte nur seinen Mantel berührt, in der Hoffnung geheilt zu werden. Und genau das geschah aufgrund ihres Glaubens. So ist unser Gott! Mitten in unsere Verlorenheit hinein kam er, um uns von allem Schaden der Sünde dauerhaft zu retten und uns eine neue Lebensperspektive zu eröffnen. *Klaus Spieker*

? Was erwarten Sie von Jesus Christus?

! Suchen Sie seine Nähe! Er sieht Sie.

† Johannes 12,12-24

MONTAG · AUGUST 12
Tag der Jugend

Die Liebe ist sein Banner über mir.
HOHESLIED 2,4

Fahnenlied

In dem Film »Napola« aus dem Jahr 2004 wird die Geschichte zweier Jugendlicher erzählt, die ihre Ausbildung 1943 in einer sog. »Nationalpolitischen Erziehungsanstalt« des NS-Regimes erleben. Gleich zu Anfang des Films wird eine Zusammenkunft der elitären Kaderschule zelebriert, in der auch das sogenannte Fahnenlied der Hitler-Jugend gesungen wird. Darin heißt es u. a. »Und die Fahne führt uns in die Ewigkeit!« Einer der Protagonisten, der aus einfachen Verhältnissen stammende Friedrich, stimmt begeistert mit ein. Für ihn bedeutet die Aufnahme in diese Einrichtung eine ungeahnte Chance. Er genießt zu Beginn die Kameradschaft und Wertschätzung. Doch zusehends bemerkt er, wie grausam und menschenverachtend die Ideologie seiner Vorgesetzten ist. Kameraden sterben, Gefangene werden getötet usw. Die Fahne, deren scheinbar heilbringende Wirkung sie so enthusiastisch besungen haben, die Freiheit und Zukunft, ja, sogar Ewigkeit versprach, führte tatsächlich in den Tod und die Niederlage.

So geht es in der Tat oft mit menschlichen Fahnen, die uns auf dem Weg in die Zukunft vorangehen und scheinbar Heil versprechen. Ist das Christentum so anders? Verheißt es nicht auch im Zeichen des Kreuzes die Ewigkeit? Und sind der Fahne des Kreuzes nicht zigtausende Menschen gefolgt, um andere, z. B. während der Kreuzzüge, zu töten? Ist das auch nur eine falsche Flagge?

Das Zeichen des Kreuzes könnte nicht mehr missverstanden werden. Tatsächlich steht der, der an diesem Kreuz sein Leben ließ, Jesus Christus, für Hingabe, Barmherzigkeit und eine Liebe, die sogar seine Feinde umfasste. Deswegen ist dieses Zeichen das einzige, echte Friedensbanner, das den in eine wunderbare Herrlichkeit führt, der ihm nachfolgt.

Markus Majonica

❓ Wem oder was folgen Sie?

❗ Lassen Sie sich allein vom Sohn Gottes in die Zukunft leiten.

✝ Johannes 12,31-36

13 | AUGUST — DIENSTAG

Mein Sohn, wenn dich die bösen Buben locken, so folge nicht.

SPRÜCHE 1,10

Süße Verlockungen

Mein kleiner Sohn hat Humor. Als ich ihn bat, den oben zitierten Spruch zu wiederholen, sagte er: »Meine Tochter, wenn dich ...« Und dabei schaute er grinsend zu seiner Schwester hinüber. Ich musste lachen. Er hatte Recht. Diese Warnung ist nicht allein für Söhne geschrieben.

Tatsächlich begegnen Mädchen und Jungen genauso wie Männer und Frauen ständig Verlockungen. Häufig sind dabei »böse Buben« mit im Spiel: Gleichaltrige, die uns mitziehen wollen, um Böses zu tun. Ich kann mich gut daran erinnern, wie ich mich als 14-Jähriger erstmalig betrank. Meine Freunde hatten es mir oft vorgemacht, und irgendwann konnte ich der Versuchung nicht mehr widerstehen. Das war der Anfang davon, dass Saufen zu einer Regelmäßigkeit in meinem Leben wurde. Natürlich hat es zunächst Spaß gemacht. Aber wie viel Geld und Gehirnzellen ich in den nächsten Jahren dadurch verloren habe – nicht auszudenken!

Verlockungen können am Anfang süß wie Schokolade sein, aber sie haben immer einen bitteren Nachgeschmack. Mäuse lockt man mit einem leckeren Köder. Wenn die Falle dann zuschnappt, ist die Maus gefangen. Leider funktioniert das bei uns Menschen auch. Das Beste ist also, gar nicht auf die Verlockungen einzugehen. Dazu fehlt uns aber häufig die Kraft. Genauso fehlt uns danach die Kraft, uns wieder aus den Fesseln der Sünde zu befreien. Es ist wahr, was Jesus sagte: »Jeder, der die Sünde tut, ist ein Knecht der Sünde« (Johannes 8,34).

Gibt es dann überhaupt einen Ausweg für uns? Kann uns jemand aus den Verstrickungen befreien? Kann uns jemand die Kraft geben, den Verlockungen zu widerstehen? Doch, so jemanden gibt es! Es ist Jesus. Er kann uns frei machen. Er kann uns Widerstandskraft geben. Jesus kann das!

Paul Wiens

❓ Welchen Verlockungen zum Bösen können Sie nicht widerstehen?

❗ Sündige Verlockungen haben immer einen bitteren Nachgeschmack.

✝ Johannes 5,1-15

MITTWOCH   AUGUST | **14**

»Ich bin der Weg!«, antwortete Jesus. »Ich bin die Wahrheit und das Leben! Zum Vater kommt man nur durch mich.«

JOHANNES 14,6

Gipfelkreuze

In der Schweiz gibt es eine Bewegung, die Gipfelkreuze als störend empfindet und sie deshalb beseitigen will. Sie empfindet diese als ein aufgezwungenes christliches Symbol. Das entspräche nicht mehr dem Zeitgeist, der liberal und offen sein soll.

Man kann tatsächlich die Frage stellen: Was haben Berggipfel und Kreuze miteinander zu tun? Dazu fällt mir die Schilderung eines Bergwanderers ein, der einmal – allerdings am Fuße eines Berges – ein Holzkreuz sah, an dem Jesus als gekreuzigt dargestellt wurde. An diesem Kreuz befand sich folgendes Schild: »Willst du die Allmacht Gottes sehn, dann musst du in die Berge gehn. Willst du die Liebe Gottes sehn, dann bleib vor dem Kreuze Jesu stehn.«

Ich finde das ausgesprochen treffend. Für mich persönlich sind gerade die gewaltigen Bergmassive in ihrer Majestät ein Ausdruck der gewaltigen Schöpfergenialität Gottes. Das ignorieren viele Menschen, weil sie Gottes Urheberschaft an der Schöpfung verneinen. Das mag man noch verstehen, und das will ich niemandem vorhalten. Allerdings ist das Kreuz nicht irgendein religiöses Symbol, sondern – bei Licht betrachtet – der Ausdruck höchster Liebe Gottes zu den Menschen. Denn hier neigte der Schöpfer sich herab und sühnte den Schaden, den wir Menschen angerichtet haben. An einem Kreuz auf dem Gipfel eines Hügels vollstreckte Gott an seinem Sohn Jesus Christus das Urteil über die Schuld der Menschen, damit jeder Frieden mit Gott haben kann, der dies für sich in Anspruch nimmt.

Damit ist jedes Kreuz ein Hinweis auf die Güte und Menschenliebe Gottes, die in Christus Gestalt angenommen hat, die fassbar und erlebbar ist. Wie tragisch ist es, das Zeichen der Liebe Gottes zu den Menschen aus dem Blick zu nehmen! *Markus Majonica*

❓ Was bedeutet das Kreuz für Sie?

❗ Jesu Tod bedeutet die Chance auf Leben für jeden.

✝ Johannes 3,14-19

15 | AUGUST — DONNERSTAG

Wir wissen aber, dass denen, die Gott lieben, alle Dinge zum Guten mitwirken.
RÖMER 8,28

Bedingungslos vertrauen

Das Leben hat so viel zu bieten ... vor allem Enttäuschungen, so würden Schwarzseher den Satz wohl ergänzen. Wir machen Pläne für den Urlaub, und dann kommt unerwartet etwas dazwischen: eine Erkrankung, ein Todesfall oder ein Streik, der den Flug nach Übersee verhindert. Wir hoffen auf eine Beförderung am Arbeitsplatz, und ein anderer macht das Rennen. Wir hoffen auf eine erfolgreiche Therapie, und dann kommt der Krebs doch wieder zurück. Wie geht man mit all dem Schweren um, das uns zu überwältigen droht, ohne völlig den Mut zu verlieren?

Unser Tagesvers zeigt, dass Christen aufgrund einer tiefen und innigen Beziehung zu Gott eine andere Perspektive im Blick auf das Unschöne, Schwere und Enttäuschende im Leben entwickeln können. Als Christ darf ich Gott vertrauen, dass er aus allem, was in meinem Leben geschieht, etwas Gutes für mich werden lässt: Wenn ich nach einem Autounfall nicht im Krankenhaus gelegen hätte, hätte ich niemals so eindrücklich erlebt, wie viele mit einem Besuch an meinem Krankenbett persönlich Anteil an meinem Ergehen nehmen. Hätte ich nicht immer wieder Absagen bei vielen Bewerbungen erhalten, würde ich heute vielleicht ganz woanders leben und nicht die Familie haben, die mich jetzt glücklich macht. Hätte ich an einem bestimmten Tag nicht den Zug verpasst, so wäre mir eine Begegnung »erspart« geblieben, die mir ganz neue Chancen eröffnet hat. So könnte ich beinahe endlos fortfahren.

Es macht tatsächlich einen Unterschied, Gott zu kennen, ihn zu lieben und darauf zu vertrauen, dass er am Ende das Gute zum Vorschein bringen wird. Statt Trübsal zu blasen, darf man zu staunen wagen, und dann eine ewig herrliche Zukunft genießen, wenn sich schlussendlich aller Nebel lichtet und für immer die Sonne scheint. *Joachim Pletsch*

> Wagen Sie es, Gott bedingungslos zu vertrauen?

> Wer Vertrauen in Gott sät, wird inneren Frieden und ewige Freude ernten.

> Römer 8,31-39

FREITAG　　　　　　　　　　　　　　　AUGUST | **16**

HERR, wer darf in deinem Zelt weilen?
Wer darf wohnen auf deinem heiligen Berg?
Der rechtschaffen wandelt und Gerechtigkeit
übt und Wahrheit redet in seinem Herzen.

PSALM 15,1-2

Der einzig Gerechte

Gehören Sie zu den Menschen, die »rechtschaffen wandeln«, Gerechtigkeit üben und die Wahrheit sagen? Ich denke, auf diese Frage würden viele sagen: Ja, eigentlich schon. Sie auch? Ich muss Ihnen sagen, ich gehöre nicht dazu. Und das, obwohl ich ein überzeugter Christ bin. Ich gebe mir Mühe, aber bin ich wirklich immer aufrichtig? Bin ich immer gerecht gegenüber anderen? Sage ich immer die Wahrheit?

In den Evangelien wird uns Jesus vorgestellt, wie er hier auf der Erde lebte. Ein Leben in Perfektion, wie es bei keinem Menschen je gefunden werden kann. Er war immer aufrichtig, da gab es kein Wanken und Abgleiten nach links oder rechts. Geradlinig und ohne Fehltritt ging er seinen von Gott vorgegebenen Weg. Jesus war immer gerecht, ob er am Sabbat einen Menschen heilte (obwohl dies in den Augen der Pharisäer nicht erlaubt war) oder die im Ehebruch ertappte Frau nicht verurteilte. Er sagte immer die Wahrheit; und noch mehr: Er ist die Wahrheit. Gnade und Wahrheit vereinigen sich in seiner Person.

Wenn wir ehrlich sind, spüren wir, wie weit unsere moralischen Werte von denen entfernt sind, die Jesus in seinem Leben verwirklichte. Kein anderer erreicht das nur annähernd. Jesus ist also der Einzige, der vollkommen gerecht vor Gott ist. Daher ist er auch der Einzige, der dem Maßstab in unserem Tagesvers entspricht. Aber die gute Nachricht für uns ist, dass – durch den Glauben an Jesus – uns Gott dessen Gerechtigkeit zurechnet. Denn Gott liebt den Menschen so sehr, dass er in seiner Gnade diesen Ausweg präsentiert hat. Das hat seinem Sohn, der stellvertretend für uns am Kreuz starb, das Leben gekostet. Diesen hohen Preis hat er gezahlt, damit auch wir auf Gottes »heiligem Berg« wohnen dürfen. *Axel Schneider*

❓ Sind Sie ein guter Mensch?

❗ Hinterfragen Sie sich in aller Ehrlichkeit!

✝ Psalm 15

17 AUGUST — SAMSTAG

Am Anfang war das Wort; das Wort war bei Gott, und das Wort war Gott. Der, der das Wort ist, war am Anfang bei Gott.

JOHANNES 1,1-2

Gott spricht

Im vorherrschenden Wissenschaftsparadigma wird davon ausgegangen, dass ein imaginärer Urknall die »Geburt« des Universums auslöste. Ich vertraue jedoch dem Wort Gottes, der Bibel. Diese beginnt mit der Feststellung: »Und Gott sprach: Es werde …« (1. Mose 1,3). Und der Sohn Gottes, den Gott vor rund 2000 Jahren zu uns sandte und durch den er zu uns redete, wird sogar als das »Wort Gottes« in Person bezeichnet (siehe Tagesvers).

Gott stellt sich uns also als Gott vor, der spricht und durch sein bloßes Wort Materie aus dem Nichts entstehen ließ. In der Natur können wir etwas vom Wesen dieses Gottes erkennen. An der kunstvollen Gestaltung der Lebewesen sehen wir zum Beispiel seine Liebe zum Detail und seine Kreativität. Jede einzelne Zelle ist so erstaunlich komplex und präzise konstruiert, dass es mir höchst unvernünftig erscheint zu glauben, das Leben hätte sich planlos und zufällig von selbst entwickelt.

Gott spricht. Aber nicht nur in der Natur, sondern auch in seinem Wort, der Bibel. Dort hat er uns seinen Plan für diese Welt mitgeteilt. Jede Information, die wir benötigen, um ihm zu begegnen, finden wir dort aufgeschrieben. Wir wunderbar ist es doch, dass wir einen Gott haben, der sich uns in Liebe zuwendet, für den wir wertvoll sind, der mit uns in Beziehung treten will! Viele Menschen ziehen es jedoch vor, »stummen Götzen« zu dienen. Sie wollen Gottes Reden nicht hören und bleiben lieber im nebulösen Ungewissen, als sich ihrem Schöpfer zu öffnen. Sie meiden gewisse Themen, z. B. die Frage, was nach dem Tod kommt oder was der Sinn ihres Lebens ist. Dabei ist Gottes Reden klar und deutlich. Er liebt uns und bietet uns durch seinen Sohn Erlösung an. Und er wartet darauf, dass wir ihm eine Antwort geben.

Daniela Bernhard

? Wie lautet Ihre Antwort auf Gottes Reden?

! Es kommt nicht auf den richtigen Wortlaut Ihres Gebetes an, sondern darauf, wie Sie es meinen.

✝ Hebräer 1,1-3; 12,25-29

SONNTAG AUGUST | **18**

Der Herr aber ist der Geist; wo aber der Geist des Herrn ist, ist Freiheit.
2. KORINTHER 3,17

Auf der Suche nach Freiheit

Endlich frei sein von der harten Hand des Kapitäns und tun und lassen können, was man möchte! Das war der Traum der Besatzung des britischen Seglers »Bounty«. Die Männer starteten eine Meuterei, brachten das Schiff in ihre Gewalt und setzen den Kapitän und die ihm treu gebliebenen Matrosen in einem Beiboot aus. Später teilten sie sich; 15 der Meuterer wollten mit einigen indigenen Frauen auf der ablegenden Pazifikinsel Pitcairn endlich das freie Leben genießen, das sie sich immer gewünscht hatten. Die Bedingungen waren perfekt: Palmen, Strand, Wasser und genug Lebensmittel.

Doch die Meuterer hatten nicht daran gedacht, dass Freiheit nicht allein von den äußeren Umständen abhängig ist. Wer innerlich gebunden ist, kann nirgendwo frei sein, weil er sich selbst und seine Probleme immer mitnimmt. So ging es auch diesen Männern. Statt des ersehnten Paradieses fanden sie die Hölle. Das schlechte Gewissen plagte sie wegen dem, was sie dem Kapitän angetan hatten. Einige wurden depressiv, andere gewalttätig. Als einer der Männer anfing, Schnaps zu brennen, war es mit dem Frieden endgültig vorbei. Die Männer brachten sich gegenseitig um, bis nur noch zwei am Leben waren; die Frauen verschanzten sich mit den inzwischen geborenen Kindern in ihren Hütten.

Die Wende kam, als der Matrose John Adams die alte Schiffsbibel fand. Er erkannte, dass der Weg weg von Gott nur ins Verderben führt und dass die letzte Chance für ihn und die anderen Inselbewohner in einem Neubeginn mit Gott lag. Tatsächlich kehrten nun Frieden und Ordnung in die Gemeinschaft ein und Adams hielt regelmäßig Gottesdienste ab. Die »Bounty-Bibel«, die das Leben der Menschen so veränderte, kann bis heute in einem Museum auf Pitcairn besichtigt werden.

Elisabeth Weise

❓ Wie kann ein Buch so eine Wirkung haben?

❗ Wahre Freiheit gibt es nur in der Bindung an Gott.

✝ Johannes 8,31-36

19 | AUGUST MONTAG

Habt ihr nicht gelesen ... »Ich bin der Gott Abrahams und der Gott Isaaks und der Gott Jakobs«? Gott ist nicht der Gott von Toten, sondern von Lebenden.
MATTHÄUS 22,31-32

Nicht der Gott der Philosophen und Gelehrten

Heute jährt sich der Todestag des französische Mathematikers, Physikers und Literaten Blaise Pascal (1623–1662). Im Alter von 19 Jahren erfand er für seinen Vater, den zu diesem Zeitpunkt obersten Steuereinnehmer Frankreichs, eine der ersten mechanischen Rechenmaschinen, die später Pascaline genannt wurde. Die Bekanntheit seines Namens ist heute zum einen durch sein Berechnungsschema der Binomialkoeffizienten im »Pascalschen Dreieck« verknüpft, zum anderen in der Luftdruckeinheit hPa (Hektopascal), da er als erster die Gesetzmäßigkeiten der Hydrostatik abgehandelt hat.

Gemäß der Überlieferung hatte er 1654, nach einem Unfall mit seiner Kutsche, ein Erweckungserlebnis, das ihn sich fortan neben seinen naturwissenschaftlichen Forschungen existentiell mit den Fragen nach Gott und der Erlösung durch Jesus Christus beschäftigen ließ. Nach seinem Tod fand man ein Gedenkblatt in Form eines Pergamentstreifens in seinem Rock eingenäht, auf dem er in stammelnden Worten beschreibt, dass Gott nicht über das Denken zu finden sei (»Nicht der Gott der Philosophen und Gelehrten«), sondern in Anlehnung an den brennenden Dornbusch (2. Mose 3,6) eine Erfahrung sei »wie Feuer«. Weiter heißt es: »Gewissheit, Gewissheit, Empfinden: Freude, Friede. Der Gott Jesu Christi. Dein Gott ist mein Gott ... Er ist allein auf den Wegen zu finden, die das Evangelium lehrt. Größe der menschlichen Seele, gerechter Vater, die Welt kennt dich nicht; ich aber kenne dich.«

So ist Gott zwar in der Schöpfung erkennbar, rettender Glaube entsteht jedoch (wie bei Pascal) in einer persönlichen Beziehung. Wir bekommen sie, wenn wir uns unter unsere Schuld vor Gott beugen und anerkennen, dass Jesus für unsere Schuld stellvertretend gestorben ist.

Bernhard Czech

Kennen Sie den Gott Abrahams, Isaaks und Jakobs und Vater Jesu Christi?

Man muss kein intellektuelles Genie wie Blaise Pascal sein, um ihn persönlich kennenlernen zu können.

Hebräer 11,1-20

DIENSTAG   AUGUST | **20**

**Ich habe weggewischt deine Vergehen wie
eine Wolke und deine Sünden wie Nebel.
Kehr um zu mir; denn ich habe dich erlöst.**
JESAJA 44,22

Weggewischt

Als der britische Ingenieur Edward Nairne 1770 den Radiergummi erfand, griff er eigentlich nach einem Stück Brot, denn Brotrinden wurden in dieser Zeit verwendet, um Flecke vom Papier zu entfernen. Indem Nairne aus Versehen ein Stück Kautschuk ergriff, entdeckte er, dass dieser seine Fehler entfernt hatte und die gummierten Krümel mit der Hand einfach weggewischt werden konnten.

Wenn es um Vergehen und Sünden geht, denkt der Prophet Jesaja an eine Wolke oder an Nebel, die Gott wie die Nässe bei einer beschlagenen Fensterscheibe wegwischen kann – bei denen, die zu ihm umkehren und ihm ihre Sünden bekennen. Christen erinnern sich immer wieder gerne daran, dass der Herr Jesus ihre Sünden auf dem Kreuz ausgelöscht und weggewischt hat. Da ist nichts zurückgeblieben. Es ist, als wenn nie etwas dagewesen wäre. Deshalb ließ Gott den Jesaja auch schreiben: »Ich, ich bin es, der deine Verbrechen auslöscht um meinetwillen, und deiner Sünden will ich nicht gedenken« (Jesaja 43,25). Mit Blick auf den Herrn Jesus vergibt Gott denen die Sünden, die seinen Sohn als Retter angenommen haben. Aber nicht nur das. Er vergisst die Sünden auch.

In der Bibel werden verschiedene Bilder gebraucht, um das klar zu machen. Da wird etwas Rotes ganz weiß. Da kommen Himmelsrichtungen ins Spiel, etwa, dass unsere Sünden entfernt worden sind, so weit wie der Osten vom Westen weg ist. Oder eine Anklageschrift wird zerrissen. Und der Prophet Micha schreibt sogar von Gott: »Und du wirst alle ihre Sünden in die Tiefen des Meeres werfen.« Damit meinte er die Sünden des Volkes Israel. Aber ich bin sicher, dass auch meine und vielleicht auch Ihre Sünden mit dabei sind – wenn auch Sie das im Glauben für sich in Anspruch nehmen können. *Herbert Laupichler*

? Wie gehen Sie mit Ihren Vergehen und Sünden um?

! Die Entdeckung, dass Gott sie wegwischt, wenn Sie damit zu ihm kommen, wird auch für Sie befreiend sein.

✝ Jesaja 43,10-13.18-25

21 | AUGUST MITTWOCH

Er, der doch seinen eigenen Sohn nicht verschont, sondern ihn für uns alle hingegeben hat – wie wird er uns mit ihm nicht auch alles schenken?
RÖMER 8,32

Today's good mood ...

07:30 ... is sponsored by my dog. »Meine gute Stimmung heute verdanke ich meinem Hund« – so in etwa kann man den vorstehenden Spruch ganz gut übersetzen. Ich las ihn im Vorbeifahren an einem Geschäft, das allerlei mehr oder weniger notwendiges Zubehör für Hunde verkaufen will. Vielleicht war ich für diese Werbung besonders sensibilisiert, weil wir tatsächlich einen Hund, genauer, eine Hundedame, in unserem Haus haben. Seit nunmehr rund zwölf Jahren begrüßt sie mich jeden Morgen, wenn ich die Treppe herunterkomme. Sie hört meine Schritte, erhebt sich von ihrem Lager und kommt in den Flur. Sobald ich in Reichweite bin, sucht sie meine Nähe, wedelt mit dem Schwanz und erhält ihre morgendliche Streicheleinheit. Man hat den Eindruck, der Hund freut sich über meine Anwesenheit, und das empfinde ich durchaus als positiv.

Trotz aller Nähe und Freude, die ein Hund vermitteln kann, verdanke ich ihm aber nichts, was mein Leben wirklich ausmacht. Es liegt z.B. nicht an meinem Hund, dass ich an diesem Morgen überhaupt aufgewacht bin, dass ich aus meinem Bett aufstehen kann, dass ich tatsächlich auf eigenen Füßen die Treppe hinuntergehen kann, dass ich überhaupt in einem Haus lebe, dass ich eine Arbeit habe, über die ich mein Leben finanzieren kann. Meinem Hund verdanke ich nicht das Glück einer Familie, von Freunden und Verwandten. Vor allem verdanke ich meinem Hund nicht, dass ich Frieden mit Gott habe, dass mein Leben einen Sinn und ein Ziel hat, dass es ewig Bestand hat. Um den Urheber und Geber all dieser guten Gaben zu identifizieren, bedarf es in dem zitierten Werbespruch lediglich der Umstellung von zwei Buchstaben: Aus »dog« wird »GOD«. Denn tatsächlich ist er es, dem ich all das Genannte verdanke.

Markus Majonica

? Wer oder was übt existentiellen Einfluss auf Ihr Leben aus?

! Nichts, was wir haben, haben wir nicht von Gott.

✝ Psalm 23,1-6

DONNERSTAG AUGUST | **22**

Du sollst nicht begehren … was dein Nächster hat.
2. MOSE 20,17

Verbotene Früchte schmecken besser …

07:30

Als ich noch ein Junge war, gab es in unserem Dorf beim Gasthaus einen Birnbaum mit herrlichen Früchten. Die waren so anziehend, dass mein Freund und ich uns eines Abends, als es bereits dunkel war, hinschlichen und einige pflückten. Aber gerade in dem Moment kam der Wirt aus der Tür heraus! Wir nahmen die Beine in die Hand und liefen davon. Peinlich nur, dass mein Fahrrad dort liegen blieb … Mein Vater fragte tags darauf: »Wo ist dein Fahrrad?« Es lag natürlich nicht mehr unter dem Baum; der Wirt hatte es weggesperrt. Da musste ich mit der Wahrheit herausrücken. Mein Vater ließ mich von meinem Taschengeld 1 kg Birnen kaufen und zum Wirt gehen, um mich zu entschuldigen und um mein Fahrrad zu bitten. Der nahm mit einem Schmunzeln die Birnen und gab mir meinen Drahtesel zurück.

Verbotene Früchte schmecken besser, oder doch nicht? Mein Gewissen hatte mich bereits geplagt, als wir diesen Plan auszuhecken begannen; erst recht dann während der Tat. Als uns der Wirt erwischte, war sofort Angst da. Welche Strafe hatte ich dafür zu erwarten … von den Eltern … von Gott? Kannte ich doch die Gebote »du sollst nicht stehlen« und »du sollst nicht begehren deines Nächsten Gut« aus dem Religionsunterricht. Trotzdem (oder: gerade deshalb!) reizte es mich, die Birnen zu stehlen.

Kennen Sie das auch? Gerade das Verbotene reizt. Und wer könnte von sich behaupten, er habe noch nie »ein Gut« seines Nächsten begehrt? Wir sind doch alle manchmal neidisch! Doch Gottes Maßstab bleibt unerbittlich bestehen.

Später durfte ich einsehen, dass ich den Zehn Geboten nie gerecht werden kann. Aber genau für dieses Versagen meinerseits ist Jesus gestorben! Durch den Glauben an ihn ist mir für alle Zeiten vergeben.

Sebastian Weißbacher

? Wo scheitern Sie an den Zehn Geboten?

! Kommen Sie mit Ihrem Versagen zu Jesus!

† 2. Mose 20,1-17

23 | AUGUST FREITAG

**Denn wie der Himmel höher ist als die Erde,
so sind meine Wege höher als eure Wege
und meine Gedanken als eure Gedanken.**

JESAJA 55,9

Gott infrage stellen?

Man kann ehrliche »Warum-Fragen« stellen, auf die man Antworten bekommt. Eine solche wäre: Warum hat man keine Geduld für einen aufdringlichen Obdachlosen aufgebracht? Oder: Warum ist man in ein altes, längst für überwunden gehaltenes Verhaltensmuster zurückgefallen? Oder: Warum hatte man wieder einmal nur sich selbst im Blick und nicht ebenfalls seinen Nächsten? Die Antworten darauf sind oft unangenehm. Aber man stellt sich ihnen. Christen können daraufhin positiv reagieren und dadurch in der Erkenntnis ihrer selbst und in der Erkenntnis Gottes wachsen.

Andere »Warum-Fragen« sind nichts anderes als in Frageform gehüllte Anklagen gegen Gott und gehen mit dem allmächtigen Schöpfer ins Gericht, indem man z. B. fragt: »Warum geht es manchen bösen Menschen besser als mir und anderen guten?« – »Warum finde ich nicht die Anerkennung, die ich für gerechtfertigt halte?« – »Warum hast du mich nicht ausreichend vor meinem Ehepartner gewarnt?« – »Warum muss ich mit der regionalen oder weltweiten Wirtschaftskrise oder mit dem bösartigen Tumor in meinem Magen fertig werden?« Oder man wird zu einem an allem zweifelnden Theologen, indem man fragt: »Warum hast du überhaupt das Böse zugelassen oder sogar gewollt?«

In allen diesen Fällen bilden wir Menschen uns ein, über sämtliche Daten zu verfügen, die für solche Be- und Verurteilungen nötig wären. Doch eigentlich sollte unser Tagesvers uns zu der Einsicht bringen, die bereits der alte Heide Plato dem Sokrates in den Mund legte: »Ich weiß, dass ich nichts weiß.« Wir können Gottes Wege oft nicht verstehen, sollten aber glauben, dass ein Gott, der seinen Sohn für uns sterben ließ, nur gute Absichten mit denen hat, die ihn lieben (vgl. Römer 8,28).

Hermann Grabe

? Welchen Rang nimmt Gott in Ihrem Denken ein?

! Man kann niemals zu groß und niemals zu gut von ihm denken.

✝ Jesaja 55

SAMSTAG   AUGUST | **24**

Auf, wir wollen uns eine Stadt und einen Turm bauen, und seine Spitze bis an den Himmel! So wollen wir uns einen Namen machen, damit wir uns nicht über die ganze Fläche der Erde zerstreuen!
1. MOSE 11,4

»Schaurig schöne« neue Welt

Ist Ihnen Transhumanismus ein Begriff? Er stammt von dem britischen Biologen und Philosophen Julian Huxley (1887–1975) und bedeutet in etwa »über den Menschen hinaus«. Die Idee ist, dass der Mensch sich durch die Symbiose mit Technik in einem »beschleunigten evolutionären Prozess« in einen Übermenschen verwandelt, der letztendlich alle Krankheiten und selbst den Tod überwindet. Obwohl Huxley diese Idee bereits 1957 formulierte, nehmen die Bestrebungen im 21. Jahrhundert durch neue Technologien wie »Computer-Gehirn-Schnittstellen« oder »Genmanipulation« erst richtig Fahrt auf.

Der Wunsch, z. B. defekte Organe durch Technik zu ersetzen, ist dabei durchaus nachvollziehbar und erscheint erstrebenswert. Kritisch wird es aber dort, wo der Mensch meint, sich durch eigene Mittel – ganz ohne Gott, seinen Schöpfer – über seine menschliche Begrenztheit erheben zu können, mit eigener Kraft Unsterblichkeit zu erlangen, sodass wir alle selbst zu »kleinen Göttern« werden. Diesen Wunsch hegten schon – wie der Tagesvers zeigt – unsere Urahnen beim Turmbau zu Babel. Doch die menschliche Hybris, sich selbst bis an den Himmel erheben zu können, war und ist stets zum Scheitern verurteilt. Denn das Problem des Menschen ist und bleibt die menschliche Natur. Sie ist durch die Sünde korrumpiert, und das bleibt sie trotz aller scheinbaren Fortschritte. Trotz der erstaunlichsten technischen Erfindungen bleibt der Mensch in seiner moralischen Unfähigkeit und Fragwürdigkeit gefangen.

Will der Mensch wirklich seine Fehlbarkeit, Begrenztheit, Krankheit und Tod überwinden und ewig leben, will er seine echte Bestimmung finden, dann muss er sich seinem Schöpfer anvertrauen. Denn nur Gott kann uns die dafür notwendige neue Natur schenken.   *Bernhard Czech*

? Würden Sie es mit solchen Menschen, wie wir es sind, eine Ewigkeit lang aushalten?

! Wer göttliches Leben sucht, kommt an Gott nicht vorbei.

✝ 2. Korinther 5,14-17

25 | AUGUST SONNTAG

Denn er hat den, der von keiner Sünde wusste, für uns zur Sünde gemacht, auf dass wir in ihm die Gerechtigkeit würden, die vor Gott gilt.

2. KORINTHER 5,21

Ein guter Tausch

Bei einem Tausch stehen sich in der Regel in etwa zwei gleichwertige Leistungen gegenüber. Wenn man etwas Höherwertiges eintauscht für eine Sache, die weniger wert ist, dann hat man einen »guten Tausch« gemacht. Wenn man allerdings den schlechteren Teil erwischt, dann hat man »einen schlechten Tausch« gemacht. Die Motivation eines Tausches kann aber auch sein, dass der andere etwas hat, was man selbst unbedingt gerne hätte. Gerade Sammler kennen das!

Gerne würden wir vielleicht auch mit jemandem tauschen, der sich in einer beneidenswerten Lebenssituation befindet. Vielleicht möchten Sie einmal mit Jeff Bezos (Gründer von Amazon) oder Elon Musk (Tesla) tauschen, um zumindest einen Tag deren scheinbar unbegrenzten Reichtum genießen zu können. Ein Schwerkranker würde sicher gerne mit dem Gesunden tauschen, der ihn am Krankenbett besucht, oder der Gefängnisinsasse mit dem Wärter, der abends zu seiner Familie nach Hause kann. Beim Tauschen orientiert man sich also gerne nach oben. Umgekehrt würde kaum jemand mit einem Menschen tauschen wollen, mit dem es das Leben nicht gut gemeint hat: »Mit dem möchte ich nicht tauschen.«

Wie grundsätzlich anders denkt der Sohn Gottes! Er hatte im Himmel wirklich nichts, was ihm fehlte. Uns hingegen fehlt im Blick auf den Himmel wirklich alles. Vor allem Gerechtigkeit. Denn das ist die Voraussetzung für den Zutritt in die Gegenwart Gottes. Nun bietet dieser Jesus, der ohne jede Spur von Ungerechtigkeit war, uns tatsächlich einen Tausch an: Er bietet seine Gerechtigkeit im Tausch gegen meine Sünde. Ihn kostete dieses Tauschangebot sein Leben. Uns kostet es nur eine klare Entscheidung. Für ihn war es ein schlechter Tausch, für uns ist es der beste, den das Leben zu bieten hat. *Markus Majonica*

? Haben Sie schon einmal einen »schlechten Tausch« gemacht?

! Verpassen Sie nicht diese Tauschgelegenheit!

† Jeremia 33,10-11

MONTAG | AUGUST | **26**

... und ihr werdet die Wahrheit erkennen, und die Wahrheit wird euch frei machen.
JOHANNES 8,32

Wer oder was ist Wahrheit?

»Die Wahrheit wird euch frei machen!« Dieser Satz steht in goldenen Lettern an der Fassade des Kollegiengebäudes I der Universität Freiburg. Als Schüler blickte ich Anfang der 1970er Jahre vom gegenüberliegenden Schulgebäude aus auf diesen Vers und war fasziniert. Ich wusste jedoch nicht, dass er aus dem Mund von Jesus Christus stammte, da ich als katholischer Jugendlicher mit der Bibel nicht vertraut war. Bis ich den wirklichen Sinn für mein Leben begriff, vergingen noch über zehn Jahre.

Nachdem ich mir während des Ingenieurstudiums die Sinnfrage stellte, begann ich die »Wahrheitssuche« zunächst auf der erkenntnistheoretischen Ebene. Ich las u. a. Bücher des Sozialphilosophen Erich Fromm wie »Die Kunst des Liebens« und »Haben oder Sein«. Die Erkenntnisse und Schlüsse waren durchaus logisch und nachvollziehbar, allein die Umsetzung scheiterte, da mir die innere, moralische Kraft dazu fehlte. Als ich diese Kraft in der fernöstlichen Mystik durch »transzendentale Meditation« zu erlangen suchte, scheiterte ich erneut. Was meine Beziehung zu meinen Mitmenschen betraf, so stumpfte ich immer mehr ab.

Doch Gott erbarmte sich meiner und schickte mir in diesem Zustand immer wieder Christen über den Weg. Sie erklärten mir geduldig und liebevoll, dass es zwischen mir und meinem Schöpfer ein Schuldproblem gibt, das nur durch ein ehrliches Eingeständnis und durch eine Umkehr zu Jesus Christus gelöst werden kann. Diese Umkehr geschah 1982, der Prozess der Nachfolge dauert bis heute an. Jesus selbst ist mein Fürsprecher, und bei ihm in der himmlischen Herrlichkeit werde ich einmal ankommen. Das hat er allen versprochen, die zu ihm umkehren und sich von ihm befreien lassen von ihrer Sünde und Schuld, von ihrem Versagen und von allen Irrtümern. *Bernhard Czech*

? Haben Sie sich schon mit der Wahrheit in Person, Jesus Christus, auseinandergesetzt?

! Sie können zu ihm im Gebet sprechen, wie es Ihnen ums Herz ist.

✝ Johannes 8,21-36

27 | AUGUST   DIENSTAG

Und ich werde euch ein neues Herz geben und einen neuen Geist in euer Inneres geben; und ich werde das steinerne Herz aus eurem Fleisch wegnehmen und euch ein fleischernes Herz geben.

HESEKIEL 36,26

 Reparieren statt wegwerfen

Mit dieser Überschrift berichtete eine Lokalzeitung über ein Repair-Café eines Bürgerzentrums in Kierspe (Sauerland). Dort kann man kaputte Haushaltsgeräte mit fachmännischer Hilfe reparieren: die Kaffeemaschine, den Toaster, das Radio oder auch ein Fahrrad. Die Motivation, die kaputten Apparate zu bringen, ist ganz unterschiedlich: Dem einen geht es einfach darum, das Geld für ein neues Gerät zu sparen. Bei dem anderen ist Nachhaltigkeit der Ansporn. Oder es sind mit einem Stück besondere Erinnerungen verbunden. Auf diese Weise kann vieles erhalten bleiben, was anderenfalls einfach weggeworfen würde, und das, obwohl oft nur eine Kleinigkeit nicht mehr funktioniert und der Laie mit einer Reparatur überfordert ist.

Eines aber setzt jede Reparaturbemühung voraus: Das betreffende Gerät muss grundsätzlich noch reparierbar sein. Sonst muss man es letztlich doch wegwerfen.

Wie sieht die Situation bei uns Menschen aus? Wenn wir ehrlich sind, ist bei jedem von uns eine Menge kaputt. Jeder Konflikt, jedes Versagen hat seine Ursache in einer menschlichen Fehlfunktion. Reicht hier auch ein »Repair-Café«? Die Bibel zieht ein ernüchterndes Resümee: »Das ganze Haupt ist krank, und das ganze Herz ist siech. Von der Fußsohle bis zum Haupt ist nichts Gesundes an ihm: Wunden und Striemen und frische Schläge; sie sind nicht ausgedrückt und nicht verbunden und nicht mit Öl erweicht worden« (Jesaja 1,5.6). Wenn man das ernst nimmt, ist unser Zustand irreparabel. Die Konsequenz? Wegwerfen!

Doch das ist nicht Gottes Absicht – ganz im Gegenteil. Gott will in jedem Menschen, der seine Fehlerhaftigkeit erkennt und sich an ihn wendet, ein ganz neues Herz und einen ganz neuen Geist geben.

Martin Reitz

❓ Ist bei Ihnen auch etwas »kaputt«?

❗ Gott macht aus Altem etwas völlig Neues

✝ 2. Korinther 5,17-21

MITTWOCH   AUGUST | **28**

Auf, ihr Durstigen, alle, kommt zum Wasser! Und die ihr kein Geld habt, kommt, kauft und esst! Ja, kommt, kauft ohne Geld und ohne Kaufpreis Wein und Milch!
JESAJA 55,1

Kastanien gegen Gummibärchen

Kennen Sie die Kastanienaktion, die seit über 80 Jahren von der Firma HARIBO angeboten wird? In jedem Herbst können gesammelte Kastanien und Eicheln (für ein Wildfreigehege) bei der HARIBO-Zentrale abgegeben und gegen Gummibärchen und andere Süßigkeiten eingetauscht werden. Für 5 kg Kastanien und für 10 kg Eicheln erhält man jeweils 1 kg HARIBO-Süßigkeiten.

Für diesen überschaubaren Umtauschkurs nehmen die Menschen einiges in Kauf: wochenlanges Sammeln, z. T. eine weite Anfahrt (einige kommen aus Bayern, andere aus den Niederlanden), und dann noch schier endloses Warten vor Ort in der manchmal bis zu 800 m langen Schlange. Viele Sammler sind übrigens sehr kreativ, um die oft üppigen Mengen an Kastanien und Eicheln vorwärts zu bewegen. Wir selbst haben z. B. Boller- und Einkaufswagen, Altpapiertonnen sowie weitere Transportmittel gesehen. Welch ein immenser Aufwand für ein paar kostenlose Süßigkeiten – und doch gehen viele Menschen auf dieses Angebot ein.

Auch die Bibel berichtet uns von einem kostenlosen Tausch: Wir können ein Leben, das von Schuld und Versagen belastet ist, eintauschen gegen ein Leben von ungeahnter Qualität – mit Ewigkeitsgarantie. Das ist doch einmal ein Angebot! Um dieses in Anspruch zu nehmen, muss niemand erst mühselig sammeln, weit fahren und dann noch lange warten. Wir können das, was wir alle ohnehin schon zur Genüge haben, nämlich unsere Sünden, zu Jesus Christus bringen und dafür seine Vergebung erhalten. Dafür ist kein Aufpreis fällig, nur das mit diesem Tausch verbundene Eingeständnis der eigenen Lebenslast. Wer dazu bereit ist, dem gilt die Einladung Jesu: »Wen da dürstet, der komme; wer da will, nehme das Wasser des Lebens umsonst« (Offenbarung 22,17).

Martin Reitz

? Wofür sind Sie bereit, Arbeit und Zeit zu investieren?

! Investieren Sie in das ewige Leben und nehmen Sie es umsonst!

† Römer 8,31-32

29 | AUGUST DONNERSTAG

Nehmt euch in Acht, dass euer Herz sich nicht betören lässt und ihr abweicht und andern Göttern dient und euch vor ihnen niederwerft.

5. MOSE 11,16

Um welchen Preis?

Ein bekannter deutscher Gelehrter erhob im vergangenen Jahr die Forderung, die Smartphone-Benutzer zu bezahlen, wenn sie sich »ins Netz« einwählten, denn sie wären es, die etwas Wertvolles herausgäben, nämlich ihre persönlichen Daten und Informationen, die in freundlichster Weise von ihnen erbeten werden. Und es sind nicht nur die persönlichsten Informationen wie unsere Adressen, Geburtsdaten und Ähnliches, die wir gewohnt sind abzugeben, sondern alle Operationen, die wir »im Netz« hinterlassen.

Was wir uns ansehen, welche Seiten wir besuchen, worüber wir uns informieren, welche Reisen wir unternehmen, womit wir uns unterhalten, alles wird gesammelt und aufgezeichnet und je nach Bedarf verwendet. Das meiste – und man kann es nur hoffen – verschwindet in einem unendlich großen Haufen Datenmüll. Doch bei Bedarf kann es in Blitzesschnelle wieder hervorgeholt werden. Und Bedarf haben Parteien und ähnliche Gruppen, ferner die großen Wirtschafts- und Autokonzerne, Versicherungen, Nahrungsmittelketten, der Staat selbst natürlich und vor allem international agierende Mächte. Diese bezwecken sehr Unterschiedliches, zum Beispiel Manipulation der öffentlichen Meinung, um Akzeptanz zur Unterstützung der eigenen Politik und ähnliches zu erzeugen.

Ein Großmeister der Manipulation in der Vergangenheit unseres Landes war Joseph Goebbels. Ohne seine Propaganda wäre es Hitler nicht gelungen, so große Wahlerfolge zu erringen und sogar fromme Christen für Hitler zu begeistern. Wir sollten daher sehr genau hinschauen, wenn wir heute auf den Touchscreens zu Abenteuern animiert werden, an deren Ende Verderben wartet. Dem kann man sich manchmal nur entziehen, wenn man das Gerät beiseitelegt und auf Information verzichtet. *Karl-Otto Herhaus*

❓ Wie viele Stunden und bei welchen Gelegenheiten lassen Sie sich unkontrolliert berieseln?

❗ Vieles, was wir aus dem Netz saugen, saugt uns langsam aber sicher auf.

✝ 2. Timotheus 3,14-17

FREITAG AUGUST | **30**

Alle sind abgewichen, sie sind allesamt untauglich geworden; da ist keiner, der Gutes tut, da ist auch nicht einer.

RÖMER 3,12

Ein vernichtendes Urteil

Mit seinem Zitat aus dem Alten Testament (siehe Tagesvers) untermauert Paulus das vernichtende Urteil, dass kein Mensch – ob nun Jude oder Heide – vor Gott bestehen kann. Gott ist heilig, das heißt, absolut rein und gerecht. Wir Menschen sind sündig und ungerecht. Wir sind nicht so, dass wir von Natur aus zu Gott passen. Diese Nachricht hört niemand gern, ist aber Fakt.

Die Tatsache, dass es kein Volk auf dieser Welt ohne Religion gibt, beweist die Richtigkeit dieser Aussage. Denn in jeder Religion (lat. »re ligare« bedeutet »zurück verbinden«) sucht der Mensch eine Verbindung zu Gott. So alt wie der Mensch ist auch sein Versuch, Gott zufriedenzustellen. Er versucht, die Gottheit gnädig zu stimmen, weil er weiß, dass er so, wie er ist, nicht in Gottes Nähe kommen kann. Aber dieser Versuch misslingt, seit der Mensch im Paradies die Gemeinschaft mit Gott aufgrund seines Ungehorsams verloren hat.

Das Wissen um die Richtigkeit dieses vernichtenden Urteils steckt also ganz tief drin im Menschen. Jesus selbst unterstreicht dieses biblische Menschenbild, indem er sagt: »Aus dem Herzen kommen die bösen Dinge hervor, die den Menschen verunreinigen« (Matthäus 15,19). Nun – was ist zu tun?

Zunächst dürfen wir feststellen, dass es in der Bibel nicht um Religion, sondern um das Evangelium geht. Diese beiden stehen sich diametral entgegen. In den Religionen wollen Menschen aus eigener Anstrengung zu Gott kommen; das Evangelium ist Gottes Entgegenkommen. Der ganz große Begriff der Bibel heißt »Gnade«. Der gnädige Gott schickt seinen Sohn Jesus Christus in diese Welt, um uns Menschen zu retten. Die gute Nachricht angesichts des vernichtenden Urteils heißt also: Gott selbst schafft einen Ausweg in Jesus Christus.

Hartmut Jaeger

? Was hindert Sie, das Angebot Gottes in Jesus Christus anzunehmen?

! Jesus Christus brachte uns keine neue Religion, sondern gab sich selbst für uns.

† Titus 2,11-15

31 | AUGUST SAMSTAG

Seine Herrschaft reicht weit und des Friedens wird kein Ende sein auf dem Thron Davids und über seine Königsherrschaft, indem er sie festigt und stützt durch Recht und Gerechtigkeit.

JESAJA 9,6

Der Gordische Knoten

Nach der griechischen Sage war der Gordische Knoten ein kunstvoll geschlungenes Seil, das den Streitwagen des Königs Gordios mit dem Zugjoch der Pferde verband. In einem Orakel soll vorhergesagt worden sein, derjenige werde die Herrschaft über Asien erringen, der diesen scheinbar unentwirrbaren Knoten lösen könne. Viele Männer versuchten sich an dieser Aufgabe, aber keinem gelang es. Auf seinem Feldzug gegen Persien soll Alexander der Große mit dem Problem konfrontiert worden sein. Doch statt an dem Knoten herumzufingern, nahm er der Sage nach einfach sein Schwert und durchtrennte ihn mit einem Hieb. Damit habe er seinen Siegeszug durch Asien eingeläutet. So ist die Redewendung »den Gordischen Knoten durchschlagen« sprichwörtlich dafür geworden »ein schwieriges Problem durch unkonventionelle oder energische Mittel zu lösen«.

Unsere Welt ist voller Gordischer Knoten. Trotz aller Friedensbemühungen reißt die Kette blutiger Kriege nicht ab. Viele machen sich Sorgen wegen der Klimaerwärmung und den möglichen Folgen. Der Nahe Osten gleicht einem Pulverfass. Alle Versuche, dauerhafte Lösungen zu finden, sind gescheitert.

In der Bibel ist aber tatsächlich von einem Mann die Rede, der alle Gordischen Knoten dieser Welt lösen wird: Jesus Christus. Er wird »kommen in seiner Herrlichkeit und alle Engel Gottes mit ihm« (Matthäus 24,31). Er hat die Macht und auch die moralische Größe, dauerhaften Frieden auf dieser Erde zu installieren. Dazu wird er seine Engel aussenden und aus seinem Reich alle entfernen, die ein gesetzloses Leben geführt und andere zur Sünde verleitet haben (vgl. Matthäus 13,41). Gut dran sein werden allerdings diejenigen, deren gesetzloses Leben durch ihn vergeben ist und die auf seiner Seite stehen.

Gerrit Alberts

? Was sind Ihre Gordischen Knoten?

! Was bei Menschen unmöglich ist, ist bei Gott möglich.

† Jesaja 26,1-6

SONNTAG SEPTEMBER **01**
Antikriegstag

Den Reichen in dem gegenwärtigen Zeitlauf gebiete, nicht hochmütig zu sein noch auf die Ungewissheit des Reichtums Hoffnung zu setzen – sondern auf Gott …

1. TIMOTHEUS 6,17

Mit einem Schlag – alles weg!

Das Leben meines Großvaters überblickte fast das gesamte 20. Jahrhundert: Geboren im Jahr 1900 und verstorben 1992 hatte er als Jugendlicher noch das Kaiserreich erlebt. Lebhaft konnte er von der Mobilmachung zum 1. Weltkrieg berichten: Von jetzt auf gleich war der Frieden weg. Nach vier harten Kriegsjahren gab es dieses Reich plötzlich nicht mehr. Der Kaiser war weg. Dann kam die Inflation: Was er sich bis dahin mühsam angespart hatte, war binnen weniger Tage durch die Finger zerronnen. Er wusste zu erzählen, wie täglich morgens der Lohn ausgezahlt wurde, damit man noch einkaufen konnte. Denn abends war das Geld nichts mehr wert.

Dann, eines Tages, gab es auch die Weimarer Republik nicht mehr. Ein neuer Krieg zog herauf. Mit Familie und Kindern hatte er sich eine kleine Existenz aufgebaut. Doch dann, in einer Bombennacht, war wieder alles weg – bis auf einen gläsernen Nachttopf, über den sich in dem eingestürzten Haus zwei Balken gekreuzt hatten. Ausgebombt wurde er ausquartiert und lebte jahrelang unter fremden Dächern, bis auch dieses »Reich« mit dem Krieg sein Ende nahm. Und wieder wurden die Uhren seiner Existenz auf Null gestellt. Auf diese Weise hat er – wie viele seiner Zeitgenossen – gleich mehrfach erlebt, wie auf einen Schlag alles, was als sicher galt, weg war.

In unserer Zeit, nach Jahrzehnten vermeintlicher Sicherheit, müssen wir neu begreifen, dass alles, was unser Leben materiell ausmacht, nur ein Hauch der Geschichte ist. Echte Sicherheit gibt es nur bei Gott, weil er außerhalb unserer Vergänglichkeit steht. Für jeden, auch den vermeintlich reichsten, ist es daher wichtig zu entscheiden, auf was er sich verlässt, damit man in der Not nicht wirklich verlassen ist.

Markus Majonica

❓ Haben Sie schon erlebt, dass eine ganz sichere Sache auf einmal zusammengebrochen ist?

❗ Nichts, was man sieht, hält ewig.

✝ Lukas 12,16-34

02 | SEPTEMBER   MONTAG

Nach mir kommt der, der stärker ist als ich; ich bin nicht würdig, ihm gebückt den Riemen seiner Sandalen zu lösen.

MARKUS 1,7

Fenster ins Markusevangelium (1)

In der Leichtathletik ist die Gewohnheit verbreitet, bei Wettläufen jenseits der Großereignisse wie Olympiade und Weltmeisterschaft sogenannte Tempomacher einzusetzen, die unabhängig vom eigenen Erfolg in dem Rennen für eine hohe Geschwindigkeit sorgen, damit der eigentliche Favorit mitgezogen und möglichst zu einem neuem Weltrekord angetrieben wird. So ein Tempomacher läuft zunächst voraus, um dann später Platz zu machen oder sogar aus dem Rennen auszusteigen, weil er seine Aufgabe erfüllt hat.

Bei Jesus Christus und seiner Sendung als Retter in diese Welt gab es auch so einen Vorläufer, Johannes der Täufer, der ihm den Weg bahnen und sein Auftreten auf der Weltbühne vorbereiten sollte. Das tat er, indem er in seinen Predigten und Mahnrufen die Menschen auf ihn, den Sohn Gottes, hinwies als die eigentliche Person, die in den Vordergrund treten sollte. Dabei ging es um etwas viel Wichtigeres als um einen sportlichen Wettkampf. Von dem Lebenslauf dieses Retters sollte unendlich mehr abhängen als nur ein Weltrekord, der bald wieder von einem noch besseren Läufer überboten wird. Es ging darum, für uns Menschen einen Sieg zu erringen, den wir selbst niemals schaffen konnten: aus einem verlorenen und dem Tod geweihten Dasein als Sünder, fern von Gott und ohne jede Hoffnung, wieder zurück zu Gott gebracht zu werden und das Ziel der ewigen Herrlichkeit bei ihm zu erreichen. Das brachte dem Sohn Gottes keinen Platz auf dem »Treppchen« ein, sondern man nagelte ihn an ein Kreuz. Er erntete auch keinen Jubel, denn man konnte nicht ertragen, dass dieser eine so viel besser als wir selbst sein sollte. Genau das war aber der Fall, weil er selbst ohne Sünde war und nur deshalb sterben musste, um unsere Sünden auf sich zu nehmen.

Joachim Pletsch

? Wie denken Sie über diesen Retter Jesus Christus?

! Johannes' Einschätzung war richtig: Wir sind nicht würdig, ihm die Schuhe auszuziehen. Doch er hat sich unser angenommen.

† Markus 1,1-8

DIENSTAG   SEPTEMBER | 03

Und eine Stimme kam aus den Himmeln:
Du bist mein geliebter Sohn, an dir habe
ich Wohlgefallen gefunden.

MARKUS 1,11

Fenster ins Markusevangelium (2)

Ist es nicht das Normalste von der Welt, dass ein Vater so etwas zu seinem Sohn sagen möchte? Doch wie sehr ist das Verhältnis von Vätern und Söhnen auch von Spannungen, Missverständnissen und Unstimmigkeiten geprägt! Als Vater von zwei Söhnen weiß ich etwas davon. Heutzutage wird sogar infrage gestellt, ob es für einen Sohn überhaupt die Bestimmung sein kann, seinem Vater zu gefallen. Es bestehen Zweifel daran, denn es könnte ja bedeuten, dass der Sohn dadurch eingeschränkt wird und sich nicht so verwirklichen kann, wie er sich es selbst vorstellt.

Was gefiel denn Gott so sehr an seinem Sohn? Dieser hatte sich dazu entschlossen, den Auftrag auszuführen, den er von seinem Vater bekommen hatte. Er verließ die himmlische Herrlichkeit, seine Komfortzone, und kam auf diese Erde – ein ziemlich unbequemer Ort, wo sich die Bewohner unaufhörlich bekämpfen und wo es keinen Frieden, sondern sehr viel Leid, Krankheit, Not und Zerstörung gibt. Und vor allem waren dort die meisten gar nicht daran interessiert, nach dem Willen ihres Schöpfers zu fragen, geschweige denn, danach zu leben.

So wurde der Sohn Gottes zwangsläufig zu einem Fremdkörper in dieser gottlosen Welt. Doch das bedeutete überraschenderweise nicht, dass er sich zurückzog, sondern – im Gegenteil – er zeigte den Menschen, was es bedeutet, wenn man in Gemeinschaft mit Gott lebt und von seiner Liebe erfüllt ist. So zeigt er sich solidarisch mit den so weit von Gott entfernten Menschen. Das drückte er bereits bei seiner Taufe zu Beginn seines Wirkens aus, die ein Sinnbild dafür ist, das bisherige Leben in den Tod zu geben. Und so hat Christus am Kreuz sein Leben geopfert – nicht um seiner selbst willen, sondern um unseretwillen, damit wir zu Gott kommen können.   *Joachim Pletsch*

? Was bedeutet es Ihnen, dass Gott Gefallen daran hatte, seinen Sohn für uns sterben zu lassen?

! Es bedeutet, dass Gott uns Menschen wirklich liebt.

† Markus 1,9-13

04 | SEPTEMBER MITTWOCH

Alle suchen dich.
MARKUS 1,37

Fenster ins Markusevangelium (3)

Ob am Filmset, in der Werkstatt oder im Krankenhaus, »Hauptdarsteller« sind dort immer Personen, die zu einem bestimmten Zeitpunkt unbedingt gebraucht werden, weil kein anderer das tun oder entscheiden kann, worum es gerade dringend geht. Alles Weiterkommen im Filmprojekt, bei der Reparatur eines Autos oder bei der Behandlung eines schlimm erkrankten Menschen hängt von dieser einen Person ab. Wie gut, wenn sie erreichbar ist und zur Verfügung steht!

»Alle suchen dich«, diese Aussage klingt schon fast wie ein Vorwurf. Jesus war damit gemeint, der sich ganz früh morgens an einen einsamen Ort zurückgezogen hatte, um dort zu beten. Am Tag zuvor hatte er viele Kranke geheilt und Dämonen ausgetrieben, sozusagen im Dauereinsatz. Und nun standen schon wieder alle »auf der Matte« und wollten, dass er weitermachte. Doch Jesus ging es im Kern um etwas anderes als eine nur vorübergehende Heilung von Krankheiten und dergleichen. Sein Auftrag, zu predigen und den Menschen zu sagen, dass sie zu Gott umkehren mussten, zielte auf etwas Nachhaltigeres, ja, Endgültiges: sie von ihren Sünden zu erlösen und ihnen ewiges Leben zu vermitteln, war ihm viel wichtiger. Dazu wollte er in den Menschen eine tiefe Sehnsucht wecken.

Und heute? Man kann wahrlich nicht sagen, dass alle IHN suchen. Welchen Vorteil könnte Jesus uns heute denn verschaffen, wo er doch längst nicht mehr unter uns ist? Und trotzdem ist es so wichtig, Jesus zu begegnen, weil er allein uns retten kann. Wie man ihn findet? Indem man im Gebet »zu ihm kommt« – mit dem ehrlichen Wunsch im Herzen, von der eigenen Sünde und Schuld befreit zu werden und mit ihm, dem wahren Meister, Arzt und Hauptdarsteller, ein neues Leben mit ewiger Zukunft zu beginnen. *Joachim Pletsch*

Aus welchem Grund würden Sie sich für Jesus interessieren?

Man kann durch ihn ewiges Leben gewinnen, wenn man ihn gesucht und gefunden hat.

Markus 1,32-45

DONNERSTAG SEPTEMBER 05

Niemals haben wir so etwas gesehen!
MARKUS 2,12

Fenster ins Markusevangelium (4)

In der Castingshow »Das Supertalent« treten u. a. Artisten und Künstler auf, die durch verblüffende Tricks etwas Sensationelles präsentieren, zu der die Aussage unseres Tagesverses ziemlich gut passen würde. Allerdings beruht dies oft nur auf Illusion, auf Täuschung, im Gegensatz zu dem, was bei Jesus zu sehen war, wenn er etwas tat, was sonst keiner konnte. Immerhin löst aber eine solche Sensation in der Castingshow Erstaunen und Begeisterung aus und – für einen kurzen Moment – wohl auch die Ahnung, wie anders alles sein könnte, wenn uns nichts mehr unmöglich wäre und wir aus eigener Kraft bewirken könnten, was immer wir uns vorstellen. Der Begriff »Supertalent« bringt treffend zum Ausdruck, dass diese Fähigkeit nur ansatzweise oder nur scheinbar Unmögliches möglich macht.

Als Jesus in einem kleinen galiläischen Dorf namens Kapernaum einen Gelähmten heilte, den Freunde zuvor durch das Dach eines Hauses zu ihm herabließen, weil der Eingang durch viele »Zuschauer« hoffnungslos blockiert war, ging es ihm nicht um eine Sensationsdarstellung. Das erste, was er zu dem Gelähmten sagte, war: »Kind, deine Sünden sind vergeben.« Wer hat das Recht, so etwas zu sagen? Und was bedeutete es für die betreffende Person? Jedenfalls war es wohl wichtiger als die Heilung selbst, die erst anschließend geschah und bewies, dass Jesus tatsächlich zu beidem fähig war. Alles, was er tat, sollte letztlich dem Ziel dienen, die Menschen aus ihrem Sündendilemma zu befreien und möglich zu machen, wozu kein »Supertalent« jemals fähig sein wird: die Versöhnung mit einem barmherzigen Gott, der nicht nur Sünden vergibt, sondern auch ein neues unvergängliches Leben jenseits von Krankheit, Leid und Not zu schenken vermag. *Joachim Pletsch*

? Was weckt bei Ihnen Erstaunen und Begeisterung?

! Jesus bietet nicht die Freude des Augenblicks in kurzweiliger Unterhaltung, sondern Nachhaltigkeit im Frieden mit Gott.

† Markus 2,1-12

06 SEPTEMBER — FREITAG

Wer den Willen Gottes tut, der ist mein Bruder und meine Schwester und meine Mutter.
MARKUS 3,35

Fenster ins Markusevangelium (5)

Die engsten Beziehungen zwischen Menschen bestehen innerhalb der Familie, zu der man gehört. Die Bindung an die Eltern und Geschwister besteht oft ein Leben lang, teilweise mit gegenseitigen Abhängigkeiten, die oft auch dann noch eine Rolle spielen, wenn man eine eigene Familie gründet. In früheren Gesellschaften bot die Familie oft den einzigen Rückhalt, den man haben konnte. Der Verlust dieses Rückhalts konnte erhebliche Nachteile nach sich ziehen, war oft sogar lebensbedrohlich. Familie ist etwas, das um jeden Preis zu schützen und aufrecht zu erhalten ist.

Der Ausspruch Jesu im Tagesvers weitet die familiäre Beziehung auf Menschen aus, die eigentlich außerhalb der Familie stehen. Er erinnert an den oft gehörten Spruch aus der Europahymne, die auf Friedrich Schiller zurückgeht: »Alle Menschen werden Brüder«. Dieser beschreibt die Utopie einer Menschheit, die sich nicht mehr gegenseitig bekämpft, sondern brüderlich verbunden ist. Doch auf welcher Grundlage sollte so etwas Wirklichkeit werden können?

Jesus gründete eine Familie auf der Grundlage der Ausrichtung auf Gottes Willen. Das kennzeichnete ihn selbst, und wer sich ihm anschloss und sich ebenso auf Gott ausrichtete, der wurde in diese Familie aufgenommen und als zugehörig betrachtet wie der Bruder, die Schwester oder die Mutter. In dieser Familie haben die Angehörigen allesamt Gott zum Vater. Er sorgt für sie, er steht für sie ein, er bietet ihnen ein ewiges Zuhause in Ruhe und Sicherheit, wenn sie sich im Glauben an seinen Sohn anschließen. Er lehrt und unterweist sie in seinen Gedanken und Plänen und formt sie so, dass sie ein Zeichen in dieser Welt setzen können von seiner Liebe zu uns Menschen, durch die tatsächlich Frieden werden kann.

Joachim Pletsch

❓ Sind Sie (schon) ein Familienmensch Gottes?

❗ Durch den Anschluss an Jesus können Sie in Gottes Familie aufgenommen werden.

✝ Markus 3,31-35

SAMSTAG · SEPTEMBER **07**

Ja, ich versichere euch: Wer auf meine Botschaft hört und dem glaubt, der mich gesandt hat, der hat das ewige Leben … er hat den Schritt vom Tod ins Leben schon hinter sich.

JOHANNES 5,24

Lasting generation

Vor drei Jahren nahm die Bewegung der »last generation« (dt.: letzte Generation) ihren Anfang. Ihr Ziel ist, gegen den Klimawandel vorzugehen, bevor es endgültig zu spät ist und die Welt in einer apokalyptischen Katastrophe endet. Demgegenüber lädt Jesus Christus im Tagesvers ein, sich der »lasting generation« anzuschließen, also nicht einer »letzten«, sondern einer »bleibenden«, dauerhaften Generation. Ein paar Unterschiede fallen mir auf:

Wir Menschen haben die Schöpfung über lange Zeit missbraucht und zerstört. Der Grund dafür liegt aber nicht nur in ein paar falschen Verhaltensweisen; vielmehr sind tief in unserem Herzen Gier und Verantwortungslosigkeit in Bezug auf die Zukunft verankert. Wer zur »lasting generation« gehören will, muss anerkennen, dass auch er diese schlechten Eigenschaften in sich trägt. Er zeigt nicht mit dem Finger auf andere, sondern zuerst auf sich selbst. Nur so gibt es die Chance, unser selbstsüchtiges Herz von Jesus erneuern zu lassen.

Seit dem Sündenfall sind wir Menschen wie eine Schnittblume: abgetrennt von der Quelle des Lebens. Ohne Gottes Eingreifen erleiden wir den Tod, die ewige Trennung von Gott. Gott selbst tat schon das Entscheidende für uns egoistische Menschen. Er ließ Jesus, seinen Sohn, am Kreuz für unsere Sünden sterben! Wir sind also nicht die Macher, die sich aus eigener Kraft aus ihrer misslichen, ja, dramatischen Lage befreien können, sondern nur Gott kann es. Trotzdem sind wir Menschen nicht unbeteiligt: Jede Generation steht in der Verantwortung, Jesus im Glauben ins persönliche Leben aufzunehmen. Sein Versprechen auf ewiges Leben kann ein Mensch schon jetzt erfahren! Es beginnt schon hier und ist unendlich, so wie Gott selbst. *Winfried Elter*

❓ Gehören Sie schon zur »lasting generation«, oder denken Sie noch in endlichen Dimensionen?

❗ Setzen Sie alle Hebel in Bewegung, um sicher zu sein, dass Sie ewiges Leben erhalten haben.

✝ Johannes 5,24-45

08 SEPTEMBER — SONNTAG

Und die Männer von Israel sagten zu Gideon: Herrsche über uns, sowohl du als auch dein Sohn und deines Sohnes Sohn! Denn du hast uns aus der Hand Midians gerettet.

RICHTER 8,22

Von Vorbildern enttäuscht

Vor Kurzem wurden wir Eltern. Meine Frau und ich sprachen viel über den Namen, den wir unserem Sohn geben wollten. Wir studierten Namenslisten, dachten darüber nach, welche Bedeutungen Namen haben und wer die Personen waren, auf die die Namen zurückgingen.

Mein Cousin zum Beispiel heißt Gideon. Der Name Gideon steht für einen Mann, der vor ca. 3000 Jahren lebte und von dem in der Bibel im Buch Richter berichtet wird. Er war ein mutiger Mensch, der die Hebräer von Feinden befreite, die sie unterdrückten. Vielleicht ist es aber gerade der Umstand, dass Gideon trotz seiner anfänglichen Ängstlichkeit durch Vertrauen auf Gott später viel Mut bewies, sodass er bis heute für viele zum Helden wurde. Allerdings hat die Geschichte ein unerwartetes Ende. Gideon, ein Mann mit löblichen Qualitäten, schafft gemäß dem Trend seiner Zeit einen »anschaulichen« Götzen für sein Volk. Wie bei vielen Vorbildern, die wir als Helden hochhalten und vielleicht unsere Kinder nach ihnen benennen, gibt es auch bei diesem Mann eine enttäuschende Episode, die seine ganze Biografie trübt. Es stimmt, was die Bibel bezeugt und ich bin froh, dass sie so ehrlich ist: Niemand ist vollkommen! Und leider erfahren wir zuweilen von Vorbildern auch über tiefe Abgründe, die uns verstört zurücklassen können.

Eine Person aber war anders: Wenn auch unsere menschlichen Ideale und Vorbilder dunkle Seiten zum Vorschein bringen, Jesus Christus enttäuschte nie. Er war anders. Er sündigte nicht und bahnte durch seinen Tod für die Menschen den Weg zu Gott. Wenn er der ist, zu dem wir aufschauen, können wir nie enttäuscht werden. Sein Name wäre an und für sich ein Name, den man noch höher in Ehren halten sollte, als dass man sein Kind nach ihm benennt.

Andreas Wanzenried

❓ Von welchen Vorbildern sind Sie beeindruckt?

❗ Jesus Christus enttäuscht nie. Er bleibt ewig derselbe (vgl. Hebräer 13,8).

✝ Richter 8,22-27

MONTAG | SEPTEMBER | **09**

**Wer aber den Geist von Christus nicht hat,
der gehört nicht zu Christus.**
RÖMER 8,9

Gedanken über das Christsein

Vor einigen Jahren fuhren wir als Familie zum Urlaub in die Eifel. Da ich dort meine Kindheit verlebt habe, war es mir ein Anliegen, meiner Familie die Gegend zu zeigen und auch selbst zu sehen, was sich über die Jahre alles so verändert hatte. So kam es, dass wir auch eine Burgruine besichtigten. Oben angekommen, bewunderten wir zuerst die herrliche Aussicht über die Weinberge. Beim Erkunden der Burgruine fiel dann einem von uns an dem Fahnenmast der Burg ein Sticker auf mit der Aufschrift: »Ein halber Christ ist ein ganzer Unsinn!«

Wir freuten uns, hier oben einen christlichen Aufkleber zu sehen. Einen, der auch die Leser dieses Kalenders zum Überlegen anregen sollte. Wie gehen sie wohl mit dem Satz auf diesem Aufkleber um? Lesen sie ihn, um ihn gleich wieder zu vergessen, oder regt er sie tatsächlich zum Nachdenken an?

Es wäre schön, wenn dieser Satz zumindest Sie wirklich zum Überlegen bringen würde. Er lädt Sie ein, Ihr Leben, Ihr Christsein neu zu überdenken. Die Taufe allein genügt nicht, auch nicht die Konfirmation oder Kommunion, nicht einmal der sonntägliche Gottesdienstbesuch. Es reicht auch nicht, gewisse Rituale oder Vorschriften einzuhalten, welche die Kirche vorgibt. Ebenso wenig genügt es, wenn Ihre Eltern und Großeltern gläubig sind, vielleicht sogar für Sie beten.

Einzig und allein Ihre persönliche Beziehung zu Jesus Christus ist ausschlaggebend! An dieser Beziehung entscheidet sich, ob wir halbe oder ganze Christen sind. Nur wenn wir ihn als Herrn in unser Leben einladen, werden wir zu ganzen Christen, die befreit sind von aller Schuld. Er hat ja am Kreuz für die Schuld unseres ganzen Lebens bezahlt! Und zum Dank sollten wir dann unsererseits ihm unser gesamtes Leben hingeben.

Robert Rusitschka

? Wo stehen Sie in Ihrer Beziehung zu Jesus?

! Machen Sie ganze Sache mit Ihm!

✝ 1. Johannes 1,1-10

10 SEPTEMBER — DIENSTAG

Den Gott aber, der deinen Odem und alle deine Wege in seiner Hand hat, hast du nicht verehrt.
DANIEL 5,23

Alles selbst erarbeitet?

»Alles, was ich habe, habe ich mir selbst erarbeitet.« So wird eine sehr erfolgreiche deutsche Fernsehmoderatorin zitiert. Diesen Gedanken findet man oft bei Menschen, die sich durch harte Arbeit, Fleiß und Zielstrebigkeit zum Teil aus schwierigsten Verhältnissen hochgearbeitet haben und nun stolz auf ihre Lebensleistung sind. Ganz frei machen wird sich sehr wahrscheinlich kein Mensch von diesem Gedanken, wenn er lange auf etwas hingearbeitet hat: ein Examen, eine Beförderung, das Eigenheim, den Sportwagen, einen besonderen Urlaub. Das habe ich mir alles selbst erarbeitet! Doch es sei die Frage erlaubt, ob das wirklich zutrifft.

Ein amerikanischer Satiriker wird im Deutschlandfunk Kultur zitiert mit den Worten: »Die größte Sünde ist die, wenn ich nichts wissen will davon, dass ich mich einem Schöpfergott verdanke, das heißt, wenn ich mich selbst zum Gott mache, wenn ich nur noch mich selber kenne.«

Die Frage stellt sich: Welches Zitat hat recht? Ich denke, das zweite. Verstehen Sie mich nicht falsch: Es geht mir nicht darum, die Lebensleistung eines verdienstvollen Menschen schlechtzureden. Doch bereits das Leben an sich (den »Odem«) verdankt niemand sich selbst. Der Umstand, dass ich in eine Existenz hineingeboren werde, deren Rahmenbedingungen es überhaupt zulassen, dass ich mir etwas erarbeiten *kann*, ist nicht selbst gemacht. Die Abwesenheit von Krieg, Naturkatastrophen, Gewalt oder Krankheit, den überlebten (oder gar nicht erst erlebten) Autounfall usw. verdanke ich allenfalls zu einem Bruchteil mir selbst. Wer steckt denn dahinter, wenn nicht Gott, der alle meine (und Ihre) Wege in seiner Hand hält? Und wie vermessen ist es, ihn dafür nicht zu verehren? *Markus Majonica*

? Was verdanken Sie nicht Gott?

! Gott sei Dank!

✝ Römer 1,16-23

MITTWOCH SEPTEMBER **11**
Tag der Wohnungslosen (Deutschland)

Jesus sprach: Im Hause meines Vaters sind viele Wohnungen. Wenn es nicht so wäre, würde ich euch gesagt haben: Ich gehe hin, euch eine Stätte zu bereiten?

JOHANNES 14,2

Ein Platz zum Bleiben

Kaltmiete, Warmmiete. Betriebskosten, Nebenkosten. Lage und Nachbarschaft. Sicherlich waren auch Sie schon mal auf Wohnungssuche oder haben sogar ein Haus gekauft oder gebaut. Manchmal drängt die Zeit vor dem Umzug, sodass einem kaum die Wahl bleibt. Ein anderes Mal schränken die immerzu steigenden Mieten und Quadratmeterpreise die Auswahl ganz von allein ein. Dabei wünscht sich eigentlich jeder von uns ein Zuhause, in dem man sich wohlfühlen kann. Keiner von uns zöge gern in ein muffiges Kellerloch oder eine stickige Dachwohnung, wenn es auch eine behaglichere Alternative gäbe. Wohnen soll angenehm sein, ein Ankommen und Rauskommen aus dem geschäftigen Alltag. Wo man wohnt, ist eben dort, wo man an die Dinge gewohnt ist. Die Tatsache, dass wir uns alle einen bestmöglichen netten Platz zum Wohnen wünschen, spricht Bände über das Menschsein. Wir wollen Heimat, Zuhause, Zugehörigkeit. Einen Ort, der vor allem *einfach da ist*, wo man immerzu *nach Hause* kommen kann.

An dem letzten gemeinsamen Abend vor seinem Tod redete Jesus mit seinen Jüngern genau über dieses Thema. Seinen verängstigten und verwirrten Jüngern gab er einen unaussprechlichen Trost: *Ich richte euch ewige, wunderschöne Wohnungen ein! Ich warte dort auf euch!* Dabei betonte Jesus nicht etwa besonderes Mobiliar oder exklusive Smart-Home Elektrik. Es ging ihm um den Ort an sich: *Bei ihm* im Himmel. Eine ewige Heimat. Ewige Geborgenheit. Das klingt zu schön, um wohnbar zu sein. Doch bietet Jesus es allen an, die bei ihm eine absolut ehrliche »Selbstauskunft« einreichen, die ehrlich werden mit ihrer Schuld vor Jesus und ihm Vertrauen und Gehorsam schenken. So ein Wohnungsangebot haben Sie sicherlich noch nie bekommen. Greifen Sie zu! *Jan Klein*

❓ Was sagt Ihre Wohnung darüber aus, was Ihnen wichtig ist?

❗ Lesen Sie einmal die komplette Rede von Jesus über seine Wohnungen!

✝ Johannes 14,1-14; 17,24

12 SEPTEMBER

DONNERSTAG

Da erhörte Gott die Stimme des Knaben, und der Engel Gottes rief der Hagar vom Himmel her zu …: Was ist mit dir, Hagar? Fürchte dich nicht; denn Gott hat die Stimme des Knaben erhört, da, wo er liegt.

1. MOSE 21,17

Mitten im Leid

Pure Verzweiflung: Mitten in der Wüste sitzt die junge Frau Hagar mit ihrem Sohn, kaum Wasser und Verpflegung. Sicherlich laufen ihr Tränen über die Wangen und ihre Gedanken sind kaum zu bändigen. Von ihrem Zuhause vertrieben ist sie nun einsam und verlassen an diesem heißen, unmenschlichen Ort.

Ermutigende Begegnung: Plötzlich hört Hagar eine Stimme. Ein Engel Gottes ruft ihr zu, dass sie sich nicht zu fürchten braucht, weil Gott das Schreien ihres Sohnes gehört hat. Und kurz darauf darf sie mitten in der Wüste einen Brunnen sehen, der das lebensnotwendige Wasser für sie bereithält. Was für eine frohe Botschaft!

Gott hört: Dieser Aspekt fasziniert mich an der biblischen Geschichte immer wieder neu. Unser Tagesvers sagt, dass Gott auf das Schreien des Kindes antwortete. Gott muss also so nah bei Hagar gewesen sein, dass er dieses Schreien hören konnte. Was für eine Ermutigung für Hagar! Sie war in dieser schrecklichen Situation nicht allein, sondern Gott war bei ihr. Dasselbe gilt auch für uns: Gott ist in unseren »Wüstenzeiten« – in Zeiten der Not und Herausforderung – so nah bei uns, dass er uns hören kann, wenn wir zu ihm rufen.

Gott hilft: Auch eine andere Beobachtung in dieser Geschichte gibt mir immer wieder Hoffnung. Nachdem Hagar die Stimme des Engels gehört hat, heißt es im Bibeltext: »Und Gott öffnete ihr die Augen, dass sie einen Wasserbrunnen sah« (1. Mose 21,19a). Hagar war in ihrer Notlage blind, den Wasserbrunnen zu sehen, der schon vorher dort war. Doch Gott hilft Hagar, die lebensrettende Versorgung zu sehen. Auch uns möchte Gott in unseren Nöten helfen. Er ist nicht fern und wird uns mit allem Notwendigen versorgen, wenn wir uns nur hilfesuchend an ihn wenden.

Ann-Christin Bernack

❓ Welche Wüstenzeiten durchleben Sie gerade?

❗ Wenden Sie sich in aller Not an Gott!

✝ 1. Mose 21,8-21

FREITAG SEPTEMBER **13**

Das Endergebnis des Ganzen lasst uns hören: Fürchte Gott und halte seine Gebote! Denn das soll jeder Mensch tun.
PREDIGER 12,13

 ## Wozu lebe ich?

Diese Frage stellt sich irgendwann jeder im Laufe seines Lebens. Die Antwort hängt davon ab, wie wir unser Leben verstehen und welche Ziele wir uns stecken. Sind wir Karriere-Typen, werden wir den Sinn im beruflichen Erfolg sehen. Sind wir ausschließlich auf ein gutes Familienleben bedacht, verstehen wir den Sinn in einem aufopfernden Leben für die Familie. Sind wir auf Konsum aus, besteht der Sinn im totalen Genuss.

Ich sehe noch den Frührentner in einer Stadt im Ruhrgebiet vor mir: »Ich kann nicht mehr arbeiten, aber Arbeit war mein Leben. Dann habe ich alles für meine beiden Söhne getan, aber heute wollen sie nichts mehr von mir wissen. Nun habe ich nur noch meine Frau. Wenn sie mir auch noch genommen wird, hat mein Leben keinen Sinn mehr.«

Der weise Salomo schreibt: »Was bleibt dem Menschen von all seinen Mühen und vom Streben seines Herzens, womit er sich abmüht unter der Sonne? ... selbst nachts findet sein Herz keine Ruhe« (Prediger 2,22-23). Hier wird deutlich: Wenn die Bezugspunkte, an denen wir die Antwort auf die Sinnfrage festmachen, plötzlich nicht mehr da sind, kommen wir ins Schleudern. Das ist eine gefährliche Situation.

Wo finden wir einen Bezugspunkt, der uns nicht genommen werden kann? Was wir unbedingt brauchen, ist eine persönliche Beziehung zu Gott, unserem Schöpfer. Denn Gott allein ist unveränderlich. Er gibt uns Aufgaben, die unser Leben reich machen und auch dann noch Sinn ergeben, wenn wir arbeitslos, verwitwet oder krank sind. Denn man kann zur Ehre Gottes leben, unabhängig davon, ob die Umstände angenehm oder schlecht sind. Das Wichtigste ist, dass unser Verhältnis zu Gott intakt ist. Deshalb kommt Salomo zu dem Ergebnis: Ehre Gott und beachte sein Wort.

Hartmut Jaeger

? Haben Sie ein intaktes Verhältnis zu Gott, Ihrem Schöpfer?

! Bitten Sie Gott um Antwort auf Ihre Fragen! Er hört Gebet.

✝ Psalm 17

14 SEPTEMBER

SAMSTAG

**Denn ich habe kein Gefallen am Tod dessen,
der sterben muss, spricht der Herr, HERR.
So kehrt um, damit ihr lebt!**

HESEKIEL 18,32

Verkehrstod

Heute vor 125 Jahren, am 14. September 1899, starb in New York City im Alter von 69 Jahren Henry Bliss als erster US-Amerikaner an den Folgen der Verletzungen, die er bei einem Autounfall tags zuvor erlitten hat. Ein »Electrobat«-Taxi erfasste ihn, als er aus einer Tram stieg. Die Reifen »rollten über seinen Kopf und Körper. Sein Schädel und sein Brustkorb brachen«, hieß es in der Meldung der *New York Times*. Am 13. September 1999 wurde an der Stelle, wo der Unfall geschah, eine Tafel zum Gedenken an diesen Vorfall aufgestellt mit folgender Erklärung: »Dieses Schild wurde in Erinnerung an den hundertsten Jahrestag seines vorzeitigen Todes und zur Förderung der Sicherheit auf unseren Straßen und Autobahnen errichtet.«

Obwohl seitdem ständig versucht wurde, die Sicherheit im Straßenverkehr zu verbessern, schätzt man heute die Zahl der Verkehrstoten auf über eine Million Menschen jährlich. Die Bestrebungen, tödliche Unfälle zu verhindern, wachsen mit dem Erleben derselben. Doch wird das niemals vollumfänglich erreicht. Das ist ein sehr eindrückliches Sinnbild der erschütternden Tatsache, dass wir den Tod aus unserem Leben nicht entfernen können. Zuletzt erleiden wir ihn alle, ob vorzeitig bei einem Verkehrsunfall oder auf irgendeine andere Weise.

Der Tagesvers spricht von einer Möglichkeit zu leben, obwohl der Tod uns alle ereilt. Für diese Möglichkeit hat Gott tatsächlich gesorgt. Durch Jesus Christus hat er die Sünde als unsere primäre Todesursache unwirksam gemacht und den Tod besiegt. Jesu Auferstehung ist das klare Signal Gottes, dass der Tod nicht das Letzte ist, was uns ereilen muss, sondern dass wir durch Umkehr zu Gott und den Glauben an Jesus Christus zu neuem ewigen Leben auferstehen. *Joachim Pletsch*

? Wie real ist für Sie der Tod?

! Mit dem Rückhalt des Glaubens an Jesus Christus kann man ihm getrost entgegensehen.

† Lukas 13,1-5

SONNTAG SEPTEMBER **15**
Tag der Demokratie

Wohl dem Volk, dessen Gott der Herr ist.
PSALM 33,12-13

Was hat Demokratie mit der Bibel zu tun?

Initiiert durch die Reformation schlossen sich im März 1525 drei Gruppen aufständischer Bauern zur Oberschwäbischen Eidgenossenschaft (Christliche Vereinigung der Bauern) zusammen. Sie formulierten und verkündigten in Memmingen zwölf Artikel, die als erste Niederschrift von Menschen- und Freiheitsrechten in Europa gelten. Zu ihren Forderungen gehörten u. a. das Recht jeder Gemeinde, ihren Pfarrer frei zu wählen, der das Evangelium klar und unverfälscht verkündigen sollte, die Abschaffung der Leibeigenschaft und der Privilegien des Adels, eine gerechtere Regelung der Frondienste und Pachtabgaben, ein Ende der Willkür bei Gericht und die Abschaffung einer Art Erbschaftsteuer, die Witwen und Waisen in Armut und Unehre trieb. Dabei beriefen sich die Verfasser auf die Bibel.

Die biblischen Werte begründen wichtige Ecksteine unserer heute selbstverständlichen Rechte. Das Freiheitsprinzip unserer modernen Demokratie leitet sich vom Wesen Gottes ab, denn er ist frei und will, dass seine Kinder auch frei sind. Das scheint vergessen zu sein, denn immer mehr Volksvertreter in der aktuellen politischen Landschaft sind dabei, den Ast, der uns trägt, abzusägen. Ein jahrhundertelang verbindliches Gefüge von Ordnungen wie z. B. die Ehe wird vom Gesetzgeber immer mehr aufgelöst und durch Regelungen ersetzt, die angeblich viel besser der Freiheit des Einzelnen dienen. Es wird dekonstruiert statt aufgebaut. Die entstehenden Risse und Brüche in unserer Gesellschaft führen ins Chaos und in den Zusammenbruch. Nur eine Umkehr zu Gott und seinem Wort könnte uns noch vor dem kulturellen Niedergang bewahren. Die fängt beim Einzelnen an, weshalb wir uns alle fragen müssen, ob wir um den Preis unserer Zukunft willen weiter uns selbst suchen wollen statt Gott. *Daniela Bernhard*

❓ Warum hört die allseits geforderte Toleranz ausgerechnet bei der Bibel auf?

❗ Der Tagesvers gilt immer noch.

✝ Psalm 33

16 SEPTEMBER MONTAG

Getrennt von mir könnt ihr nichts tun.
JOHANNES 15,5

Out of program

Auf dem Behandlungsstuhl meiner Zahnärztin sitzend bemerkte ich, dass etwas nicht stimmte – aber nicht mit meinen Zähnen! Noch vor Beginn der Behandlung rannten immer wieder Assistentinnen und die Ärztin zwischen Wartezimmer und einem anderen Raum hin und her. Aufgeregt beobachteten sie ihren Bildschirm: Der PC war »out of program«. Aus diesem Grund funktionierte keines der Behandlungsinstrumente, denn alles wurde vom PC aus gesteuert. Getrennt von ihm konnten sie nichts tun.

Die Bibel berichtet uns, dass den Menschen ursprünglich eine tiefe Freundschaft mit Gott verband. In seiner Software waren kein Streit und Krieg, Krankheit, Schmerz oder Tod programmiert. Erst durch eigenes Verschulden sind wir aus dem ausgezeichnet funktionierenden Programm Gottes rausgeflogen: Adam und Eva fingen sich das »Virus« Sünde ein, wodurch ihre harmonische Beziehung zu Gott augenblicklich zerstört wurde. Seitdem ist jeder Mensch von Geburt an mit diesem Sündenvirus infiziert, weshalb das Leben nicht so funktioniert, wie der Schöpfer es sich gedacht hat: nämlich in einer innigen Beziehung zu ihm und einem Leben nach seinen Vorgaben! Wie sollte das jemals wiederhergestellt werden?

Jesus Christus ist gekommen und hat das Virus am Kreuz besiegt. Allerdings wurde dadurch nicht jeder Mensch automatisch vom Virus befreit. Nur wer an Jesu Werk glaubt, bekommt eine »Neuinstallation« – ohne Virus. Um dann auch weiterhin gegen das Virus gewappnet zu sein, ist es wichtig, das Prinzip aus dem heutigen Tagesvers zu beachten: Beziehungspflege. Das Leben in enger Vertrautheit und Gemeinschaft mit Jesus, indem man seine Worte aus der Bibel in sich aufsaugt und im Gebet darauf antwortet, schützt nachhaltig gegen das Virus Sünde. *Sebastian Weißbacher*

❓ Zeigen nicht unser tägliches Erleben und die Vorgänge in der Welt, dass die ganze Menschheit von diesem »Virus« befallen ist?

❗ Lassen Sie das Virus »Sünde« von Jesus unschädlich machen!

✝ Römer 7,8-25

DIENSTAG | SEPTEMBER | **17**

Gott ist Liebe.
1. JOHANNES 4,8

Geschaffen, um zu lieben

Im Jahr 1938 starteten Wissenschaftler der Harvard-Universität eine Langzeitstudie, die immer noch nicht vollständig abgeschlossen ist. Sie beobachten die Gesundheit von Erwachsenen, um Hinweise für ein gesundes und glückliches Leben zu erhalten. Das Ergebnis ist gar nicht so überraschend: Menschen, die mit ihren sozialen Beziehungen glücklich sind, bleiben länger körperlich gesund und geistig fit. Das bestätigt: Wir leben nicht nur von äußeren Faktoren wie Essen, Trinken oder Bewegung, sondern von vertrauten Beziehungen zu Menschen. Vor allem die Gewissheit, geliebt zu sein, setzt in uns ungeheure Energien frei.

Unser Menschsein ist also auf Beziehung angelegt, die nicht nur der Fortpflanzung dient. Wir können daher kein Zufallsprodukt sein, das sich von selbst nur aus Materie entwickelt hat. Unser Tagesvers zeigt, warum wir Menschen ohne Liebe und Intimität nicht leben können. Denn der Schöpfer der Menschen, Gott selbst, ist gekennzeichnet durch die Aussage: »Gott ist Liebe.« In Gott ist keine Selbstsucht. Er ist der große Geber, der seine Geschöpfe mit allem ausstattet, was sie brauchen.

Menschen, im Ebenbild Gottes geschaffen, sind daher ganz folgerichtig dazu bestimmt, Gott und einander zu lieben. Genau hier setzte der Teufel beim ersten Menschenpaar an: Er zog in Zweifel, dass Gott es gut meint. Adam und Eva gingen darauf ein und wählten ihren eigenen Weg zum Glück. Als Gott sie zur Rede stellte, machten die beiden einander Vorwürfe. Ihre glückliche Beziehung der Liebe und Intimität war gestört. Auch wir als ihre Nachkommen wurden liebesunfähig. Weil wir Gottes Ziel verfehlen, brauchen wir den Retter aus unserer Selbstsucht: Jesus gab sein Leben aus Liebe, damit jeder, der ihm vertraut, ein neues Leben erhält.

Winfried Elter

❓ Wie gut sind die Beziehungen zu denen, die Ihnen am nächsten stehen?

❗ Machen Sie sich bewusst, was es für Sie bedeutet, dass Gott Liebe ist!

✝ Johannes 3,1-17

18 SEPTEMBER — MITTWOCH

Und es ging zu ihm hinaus das ganze judäische Land und alle Leute von Jerusalem und ließen sich von ihm taufen im Jordan und bekannten ihre Sünden.
MARKUS 1,5

Schlange stehen

Für was stehen Menschen nicht alles Schlange! Wenn das neuste Smartphone eines bestimmten US-amerikanischen Herstellers herauskommt, stehen die Menschen weltweit die ganze Nacht an, um sich das neue Modell zu sichern. In den Corona-Wintern drängelten sich die Menschen, um auf einen der gut abgeschotteten Weihnachtsmärkte zu gelangen und wieder etwas Normalität zu erleben. Oder erinnern Sie sich an die Schlangen in den Flughäfen? Menschen stehen an, um etwas heiß Ersehntes zu bekommen, ein Stück Technik, Freiheit oder Abenteuer.

Der Tagesvers schildert auch ein »Schlangestehen«. Die Bevölkerung eines ganzen Landstriches steht an, um etwas heiß Ersehntes zu bekommen: Die Taufe der Buße zur Vergebung der Sünden. Dieses Thema betrifft offenkundig ein zentrales Problem ihres Lebens. Und wenn sie endlich an der Reihe sind, um sich von Johannes taufen zu lassen, bekennen sie, was sie umtreibt. Johannes wird an solchen Tagen viel zu hören bekommen haben: Ich habe meine Frau betrogen! Ich trinke! Ich belüge meine Familie …!

Alle Betroffenen sind sich bewusst: Meine Schuld trennt mich von Gott. Das treibt sie um. Das Erstaunlichste an dieser Schlange ist aber, dass mitten darin *ein* Mensch steht, der gar nichts von all dem zu bekennen hat: Jesus aus Nazareth. Äußerlich war er von allen anderen nicht zu unterscheiden. Aber allein über ihn kann Gott sagen: Das ist mein geliebter Sohn, an dir habe ich Wohlgefallen gefunden. Doch warum steht dieser sündlose Mensch Jesus da, mit all den Sündern? Weil Gott sich gerade dieser Sündennot annimmt. Dieser Jesus wird für all das bezahlen, was die Menschen hier bekennen. Er nimmt die Schuld auf sich und stirbt für unsere Sünden, die wir alle auf uns geladen haben.

Markus Majonica

? Was treibt Sie um?

! Jesus wurde einer von uns, damit wir Gottes Liebe erfahren können.

† Johannes 1,19-24

DONNERSTAG SEPTEMBER **19**

Ich bin ebenso in guter Zuversicht, dass der, der ein gutes Werk in euch angefangen hat, es vollenden wird bis auf den Tag Christi Jesu.
PHILIPPER 1,6

Wie man erfolgreich etwas zu Ende bringt

Wie vieles wird angefangen und nicht zu Ende gebracht! Die besten Planungen werden nicht umgesetzt, weil die Mittel fehlen oder doch noch Einspruch erhoben wird. Gute Vorsätze zum Jahresanfang geraten bald wieder in Vergessenheit. Der Sprachkurs wird vom Anfänger vorzeitig abgebrochen, weil er die Lust am Lernen verloren hat. Die Garantie und Gewährleistung auf einen finanziellen Gewinn gibt es nicht, weil die Börsenkurse immer wieder Schwankungen unterworfen sind. Etwas nicht zu einem guten Ende zu bringen, ist nur allzu menschlich.

Wer jedoch sein Leben in Gott investiert, hat die Garantie, dass es erhalten bleibt, und zwar für immer. Denn es hängt nicht von ihm und den Unwägbarkeiten des Lebens ab, sondern von Gott, wie unser Tagesvers deutlich macht. Warum kann man sich dessen so sicher sein?

Zur Rettung von Menschen hat Gott etwas geplant und umgesetzt, das er auch garantiert zu Ende bringen wird. Denn er hat es einer Person übertragen, die zuverlässiger nicht sein könnte: Jesus Christus, seinem eigenen Sohn! Dieser verließ den Himmel, kam auf diese Erde und bezahlte mit seinem Leben für das, was uns so unendlich weit von Gott entfernt hat: unsere Sünde und Schuld vor ihm. Aber jedem, der das glaubt, vergibt Gott und macht ihn zu seinem Kind. Das ist das gute Werk, was Gott in schon so vielen Menschen begonnen hat und auch an einem bestimmten Tag in seiner Geschichte mit uns Menschen vollenden wird. Solange kann noch jeder zu Gott umkehren und sein Rettungswerk an sich geschehen lassen. Es ist ein gutes Werk, weil es dem, der glaubt, Gutes bringt, nämlich ewiges Leben. Und es wird zu einem guten Ende gebracht, weil Gott selbst, der unendlich und unbegrenzt ist, dafür garantiert.

Joachim Pletsch

? Hat Gott bei Ihnen schon sein gutes Werk begonnen?

! »Glaube an den Herrn Jesus, und du wirst gerettet werden.« (Apostelgeschichte 16,31)

† Hebräer 6,10-20

20 SEPTEMBER FREITAG

Doch er wurde um unserer Übertretungen willen durchbohrt, wegen unserer Missetaten zerschlagen; die Strafe lag auf ihm, damit wir Frieden hätten, und durch seine Wunden sind wir geheilt worden.

JESAJA 53,5

Gottes »Faradayscher Käfig«

Am 22. September 1791 kam Michael Faraday zur Welt. Der englische Chemiker und Physiker gilt bis heute als einer der bedeutendsten Naturforscher. 1836 präsentierte er in einem Hörsaal der Royal Institution seinen »Faradayschen Käfig«, einen würfelförmigen, mit Kupferdraht umwickelten Holzkasten. Faraday begab sich mit einem Elektrometer in diesen Käfig, der daraufhin unter Strom gesetzt wurde. Das Elektrometer zeigte, dass innerhalb des Käfigs keine Elektrizität war, denn diese verteilte sich an der Oberfläche des Käfigs. Faraday war im Käfiginneren völlig sicher. Heute wissen wir, dass ein Auto auch ein »Faradayscher Käfig« ist, weshalb man bei Gewitter in einem Auto bestens geschützt ist.

Gott hat auch eine Art »Faradayschen Käfig« geschaffen, aber nicht für sich selbst, sondern für Sie und mich. Darin sind wir vor etwas viel Schlimmeren als vor einem Blitzschlag geschützt, nämlich vor dem Zorn Gottes. Dieser richtet sich gegen unsere Bosheit, gegen Ehebruch, Geldgier, Neid und Stolz. Gott nennt das alles Sünde. Es ist für ihn unmöglich, diese Dinge einfach hinzunehmen. Gott kann nicht sagen: »Schwamm drüber«, denn er wäre nicht gerecht, wenn er Sünde nicht richten würde. Deshalb ist Gottes Zorn eine reale und ernst zu nehmende Gefahr. Gefährlicher als jeder Blitzschlag.

Aber Gott ist nicht nur Gerechtigkeit, sondern auch Liebe. Um uns vor seinem Zorn zu schützen, hat er einen »Faradayschen Käfig« bereitgestellt: Jesus Christus, auf den sich Gottes Zorn entlud. Jesus nahm unsere Schuld auf sich und starb am Kreuz. Die Bibel drückt es so aus: »Die Strafe lag auf ihm, damit wir Frieden hätten« (Jesaja 53,5). Wer sich jetzt vertrauensvoll in Jesus birgt, ist vor dem Blitzschlag des Zornes Gottes geschützt.

Dina Wiens

? Warum kann Gott Sünde nicht einfach ungestraft lassen?

! Weil er sich selbst treu bleibt – in seiner Gerechtigkeit, aber auch in seiner Liebe. Beides wird am Kreuz erkennbar.

✝ Römer 2,1-6

SAMSTAG SEPTEMBER **21**
Internationaler Tag des Friedens (UNO)

Er spricht Recht im Streit der Völker; er weist viele Nationen zurecht. Dann schmieden sie die Schwerter zu Pflugscharen um ... Kein Volk greift mehr das andere an, und niemand lernt mehr für den Krieg.

JESAJA 2,4

Auf dem Weg zum Weltfrieden?

1945 wurde die UNO mit dem Ziel gegründet, kriegerische Konflikte zwischen den Völkern dieser Erde zu vermeiden, den Weltfrieden zu wahren und die freundschaftlichen Beziehungen zwischen den Nationen zu fördern. Passend dazu finden sich vor dem UNO-Gebäude verschiedene weltberühmte Skulpturen, die als Symbole für die friedliche Lösung von Konflikten dienen sollen: ein muskulöser Mann, der ein Schwert zu einem Pflug umarbeitet, und ein verknoteter, also nicht benutzbarer Revolver.

Die Zielsetzungen der UNO sind mehr als lobenswert; leider wurde jedoch in all den Jahrzehnten ihres Bestehens die Sicherung eines weltweiten Friedens nicht ansatzweise erreicht. Egal ob Korea, Irak, Balkan, Jemen, Syrien ... die Schreckensliste der Kriege in den letzten Jahrzehnten ist lang. Auch zog die UNO sich immer wieder Kritik zu: So fand z. B. 1995 in der bosnischen Stadt Srebrenica vor den Augen der UNO-Blauhelmsoldaten das schwerste Kriegsverbrechen auf europäischem Boden seit Ende des Zweiten Weltkriegs statt: Serbische Truppen ermordeten mehr als 8000 muslimische Bosniaken und wurden durch die Blauhelmsoldaten nicht im Geringsten daran gehindert.

Christen werden in der Bibel aufgefordert, dem Frieden »nachzujagen« (vgl. Hebräer 12,14). Und sie werden aufgefordert, für die Regierung zu beten (vgl. 1. Timotheus 2,2). Das ist in dieser immer komplizierter werdenden Zeit dringend nötig! Darüber hinaus sollten sie alles tun, um Frieden vorzuleben und Frieden zu fördern. Ihre Hoffnung liegt jedoch darin, dass eines Tages Jesus Christus wiederkommen wird, der in der Bibel als »Friedefürst« bezeichnet wird. Und erst durch ihn wird sich das erfüllen, was der Tagesvers zum Ausdruck bringt. Jesus wird für weltweiten Frieden sorgen. *Stefan Nietzke*

? Wie stiftet man eigentlich Frieden?

! Vergebung ist der Schlüssel zum Frieden.

✝ Johannes 16,16-33

22 | SEPTEMBER
Herbstanfang

SONNTAG

Lass fröhlich sein und sich in dir freuen,
die deine Rettung lieben, lass stets sagen:
»Erhoben sei der Herr!«

PSALM 40,17

Unendlich sanfte Hände

»Die Blätter fallen, fallen wie von weit.« Diese Worte stehen am Anfang des großartigen Gedichts »Herbst«, mit dem Rainer Maria Rilke seine Leser tröstet: Alles Sterbende werde schließlich in den »unendlich sanften« Händen Gottes zur Ruhe kommen. Dieses Gedicht ist sprachlich ebenso großartig gemacht, wie es theologisch irreführend ist.

Wer in der Bibel Bescheid weiß, kennt die Ursache allen Sterbens, allen Vergehens und allen Untergangs. Es ist die Sünde, zu der sich Adam und Eva verführen ließen. Gott hatte sie als Krönung seines Schöpfungswerks zu Herren über alles andere eingesetzt, und mit ihrem Versagen haben sie alles ihnen Unterstellte in ihren Untergang mit hineingerissen. An jenem Punkt wurde die Beziehung zu diesem wunderbaren Gott jäh unterbrochen. Rilke hat Recht, wenn er schreibt: »Wir alle fallen.« Doch seither fallen Menschen nach ihrem Tod nicht automatisch in Gottes unendlich sanfte Hände – hier ist Rilke auf dem Holzweg. Denn dazu braucht es erst eine Versöhnung; die Beziehung muss wiederhergestellt werden! Wer unversöhnt stirbt, fällt in die Hände eines zürnenden Gottes: »Es wird schrecklich sein, dem lebendigen Gott in die Hände zu fallen« (Hebräer 10,31).

Jesus Christus ist am Kreuz gestorben, um uns mit diesem Gott zu versöhnen und die Beziehung zu ihm wiederherzustellen. Wenn wir sein Versöhnungsangebot annehmen, wird Gott vom selben Augenblick an zu unserem liebenden Vater. Wie im Tagesvers anklingt, herrscht dann echte Freude! Und erst dann werden wir auch erfahren, dass die Hände Gottes tatsächlich »unendlich sanft« mit uns verfahren, und dass er von jeher nur unser Bestes im Sinn hatte – nämlich die ewige Seligkeit bei ihm im Himmel.

Hermann Grabe

? Wenn Sie heute vor Gott treten müssten – wäre es für Sie ein unendlich sanftes oder schreckliches Erwachen?

! Nehmen Sie heute Jesu Versöhnungsangebot an!

✝ Jesaja 11,1-10

MONTAG | SEPTEMBER | **23**

Du sollst den Herrn, deinen Gott, lieben mit deinem ganzen Herzen und mit deiner ganzen Seele und mit deinem ganzen Denken und mit deiner ganzen Kraft! Dies ist das erste Gebot.
MARKUS 12,30

Worauf es ankommt

»In den alltäglichen Grabenkämpfen des Erwachsenendaseins gibt es keinen Atheismus. Es gibt keinen Nichtglauben. Jeder betet etwas an. Wir aber können wählen, was wir anbeten. Und es ist ein äußerst einleuchtender Grund, sich dabei für einen Gott oder ein höheres Wesen zu entscheiden ... So ziemlich alles andere, was Sie anbeten, frisst Sie bei lebendigem Leib auf!«

Das sagte der Schriftsteller David Foster Wallace 2005 bei einer Abschlussrede vor College-Absolventen. Deutliche Worte für einen, der nicht an Gott glaubt. Er drückte aus: Das, was ich für wichtig halte, wird mein Leben beherrschen. Es anbeten heißt, es lieben und wie einen Gott behandeln. Egal, ob es Geld, Schönheit, Macht oder irgendetwas anderes ist. Mein Nachdenken, mein Streben, mein Tun, meine Entscheidungen werden davon vereinnahmt und bestimmt werden. Ich muss immer mehr davon haben. Daher ist es wichtig zu wissen, worauf es ankommt.

Jesus wurde auch einmal gefragt, was das Wichtigste sei – das, worauf es ankommt, das größte Gebot. Seine Antwort: Das Wichtigste überhaupt ist, Gott zu lieben. Liebe als Gebot? Geht das überhaupt? Man kann es auch so formulieren: Sie wollen als Mensch wahres, erfülltes Leben? Sich in Ihrer Einzigartigkeit entfalten? Sie wollen, dass das geschieht, was am besten für Sie ist? *Dann müssen/sollen Sie Gott lieben.* Damit meint Jesus, sich von dem leiten zu lassen, was er sagt. Im Straßengewirr einer fremden Stadt ist es hilfreich, ein Navi zu haben. Ich bin froh, wenn ich gezeigt bekomme, wann ich wo abbiegen muss. Bei Entscheidungen und Wegkreuzungen im Leben ist es existentiell, auf Gott zu hören und seinen Weg zu kennen, damit mein Leben eine gute Richtung findet.

Manfred Herbst

❓ Was ist die bestimmende Größe Ihres Lebens?

❗ Gott zu lieben, bringt das Leben auf eine gute Spur.

✝ Psalm 119,97-105

24 | SEPTEMBER DIENSTAG

**Denn der Herr kennt den Weg der Gerechten;
aber der Weg der Gottlosen führt ins Verderben.**
PSALM 1,6

Wissen Sie, wo ich hin will?

Der bekannte bayrische Komiker Karl Valentin lebte von 1882 bis 1948. Von ihm wird berichtet, wie er durch München ging und die Menschen fragte: »Wissen Sie, wo ich hin will?« Man könnte über die Frage schmunzeln. Doch wenn man sie genau betrachtet, sollte sie sehr ernst genommen werden. Dahinter steckt doch eine gewisse Hilflosigkeit. Wissen Sie, wo ich hin will? Wissen Sie, wo Sie hin wollen?

Wo möchten unsere Politiker hin in Bezug auf die Energieversorgung, auf die Umweltverschmutzung und die Kriege und Unruhen in der Welt? Hier gibt es Fragen über Fragen, die kein Mensch zufriedenstellend beantworten kann. Und wo möchten Sie persönlich hin? Haben Sie sich schon Gedanken über Ihre Zukunft und Ihr Ende gemacht? Was möchten Sie noch alles erreichen? Welche Ideen, Vorstellungen und Wünsche haben Sie in Bezug auf Ihre Zukunft? Und was kommt dann? Ist mit dem Tod wirklich alles aus?

In der Bibel (Psalm 90,12) steht: »Lehre uns bedenken, dass wir sterben müssen, auf dass wir klug werden.« Klug werden im biblischen Sinne heißt zu verstehen, dass wir es – im Blick auf die Ewigkeit – durchaus in der Hand haben zu entscheiden, wo wir hin wollen, und dass wir diese Entscheidung vor unserem Tod treffen müssen. Möchten wir eine Ewigkeit in der wunderbaren Gemeinschaft Gottes erleben oder aber ins Verderben rennen und auf ewig Gott fern bleiben?

Auf der Suche nach dem richtigen Weg zu einem ewigen Leben mit Gott lässt uns die Bibel nicht allein. In Johannes 14,6 sagt Jesus: »Ich bin der Weg und die Wahrheit und das Leben; niemand kommt zum Vater denn durch mich.« Und wer sich an den Sohn Gottes hält, hat sicher ewiges Leben (vgl. Johannes 3,36). Schlagen Sie dieses Angebot nicht in den Wind, es hätte tödliche Folgen! *Robert Rusitschka*

? Haben Sie sich schon einmal Gedanken über Ihren Lebensweg gemacht?

! Es gibt nur einen Weg, der Sie sicher ans Ziel bringt: »Jesus Christus.«

† Markus 8,34-38

MITTWOCH | SEPTEMBER | **25**

Wenn wir unsere Sünden bekennen, ist er treu und gerecht, dass er uns die Sünden vergibt und uns reinigt von jeder Ungerechtigkeit.

1. JOHANNES 1,9

Zahnpasta

07:30 Ich hatte gerade mein frisch gebügeltes Hemd angezogen, da ich einen wichtigen Termin hatte. Mit meiner Frau stand ich im Bad und putzte mir die Zähne. Trotz Zahnbürste und Zahnpasta im Mund hörte ich nicht auf zu reden. Dann passierte es: Zahnpasta tropfte aus dem Mund auf mein Hemd. Ärgerlich auf mich selbst versuchte ich, die Zahnpastaspuren, die auf dem Stoff gut sichtbar waren, wegzuwischen. Mit einem feuchten Handtuch entfernte ich die Folgen meines Missgeschicks. Nun blieben dunkle Wasserflecken. Also griff ich zum Fön und erhitzte die betroffenen Stellen. Das Ergebnis meiner Bemühungen sah ganz gut aus. Nichts war mehr zu sehen, so dachte ich, ich konnte das Hemd weiterhin tragen.

Trotz meiner Anstrengungen hatte ich die Verschmutzung allerdings nicht nachhaltig beseitigt. Nach etwa einer halben Stunde – ich war bereits in meinem wichtigen Termin – wurden die Spuren wieder deutlich sichtbar, und ich musste mich mit meinem befleckten Hemd durch den Tag bringen.

Mich hat dieses Erlebnis an unseren Umgang mit persönlicher Schuld erinnert. Wie oft geschieht es, dass wir uns durch unsere eigenen Fehler moralisch beflecken, sei es durch Gedanken, Worte oder Taten. Wenn uns das auffällt, fangen wir an, mit allerlei Hausmitteln zu versuchen, die Flecken auf unserer scheinbar weißen Weste wieder wegzumachen: Wir reden unser Versagen schön, versuchen, es mit einer »guten Tat« zu überdecken oder verdrängen es aus unserem Gedächtnis. Doch das funktioniert nicht nachhaltig. Echte Reinigung von Sünde erfordert ein wirksames Mittel: Bekenntnis der Schuld. Gehen wir Gott (und Menschen) gegenüber ehrlich mit unserem Versagen um, reinigt Gott uns nachhaltig von *jeder* Schuld! *Markus Majonica*

❓ Was sind Ihre Haushaltsmittel in Sachen Schuld?

❗ Es gibt jemandem, dem können wir unsere Schuld abgeben.

✝ Lukas 18,10-14

26 SEPTEMBER DONNERSTAG

Ihr wisst doch, dass ihr freigekauft worden seid von dem sinn- und ziellosen Leben ... und ihr wisst, was der Preis für diesen Loskauf war: ... das kostbare Blut eines Opferlammes, ... das Blut von Christus.

1. PETRUS 1,18-19

Geringe und hohe Kaufkraft

Rund 175 000 000 000 000 000 (175 Billiarden) Zim-Dollar – das entspricht ungefähr einem Rucksack voller Geldscheine – konnten Sparsame bis Ende September 2013 in ausgewählten Banken gegen gerade mal 5 US-Dollar eintauschen. Danach wurde Simbabwes vierte Landeswährung seit der Unabhängigkeit eingestampft: Die Regierung hatte beschlossen, die Leidensgeschichte des Zim-Dollars endgültig zu beenden. Eine verfehlte Wirtschaftspolitik hatte zu einer galoppierenden Inflation geführt. Danach wurde in Währungen fremder Länder bezahlt. Die Regierung verbot übrigens, in öffentlichen Toiletten Zim-Dollar-Scheine statt Klopapier zu benutzen.

Im Gegensatz zu den Zim-Dollar-Scheinen gibt es Substanzen mit einer sehr hohen Wertkonzentration. Ein Gramm Diamant kann bis zu 52 000 Euro kosten. Die teuerste Substanz ist zurzeit das Isotop Californium 252: Ein Gramm kostet stolze 21 Millionen Euro. Wer davon einen Rucksack voll besitzt, hat mehr als ausgesorgt.

Die Substanz mit der größten Kaufkraft im übertragenen Sinn ist das vergossene Blut Jesu Christi, denn nur dieses Blut kann uns von einem sinnlosen Lebensstil freikaufen. Im Zusammenhang des Textes meint Petrus damit die Überzeugung frommer Juden, durch Einhalten des mosaischen Gesetzes das ewige Leben erlangen zu können. Im weiteren Sinn bedeutet es: Wir können meinen, ein Leben ohne Gott würde uns Erfüllung bringen. Manchmal schon auf dieser Erde, spätestens aber, wenn wir vor Gott stehen, wird sich das als Trugschluss erweisen – wie ein Rucksack voller Geld, das am Ende doch nichts wert ist.

Um uns einen werthaltigen, dauerhaft erfüllenden Lebensstil zu ermöglichen, musste der Höchstpreis bezahlt werden: das Leben des Erlösers. *Gerrit Alberts*

Was ist Jesus Christus Ihnen wert?

Es ist nicht alles Gold, was glänzt.

1. Petrus 1,17-25

FREITAG · SEPTEMBER **27**

Warum seid ihr furchtsam? Habt ihr noch keinen Glauben?
MARKUS 4,40

Fenster ins Markusevangelium (6)

Glaube ist keineswegs etwas Diffuses oder Undefinierbares. Nach der Bibel ist er Ausdruck einer festen Verbindung zu Gott, der zwar unsichtbar, aber trotzdem da ist. Dieser Gott hat sich uns Menschen offenbart, durch Botschaften, die er verkünden und aufschreiben ließ, und auch durch Taten, die seine Macht bewiesen. Diese Macht zeigte auch der Sohn Gottes, als er hier in einem Boot auf dem See war. Er konnte den Wind stillen und die Wellen beruhigen, als seine Leute sich dadurch in Lebensgefahr wähnten.

Die Katastrophenfilme Hollywoods sind stets mit Helden versehen, die viel Mut, Umsicht und Selbstvertrauen beweisen und allen Gefahren zu trotzen scheinen. Doch genügt das wirklich, um angesichts von Naturgewalten bestehen zu können? Jesus tadelte seine Jünger, weil sie kein Vertrauen auf Gott bewiesen, so wie er selbst das in seinem ganzen Leben tat. Und diesem Beispiel hätten sie folgen können. Jemand, der sich in Gott geborgen weiß, muss in keiner Lebenslage die Zuversicht verlieren, sondern kann sogar anderen Hoffnung geben und auf ihr Wohl ausgerichtet sein. Nicht das eigene Überleben hat dann die höchste Priorität, sondern die Ausrichtung darauf, dass allen anderen geholfen wird. Lähmende Furcht weicht einer Dynamik und Kraft, die je nach den Bedingungen zum Handeln befreit. Glaube vertraut auf die Zusagen und Möglichkeiten Gottes, alle Dinge zum Guten zu wenden und die Bedrohung auszuschalten. Den Jüngern im Boot auf dem stürmischen See mangelte es an diesem Glauben, obwohl der Sohn Gottes unmittelbar bei ihnen war. Sie waren nicht allein, sie waren nicht verlassen. Deshalb konnte eigentlich alle Furcht von ihnen weichen, und sie kann auch bei uns weichen, wenn wir unser Vertrauen auf Gott setzen.

Joachim Pletsch

❓ Vertrauen Sie auf sich selbst oder auf Gott?

❗ Der Mensch ist auf Gott angewiesen, nicht nur im Leben, sondern auch im Tod.

✝ Markus 4,35-41; Johannes 14,1-14

28 SEPTEMBER — SAMSTAG

Und er trat in ein Haus und wollte, dass niemand es erfuhr; und er konnte nicht verborgen sein.
MARKUS 7,24

Fenster ins Markusevangelium (7)

Spricht man davon, dass jemand im Rampenlicht steht, so meint man damit, dass er von allen wahrgenommen wird. Bei Künstlern, Popstars und Politikern ist das so, aber auch in der digitalen Welt bei sogenannten Influencern. Manchmal geschieht das unfreiwillig, oft aber ganz bewusst, weil man sich Erfolg, Ruhm und ein besseres Geschäft davon erhofft. Doch diese Öffentlichkeit hat auch ihren Preis. Ständig muss man die Aufmerksamt rund um die eigene Person aufrecht erhalten und seiner Community gegenüber das halten, was man ihr verspricht. Auf die Dauer kann das belastend sein, mehr als man zuvor gedacht hat.

Jesus stand aufgrund seines göttlichen Auftrags seit Beginn seines Dienstes mehr und mehr im Fokus der Öffentlichkeit. Und er war immerhin mit dem hohen Anspruch angetreten, der seit Langem erwartete Messias zu sein. Dass dieser Anspruch berechtigt war und dass er ihm völlig entsprach, wurde schon ziemlich bald deutlich. Jesus predigte wie einer, der mit Gott vertraut war, er vollbrachte Wunder, heilte Kranke und weckte sogar Tote auf. Und doch bedeutete Öffentlichkeit nicht alles für ihn. Er hielt sich an das Prinzip, dass Gott vor allem im Verborgenen wirkt und bei denen wohnt, die zerschlagenen und gebeugten Geistes sind (Jesaja 57,15), aufgrund ihrer Schuld und Sünde, die sie bedrückt. Und die klärt man am ehesten in der Stille und Verborgenheit, wo man Jesus sein Herz öffnet und dann Heilung erfährt. Deshalb suchte Jesus oft die Zurückgezogenheit, um Einzelnen zu begegnen (siehe Bibellese).

Und doch konnte Jesus auch nicht verborgen bleiben, denn er war für uns alle zum Retter bestimmt. So wurde er schließlich aufs Kreuz erhöht, wo wir alle ihn bis heute sehen können, als er dort für unsere Sünden starb.

Joachim Pletsch

- Was kann Ihnen Jesus bieten und bedeuten, über alle anderen hinaus, die »im Rampenlicht« stehen?
- Begegnen Sie ihm »im Verborgen« und schütten Sie Ihr Herz vor ihm aus! Er reinigt Sie von Ihren Sünden.
- Markus 7,24-37

SONNTAG   SEPTEMBER **29**
Tag der Gehörlosen

Er hat alles wohlgemacht; er macht sowohl die Tauben hören als auch die Stummen reden.
MARKUS 7,37

Fenster ins Markusevangelium (8)

Gehörlosigkeit ist – wenn keine gegenläufigen Maßnahmen getroffen werden können – ein schweres Schicksal. Ein normaler Spracherwerb kann nicht stattfinden und begrenzt die Kommunikationsfähigkeit des Betreffenden erheblich. Er wird als unfähig sich mitzuteilen wahrgenommen und ist gesellschaftlich isoliert. Die spontane Reaktion ist, ihn zu übergehen, um keine Mühe mit ihm zu haben. Heute gibt es dank Gebärdensprache und besonderer Ausbildung die Möglichkeit, Gehörlosen ein weitgehend normales Leben unter weniger schweren Bedingungen zu ermöglichen. Die eigentliche Ursache der Gehörlosigkeit jedoch kann meistens nicht beseitigt werden.

Als man einen Gehörlosen zu Jesus brachte, konnte dieser ihn vollständig heilen. Er berührte die Ohren und benetzte die Zunge des Geschädigten mit Speichel, blickte zum Himmel und sprach das Wort »Hefata« (= »Werde geöffnet«). Dann heißt es: »Sogleich wurden seine Ohren geöffnet, und die Fessel seiner Zunge wurde gelöst, und er redete richtig.« Die im Tagesvers beschriebene Reaktion der Zuschauenden bringt es treffend auf den Punkt: »Er hat alles wohlgemacht.«

Die Umstände dieser Heilung legen nahe, das Handeln Jesu an diesem Menschen auch sinnbildlich zu verstehen: Von Natur aus sind wir taub in Bezug auf Gott, zu ihm reden wir »nur mit Mühe«, wenn überhaupt. Doch durch Jesus können wir ihn verstehen, erfahren und begreifen, z. B. seine Liebe zu uns, und finden dann endlich Worte, um ihm zu danken, ihn zu loben und zu preisen. Der Blick zum Himmel und die Bitte, dass unsere Ohren geöffnet werden, wird zu einem Verstehen für alles führen, was Gott in seinem Sohn Jesus Christus getan hat, um uns aus unserem jämmerlichen Zustand der Kommunikationsunfähigkeit mit ihm zu befreien.

Joachim Pletsch

Sind Sie noch kommunikationsunfähig in Bezug auf Gott?

Lassen Sie sich durch den Glauben an Jesus die Ohren öffnen und die Zunge lösen!

Markus 7,31-37

30 SEPTEMBER — MONTAG

Ihr aber, was sagt ihr, wer ich bin?
MARKUS 8,29

Fenster ins Markusevangelium (9)

Bei meinem Rentenantrag im vergangenen Jahr ging es u. a. auch um die Feststellung meiner Identität. Es musste sichergestellt sein, dass die eingereichten Formulare im Zusammenhang mit der richtigen Person stehen. Dazu reicht eine beglaubigte Kopie der Geburtsurkunde oder auch der Personalausweis aus, entweder online oder auch per behördlich bestätigter Kopie. Dahinter steht natürlich die Pflicht des Rentenversicherungsträgers sicherzustellen, dass später auch tatsächlich die Person die Rente erhält, die dazu berechtigt ist. Identitätsfeststellungen gibt es auch im Bank- und Versicherungswesen oder auch im Zusammenhang mit der Meldepflicht.

Auch in Bezug auf die Person Jesu war eine Identitätsfeststellung wichtig. Mit welchem Recht konnte er beispielsweise verlangen, dass seine Jünger ihren beruflichen Broterwerb aufgaben und mit ihm durchs Land reisten? War sein Anspruch, der verheißene Messias Israels und Retter der Menschen zu sein, berechtigt? Wenn sich Menschen auf Gedeih und Verderb auf ihn verließen, dann hing letztlich alles davon ab, ob seine Identität tatsächlich mit dem übereinstimmte, was er vorgab zu sein.

Mit der Frage im Tagesvers gab Jesus seinen Jüngern deshalb die Gelegenheit, zu seiner Identität Stellung zu nehmen. Der Nachweis seinerseits war längst geschehen, und sie hatten das hautnah miterlebt. Verheißungen erfüllten sich, sogar von Gott selbst war seine Identität als Sohn Gottes bestätigt worden. Aber es ging nicht nur darum, dass von seiner Seite her alles klar war; es war auch von höchster Bedeutung, dass ihm geglaubt wurde. Nur dann nämlich konnte man auch von seiner Identität profitieren und mit hineingenommen werden in die Erlösung, die durch ihn geschah. Und das ist bis heute so. *Joachim Pletsch*

Was glauben Sie, wer Jesus ist?

Davon hängt für Sie alles ab.

Markus 8,27-38

DIENSTAG

OKTOBER | **01**
Tag der älteren Menschen

Paulus aber rief mit lauter Stimme und sprach: Tu dir kein Leid an!
APOSTELGESCHICHTE 16,28

Wenn das Alter unerträglich scheint

Ein aggressiver Hirntumor plagt den älteren Mann schon viele leidvolle Wochen. Die Aussichten auf Heilung sind düster. Die Krankheit schreitet weiter fort. Aber niemals will er ein hilfloser Pflegefall werden. Zur Not liegt ja noch seine Pistole einsatzbereit in einer Schublade. – Eine alte alleinstehende Dame klagt über die täglichen Gelenkschmerzen. Sie kann kaum noch ihre Wohnung verlassen. Im Haushalt bleibt vieles liegen, sie schafft es einfach nicht mehr. Aber einen Umzug ins Altenheim will sie unbedingt verhindern. Zur Not hat sie genügend Schlaftabletten zu Hause.

Den Statistiken lässt sich entnehmen, dass die Anzahl der Selbsttötungen mit steigendem Alter zunimmt. Was aber treibt diese Menschen zu einem solchen Schritt? Ist es die Verzweiflung angesichts ihrer immer schlechter werdenden Gesundheitslage? Vielleicht auch ein Gefühl grenzenloser Einsamkeit, wenn Angehörige und Nachbarn wegfallen oder die Frage nach dem Sinn eines betagten Daseins, wenn ein Tag dem anderen gleicht – mit gähnender Eintönigkeit. Mancher mag auch vor den rasanten Veränderungen in Technik und Gesellschaft kapitulieren. Einem Menschen, der sich im Schockzustand nach einem Erdbeben das Leben nehmen wollte, rief der Missionar Paulus einst zu: »Tu dir nichts an!« Wenig später bekehrte sich dieser Mann zu Jesus Christus und bekam eine ganz neue Lebensausrichtung.

Es gibt ganz sicher viele Umstände, die dem Betroffenen das Weiterleben unerträglich erscheinen lassen. Doch wenn man sich gerade in einer solchen Krise Gott bewusst zuwendet, kann er auch einem äußerst verzweifelten Menschen eine gute Perspektive geben. Denn er schenkt dem, der ihm vertraut, ein Leben, das Krankheit, Schmerz und Leid überlebt und in die Ewigkeit hineinreicht. *Arndt Plock*

? Sind Sie der Verzweiflung nahe?

! Gott kennt jede Not.

† Offenbarung 21,1-6

02 OKTOBER MITTWOCH

Wie schwer ist es, in das Reich Gottes hineinzukommen!
MARKUS 10,24

Fenster ins Markusevangelium (10)

Irgendwo Mitglied zu werden, ist in den meisten Fällen ziemlich einfach, ob es nun um eine politische Partei geht, eine Gewerkschaft oder einfach um den Obst- und Gartenbauverein. Man muss nur einen Antrag stellen und braucht in der Regel keine besonderen Qualifikationsnachweise, um dann aufgenommen zu werden. Fast jede Organisation ist daran interessiert, mehr Mitglieder zu bekommen, weil man sich davon mehr Einnahmen, mehr Rückhalt und z. T. auch ehrenamtliche Mitarbeit verspricht. All das trägt letztlich nämlich dazu bei, dass man seine gesellschaftliche Relevanz erhöht und vielleicht auch mehr Einfluss gewinnt. Manchmal sind es aber auch einfach Geselligkeit und Austausch zwischen Menschen, mit denen man sich »bereichern« möchte.

Zur Zeit Jesu waren im Volk Israel viele daran interessiert, ins Reich Gottes zu kommen. Damit verband man die Erwartung, dass sich Gottes Herrschaft endgültig in dem Land durchsetzt, das Gott den Juden versprochen hatte. Dann würde endlich Frieden sein, so hoffte man, und dann könnte man endlich ungestört und ohne Gefahr den Segen genießen, den Gott seinem Volk versprochen hatte.

Als dann aber Jesus verkündete, dass man dazu von seinen Sünden umkehren und an den Retter glauben musste, den Gott zu seinem Volk gesandt hatte, wurde deutlich, dass es viel schwerer war als gedacht, denn viele erfüllten gar nicht diese Voraussetzung und waren auch gar nicht dazu bereit. Mit der Aussage im Tagesvers bezog sich Jesus auf solche, die sich auf ihren Reichtum verließen, doch der zählt bei Gott nicht, sondern einzig und allein, ob man Gott selbst über alles in seinem Leben stellt und ihn liebt und ehrt (vgl. Markus 12,28-34). Erst dann erweist man sich als würdig.

Joachim Pletsch

Wie sieht es mit Ihrem Verhältnis zu Gott aus?

Bitten Sie Jesus, dass er Sie passend dafür macht, in das Reich Gottes hineinzukommen.

Markus 10,17-31; 12,28-34

DONNERSTAG

OKTOBER | 03
Tag der Deutschen Einheit

Wenn aber jemand von euch Weisheit mangelt, so bitte er Gott, der allen willig gibt.

JAKOBUS 1,5

Was ist die Ursache großer Ratlosigkeit?

Regierungen stehen vor massiven Problemen. Weise Entscheidungen sind Mangelware. Eine wesentliche Ursache dafür ist die zunehmende Gottlosigkeit. Wer Gott loswerden will, wird ihn nicht um Weisheit bitten. Der weise Salomo schreibt im Buch der Sprüche, dass die Furcht des HERRN der Anfang und die Quelle der Weisheit ist (1,7; 9,10; 15,33). Wenn wir Gott missachten, brauchen wir uns nicht zu wundern, dass die Ratlosigkeit zunimmt.

Dazu gibt es ein nachdenkenswertes Wortspiel – vermutlich von dem französischen Dichter Antoine de Saint-Exupéry: »Wenn Menschen gottlos werden, dann sind Regierungen ratlos, Lügen grenzenlos, Schulden zahllos, Besprechungen ergebnislos, dann ist Aufklärung hirnlos, sind Politiker charakterlos, Christen gebetslos, Kirchen kraftlos, Völker friedlos, Sitten zügellos, Mode schamlos, Verbrechen maßlos, Konferenzen endlos, Aussichten trostlos.«

Gott sei Dank haben wir im deutschen Grundgesetz und in sieben Landesverfassungen noch einen Gottesbezug. So heißt es bis heute z. B. in Artikel 7 der LV von NRW: »*Ehrfurcht vor Gott,* Achtung vor der Würde des Menschen und Bereitschaft zum sozialen Handeln zu wecken, ist vornehmstes Ziel der Erziehung.« Die Gottesfurcht steht an erster Stelle. Das macht die NRW-Verfassung auch grammatikalisch deutlich: Es geht um mehrere Ziele, und doch wird es von den Vätern der Verfassung so formuliert, als sei es nur eins: Es »*ist* das vornehmste Ziel«. Das heißt, wenn die Gottesfurcht wegbricht, bricht alles zusammen. Dann wird die Menschenwürde missachtet, das Leben nicht mehr geschützt und die soziale Ungerechtigkeit immer größer.

Deshalb tun wir gut daran, Gott und sein Wort ernst zu nehmen und in Achtung und Ehrfurcht vor IHM zu leben. *Hartmut Jaeger*

? Wie sieht es mit der Ehrfurcht vor Gott in Ihrem Leben aus?

! Lasst uns beten, dass durch unser Volk ein Ruck von Gottesfurcht geht.

† Jakobus 1,16-27

04 OKTOBER — FREITAG
Welttierschutztag

Wir alle sehen in Christus ... die Herrlichkeit Gottes wie in einem Spiegel. Dabei werden wir selbst in das Spiegelbild verwandelt und bekommen mehr und mehr Anteil an der göttlichen Herrlichkeit.

2. KORINTHER 3,18

Jesus ähnlicher werden

Bestimmte Tiere haben die Fähigkeit der Tarnung, indem sie sich farblich der Umgebung anpassen. Der bekannteste Vertreter dieser Tarnungskünstler ist das Chamäleon. Es verändert nicht nur seine Farbe, sondern lässt auf seinen Schuppen Muster erscheinen, die der Umgebung entsprechen. Im Wasser ist der Tintenfisch ihm ebenbürtig: Neben dem Farbwechsel kann er seine Form ändern (rund werden oder sich flach ausstrecken). Ganz ähnlich macht es die Scholle – könnte man diesen Plattfisch auf ein Schachbrett legen, dann würde er tatsächlich das Aussehen dieses Bretts annehmen.

Anpassung ist für viele Tiere eine geschickte Überlebensstrategie. Genauso steht jeder Mensch in der Herausforderung, ob er sich an seine Umgebung anpassen will oder nicht. Manchmal braucht es Mut, sich von der Umgebung abzuheben, wenn z. B. das gesamte Kollegium sich hämisch über eine Person in der Firma äußert.

Um einen Wiedererkennungseffekt ganz anderer Art geht es im heutigen Tagesvers: Christen sollen Jesus immer ähnlicher werden und seine Eigenschaften widerspiegeln – aber nicht im Sinne einer Tarnung durch Anpassung, sondern echter und bleibender Identifikation. Weil er geduldig war, kann auch ich geduldig sein. Weil er seine Feinde liebte, kann auch ich das tun. Weil er am Kreuz für meine Sünden starb und mir vergab, kann ich anderen vergeben. Das meint nicht, mittels disziplinierter Anstrengung ein »Vorzeigechrist« zu werden, sondern wie ein kleiner Spiegel ein großes Licht in eine andere Richtung lenkt, Jesu Eigenschaften vor anderen Menschen erkennbar werden zu lassen.

Es ist nicht immer gut, sich seiner Umgebung anzupassen. Aber weil Jesus ausschließlich gut ist, ist es auch immer gut, ihm ähnlicher zu werden.

Stefan Taube

? Wo haben Sie dringend »Anpassung« an Jesus nötig?

! Wenn Sie auf ihn blicken, wird Sie das verändern. Nehmen Sie sich Zeit für das Lesen in der Bibel!

✝ 1. Johannes 4,7-21

SAMSTAG   OKTOBER | **05**

Ich bitte Gott, euch aus seinem unerschöpflichen Reichtum Kraft zu schenken, damit ihr durch seinen Geist innerlich stark werdet.

EPHESER 3,16

Kraftquelle

Als wir eines Tages nach einer Reise nach Hause kamen, stellten meine Frau und ich fest, dass kein Strom in der Wohnung war. Obwohl wir an die städtische Stromversorgung angeschlossen sind, gab es kein Licht. Der erste Blick fiel auf den Stromverteilerkasten, und tatsächlich: Die Hauptsicherung war rausgeflogen. Der zweite Blick galt dem Gefrierschrank. Wie stand es mit all den Speisen, die wir auf Vorrat gekocht und eingefroren hatten? Leider mussten wir feststellen, dass alles verdorben war.

Die Kraftquelle der städtischen Versorgung war zwar voll da, aber der Strom floss nicht zu den Geräten, weil der Hauptschalter nicht an war. Durch einen kleinen Griff am Schalter setzten wir die elektrische Energie wieder in Gang, ohne große Kraftanstrengung.

Diese Begebenheit illustriert, wie notwendig eine funktionierende geistliche Kraftquelle für unser Leben ist. Ist die Verbindung zum Stromnetz nicht (mehr) vorhanden, kann man sich mit Taschenlampen, Akkus, Kerzen und Spirituskocher noch einige Zeit über Wasser halten, aber eben nicht ein Leben lang. Vergleichbar ist es mit der Lebenskraft: Mit unserer eigenen Energie können wir vielleicht eine Zeit lang durchhalten. Aber wenn die eigenen Batterien leer sind, wird der Mangel offenkundig.

Für ein erfülltes, kraftvolles Leben benötigen wir den Anschluss an eine Energiequelle außerhalb von uns selbst. Diese Quelle ist vorhanden, sie findet sich in Gott. Doch für den Energiefluss ist mehr erforderlich als ein kurzer Griff in den Sicherungskasten: Eine lebendige Beziehung zu Gott muss erst hergestellt werden. Das funktioniert aber nur über die Schnittstelle Jesus Christus. Diese himmlische Kraftquelle für sich in Anspruch zu nehmen, liegt an jedem Einzelnen.

Sebastian Weißbacher

❓ Woher kommt Ihre Lebenskraft?

❗ Schließen Sie sich vertrauensvoll der Kraftquelle Gottes in Jesus an!

✝ Johannes 15,1-8

06 | OKTOBER
Erntedankfest

SONNTAG

Den Urheber des Lebens aber habt ihr getötet.
Das ist der, den Gott aus den Toten erweckt hat.
Wir sind Zeugen davon.

APOSTELGESCHICHTE 3,15

Grober Undank

Über Geschenke freut sich eigentlich jeder. Es ist eine wunderbare Geste. Man bekommt etwas, worauf man eigentlich keinen Anspruch hat – ganz unverdient und ohne Gegenleistung. Der Schenkende gibt etwas von sich ab. Das kann eine Kleinigkeit sein, aber auch etwas sehr Wertvolles. Schon als kleiner Junge habe ich gelernt, mich bei dem Schenkenden zu bedanken (»Kind, was sagt man? Danke!«). Doch wie reagiert man, wenn der Beschenkte sich so gar nicht rührt? Oder wenn er, statt dankbar zu sein, dem Schenkenden gar mit bösen Absichten gegenübertritt?

Das Bürgerliche Gesetzbuch hat eine Lösung: Eine Schenkung kann widerrufen werden, wenn sich der Beschenkte durch eine schwere Verfehlung gegen den Schenker oder einen nahen Angehörigen des Schenkers groben Undanks schuldig macht (§ 530 Abs. 1 BGB). Als grober Undank wird z. B. verstanden, wenn der Beschenkte den Schenker schwer beleidigt, ihn bedroht, körperlich misshandelt oder gar tötet.

Nun beschreibt der Tagesvers genau diesen Sachverhalt. Darin ist von Jesus Christus, dem Sohn Gottes die Rede. Er wird darin sogar wörtlich der »Urheber« allen Lebens genannt. Man könnte sagen, er ist der Schenker allen Lebens. Das Mindeste, was dieser Jesus also von jedem Menschen erwarten kann, ist Dankbarkeit. Allerdings erwartete den Sohn Gottes nach seiner Menschwerdung alles andere als Dank, stattdessen Bedrohung, schwere Beleidigung, körperliche Misshandlung und sogar Mord. Auch den Menschen unserer Zeit ist Jesus bestenfalls gleichgültig. Obwohl jeder ihm seine ganze Existenz verdankt, danken ihm die wenigsten. Was für ein grober Undank! Was wäre, wenn Gott deshalb das Geschenk des Lebens von jetzt auf gleich widerriefe?

Markus Majonica

Haben Sie Gott schon einmal Ihren Dank ausgedrückt?

Ehrlicher Dank ehrt den Schenker.

Römer 8,31-39

MONTAG | OKTOBER **07**

Die Tage unserer Jahre – es sind siebzig Jahre, und wenn in Kraft, achtzig Jahre, und ihr Stolz ist Mühsal und Nichtigkeit, denn schnell eilt es vorüber, und wir fliegen dahin.
PSALM 90,10

Megamarsch

Wir schreiben den 8. Oktober 2022, 12:00 Uhr. 1185 marschlustige Menschen versammeln sind beim Brentanobad in Frankfurt am Main. Ihr Ziel: 100 km in 24 Stunden. 30-60 % der Wanderer brechen den Marsch vorzeitig ab. Wer ein geübter Wanderer ist, schafft die ersten 50 km problemlos. Die zweite Hälfte des Megamarschs, die überwiegend nachts stattfindet, ist deutlich schwieriger. So langsam machen sich die Gelenke bemerkbar, erste Blasen bilden sich. Die Dunkelheit ist erdrückend. Ab ca. 5:00 Uhr morgens ist der Körper am Ende; es sind allerdings noch 25 km bis zum Ziel. Die Motivation hat das Weite gesucht, der innere Schweinehund kläfft. Zweifel kommen hoch: Warum tue ich mir das überhaupt an?

Unser Lebensmarsch ist vergleichbar mit diesem 100 km Megamarsch. Jung und frisch gestartet, merken wir schon früh, dass das Leben kein Ponyhof ist. Vielmehr ist es physisch und psychisch ein echter Kraftakt! 5,3 Mio. Deutsche erkranken im Lauf eines Jahres an einer kurzen oder dauerhaften Depression. 2021 nahmen sich 9215 Menschen in Deutschland das Leben, rund 25 pro Tag. Die »Lebensabbrecherquote« ist relativ hoch! Wir erkennen: Das Leben ist wie ein Hauch. Wie viele »gute Jahre« bleiben uns wirklich?

Es gibt jemanden, der möchte uns nicht nur auf unserem Lebensmarsch beistehen, er verspricht uns auch einen wunderbaren Ausgang – mit ihm an unserer Seite. Jesus sagt: »Wenn jemand mich liebt, so wird er mein Wort halten, und mein Vater wird ihn lieben, und wir werden zu ihm kommen und Wohnung bei ihm machen« und »Vater, ich will, dass *die*, welche du mir gegeben hast, auch bei mir seien, wo ich bin.« (Johannes 14,23; 17,24) Wenn die 100 km dann wirklich geschafft sind, ist das Gefühl der Erleichterung unvergleichbar. Endlich angekommen.

Rudi Löwen

❓ Haben Sie Jesus schon an Ihrer Seite?

❗ Nur mit ihm erreichen Sie am Ende das Ziel.

✝ Johannes 17,11-24

08 OKTOBER — DIENSTAG

Doch er war durchbohrt um unserer Vergehen willen, zerschlagen um unserer Sünden willen. Die Strafe lag auf ihm zu unserm Frieden, und durch seine Striemen ist uns Heilung geworden.

JESAJA 53,5

Der Große Brand von Chicago

Vom 8. bis zum 10. Oktober 1871 wütete in Chicago ein großer Brand. Eine Strecke von 6 Kilometern Länge und etwa einem Kilometer Breite wurde dabei zerstört. 17 000 Gebäude brannten aus und 300 000 Menschen wurden in kürzester Zeit obdachlos. Außerdem verbrannten viele Güter, und leider starben auch einige Menschen in den Flammen. Obwohl bis heute diverse Theorien über die Entstehung des Brandes kursieren, soll der Brandstifter auf dem Sterbebett das absichtliche Legen des Brandes in einer Scheune gestanden haben.

Bei allem Grauen und Schrecken dieses Brandes und den Auswirkungen, die noch bis in spätere Generationen spürbar waren, gab es auch eine erfreuliche Nachricht in der Tragödie. Weil man dem Feuer keinen Einhalt gebieten konnte und alles schiefging, was nur schiefgehen konnte, stellte sich der Westteil der Stadt schon auf die vollständige Zerstörung durch die Flammen ein. Doch das Feuer konnte an der Madison-Street-Brücke nicht in den Westen gelangen. Die Flammen sprangen noch auf eine Getreidemühle über, die durch eine dampfbetriebene Pumpe dauergekühlt wurde. Die Mühle brannte ab, aber das Feuer gelangte nicht darüber hinaus. Ein ganzer Stadtteil wurde durch die Mühle vor den Flammen bewahrt.

Die Bibel berichtet uns von einem ähnlichen Phänomen mit noch viel größerer Tragweite. Als der Sohn Gottes, Jesus Christus, an einem rauen Holz auf dem Hügel Golgatha hing, entlud sich das ganze Gericht Gottes an ihm. Alle, die sich seither hinter Jesus stellen, indem sie an ihn glauben, werden vor dem kommenden Gericht verschont. Wie ein Blitzableiter im Sturm, ein siegreicher Vorkämpfer in der Schlacht oder die Getreidemühle in der Madison-Street verhinderte Jesus Christus, dass das Feuer des Gericht auf uns übergreifen kann. *Alexander Strunk*

❓ Auf welcher Seite stehen Sie? Abseits von Jesus oder unter seinem Schutz?

❗ Nehmen Sie sein Erlösungswerk in Anspruch und bitten Sie ihn darum, von ihm aufgenommen zu werden!

✝ Offenbarung 22,14-21

MITTWOCH   OKTOBER | **09**

So ermahne ich nun, dass man vor allen Dingen tue Bitte, Gebet, Fürbitte und Danksagung für alle Menschen.

1. TIMOTHEUS 2,1

Schindlers Liste

Heute von 50 Jahren starb der deutsch-mährische Unternehmer Oskar Schindler. Weltweit bekannt wurde er durch Thomas Keneallys Roman und Steven Spielbergs Spielfilm »Schindlers Liste«. Oskar Schindler rettete gemeinsam mit seiner Frau Emilie ca. 1200 jüdischen Zwangsarbeitern das Leben. Er täuschte vor, dass er die Juden dringend für die Arbeit in seiner Munitionsfabrik bräuchte, und rettete sie damit vor den Fängen des NS-Regimes. Auf seiner berühmt gewordenen Liste gab er ungelernte Menschen und sogar Kinder als Facharbeiter aus. Die Liste mit den Namen aller durch ihn geretteten Juden wurde zwei Jahre vor seinem Tod in der Hebräischen Universität Jerusalem ausgelegt.

Oskar Schindlers mutige Tat verdient höchsten Respekt, denn er hat viele Menschen vor einem grausamen Tod bewahrt. Noch schlimmer ist es allerdings, die Ewigkeit getrennt von Gott und seiner Liebe verbringen zu müssen. Damit das nicht geschieht, ist Jesus Christus auf diese Welt gekommen, um für die Sünden der Menschen zu sterben und sie mit Gott zu versöhnen. Wer daran glaubt, der ist gerettet und darf einmal bei Gott im Himmel sein – was auch immer ihn auf der Erde noch erwartet. Sein Name steht im »Buch des Lebens«, woraus er niemals mehr entfernt werden kann (vgl. Offenbarung 20,15).

Ich bete dafür, dass noch viele meiner Bekannten das erleben und führe deshalb eine Liste, auf der viele Namen stehen. Dass diese Mühe nicht umsonst ist, hat mir Gott inzwischen mehrmals bestätigt. Ich durfte tatsächlich erleben, dass sich etliche Menschen Gott zugewandt haben und sich als erwachsene Menschen noch taufen ließen. Es ist noch nicht zu spät: Lassen auch Sie sich von Jesus Christus retten!

Sabine Stabrey

?   Was hindert Sie, sich von Jesus Christus retten zu lassen?

!   Das Wichtigste ist, dass unser Name im Buch des Lebens steht.

†   Philipper 4,1-7

10 OKTOBER
Welttag gegen die Todesstrafe

DONNERSTAG

Sterben müssen alle Menschen; aber sie sterben nur einmal, und darauf folgt das Gericht.
HEBRÄER 9,27-28

Die Todesstrafe

Die Zahl der Hinrichtungen in den USA ist seit Jahren rückläufig. Das liegt aber nicht daran, dass es weniger Straftäter gibt. Es fehlen die Mittel für Gift und Fachpersonal für die Verrichtung der Exekution. Was für uns ein Tabuthema ist, ist in den USA gang und gäbe. Die Todesstrafe wurde 1976 erneut eingeführt und seitdem über 1500-mal vollzogen. Aber die Quote ist rückläufig: 2022 gab es »nur noch« 18 solcher Hinrichtungen. Die Gründe dafür sind fehlendes Personal und fehlende Apotheker, die das Gift für die Giftspritze (wird häufiger verwendet als der elektrische Stuhl) herstellen können, aber natürlich auch die Debatten um die Berechtigung der Todesstrafe. Laut Studien befürwortet jedoch nach wie vor die Mehrheit der Amerikaner weiterhin die Todesstrafe.

Ein heikles Thema. Im deutschen Grundgesetz ist klar festgelegt: Kein Mensch hat das Recht, jemandem das Leben zu nehmen, auch wenn dieser die größten Verbrechen begangen hat. Die Todesstrafe wurde in Deutschland damit abgeschafft. Der Tod selbst ist allerdings nach wie vor für jeden Realität. Früher oder später ereilt er uns alle. Und die Bibel bezeugt, dass danach ein Gericht kommt (siehe Tagesvers). Damit ist also keineswegs alles erledigt, was in unserem Leben geschah. Die entscheidende Frage ist dann: Wie beurteilt Gott unser Leben? Hält es seinen Maßstäben stand? Die Frage können wir jetzt schon beantworten: Ganz sicher nicht. Denn wir sind alle schuldig vor ihm, ob mit kleinen oder großen Sünden. In der Ewigkeit bei Gott ist kein Platz für Sünder. Das ist die harte Wahrheit.

Wahr ist aber auch, dass Jesus unsere Sünden auf sich nahm und am Kreuz die Strafe dafür bezahlte. Wer das glaubt und für sich in Anspruch nimmt, findet für ewig Gnade bei Gott!   *Tim Petkau*

? Unter welchen Voraussetzungen müssten Sie Gottes Gnade in Anspruch nehmen?

! Wir sind alle auf Gottes Gnade angewiesen – vom schlimmsten Verbrecher bis zum gutmütigsten Menschen auf der Welt.

† Römer 3,10-12.21-26

FREITAG OKTOBER **11**

Jesus hörte das und erwiderte: »Nicht die Gesunden brauchen den Arzt, sondern die Kranken.«
MATTHÄUS 9,12

Lebensrettende Diagnose vom Spielfeldrand

Eigentlich wollte sich die Medizinstudentin Nadia Popovici im Oktober 2021 nur ein Eishockeyspiel anschauen. Doch dann fiel ihr ein verdächtiger Leberfleck am Hals von Brian Hamilton, einem Zeugwart der *Vancouver Canucks*, auf. Sie wollte ihn darauf aufmerksam machen, doch durch die trennende Schutzscheibe war keine direkte Kommunikation möglich. Schließlich tippte sie folgende Nachricht in ihr Handy und hielt das Display an die Scheibe: »Der Leberfleck an der Rückseite Ihres Halses ist möglicherweise Krebs. Bitte gehen Sie zu einem Arzt!« Irgendwann entdeckte der Zeugwart die Botschaft, nahm sie ernst und ließ sich untersuchen. Der Fleck erwies sich als schwarzer Hautkrebs, den die Ärzte erfolgreich entfernen konnten. Für Brian Hamilton ist die aufmerksame Studentin dadurch zur Lebensretterin geworden. Dankbar lobte er ihre Hartnäckigkeit, im Trubel eines Eishockeyspiels auf die gefährliche Krankheit hinzuweisen.

Anders als dieser kanadische Zeugwart nehmen viele Menschen Hinweise auf bedrohliche Krankheiten nicht ernst. Das gilt erst recht, wenn es um die Gesundheit ihrer Beziehung zu Gott geht. Als Jesus erklärte: »Nicht die Gesunden brauchen den Arzt, sondern die Kranken«, sagte er gleichzeitig: »Ich bin nicht gekommen, um Gerechte zu rufen, sondern Sünder.« Mit dieser Bildsprache wies Jesus darauf hin, dass Sünde wie eine schlimme Krankheit wirkt. Sie zerstört Leben und führt zum Tod. Gleichzeitig stellte sich Jesus als Arzt vor, der uns heilen möchte. Bis heute weist er uns durch die Bibel auf »Flecken« in unserem Denken, Reden und Handeln hin. Wir sollen erkennen, dass wir vor Gott Sünder sind. Jesus bittet uns dringend: Komm zur mir – dem Arzt und Retter!

Andreas Droese

❓ Wo hat Jesus Christus schon versucht, Ihre Aufmerksamkeit zu bekommen?

❗ Ärgern Sie sich nicht über Hinweise auf Sünde, sondern bitten Sie Jesus im Gebet um Vergebung und Rettung!

✝ Matthäus 9,1-13

12 OKTOBER — SAMSTAG

> Das Gesetz des HERRN ist vollkommen, es erquickt die Seele; das Zeugnis des HERRN ist zuverlässig, es macht den Einfältigen weise.
>
> PSALM 19,8

Die Logik des Glaubens

Logik ist das vernünftige Schlussfolgern aus einer Gegebenheit. Schon mein ganzes Leben lang ist mir dieses Prinzip sehr wichtig gewesen. Ich habe Schwierigkeiten, Menschen zu verstehen, die unlogisch denken, reden oder handeln. In meinem Beruf als Kriminalbeamter hat mir diese Maxime schon oft geholfen, denn bei jeder Beweisführung ist Logik oberste Priorität.

Im Alter von etwa 40 Jahren kam ich zum ersten Mal mit Menschen in Kontakt, die an Jesus Christus glaubten und die Bibel für bare Münze nahmen. Zunächst war mir das sehr fremd, denn an einen unsichtbaren Gott zu glauben, widerstrebte einfach meiner Logik. Ich hielt daher sicheren Abstand zu diesen Leuten; aber schließlich kam es dazu, dass ich mir doch genauer anhörte, was sie zu sagen hatten. Ich sah, wie respektvoll sie mit der Bibel umgingen, und ich begann zu ahnen, dass das, was in diesem alten Buch steht, durchaus der Wahrheit entsprechen könnte. Immer noch sehr skeptisch beobachtete ich, recherchierte und hinterfragte das Gehörte und Gelesene, um mir möglichst objektiv einen Eindruck von der Botschaft der Bibel zu verschaffen. Ich bemühte mich dabei nach Kräften, meine persönliche Emotionalität außen vor zu lassen und ernsthaft zu prüfen, ob das, was die Bibel sagt, wahr ist oder nicht.

Mit der Zeit kam ich zu der logischen Schlussfolgerung, dass die Bibel ihrem eigenen Anspruch genügt und wirklich wahr sein muss. Jetzt war eine Reaktion von mir erforderlich. Ich glaubte an die Botschaft der Bibel, dass Jesus für meine Sünden gestorben und dass er der Einzige ist, der mich retten kann. Ich bekannte Jesus meine Schuld und lud ihn ein, von nun an der Herr meines Lebens zu sein. Bis heute habe ich diesen Schritt niemals bereut.

Axel Schneider

? Was tun Sie, wenn Sie an der Wahrheit der Bibel zweifeln?

! Lassen Sie sich darauf ein, die Bibel einer gründlichen Prüfung zu unterziehen!

† Psalm 19,8-15

SONNTAG OKTOBER | **13**

Jesus antwortete: Ich habe euch gesagt, dass ich es bin. Wenn ihr nun mich sucht, so lasst diese gehen! Damit das Wort erfüllt wurde, das er sprach: Von denen, die du mir gegeben hast, habe ich keinen verloren.

JOHANNES 18,8-9

Verantwortung und Hingabe

Am 13. Oktober 1977 entführten palästinensische Terroristen eine Boeing 737, die »Landshut«, und brachten dabei die Crew sowie 86 Passagiere in ihre Gewalt, um die Bundesrepublik Deutschland zu erpressen. Kapitän des Flugzeugs war Jürgen Schumann. Bei einer Zwischenlandung in Dubai konnte Schumann den Behörden die Zahl der Entführer mitteilen. Als die Geiselnehmer davon erfuhren, ließ der Anführer Schumann im Gang niederknien und drohte, ihn zu erschießen, wenn so etwas noch einmal vorkommen würde.

Nach der Landung im Südjemen drei Tage später verließ Schumann mit Erlaubnis der Entführer das Flugzeug, um das Fahrwerk zu kontrollieren. Er nutzte die Gelegenheit, um Kontakt zur Außenwelt aufzunehmen und in einem Flughafengebäude mit Sicherheitskräften über mögliche Befreiungsaktionen zu sprechen. Anschließend kehrte er freiwillig in die entführte Maschine zurück. An Bord wurde er von einem Entführer im Mittelgang des Flugzeuges angeschrien und dann mit einem gezielten Kopfschuss getötet. Seine Ehefrau Monika sagte später über ihren Mann: »Mein Mann war kein Held. Als Flugkapitän hatte er die alleinige Verantwortung für seine Passagiere. In dieser Verantwortung hat er gehandelt.« Posthum bekam Schumann für seine Tat das Bundesverdienstkreuz verliehen.

Jürgen Schumann hat sein eigenes Leben nicht geschont, sondern nach Möglichkeiten gesucht, die Geiseln zu retten. Er hat Verantwortung übernommen und ist darin ein großes Vorbild. Ein noch größeres Vorbild ist Jesus Christus. Er wusste, dass der Tod auf ihn wartete, wenn er Menschen für die Ewigkeit retten wollte. Dennoch ist er nicht zurückgeschreckt, sondern hat auf Golgatha stellvertretend sein Leben für uns gegeben. Dafür verdient er unsere Dankbarkeit, Liebe und Hingabe.

Martin Reitz

❓ Wie hätten Sie als Kapitän gehandelt?

❗ Jesus Christus kann nicht nur vor dem zeitlichen, sondern sogar vor dem ewigen Tod bewahren.

✝ Hebräer 9,1-5

14 OKTOBER
Weltnormentag

MONTAG

Durch die Gnade seid ihr gerettet worden aufgrund des Glaubens. Denn niemand soll sich etwas auf seine guten Taten einbilden können.

EPHESER 2,8-9

Regelrecht

Was ist genau 210 mm breit und 297 mm hoch? Ein Blatt Papier im DIN A4 Format. Jeder Papierhersteller richtet sich nach dieser DIN-Norm (Deutsche Industrienorm). Heute ist der Weltnormentag, der uns bewusst machen soll, dass nahezu alles durch bestimmte Normen festgelegt ist. In Deutschland sind es die DIN-Normen, weltweit die ISO-Normen. Normen sind notwendig und hilfreich, damit Hersteller sich auf die Teile ihrer Zulieferer verlassen können, damit das Papier in das Fach des Druckers passt oder die Bankkarte in den Schlitz des Geldautomaten. Es gibt allerdings auch Normen, über die man etwas verblüfft lächelt. So legt die Norm DIN EN ISO 20126 fest, dass die Borstenbüschel einer Zahnbürste mindestens einer Kraft von 15 Newton widerstehen müssen, ohne dass sie herausgezogen werden. Wir sind eben recht gut darin, alles genauestens zu regeln.

Mit Normen verbunden ist der Gedanke, dass man gut ist, wenn man sich an die Regeln hält, denn nur dann bekommt man Zustimmung, Lob und Anerkennung. Dieses Prinzip übertragen wir auch leicht auf unsere Vorstellung von Gott. Wir denken, Gott hätte Regeln gegeben, z. B. die 10 Gebote, und wenn wir uns einigermaßen an sie halten, dann würde er schon mit uns zufrieden sein.

Tatsächlich finden wir in der Bibel viele gute Regeln und Prinzipien, die für unser Zusammenleben als Menschen wichtig und hilfreich sind. Allerdings können sie uns niemals vor Gott gerecht machen, weil wir sie nicht immer einhalten können, so sehr wir uns auch bemühen. Gottes Gebote zeigen uns nur, dass wir eben nicht gerecht sind. Niemand wird sich einmal vor Gott brüsten können, alles immer genau richtig gemacht zu haben. Wir sind alle Sünder und auf die Gnade Gottes angewiesen.

Bernhard Volkmann

[?] Denken Sie das auch, dass man ein guter Mensch sei, wenn man sich genau an alle Regeln hält?

[!] Gott wünscht sich, dass wir uns nicht selbst rechtfertigen, sondern seine Gnade in Anspruch nehmen.

[†] Römer 7,7-14

DIENSTAG　　　　　　　　　　　　　　　　OKTOBER | **15**

Lasst euch versöhnen mit Gott!
2. KORINTHER 5,20

Lass dir doch helfen!

Der kleine Junge sitzt frustriert am Fuß der Treppe. Verzweifelt versucht er, die Schnürbänder seiner Schuhe zu binden. Er hatte das doch schon so oft bei den Erwachsenen gesehen. Dort ging es doch so leicht! Warum funktioniert das bei ihm nicht? Da sieht der Vater die Hilflosigkeit seines Sohnes: »Lass dir doch helfen!«

Anhand einer solchen Szene kann man einige grundsätzliche Punkte deutlich machen: Jeder Mensch (nicht nur Kinder) kommt während seines Lebens immer wieder in Schwierigkeiten. In solchen Situationen neigen wir leicht dazu zu versuchen, uns mit unseren eigenen Mitteln zu behelfen. Allerdings kommen wir alle irgendwann an einen Punkt, an dem unsere Ohnmacht und Hilflosigkeit nicht mehr zu leugnen ist. Dann habe ich zwei Möglichkeiten: Entweder, ich versuche es weiter. Das führt in der Regel in die Verzweiflung. Oder ich gestehe mir meine Hilflosigkeit ein und suche mir kompetente Hilfe. Dieser zweite Weg fällt schwer, da man Schwäche offenbaren und seinen Stolz überwinden muss.

Ein besonderes Problem, das ausnahmslos jeden Menschen betrifft, ist, dass wir in unserem Leben Schuld auf uns laden. Damit werden wir Gott zum Feind (vgl. Kolosser 1,21)! Auch dieses Dilemma versuchen wir oft mit Bordmitteln zu lösen: eine gute Tat, eine Spende, ein Kirchgang usw. Doch die Feindschaft bleibt. Echte Versöhnung tritt nicht ein. Was Schuld betrifft, sind uns die Hände gebunden. Wir können nichts ungeschehen machen. Auch hier bleiben zwei Möglichkeiten: Die Fakten ignorieren und weitermachen oder aber die eigene Hilflosigkeit anzuerkennen und Gott um Hilfe zu bitten, der helfen kann und will. Er hat längst unsere Schuld beglichen und bietet uns durch seinen Sohn Jesus Christus echte, bleibende Versöhnung und Frieden mit ihm an.

Markus Majonica

? Was ist Ihre Strategie zum Thema Schuld?

! Gottes Friedensangebot gilt jedem – man muss es aber auch annehmen!

† Kolosser 1,15-23

16 OKTOBER   MITTWOCH

Gebt also sorgfältig darauf Acht, wie ihr lebt! Verhaltet euch nicht wie unverständige Leute, sondern verhaltet euch klug. Macht den bestmöglichen Gebrauch von eurer Zeit …

EPHESER 5,15-16

Auf dem Sterbebett

Was bereuen Menschen auf dem Sterbebett? Haben Sie sich diese Frage auch schon einmal gestellt? Wenn man z. B. mit Mitarbeitern aus dem Hospiz redet, die Sterbende begleiten, bekommt man immer wieder die gleichen Antworten. Und natürlich beinhalten alle das Wörtchen »hätte«! Vielfach *hätte* man mehr Zeit mit der Familie verbringen sollen, besonders mit den Kindern, als sie noch klein waren. »Ich *hätte* mehr Menschen sagen sollen, wie sehr ich sie liebe«, bedauern andere. Intakte Beziehungen, Versöhnung, Freundschaften – die mangelnde Investition tut vielen im Nachhinein leid. Man *hätte* auch mehr sein eigenes Leben leben und nicht so sehr die Erwartung anderer erfüllen sollen. Niemand bereut, nicht noch etwas mehr Zeit mit Netflix oder bei TikTok und Instagram verbracht zu haben. Oder im Büro. Niemand bereut verpasste Likes im Internet. Status, Geld, Macht – all das spielt keine Rolle mehr.

Wenn wir auf dem Sterbebett so viele Dinge anders machen würden: Warum fangen wir dann nicht heute schon damit an? Wieso verbringen wir unsere Lebenszeit mit so vielen Dingen, die wir später bereuen? Gott, der Erfinder und Schöpfer des Lebens, fordert uns dazu im heutigen Tagesvers heraus. Viel von dem, was wir auf dem Sterbebett bedauern, hat er uns in seinem Wort längst mit auf den Weg gegeben. Familie, Freundschaften, Beziehungen, Selbstwert, Lebensqualität. All das sind Dinge, die auch dem allmächtigen Gott wichtig sind und für deren Gelingen er Anweisungen gibt.

Vertrauen Sie ihm, dass er es gut mit Ihnen meint? Eine gereinigte und geklärte Beziehung zu Gott ist der Schlüssel für ein Leben, das sich wirklich lohnt! Übrigens: Dann ist das Sterbebett ein Ort des Ankommens bei ihm.

Thomas Bühne

❓ Was sollten Sie jetzt ändern, damit Sie später weniger zu bereuen haben?

❗ Wer nachhaltige Veränderung will, muss zuerst Frieden mit Gott bekommen.

✝ 1. Petrus 4,1-11

DONNERSTAG OKTOBER **17**
Tag der Beseitigung der Armut

Er aber antwortete und sprach zu ihnen: Wer zwei Unterkleider hat, gebe dem ab, der keins hat; und wer Speise hat, tue ebenso!

LUKAS 3,11

Prioritäten setzen

Unter Christen war es durch die Kirchengeschichte hindurch immer eine ausgemachte Sache, dass es nicht richtig ist, zu viel zu besitzen, wenn andere Menschen zu wenig haben. Deshalb gehörte für die Kirche die Armenfürsorge zum ganz normalen christlichen Leben dazu. Ab dem 19. Jahrhundert wurde jedoch unser Staat mehr und mehr zu einem »Sozialstaat« umgebaut und übernahm somit immer mehr die Fürsorge für die Armen. Wer heute in Deutschland in Not gerät, für den gibt es ein riesiges Angebot an staatlichen Unterstützungsmöglichkeiten. Dies könnte dazu führen, dass man die Praxisrelevanz des obigen Tagesverses infrage stellt, denn welche Verantwortung hat der einzelne Bürger noch, wenn die Bedürftigen in Deutschland Anspruch auf staatliche Unterstützung haben?

Hierzu kann man sich in Erinnerung rufen, dass nach wie vor unfassbar große Not in vielen Ländern zu finden ist. So weist z. B. Unicef darauf hin, dass immer noch ca. 14 000 Kinder weltweit pro Tag sterben, weil für sie nicht ausreichend Nahrung oder medikamentöse Versorgung vorhanden ist. Im weltweiten Kontext sind wir also noch meilenweit davon entfernt, Recht und Gerechtigkeit für jeden Menschen gewährleisten zu können.

Johannes der Täufer, von dem der Ausspruch unseres Tagesverses stammt, lebte in der Wüste und verzichtete somit auf jeglichen Komfort. Solch eine freiwillige Armut zu Gunsten anderer auf sich zu nehmen, dafür gibt es in der Bibel keine allgemeingültige Anweisung. Aber sie fordert uns heraus, statt Besitzvermehrung und Konsum dem Schöpfer des Lebens den ersten Platz in unserem Leben einzuräumen. Und wer die Prioritäten so anordnet, dem fällt es auch leichter, seinen Überfluss mit den Armen in der Welt zu teilen. *Stefan Nietzke*

? Welche Not geht Ihnen ans Herz?

! Geben ist seliger als Nehmen.

† Lukas 10,25-37

18 OKTOBER

FREITAG

Meine Seele ist sehr betrübt, bis zum Tod.
MARKUS 14,34

Fenster ins Markusevangelium (11)

Was geht in einem Menschen vor, der den Tod vor Augen hat? Normalerweise ist die spontane Reaktion darauf, sich dagegen aufzubäumen, mitten aus dem Leben gerissen zu werden. Verzweifelt sucht man nach einem Ausweg und ist vielleicht sogar bereit, jeden nur möglichen Deal dafür einzugehen. Wir hängen am Leben. Alles in uns ist darauf programmiert, am Leben zu bleiben. Aber wenn der Tod unausweichlich ist – was dann?

Der Ausspruch von Jesus im Tagesvers geschah in einer Situation, wo es noch einen Ausweg gegeben hätte, statt einen schrecklichen Tod am Kreuz zu erdulden. Seine Jünger waren bereit, für ihn zu kämpfen; ein Rückzug in ein sicheres Versteck wäre möglich gewesen; ja, sogar Engel standen zur Verfügung, um das drohende »Unheil« abzuwenden. Doch keine dieser Möglichkeiten kam für Jesus in Betracht. Wenn er den Plan Gottes zur Befreiung und Rettung von uns Menschen aus unserer Verlorenheit und Gottesferne weiterhin erfüllen wollte, war sein Tod am Kreuz unausweichlich. Denn dieser war nötig, damit unsere Sünden gesühnt und vergeben werden konnten. Damit nicht wir selbst im Gericht Gottes vergehen müssten, weshalb der Sohn Gottes es auf sich nahm. Dass ihm dies in dieser Stunde so schwer wurde, macht deutlich, wie sehr er auch Mensch war.

Und so betete Jesus in der Stunde seiner größten Betrübnis um unseretwillen: »Vater, alles ist dir möglich ... Doch nicht was ich will, sondern was du willst« (Vers 36). Während die, für die er zu sterben bereit war, übermüdet eingeschlafen waren, gewann Jesus in dem Entschluss, den Willen Gottes zu erfüllen, die Kraft, sich dem zu stellen, was ihm zu unserem Heil und Leben von Gott bestimmt war: Verhaftung, Verurteilung und Tod.

Joachim Pletsch

? Wie gehen Sie damit um, dass Jesu Tod auch um Ihrer Sünden willen geschah?

! Es ist an der Zeit, aufzuwachen und sich auf dieses ewig sichere Fundament der Versöhnung mit Gott zu stellen.

✝ Markus 14,32-42

SAMSTAG   OKTOBER | **19**

Mein Gott, mein Gott, warum hast du mich verlassen?
MARKUS 15,34

Fenster ins Markusevangelium (12)

Was bedeutet es, verlassen zu werden? Um das Ausmaß eines solchen Geschehens zu begreifen, muss man berücksichtigen, wie fest und tiefgehend die Beziehung zu dem Gegenüber war. Wenn in einer Ehe ein Partner den anderen verlässt, obwohl dieser ihn noch liebt, dann bedeutet das für den, der verlassen wird, unvorstellbaren Schmerz. Es ist, als würde einem das Herz aus dem Leib gerissen. Und das wird umso mehr empfunden, je weniger man begreift, warum das eigentlich geschieht.

Als Jesus am Kreuz hing und qualvoll litt, musste er genau dies in einem Ausmaß erfahren, das für uns kaum zu erahnen ist. In dem alten Lied »O Haupt, voll Blut und Wunden« umschreibt der Dichter es so: »Stets hast du ihm [Gott] gefallen – / warum dann dies Gericht? –, / warst heilig, rein in allem / und kanntest Sünde nicht!« Gott jedoch musste sich von seinem Sohn abwenden, obwohl dieser ihm allezeit treu gewesen war. So wird dessen Aufschrei am Kreuz verständlich. Der Dichter beschreibt auch den Grund für diese Gottverlassenheit: »Du musstest es empfinden, / wie Gottes Zorn so schwer/ für uns und unsre Sünde, / so viel wie Sand am Meer.«

Das Gericht Gottes ist um unserer Sünde willen am Sohn Gottes vollzogen worden. Er wurde für uns zur Sünde gemacht, damit wir Gottes Gerechtigkeit würden in ihm (vgl. 2. Korinther 5,21). Er musste – als Gottes geliebter Sohn – die Gottverlassenheit erfahren, die wir Menschen oft leichtfertig als unbedeutend abtun, weil uns das Bewusstsein für unsere Sünden und ihre dramatischen Folgen fehlt. Diese müssen wir aber in alle Ewigkeit bitter erfahren, wenn wir nicht dankbar für uns in Anspruch nehmen, was Jesus am Kreuz für uns erduldete. Er stand dort für unsere Schuld gerade, damit wir frei davon werden können.

Joachim Pletsch

❓ Droht Ihnen die ewige Gottverlassenheit, weil Sie Jesus und das, was er auf sich nahm, noch gering achten?

❗ Wir müssen endlich anerkennen, dass unsere Sünde und Schuld uns von Gott trennt, und annehmen, was Jesus für uns tat.

✝ Markus 15,21-39

20 OKTOBER — SONNTAG

Er ist auferweckt worden, er ist nicht hier.
MARKUS 16,6

Fenster ins Markusevangelium (13)

Als Singularität bezeichnet man u. a. einen »Punkt«, ab dem sich die Bedingungen für alles weitere, was folgt, verändern. In der Astrophysik beispielsweise geht man von einer Singularität aus, von der an sich durch den »Urknall« das Universum und unsere heute erlebte Welt entwickelt haben. Ob das nun tatsächlich so war, ist seit dem Aufkommen dieser Idee jedoch umstritten.

Als eine Singularität, als ein einzelnes, für alles weitere entscheidendes Ereignis könnte man die Auferweckung Jesu bezeichnen. In der Form, wie sie geschah, ist sie einmalig in der Geschichte der Menschheit. Und sie hat weitreichende Folgen. Durch sie entstand etwas, das nicht mehr zeitlich und räumlich begrenzt ist, wie alles sonst auf dieser Erde. Sie hat Leben in ganz neuer Qualität für alle gebracht, die an Jesus glauben; Leben, das in alle Ewigkeit bestehen bleibt. Bevor Jesus starb, wies er bereits darauf hin: »Weil ich lebe, werdet auch ihr leben«, sagte er seinen Jüngern (Johannes 14,19). Durch Glauben würden sie unzerreißbar mit ihrem Herrn verbunden bleiben. Und als er starb und zu neuem Leben auferstand, beinhaltete dies die Zukunft aller, die an ihn glauben, nämlich, dass sie ebenso zu neuem Leben auferstehen werden, auch wenn sie gestorben sind.

Das ist die Grundlage für eine völlig neue Welt, die jetzt schon vorbereitet wird und zu der man jetzt schon gehört, wenn man in die Nachfolge Jesu eintritt. Denn es geht nicht nur um einen neuen Körper, sondern um einen ganz neuen Menschen. Und der wird schon dann zum Leben erweckt, wenn man sich hier und jetzt Jesus übergibt. Nicht das Grab ist dann der letzte Bestimmungsort, sondern der Himmel und Gottes neue Welt, wo es keinen Tod mehr geben wird. *Joachim Pletsch*

? Wollen Sie zu dieser neuen Welt gehören oder lieber mit der alten untergehen?

! Der Anschluss an Jesus bedeutet für jeden, der Ernst damit macht, etwas vollkommen Neues.

✝ Markus 16,2-14

MONTAG OKTOBER **21**

Wer gläubig geworden und getauft worden ist, wird gerettet werden.

MARKUS 16,16

Fenster ins Markusevangelium (14)

Zu Beginn des Jahres 2023 konnte man es nach Corona wieder ins Auge fassen, ein öffentliches Konzert zu besuchen. So hatte ich für meine Frau und mich Karten für ein Neujahrskonzert besorgt, das am 1. Januar an vielen Orten – nicht nur in Deutschland – auf dem Programm zahlreicher Orchester steht. Dankbar erlebten wir einen kurzweiligen Abend mit einer ganzen Reihe von beeindruckenden Darbietungen, die durchweg einen ansprechenden Hörgenuss boten. Auffallend war, dass die gespielten Kompositionen häufig auf einen Höhepunkt zuliefen, der aus besonders kräftigen Schlussakkorden bestand.

Solche kräftigen Schlussakkorde gab es auch, als Jesus sich von seinen Jüngern verabschiedete und ihnen letzte Anweisungen für ihr Leben hier auf der Erde gab: In die ganze Welt sollten sie hinausgehen und der ganzen Schöpfung die frohe Botschaft vom Heil verkünden, das durch den Glauben an ihn zu erlangen war. Dabei ging es aber nicht nur um das Anhören hoffnungsvoller und wohlmeinender Worte, die wie Musik in den Ohren klingen, sondern auch um ein Prinzip, durch das Wirklichkeit werden kann, was gepredigt wurde.

Dieses Prinzip gibt unser Tagesvers wieder. Die verkündete Botschaft sollte sich seitens der Hörer mit persönlichem Glauben verbinden, und die Tatsache, dass das wirklich geschehen ist, sollte mit einer besonderen Handlung bezeugt werden, die den ganzen Menschen betrifft: das Untertauchen der an Jesus gläubig gewordenen Person in Wasser bei der Taufe. Diese versinnbildlicht das Sterben und Untergehen des alten Lebens und dann auch – wenn der Täufling aus dem Wasser wieder auftaucht – das Auferstehen zu einem neuen Leben, das sich fortan auf Jesus gründet und sich in den Dienst seiner Mission stellt.

Joachim Pletsch

- Was machen Sie aus dem, was in diesem Kalender beinahe täglich »aufgeführt« wird?
- Die Schlussakkorde beim Abschied von Jesus besiegelten nicht das Ende seiner Mission, sondern den Beginn von etwas Neuem.
- Markus 16,15-20

22 | OKTOBER | DIENSTAG

Seit der Erschaffung der Welt sind seine Werke ein sichtbarer Hinweis auf ihn, den unsichtbaren Gott, auf seine ewige Macht und sein göttliches Wesen.
RÖMER 1,19-20

Tim Joel

Wieder einmal schaute eine Spaziergängerin in meinen Kinderwagen und freute sich an unserem strahlenden Sohn, den kleinen Tim Joel. Diesmal war es die »Frau mit den lila Haaren«, wie ich sie heimlich nenne. Neugierig fragte sie mich nach dem Namen des Kindes, und ich erklärte ihr: »Er heißt Tim Joel. Der Name ›Joel‹ bedeutet übrigens: der Herr ist Gott. Und das glaube ich auch.« Daraufhin entgegnete die Frau: »Schade, dass es den Namen ›Natur‹ nicht gibt. Ich würde meine Tochter ›Natur‹ nennen, weil die Natur es gut gemacht hat. Ich glaube an keinen Gott, ich bin Atheistin.« Verwundert schaute ich sie an und erwiderte, dass ich das, was sie »Natur« nennt, als »Schöpfung« bezeichne.

An der Schöpfung erkenne ich, dass es einen Schöpfer geben muss. Jedes Mal, wenn ich beispielsweise unser Baby anschaue, wird mir bewusst, dass es jemand Größeren geben muss. Eine Person, die einen wundervollen Plan und unglaubliche Schöpfermacht hat. Schon das Duplo-Haus meines Sohnes zeigt mir, dass hier nicht der Zufall, sondern bewusste Planung am Werk war. Ebenso lässt mich die wunderbare Schöpfung auf einen Schöpfer schließen.

Die Frau und ich, wir verabschiedeten uns voneinander und gingen mit unterschiedlichen Vorstellungen auseinander. Sie glaubt weiterhin, dass nach dem Tod alles aus ist und lebt ohne Hoffnung. Und das, obwohl sie eine lebensgefährliche Lungenkrankheit hat, die sie jeden Moment das Leben kosten kann. Doch ich darf eine große Hoffnung haben. Eine Hoffnung, die sich auf Gottes Wort, die Bibel, gründet: dass ein liebevoller Gott die Erde, mich selbst und auch meinen kleinen Sohn geschaffen hat, und dass er uns nach dem Tod ewiges Leben mit ihm zusammen schenken möchte.

Dina Seel

? Was empfinden Sie beim Anblick eines Babys?

! »Wenn du ein neugeborenes Kind siehst, hast du Gott auf frischer Tat ertappt.« (Martin Luther)

✝ Pslm 139,13-18

MITTWOCH · OKTOBER 23

Du sahst mich schon, als ich ein Knäuel von winzig kleinen Zellen war.
PSALM 139,16

Der Schöpfer kennt jedes seiner Geschöpfe

Gott hatte von Anfang unseres Erdenlaufs an alles fest in der Hand. Bereits bei der Mischung der Erbanlagen von Vater und Mutter, beim sogenannten »Crossing over« hat er alles nach seinem Willen gelenkt. Als es dann zur Vereinigung von Samen- und Eizelle kam, hat er wieder genau für die Mischung gesorgt, die er dem werdenden Menschen zugedacht hatte. So begannen wir als ein Wesen, so klein, wie ein i-Punkt in diesem Buch; aber mit allen nötigen Voraussetzungen ausgestattet, die sich nur noch zu entfalten brauchten. Neun Monate lang wuchsen wir dann als völlig hilf- und kraftlose Wesen an dem normalerweise sichersten Ort, dem Mutterleib, heran, wo wir nicht nur weitgehend vor allen Einflüssen der Außenwelt, sondern auch noch von liebender und hoffnungsvoller Fürsorge beschützt wurden.

Ich weiß, dass jetzt viele sagen werden, das sei ein viel zu idealistisches Bild angesichts der tausendfachen Schwierigkeiten, mit denen Eltern und Babys oft zu kämpfen haben. Doch was würde es bedeuten, wenn wir zu dem Schluss kommen müssten, Gott habe entweder kein Interesse mehr an uns oder sei von Anfang an nicht Herr der Lage gewesen? Ich glaube beides nicht, und auch nicht, dass Gott die augenblickliche Bevölkerungsexplosion über den Kopf gewachsen ist. Vielmehr weiß ich, dass Gott die Folgen eigener und fremder Sünden und aller Auflehnung gegen seine heilsamen Gebote zulässt, um uns zur Umkehr zu bringen.

Schon seit dem Sündenfall der ersten Menschen ist diese Erde nicht unsere eigentliche Heimat, sondern ein Ort der Prüfung, der Selbsterkenntnis und der Umkehr zu Gott. Unsere tatsächliche Heimat ist der Himmel; sie ist dort, wo Gott wohnt und denen ein ewiges Zuhause bereitet hat, die zu ihm umkehren.

Hermann Grabe

? Wo wollen Sie die Ewigkeit zubringen?

! Der liebende Schöpfer weiß am besten, was das Beste für uns ist.

✝ Psalm 139

24 OKTOBER DONNERSTAG

Ich gehe den Weg der Gerechtigkeit, und zwar mitten auf der Straße des Rechts.
SPRÜCHE 8,20

Leben in der Spannung

»Starlink-Satelliten fallen vom Himmel« heißt die Überschrift zu einem Artikel. Diese Satelliten haben in etwa 200 km Höhe ihre Umlaufbahn. In dieser Höhe kann es Gasschwaden geben, die Reibungen am Satelliten erzeugen, wodurch sich seine Geschwindigkeit verringert. In der Folge reicht sie nicht mehr aus, um gegen die Erdanziehungskraft anzukommen. Der Satellit stürzt ab. In größerer Höhe gibt es diese Reibung nicht. Die Spannung und Ausgewogenheit zwischen Fliehkraft und Erdanziehungskraft hält dort den Satelliten dauerhaft in seiner Umlaufbahn.

Gott hat die Welt so geschaffen, dass auch unser Leben und Zusammenleben in Spannungsfeldern verschiedener Kräfte verläuft. Ein Beispiel: Durch die Jahrhunderte hindurch haben Menschen immer wieder Neues entdeckt oder erfunden. Manche nehmen das freudig auf, andere betrachten es mit Skepsis. Das erzeugt Spannungen zwischen denen, die Neues wagen, und solchen, die Vertrautes bevorzugen. Nicht jeder hat den Mut, das Neue zu begrüßen. Doch irgendwann benutzen wir alle wie selbstverständlich Dinge, die irgendwann neu waren.

Auch in uns selbst spüren wir Spannungen. Z. B. möchten wir für andere da sein, müssen aber, wegen unserer eigenen Grenzen, andere auch mal enttäuschen. Es ist wichtig, in ein Beziehungsgefüge eingebunden zu sein, aber auch nötig, sich abzugrenzen und eigenständig zu sein. Mal ist das eine oder das andere wichtig. Das ist nicht immer einfach. Dennoch sollten wir die Spannung positiv sehen und als etwas Nötiges begreifen. Sie sorgt für Ausgewogenheit, verhindert Einseitigkeit und falsche Abhängigkeit. In dieser Spannung dürfen wir Gott suchen, der uns hilft, unseren Weg zu finden. *Manfred Herbst*

Welchen Spannungen müssen Sie gerade standhalten?

Geben Sie nicht nach und halten Sie den Kurs, der für Ausgewogenheit sorgt.

Sprüche 8,1-21.32-36

FREITAG OKTOBER | **25**

Der HERR sprach zu Abram: Verlass dein Land und deine Verwandtschaft und deines Vaters Haus und ziehe in das Land, das ich dir zeigen werde.

1. MOSE 12,1

Existenzwechsel

Abraham, der hier noch Abram heißt, hatte sicher ein gutes Leben in seiner Heimatstadt Ur am Euphrat; er wird wenig Veränderungsdruck verspürt haben. Da trifft ihn urplötzlich die Aufforderung Gottes, seine Heimat und Familie zu verlassen und in ein fernes, unbekanntes Land zu ziehen. Warum sollte er dieser Aufforderung nachkommen?

Dieser Ruf steht nicht allein. Gott verbindet damit eine unglaubliche Zusage (1. Mose 12,2-3): »Denn ich will dich zu einem großen Volk machen und will dich segnen und deinen Namen groß machen, und du sollst ein Segen sein. Ich will die segnen, die dich segnen, und wer dich verflucht, den will ich verfluchen; und in dir sollen alle Geschlechter der Erde gesegnet werden.« Nun war es an Abram, sich zu entscheiden: Soll ich wirklich mein Leben auf diese Karte setzen? Ist Gottes Zusage verlässlich? Ist seine Aufforderung vielleicht metaphorisch zu verstehen – nach dem Motto: Bleib, wo du bist, aber distanziere dich innerlich von deinem sozialen Umfeld?

Abrams Reaktion war, Gott beim Wort zu nehmen. Tatsächlich verließ er sein altes Leben buchstäblich und wechselte in eine neue Existenz! Von nun an ging er seinen Weg gemeinsam mit Gott. Er kannte das Land noch nicht, in dem er ankommen würde; aber er vertraute Gott, dass dieser sein Versprechen halten würde. Dieses Vertrauen wurde nicht enttäuscht.

Heute bietet uns Jesus Christus auch etwas Unglaubliches an: ewiges Leben und eine lebendige Beziehung zu Gott. Dieses Angebot ist allerdings daran gebunden, dass auch wir unsere Existenz wechseln: weg von unserer scheinbaren Unabhängigkeit hin zur Abhängigkeit der Nachfolge Jesu. Wenn wir das unmissverständlich tun, finden wir endlich Ruhe für unsere Seele!   *Markus Majonica*

? Was macht Ihr Leben aus?

! Keiner wird enttäuscht, der sein Leben Gott anvertraut.

✝ Galater 3,6-9

26 | OKTOBER   SAMSTAG

Darum wird ein Mann seinen Vater und seine Mutter verlassen und sich mit seiner Frau verbinden. Und die zwei werden völlig eins sein.
EPHESER 5,31

1 + 1 = 1

Am 26. Oktober 2018 habe ich meine liebe Frau geheiratet. Sechs wunderbare Jahre liegen hinter uns und ich bin der Meinung, dass die Ehe von allen Erfindungen Gottes die herrlichste ist! Er hat den Menschen von Anfang an als Mann und Frau geschaffen – körperlich und im Wesen unterschiedlich und dabei vollständig gleichwertig. Warum? Damit Mann und Frau einander ergänzen und komplettieren können. Der eine hat genau das, was der andere braucht. Und so können Mann und Frau in der Ehe eine geniale Einheit bilden und gemeinsam Dinge schaffen, die für jeden Einzelnen unmöglich wären. Hier lautet die »göttliche« Mathematik: 1 + 1 = 1.

Aber Gottes genialer Plan geht noch weiter! Der auf unseren Tagesvers folgende Satz lautet: »*Darin liegt ein tiefes Geheimnis. Ich beziehe es auf Christus und die Gemeinde.*« Die Ehe ist also nicht nur zur zwischenmenschlichen Ergänzung und Freude. Sie ist darüber hinaus noch ein Bild für etwas viel Größeres, nämlich die Liebe von Jesus zu seiner Gemeinde – also den Menschen, die seine Liebe erwidern und ihm vertrauen. Ich stelle es mir so vor: Gott überlegte in der Ewigkeit, vor der Erschaffung der Welt: Wie kann ich den Menschen begreifbar machen, wie sehr ich sie liebe und wie nahe ich ihnen sein möchte? Und dann hat er sich die Ehe ausgedacht, als wunderbares Abbild für die Liebe Gottes zu uns Menschen.

Somit ist auch klar, wieso Gott Scheidung und Ehebruch hasst: Zunächst natürlich wegen der unmittelbaren Folgen für Eheleute und Kinder. Darüber hinaus aber auch, weil *er* der Gott der Treue ist. Er wird uns *nie* fallen lassen, wenn wir uns an ihn binden. Er wird dann *nie* aufhören, uns zu lieben. Und genau das wünscht er sich auch von uns, seinen Geschöpfen: Liebe, Loyalität und Treue.   *Stefan Hasewend*

❓ Haben Sie Gottes Liebe schon erwidert?

❗ Wer andere »Götter« in seinem Leben hat, begeht »geistlichen« Ehebruch.

✝ 1. Mose 2,18-25

SONNTAG   OKTOBER | **27**
Welttag des audiovisuellen Erbes

Das verwüstete Land macht er zu einem Paradies; es wird blühen und fruchtbar sein wie der Garten Eden. Freude und Jubel werden dort erschallen und ihr werdet eurem Gott Danklieder singen.

JESAJA 51,3

Sehnsucht nach dem Paradies

Das sogenannte »Post-Avatar-Depressions-Syndrom« kam letztes Jahr durch das Erscheinen des zweiten Teils des Science-Fiction Kinohits »Avatar« wieder in die Schlagzeilen. Tatsächlich empfanden manche Zuschauer nach dem Film ihr eigenes Leben als sinnlos und trist, so sehr hatte die utopische, paradiesische Welt von Pandora sie in ihren Bann gezogen. In diversen Fanforen berichten Menschen, dass »Avatar« ihnen das Gefühl gibt, nicht im Einklang mit der Natur, der Welt und sich selbst zu leben. Manche litten unter einem leichten Blues, andere hatten ernste Depressionen und sogar Selbstmordgedanken.

In mir löste der Kinofilm ganz andere Emotionen aus. Ich freute mich einfach an der Kreativität und Schönheit, die das Filmteam auf die Leinwand gebracht hatte. Wir Menschen sind ja selbst nur Geschöpfe und in unseren gedanklichen und technischen Möglichkeiten sehr begrenzt. Doch wenn wir uns so etwas Schönes wie »Avatar« ausdenken können, wie viel atemberaubender und schöner wird dann erst die neue Welt sein, die der Schöpfer am Ende aller Zeiten neu erschaffen wird!

Unsere Welt ist seit der Sünde des ersten Menschenpaares eine gefallene Welt. In der Natur, in der Gesellschaft und auch in unserem persönlichen Leben ist nichts mehr so, wie es eigentlich sein sollte. Wir spüren das deutlich und tragen in uns die Sehnsucht nach einer Rückkehr ins Paradies, das wir damals verlassen mussten. Doch Jesus Christus hat mit seinem Sterben am Kreuz die Sünde besiegt. Wer an ihn glaubt, der hat Frieden mit Gott und darf einmal ein Teil der neuen, vollkommenen Welt sein, die Gott erschaffen wird. Dies ist kein vages Versprechen, sondern eine feste Gewissheit, die einem hilft, das Leben auf dieser unvollkommenen Erde zu meistern. *Kathrin Stöbener*

? Woher kommt unsere Sehnsucht nach einer vollkommenen Welt?

! Nur in der Rückkehr zu unserem Schöpfer können wir heil werden.

✝ Offenbarung 21,1-7

28 | OKTOBER — MONTAG

Wenn der Hausherr ... die Tür abgeschlossen hat, werdet ihr draußen stehen, ... und rufen: ›Herr, mach uns auf!‹ Doch er wird euch antworten: ›Ich kenne euch nicht; ich weiß nicht, woher ihr seid.‹

LUKAS 13,25

Zu spät

An der Universität in unserer Stadt arbeitete lange Jahre eine ältere Frau, die für die Einschreibung neuer Elektroingenieure zuständig war. Das war zu einer Zeit, als man sich noch mit Stift und Papier vor Ort einschreiben lassen musste. Am letzten Tag der Einschreibefrist gab es dann häufig eine lange Schlange von Personen, die bis auf den Hof reichte. Wenn dann alle Studenten durch waren und auch die letzten Sekunden der Frist vertickt waren, wäre es eigentlich nur richtig gewesen, die ältere Dame und ihre Kollegin hätten die Tür zugemacht. Allerdings gab es immer wieder Studenten, die das Limit ausreizten – und Glück hatten, dass die besagte ältere Dame an dieser Stelle saß. »Ach, lass uns die Tür doch noch ein wenig auflassen. Das bricht mir einfach das Herz,« sagte dann die ältere Dame. »Nee, mach das Loch jetzt endlich zu, ich kann keinen mehr sehen und die sind nun mal zu spät.« – »Okay, aber ich mach wieder auf, wenn noch jemand kommt. Da brauchst du dich ja auch nicht drum kümmern. Aber stell dir vor, das wäre mein Junge. Der kommt auch immer auf den letzten Drücker.«

Wenn dann noch jemand kam, nutzte sie die Gelegenheit bzw. die Verlegenheit des Trödlers: »Wissen Sie, ich konnte diese Tür noch öffnen. Eigentlich müsste die für dieses Semester für Sie geschlossen bleiben. Aber passen Sie auf, es wird der Tag kommen, an dem die Himmelstür zugemacht wird. Da ist es viel wichtiger, dass Sie Ihre Chance nicht verpassen.«

Die ältere Dame war eine Christin und davon überzeugt, dass wir Menschen hier auf der Erde die Verantwortung haben, uns Gott zuzuwenden und ihn um Vergebung unserer Schuld zu bitten. Und das sollten wir nicht versäumen und auch nicht bis zum letzten Moment darauf warten.

Jannik Sandhöfer

❓ Wie ernst nehmen Sie die Frist, die uns Gott setzt?

❗ Heute steht Ihnen die Himmelstür in Jesus Christus weit offen.

✝ Lukas 13,22-30

DIENSTAG OKTOBER | **29**

Wir wissen aber, dass denen, die Gott lieben, alle Dinge zum Guten mitwirken.
RÖMER 8,28

 So viele Katastrophen ...

Es gibt so viel Elend: Da wird jemand unheilbar krank. Hier verliert eine Mutter mit fünf kleinen Kindern ihren Mann. Dort tritt das Wasser über die Ufer und plötzlich ist alles »im Fluss« ... Da verstehe ich, wenn Menschen die Frage nach dem »Warum« stellen – nicht zuletzt an Gott. Allerdings finde ich es nicht fair, wenn man ihm im gleichen Atemzug Vorwürfe macht. Ist er denn schuld an unserem Dilemma? Nachdem er Adam und Eva geschaffen hatte, war doch zunächst alles sehr gut. Der Mensch war es, der Gottes Gebote übertrat. Seitdem gehören Leid und Tod zum Leben dazu.

Aber wir sind Gott nicht gleichgültig! Aus Liebe zu uns sandte er seinen Sohn Jesus Christus in diese Welt, der für unsere Sünde am Kreuz starb. Dadurch kann Gott uns vergeben. Ja, er macht uns, wenn wir diese Vergebung annehmen, zu seinen Kindern! Und er verspricht, uns durch alle Not und alles Leid hindurch zu helfen, bis wir bei ihm im Himmel angekommen sind.

So kann ich als Christ trotz äußerer Not inneren Frieden erleben. Auch dann, wenn ich das Leid nicht verstehe und sehr wohl manchmal »Warum?« frage, weiß ich: Gott hat mit mir einen Plan. Er sieht und lenkt meine Situation aus seiner Perspektive. Ich darf ihm vertrauen, dass jede Einzelheit Sinn ergibt und mir zum Besten dient. Wenn ich bei ihm ankomme, werde ich seine Wege mit mir vollkommen verstehen.

Gottes letzte Antwort auf alles Leid heißt: Auferstehung. Auf diesen Augenblick darf sich jeder freuen, der Jesus liebt. Und vielleicht werde ich dann fragen: Wie konnte Gott all das Gute in meinem Leben zulassen, wo ich doch als Mensch so viele Fehler begangen habe?

Hartmut Jaeger

❓ Was macht Ihnen heute zu schaffen?

❗ Sagen Sie Ihre Not Gott im Gebet und vertrauen Sie ihm!

✝ Psalm 40

30 | OKTOBER   MITTWOCH

Gottes Gerechtigkeit aber durch Glauben an Jesus Christus für alle, die glauben.
RÖMER 3,22

Wie kann ein Mensch gerecht werden vor Gott?

Diese Frage quälte einen jungen Mann. Ganz fromm wollte er leben. Er gab alles auf und ging ins Kloster. Aber auch als Augustinermönch machte ihm diese Frage weiterhin zu schaffen. Er gab alles. Er fastete, sodass sich seine Freunde um sein Leben sorgten. Regelmäßig ging er zur Beichte. Aber immer dann, wenn er gebeichtet hatte, wurde er unsicher, denn er wusste nicht, ob da vielleicht noch etwas war, was er nicht ausgesprochen hatte. Außerdem merkte er kurz darauf, dass er sich wieder schuldig machte und erneut beichten musste. Er kam einfach nicht zur Ruhe.

Als er total verzweifelt auf dem Steinboden seines Zimmers lag, befolgte er den Rat eines alten Freundes. Er las den Brief des Paulus an die Römer. Hier entdeckte er die wunderbare Botschaft: Gottes Gerechtigkeit zeigt sich in der Rechtfertigung des Ungerechten durch den Glauben an Jesus Christus. Plötzlich wurde ihm klar: Rechtfertigung vor Gott ist nicht durch gute Werke zu bekommen, sondern nur durch den Glauben an Jesus Christus.

Wie befreiend war diese Nachricht für Martin Luther! Sie wurde ihm zum Segen und durch ihn vielen anderen Menschen. Denn er erkannte, dass die Forderungen der Päpste nicht dem Evangelium entsprachen. Aber wie sollte der einfache Mann auf der Straße zu dieser Einsicht kommen? Das Volk war ja auf die Gelehrten der Kirche angewiesen. Sie konnten kein Latein oder Griechisch. Deshalb übersetzte Martin Luther die Bibel in die deutsche Sprache. Und er stellte den Grundsatz auf: »Sola scriptura«; das heißt: Allein die Heilige Schrift ist maßgebend.

Deshalb ist es für jeden Menschen entscheidend wichtig, die Bibel selbst zu lesen. Bibelleser bekommen Antwort auf die Fragen des Lebens, so wie Martin Luther. *Hartmut Jaeger*

❓ Wann haben Sie das letzte Mal in der Bibel nach Antworten auf die entscheidenden Fragen des Lebens gesucht?

❗ Lesen den Römerbrief und bitten Sie Gott um Verständnis dieser befreienden Aussagen!

📖 Römer 5,1-11

DONNERSTAG OKTOBER **31**
Reformationstag

Denn aus Gnade seid ihr gerettet durch Glauben, und das nicht aus euch: Gottes Gabe ist es, nicht aus Werken, damit sich nicht jemand rühme.

EPHESER 2,8-9

Reformationstag

Heute, am 31. Oktober, wird der Reformationstag begangen. Doch warum an diesem Datum? An diesem Tag im Jahr 1517 schlug Martin Luther seine 95 Thesen an die Schlosskirche in Wittenberg. Sehr wahrscheinlich hat er in diesem Moment nicht damit gerechnet, dass dies der Anfang für eine der größten geistlichen Bewegungen der Neuzeit sein würde.

Was war eigentlich Luthers Motivation? Anhand des Studiums der Bibel hatte er erkannt, dass viele Menschen in einer ganz existentiellen Frage auf dem falschen Dampfer waren: Für seine Zeitgenossen war sehr klar, dass sie ein grundlegendes Problem mit Gott hatten. Für sie war »Sünde« nicht nur das kalorienreiche Stück Torte, sondern mit realer Schuld und Fehlverhalten gegenüber Gott und Menschen verbunden. Insoweit hatten seine Zeitgenossen uns einiges voraus. Luthers Mitmenschen trieb daher die Frage um: Wie werde ich meine Sünden los? Wie wird Schuld erlassen? Hierzu gab es eine Praxis, die erfolgversprechend erschien: der Ablass – zahle Geld und schaffe damit einen Ausgleich! Dieser Gedanke hat etwas Verführerisches – bis heute. Denn er setzt Erlass von Schuld mit meinem Verdienst, meinem persönlichen Einsatz, meinen »Werken« in Verbindung. Dieses Bemühen muss Gott doch anerkennen!

Doch weit gefehlt: Luther hatte verstanden, dass man Gott mit unseren armseligen Bemühungen nicht gerecht werden kann. Echte Aussöhnung mit Gott ist viel schwieriger und zugleich viel einfacher: Sie ist schwierig, weil sie mit dem Eingeständnis der eigenen völligen Unfähigkeit verbunden ist. Doch sie ist wunderbar einfach, weil uns echte Versöhnung mit Gott frei geschenkt wird, ohne Gegenleistung, wenn wir daran glauben, dass sein Sohn Jesus für uns alle Schulden längst bezahlt hat!

Markus Majonica

? Womit möchten Sie Gott zufrieden stellen?

! Sola Gratia – Allein die Gnade!

✝ Hiob 25

01 NOVEMBER
Allerheiligen — FREITAG

Wer mein Wort hört und glaubt dem, der mich gesandt hat, der hat ewiges Leben und kommt nichts ins Gericht, sondern er ist aus dem Tod in das Leben übergegangen.

JOHANNES 5,24

»Die eisige Sehnsucht nach der Auferstehung«

So lautete der Titel eines Artikels in einer seriösen Tageszeitung über »Kryonik«. Dabei geht es darum, die Leichen verstorbener Menschen bei -196°C in einen Tank mit flüssigem Stickstoff einzufrieren. Bis zu 200 000 US-Dollar bezahlt man für die Hoffnung, die Wissenschaft werde irgendwann so weit sein, dass man wieder zum Leben erweckt werden kann.

Hinter diesen skurril anmutenden Methoden steckt die Sehnsucht nach Unvergänglichkeit und ewigem Leben – ein Wunsch, den wir alle mehr oder weniger in uns tragen, weil Gott die Ewigkeit in unser Herz gelegt hat (vgl. Prediger 3,11). Als ich vor 18 Jahren bei einem Bergunfall dem Tod ins Auge sah, wurde mir diese Tatsache zum ersten Mal bewusst. Ich stellte mir die Frage nach dem Sinn des Lebens, wenn es doch so plötzlich zu Ende gehen kann.

Vielleicht haben Sie auch schon solche Erfahrungen gemacht. Auch bei Begräbnissen, wenn wir am Grab eines geliebten Menschen stehen, merken wir immer wieder, dass wir mit dem Tod nicht umgehen können. Er streicht einfach alles durch. Egal, wie gesund, schön, reich oder erfolgreich man ist – der Tod kann mit einem Schlag alles beenden. Er ist der größte Feind des Menschen!

Aber während die Kryonik keinerlei wissenschaftliche Grundlagen hat, gibt es jemanden, der den Tod längst besiegt hat: Jesus Christus. Er zeigte sich am dritten Tag nach seiner Kreuzigung seinen Jüngern, ließ sich von ihnen betasten und aß mit ihnen. Ein anderes Mal erschien er mehr als 500 Menschen auf einmal. Jesus ist wirklich physisch auferstanden und verspricht in Johannes 11,25: »Ich bin die Auferstehung und das Leben; wer an mich glaubt, wird leben, auch wenn er gestorben ist.«

Stefan Hasewend

❓ Was würden Sie geben, um Ihr Leben zu verlängern?

❗ Prüfen Sie doch mal selbst die Aussagen von Jesus dazu in der Bibel!

✝ Lukas 24

SAMSTAG NOVEMBER | **02**

Durch diesen Glauben redet er noch, obgleich er gestorben ist.
HEBRÄER 11,4

Gegen das Vergessen

Ich habe in den vergangenen Jahren verschiedene Biografien gelesen. Die von Steve Jobs, Elon Musk, Martin Luther, Jürgen Klopp, Golda Meïr und viele andere. Ihre Geschichten sind spannend, beeindruckend und auch verwirrend. Steve Jobs zum Beispiel war so perfektionistisch, dass er viele Jahre keine Möbel in seinem Wohnzimmer hatte, weil er nicht das Beste fand. Alle diese großen Persönlichkeiten haben Spuren hinterlassen, mehr oder weniger. Aber bei allem Herausragenden, Schrägen und Wesentlichem, was werden Menschen in hundert Jahren über sie denken? Wird man sich erinnern? Welche Rolle werden sie dann noch spielen in der Erinnerung?

Berthold Brecht sagte einmal: »Der Tod ist erst dann vollständig eingetreten, wenn niemand mehr von dir spricht.« Viele von uns wissen nicht einmal mehr die Vornamen ihrer Urgroßeltern. Welchen Sinn hatte also ihr Leben? Nur Arbeit, Ehe und Familie? Welchen Sinn hat mein Leben, wenn nach wenigen Jahren und Jahrzehnten sich keiner mehr an mich erinnert? Manchmal macht es mir Angst, darüber nachzudenken. Wie schnell vergehen doch 80 Jahre angesichts von Tausenden von Jahren. Und ich bin nur einer von aktuell rund 8 Milliarden Menschen. Gibt es vielleicht doch eine höhere Bestimmung für uns Menschen?

Der Mann aus dem Tagesvers war Abel, der Bruder von Kain, nach biblischem Bericht der vierte Mensch. Er ist schon lange tot, aber er redet immer noch. Vielen von uns ist dieses Geschwisterpaar noch irgendwie bekannt. Warum? Weil Abel Gott glaubte! Hier der ganze Vers: »Durch Glauben brachte Abel Gott ein vorzüglicheres Opfer dar als Kain, durch das er Zeugnis erlangte, dass er gerecht war, wobei Gott Zeugnis gab zu seinen Gaben; und durch diesen Glauben redet er noch, obgleich er gestorben ist.« *Peter Lüling*

? Welche Lebensziele verfolgen Sie, um eine dauerhafte Spur zu hinterlassen?

! Ein Leben im Gottvertrauen hinterlässt ein ewiges Gedächtnis.

† Hebräer 11,1-7

03 NOVEMBER — SONNTAG

**Doch ich weiß, dass mein Erlöser lebt,
er steht am Schluss über dem Tod.**
HIOB 19,25

Hiobs Botschaft

Hiobsbotschaften sind sprichwörtliche Unglücksbotschaften. Doch woher kommt der Begriff der Hiobsbotschaft? Hiob war ein sehr reicher Mann mit vielen Angestellten und einem großen Fuhrpark. Er freute sich über sieben Söhne und drei Töchter. Was sollte ihn aus der Bahn werfen? Doch es kommt Schlag auf Schlag: Zwei seiner Männer berichten ihm, dass durch militärische Invasionen der Großteil seiner Herden entführt und seine Arbeiter getötet worden waren. Ein Dritter berichtet, eine Brandkatastrophe habe die Herden und weitere Arbeiter vernichtet. Ein Vierter berichtet, dass ein Sturm *das* Haus zerstört hat, in dem alle seine Kinder ein Fest feierten, und nun waren alle tot. Schließlich traf ihn eine schwere Krankheit, was zu Geschwüren am ganzen Körper führte. Und zuletzt wandte sich seine Frau gegen ihn.

Hiob war also ein Mann, dem scheinbar nichts blieb. Die Katastrophen, die ihn trafen, kennen wir aus unserer Gegenwart sehr genau: Kriege rauben uns unsere Liebsten, unsere Häuser und unsere Heimat. Naturkatastrophen zerstören unsere Städte und Dörfer. Krankheiten bedrohen unser Leben und bringen schweres Leid. Und selbst vertraute Menschen verlassen uns manchmal – gerade in Zeiten schwerer Not.

Hiob hat diese Schläge tief empfunden. Sein Unglück war ihm nicht gleichgültig. Er hat das nicht mit stoischer Miene einfach »ausgesessen«. Doch mitten in seinem Leid war Hiobs Botschaft keine Hiobsbotschaft, sondern eine solche der Hoffnung: Ich weiß, dass Gott einen Ausweg aus jedem Leid hat. Ich weiß, dass am Ende nicht sinnloses Sterben stehen muss. Ich weiß, dass Gott über dem Tod steht. – Eine solche Perspektive hat der, der sich in guten wie in bösen Zeiten ganz auf Gott verlässt. *Markus Majonica*

? Welche Schläge haben Ihr Leben im vergangenen Jahr getroffen?

! Gott ist der Gott der Hoffnung und allen Trostes.

✝ Jesaja 38,17-20

MONTAG   NOVEMBER | **04**

... der du Herzen und Nieren prüfst, gerechter Gott!
PSALM 7,10

Bremsen oder Nieren?

Ein Autohaus ließ mir freundlicherweise eine Erinnerung zukommen, auf der stand: »Nicht verpassen: Jetzt Wunschtermin zur TÜV- Hauptuntersuchung reservieren. Auch Sicherheit ist nicht unbegrenzt haltbar. Deshalb sollten Sie Ihr Fahrzeug wieder *auf Herz und Bremsen* prüfen lassen.«

»Herz und Bremsen«? – Da hatte ich unwillkürlich nach biblischer Lesart gelesen: *Herz und Nieren,* obwohl es hier werbewirksam anders formuliert war. Beim weiteren Nachdenken über diese Sache wurde mir bewusst, dass sowohl Bremsen als auch Nieren in gewisser Weise unverzichtbar sind: Die Bremsen sind wohl das wichtigste Teil eines Autos. Auf manches andere kann man verzichten und Reparaturen aufschieben, aber funktionstüchtige Bremsen sind essentiell.

Und die Nieren? Kein Mensch kann ohne Niere überleben. Wenn die Bibel von den Nieren spricht, meint sie oft mehr als das bloße Organ. Der Niere wurde früher eine ähnliche Funktion nachgesagt, wie wir das heute beim Herzen tun. So haben Nieren in der Bibel eine ermahnende »Funktion« (»sogar bei Nacht unterweisen mich meine Nieren« – Psalm 16,7), darüber hinaus stehen sie für die inneren Empfindungen des Menschen. Nieren schmerzen, sehnen und freuen sich. Herz und Niere spielen zusammen: »Als mein Herz sich erbitterte und es mich in meinen Nieren stach« (Psalm 73,21).

Allen Autofahrern ist bewusst, wie wichtig einwandfreie Bremsen für das Fahren sind. Wenn hier etwas nicht in Ordnung ist, bringt man seinen Wagen so schnell wie möglich zum Fachmann. Sollten wir nicht auch mit allem, was uns bedrückt und erfreut zu dem gehen, der unsere Nieren schon vor unserer Geburt geformt hat? (Vgl. Psalm 139,13.)

Martin Reitz

❓ Zu wem gehen Sie, wenn »Herz und Nieren« Probleme bereiten?

❗ Das Beste ist, wenn »Herz und Nieren« in Gottes Hand sind.

✝ Psalm 139,7-18

05 | NOVEMBER

DIENSTAG

Siehe, ich stehe an der Tür und klopfe an.
OFFENBARUNG 3,20

Immer – Selten – Niemals

In der Mitte des Lukasevangeliums geht es dreimal ums Anklopfen – in Kapitel 11, 12 und 13! Anklopfen heißt: »Ich stehe vor verschlossener Tür und warte, bis jemand öffnet.«

1. Klopfzeichen: Hier geht es darum, wie wir beten sollen: »Bittet, und es wird euch gegeben werden; sucht, und ihr werdet finden; klopft an, und es wird euch aufgetan werden« (Lukas 11,9). Dieses Klopfen wird IMMER gehört. Woher wissen wir das? Weil Jesus verspricht: »Denn jeder Bittende empfängt, und der Suchende findet, und dem Anklopfenden wird aufgetan werden« (Lukas 11,10) – auch, wenn wir oft und ausdauernd anklopfen müssen.

2. Klopfzeichen: Hier geht es darum, wie wir Jesus erwarten sollen. Dieses Klopfen wird SELTEN gehört. Woher wissen wir das? Weil Jesus oft vergeblich um Einlass bittet: »Siehe, ich stehe an der Tür und klopfe an; wenn jemand meine Stimme hört ...« (Offenbarung 3,20). Wenn Sie jetzt sein Pochen an Ihr Herz hören, dann öffnen Sie ihm, denn er fordert uns auf: »Seid Menschen gleich, die auf ihren Herrn warten, ... damit, wenn er kommt und anklopft, sie ihm sogleich öffnen« (Lukas 12,36).

3. Klopfzeichen: Hier geht es darum, dass es einmal ein »zu spät« gibt: »Wenn der Hausherr aufsteht und die Tür verschließt und ihr anfangt, draußen zu stehen und an die Tür zu klopfen und zu sagen: Herr, tu uns auf!« (Lukas 13,25). Dieses Klopfen wird NIEMALS Erhörung finden. Woher wissen wir das? Weil Jesus in Matthäus 25,12-13 warnt: »... die bereit waren, gingen mit ihm ein zur Hochzeit; und die Tür wurde verschlossen. Später aber kommen auch die übrigen ... und sagen: Herr, Herr, tu uns auf! Er aber antwortete und sprach: Wahrlich, ich sage euch, ich kenne euch nicht. – Wacht also, denn ihr wisst weder den Tag noch die Stunde.«

Andreas Fett

❓ Hat Jesus bei Ihnen schon angeklopft?

❗ Jesus klopft behutsam an und rennt keine Türen ein.

✝ Lukas 12,22-30

MITTWOCH NOVEMBER **06**

Meine Schafe hören meine Stimme, und ich kenne sie, und sie folgen mir, und ich gebe ihnen ewiges Leben, und sie gehen nicht verloren in Ewigkeit.

JOHANNES 10,27-28

Der Weg zum Himmel

Ja, so einfach ist das: Man braucht nur Jesus nachzufolgen und kommt nach manchen Strapazen und auch Freuden schließlich garantiert im Himmel an. Sollte man nicht annehmen, dass sich die Leute drängeln, weil jeder diesen Freifahrtschein zum Himmel so schnell wie möglich haben möchte? Warum stellt man nun stattdessen überhaupt kein Gedrängel, sondern eher hastige Fluchtversuche vor diesem Angebot fest?

Die Antwort auf diese Frage steht auch in unserem Tagesvers: Jesus Christus sammelt *Schafe* für sein Himmelreich, und wer möchte schon als *Schaf* bezeichnet werden? Wir möchten gern mit Löwen und Adlern verglichen werden, was man auch bei den Stars dieser Welt beobachten kann. Aber mit Schafen? Die sind dermaßen dumm, dass sie sich in einer Gegend ohne Weidezäune hoffnungslos verlaufen würden, wenn man sie allein fortgehen ließe. Sie brauchen zum Überleben unbedingt einen Hirten, die Gemeinschaft einer Herde und gegebenenfalls auch noch Hunde, die sie zurückholen, wenn sie auf Abwege geraten sind. Übrigens: Kurz vor der Schur kann ihr Fell beim Regen so schwer werden, dass sie umfallen und allein nicht wieder auf die Beine kommen.

Doch die Erkenntnis, in dieser vom Teufel regierten Welt völlig verloren zu sein, muss einem erst geschenkt werden, bevor man bereit ist, sich selbst als Schaf anzuerkennen. Gott benutzt meistens die eher mühevollen Wege zu diesem Zweck. Denn wenn im Leben alles glatt läuft, kommt kaum einer zur richtigen Einschätzung über sich selbst (obwohl das ja auf jeden Fall der bequemste Weg wäre). Daher sollten wir Gott auch für die schwierigen Wege mit uns danken! Denn die lassen uns schneller verstehen, dass wir ohne den guten Hirten hoffnungslos verloren sind.

Hermann Grabe

❓ Wie stehen Sie zu dieser göttlichen Strategie?

❗ Nehmen Sie jede Schwierigkeit als göttliche Einladung an, Sie zu einem Schaf Christi zu machen!

✝ Johannes 10,22-38

07 NOVEMBER — DONNERSTAG

Vor einem grauen Haupt sollst du aufstehen und die Alten ehren und sollst dich fürchten vor deinem Gott; ich bin der HERR.

3. MOSE 19,32

Ehrwürdig altern?

Der Anteil der Menschen über 65 Jahre an der Gesamtbevölkerung in Deutschland betrug Mitte des 19. Jahrhunderts noch weniger als fünf Prozent. Eine fest definierte Zeit des Ruhestands gab es damals nicht. Nur wer über ausreichend Kapital oder Besitz verfügte, konnte es sich überhaupt leisten, sich irgendwann im fortgeschrittenen Alter zur Ruhe zu setzen. Die meisten alten Menschen mussten so lange wie möglich arbeiten, um ihre eigene Existenz zu sichern oder zumindest zum Familienunterhalt beizutragen. Im Jahre 2021 hingegen betrug der Anteil der über 65-Jährigen an der Gesamtbevölkerung bereits etwa 22 Prozent, Tendenz steigend. Das liegt – neben dem medizinischen Fortschritt – natürlich auch an der heute deutlich besseren Altersabsicherung.

Doch unabhängig von der materiellen Situation stellt sich heute wie damals die Frage: Wie gehen wir mit älteren Menschen um? Behandeln wir unsere Senioren mit Respekt, Würde und Rücksicht? Gibt es eine generationenübergreifende Solidarität oder eher ein Gegeneinander? Die letzten Jahre haben allem Anschein nach, wohl auch aufgrund verschiedener Krisen, eher zu Neid und Spaltung als zum Miteinander geführt.

Die Bibel vermittelt allerdings jedem Zeitgeist zum Trotz eine klare Vorstellung vom Umgang mit alten Menschen: Rücksicht, Respekt und Ehre! Sicher ist allerdings auch: Keine Generation ist ohne Fehler, und manchmal tragen die Jungen schwer an ihrem Erbe. Doch ohne unsere Eltern und Großeltern gäbe es uns nicht. Wenn ihre Kraft nun nachlässt, dann sind sie auf unsere Hilfe angewiesen. Deshalb fordert Gott selbst uns dazu auf, ihnen mit Liebe, Achtung und Wertschätzung zu begegnen. Damit schützt Gott nicht nur die (jetzt) Alten, sondern jeden von uns.

Axel Schneider

❓ Wie gehen Sie mit älteren Menschen um?

❗ Der Junior ist der Senior von morgen.

✝ Jesaja 46,3-4

FREITAG NOVEMBER **08**

Der Glückselige und allein Gewaltige, ... der allein Unsterblichkeit hat, der in einem unzugänglichen Licht wohnt, den kein Mensch gesehen hat noch sehen kann; ihm sei Ehre und ewige Macht! Amen.

1. TIMOTHEUS 6,15-16

Wie kann man angemessen über Gott sprechen?

Immer wieder kann man erleben, dass Menschen Gott nicht ernst nehmen. Sie belächeln den »alten Mann mit langem Bart«, der in ihrer Vorstellung an der Himmelsbrüstung steht und wohlwollend auf die Menschen blickt. Oder sie kritisieren Gott, weil sie denken, er habe sich zurückgezogen und das Schicksal der Menschen sei ihm egal. Solch einen Gott findet man unglaubwürdig, und man möchte nichts mit ihm zu tun haben.

Doch keine dieser Vorstellungen wird Gott gerecht. Sie entspringen einem eigenen, verzerrten Gottesbild, das wenig mit dem zu tun hat, wie Gott wirklich ist. Gott kann man nicht mit der Streichholzschachtel unseres Verstandes fassen. Um eine angemessene Sicht von Gottes wahrem Wesen zu bekommen, benötigen wir die Bibel und ehrliche Lernbereitschaft. In der Bibel werden uns die Wesenszüge Gottes vorgestellt. Wenn wir uns damit beschäftigen, entdecken wir, dass Gott alles übersteigt, was wir begreifen können. Mit seiner unvorstellbaren Macht und Erhabenheit steht er über allen, die herrschen und je geherrscht haben. Unsere kühnsten Vorstellungen erfassen seine Herrlichkeit nicht.

Die erstaunliche Aktion dieses Gottes: Er kommt in menschlicher Gestalt – in Jesus – auf die Erde, damit wir begreifen können, wie er zu uns steht. Jesus entlarvt die falschen Gottesbilder. Er macht uns mit Gott selbst bekannt. Er zeigt in seinem Umgang mit Menschen Annahme und Wertschätzung. Und schließlich stirbt er, unter Spott und Leid, am Kreuz für unser Versagen, um eine echte Beziehung zu Gott möglich zu machen. Der Grund ist Liebe. Solch einen Gott kann man nicht belächeln, ablehnen oder gar verspotten. Solch einen Gott muss man ernst nehmen, bewundern und verehren. Alles andere ist Unwissenheit.

Manfred Herbst

? Wo könnte Ihr Gottesbild verzerrt sein?

! Die Bibel hilft uns, richtig über Gott zu denken.

† Johannes 1,14-18

09 NOVEMBER — SAMSTAG

Wer den Sohn hat, der hat das Leben; wer den Sohn Gottes nicht hat, der hat das Leben nicht.

1. JOHANNES 5,12

Ich brauche den Sohn!

Die Praxis des Kinderarztes war geschlossen. Mein Sohn hatte über Nacht starke Ohrenschmerzen entwickelt und benötigte unbedingt eine Behandlung. So klemmten wir uns ans Telefon und versuchten herauszufinden, welcher Arzt Bereitschaftsdienst hatte. Schnell wurden wir fündig. Ich setzte mich ins Auto und fuhr zunächst allein zur Arztpraxis. Ich wollte sichergehen, dass sie auch geöffnet ist. Mein Sohn verblieb derweil zu Hause im Bett. Die Praxis war geöffnet. Ich ging hinein und schilderte mein Anliegen, als die Mitarbeiterin mich verdutzt fragte, wo mein Sohn denn eigentlich sei. Ich antwortete, dass er noch zu Hause ist, ich ihn aber innerhalb weniger Minuten holen könne. Daraufhin erwiderte die Schwester wörtlich: »Ich brauche den Sohn – ohne geht es nicht. Ein Rezept kann sonst nicht ausgestellt werden.«

Zurück im Auto bemühte ich mich, unseren Sohn so schnell wie möglich zu holen. Unterwegs hallten die Worte in meinen Ohren nach: »Ich brauche den Sohn!« Ich lächelte. *Was für eine Wahrheit! Was für eine Tatsache!*, dachte ich. Gott selbst sandte seinen Sohn, weil wir ihn alle brauchen. Es geht nicht ohne ihn. Nur er hat die Erlösung durch seinen Kreuzestod vollbracht. Nur er war in der Lage, unsere Sünde, also alles, was uns von Gott trennt, auf sich zu laden und dafür zu büßen. Er starb an unserer Stelle und nahm das Gericht auf sich, was wir verdient haben. Er ist auferstanden und wird eines Tages wiederkommen. Er allein ist derjenige, den unsere Seele braucht.

Obwohl der Mitarbeiterin in der Arztpraxis dies in diesem Moment wohl nicht bewusst war, sprach sie ein wahres Wort: Wir alle brauchen den Sohn, den Sohn Gottes! Ich wünsche Ihnen von Herzen, dass Sie sagen können: »Ich habe den Sohn!«

Thomas Lange

? Kennen Sie Jesus Christus? Haben Sie die Gewissheit, dass er am Kreuz für Sie gestorben ist?

! Nicht Gott hat unsere Hilfe nötig, sondern wir haben seine Hilfe nötig.

1. Johannes 4,9

SONNTAG NOVEMBER | **10**

Und rufe mich an am Tag der Not, so will ich dich erretten, und du sollst mich ehren!
PSALM 50,15

Amazing Grace

John Newton lebte von 1725 bis 1807. Sein Leben war ein Auf und Ab, bis er eines Tages als Menschenhändler auf einem Sklavenschiff landete, auf dem er später zum Kapitän befördert wurde. Bei einer Seereise von Afrika nach Europa kam das Schiff in einen heftigen Sturm – die Mannschaft sah keine Chance auf Rettung mehr. In dieser ausweglosen Situation besann sich Newton auf Gott und schrie zu ihm um Hilfe. Tatsächlich überlebten er und die Besatzung diesen schrecklichen Sturm, und er beschloss, von nun an sein Leben zu ändern. Dieser Moment war der Ausgangspunkt dafür, dass er später begann, sich mit Leib und Seele gegen den Menschenhandel einzusetzen. Newtons Einsatz wurde letztlich zu einem wichtigen Meilenstein im Kampf um die Abschaffung der Sklaverei.

Als alter Mann blickte er auf sein Leben zurück und staunte über die wunderbare Führung Gottes in seinem Leben. Er entschloss sich, seine Erfahrung in einem Lied festzuhalten. So entstand das weltbekannte Lied »Amazing Grace« (dt.: »O Gnade Gottes wunderbar«). Kurz vor seinem Tod sagte er: »Ich bin jetzt noch im Land der Sterbenden, gehe aber ins Land der Lebenden.«

Sind Sie auch auf dem Weg ins Land der Lebenden? Wenn nicht, so haben Sie heute die Chance, eine Kehrtwende in Ihrem Leben zu vollziehen und Ihren Lebensweg neu auszurichten. Oder braucht es dazu erst einen Lebenssturm wie bei Newton? Ihnen gilt dieselbe atemberaubende Gnade Gottes! Auch für Sie hat Jesus Christus sein Leben gelassen, hat für Ihre Schuld bezahlt. Gott möchte nicht, dass Sie in die Hölle gehen, sondern dass Sie das ewige Leben ergreifen, das Jesus für Sie bereithält. Dann können auch Sie mit voller Gewissheit sagen: »Ich gehe ins Land der Lebenden.« *Robert Rusitschka*

? Wohin führt Ihr Weg?

! Hoffentlich ins Land der Lebenden!

† Epheser 2,1-10

11 NOVEMBER — MONTAG

Ich versichere euch: Wer sich über die Mauer in den Schafpferch schleicht, statt durchs Tor hineinzugehen, ist ein Dieb und ein Räuber!

JOHANNES 10,1

Der Dieb

[07:30] An einem Sonntag waren wir zu einer Feier eingeladen und deshalb nicht daheim. Mit unserer Tochter hatten wir ausgemacht, dass diese uns später am Abend, nach unserer Rückkehr, zu Hause besucht. Unser Sohn, der zu dieser Zeit bei uns war, wollte mit seiner Frau inzwischen abreisen. Mit ihm hatten wir besprochen, dass er einfach die Haustür zuziehen sollte. Als wir nach der Feier heimfuhren, gingen wir also davon aus, dass niemand (der Sohn nicht mehr, die Tochter noch nicht) in unserem Haus war. Doch dann sahen wir dort Licht in der zweiten Etage. Ich dachte erst, unser Sohn habe vergessen, dort das Licht auszumachen. Als wir näher kamen, sahen wir, dass sogar im ganzen Haus Licht brannte. Da bekamen wir einen Schrecken. Denn da in unserem Dörfchen einige Häuser von Dieben besucht worden waren, fürchteten wir einen Einbruch.

Vorsichtig öffneten wir die Haustür, voller Sorge, was uns erwartete. War ein Dieb eingedrungen? Aber unsere Angst war gleich wieder verschwunden, als unsere süßen kleinen Enkelkinder uns entgegenliefen. Unsere Tochter war schon früher gekommen als gedacht und hatte es sich bereits gemütlich gemacht. Niemand war unbefugt eingedrungen. Nur liebe Menschen waren in unserem Haus.

Wie sehr fürchten wir uns vor dem Eindringen von Verbrechern in unsere Häuser! Doch wie sieht es mit unseren Herzen aus? Geben wir acht auf das, was dort unbefugt eindringen und Schaden verursachen will? Wir sind gut beraten, nur solchen Menschen Raum in unseren Herzen zu geben, denen wir uneingeschränkt vertrauen können und die es gut mit uns meinen. Der einzige, der die Voraussetzungen dazu uneingeschränkt erfüllt und unser Herz nachhaltig positiv prägt, ist Jesus Christus.

Anna Schulz

? Wie sichern Sie Ihr Herz vor Einbrechern?

! Öffnen Sie Jesus die Tür Ihres Herzens!

✝ Johannes 10,1-30

DIENSTAG · NOVEMBER | **12**

Du bist auf der Waage gewogen und zu leicht befunden worden.
DANIEL 5,27

Die Waage

07:30 Wenn ich morgens das Bad betrete und zur Dusche gehe, steht sie da: meine Waage. Manchmal zögere ich, sie zu benutzen, z. B., wenn ein Abend mit gutem Essen hinter mir liegt. Dann zeigt sie mir die Gewichtszunahme objektiv und unbestechlich an. Das kann sehr ernüchternd sein, doch es hat auch einen positiven Effekt: Die Gewichtsanzeige verschafft mir Klarheit und zeigt Handlungsbedarf auf. Nicht selten betrete ich anschließend die Dusche mit dem festen Vorsatz, mein Sportprogramm wieder zu intensivieren, abends weniger zu essen usw. Und wenn ich diese guten Vorsätze umsetze, zeigt mir die Waage das auch an und motiviert mich, den guten Weg fortzusetzen.

Nun spielt meine Waage in meinem Leben tatsächlich nur eine untergeordnete Rolle. Viel entscheidender ist für mich, mich jeden Tag aufs Neue der objektiven, aber zugleich liebevollen Korrektur meines Gottes zu unterziehen. Anders als meine Waage, die nur ein lebloser Gegenstand ist, meint Gott es gut mit mir und hat einen Plan für mein Leben. Um diesen zu erkennen, will ich täglich Zeit mit ihm verbringen, ihn anhand der Bibel verstehen lernen und zu ihm beten. Das gibt mir Klarheit für meine aktuelle Lebenssituation und zeigt auf, wo Veränderungsbedarf besteht. Zugleich ermutigt er mich, ihm weiter nachzufolgen.

Das tue ich, weil ich nicht möchte, dass eines Tages über mein Leben das Urteil gefällt wird, das der Tagesvers über das Leben des babylonischen Königs Belsazar ausspracht. Er war großspurig, ließ sich von Gott nichts sagen und hatte keinerlei Gespür für dessen Heiligkeit. Er wurde auf Gottes Waage gewogen, und dabei wurde festgestellt: Sein Leben hatte in Gottes Augen kein Gewicht. Er hatte es vergeudet.

Markus Majonica

? Lassen Sie Korrektur in Ihrem Leben zu?

! Hören Sie darauf, wie Gott Ihr Leben beurteilt!

† Daniel 5,1-30

13 NOVEMBER — MITTWOCH

Dein Wort vergesse ich nicht.
PSALM 119,16

Die Bibel – Gottes Betriebsanleitung

Berthold Brecht war ein Gegner der Bibel. Das Neue Testament lehnte er weitgehend als kitschig und verlogen ab. Aber immerhin besaß er eine Bibel. Seine ablehnende und spöttische Haltung fand darin ihren Ausdruck, dass er vorne die Zeichnung einer Buddha-Figur und hinten das Bild eines Rennwagens hinein geklebt hatte. Als Brecht allerdings im Oktober 1928 vom Ullstein-Magazin »Die Dame« gefragt wurde, welches Buch auf ihn den stärksten Eindruck gemacht habe, gab er die überraschende und provozierende Antwort: »Sie werden lachen – die Bibel.«

Die Bibel ist ein außergewöhnliches Buch. Sie ist das erste gedruckte Buch der Welt. Sie ist am weitesten verbreitet. Kein anderes Buch ist gleichzeitig so geliebt und so gehasst worden. Aber durch kein anderes Buch wurden mehr Leben verändert als durch die Bibel.

Immanuel Kant schreibt: »Die Existenz der Bibel als ein Buch für das Volk ist der größte Vorteil, der jemals der menschlichen Rasse zuteil wurde. Jeder Versuch, sie schlechtzumachen, ist ein Verbrechen gegen die Menschlichkeit.« Und damit hat er recht.

Wo die Bibel »Eindruck macht«, hinterlässt sie gute Spuren. Wie viel Segen hat auch unser Volk erlebt, wenn es nach Gottes Geboten gefragt hat! Alle sozialen Einrichtungen haben ihre Wurzeln in der christlichen Nächstenliebe. Wenn alle nach der Bibel lebten, ginge es uns besser. Wir könnten einander bedingungslos vertrauen. Der Andere würde berechenbar. Gottes Gebote schützen uns. Das Leben nach seinen Maßstäben gleicht einem Leben in sicheren Grenzen.

So hat es immer positive Auswirkungen, wenn wir in unseren Ehen, Familien und am Arbeitsplatz nach Gottes Maßstäben leben.

Hartmut Jaeger

❓ Wann haben Sie das letzte Mal in der Bibel gelesen?

❗ Vergessen wir nicht: Die Bibel ist Gottes Betriebsanleitung für unser Leben.

📖 Psalm 119,97-105

DONNERSTAG NOVEMBER **14**

Meint ihr, dass ihr ihn [Gott] täuschen werdet, wie man einen Menschen täuscht?
HIOB 13,9

Big Manni

So dreist wie Manfred S., der als »Scheich aus Karlsruhe« bekannte Flowtex-Chef, zockte wohl niemand! Mit seinem Unternehmen lieh er sich 3,3 Milliarden Euro von Banken: für Maschinen, die es nur auf dem Papier gab. Flowtex verkaufte angeblich weltweit im Einsatz befindliche Maschinen an Leasing-Gesellschaften und mietete sie wieder zurück. So musste man nie alle Maschinen präsentieren. »Wir waren überzeugt, dass das ein Super-System ist«, sagt Manfred S., »und die Banken waren genauso überzeugt.«

Auf diese Weise finanzierte Manfred S. sich ein luxuriöses Leben mit Villen, Privatjets, Yacht und Autos. Als Jugendlicher hatte er kaum Freunde, nun fand er Anerkennung und beeindruckte durch Statussymbole. Zehn Jahre schaffte »Big Manni« es auf diese Weise, andere zu täuschen. Dann kam das Unausweichliche: Sein Schneeballsystem zerfiel. Der Traum endete. Es folgten Verhaftung, Verurteilung und Gefängnis.

Dieses Ausmaß einer Lebenslüge hat sicher Seltenheitswert. Aber ich habe die Erfahrung gemacht, dass es bei vielen Menschen – auch bei mir – ein Missverhältnis gibt zwischen dem Schein, den wir nach außen hin wahren, und dem tatsächlichen Sein. Wie oft versuche ich, mich besser darzustellen, als ich wirklich bin! Auf diese Weise kann ich meine Mitmenschen über meine wahren Gedanken und Motive täuschen, vielleicht ein Leben lang. Bei Gott allerdings ist das unmöglich, weil er das wahre Ich eines jeden Menschen kennt. Daher ist es viel besser, Gott gegenüber jede Maske fallen zu lassen. Bei meinen Mitmenschen mag das den Verlust von Anerkennung bedeuten. Bei Gott hingegen ist solche Offenheit die Chance zu einem echten Neuanfang! Wer ehrlich zu Gott ist, den empfängt er mit Barmherzigkeit. *Markus Ditthardt*

? Wie versuchen Sie sich gegenüber Gott zu präsentieren?

! Vor Gott hält keine fromme Fassade.

† Sprüche 28,6-13

15 NOVEMBER — FREITAG

Denn der Sohn des Menschen ist gekommen, das Verlorene zu erretten.
MATTHÄUS 18,11

Traditionelles Schneeläuten in Brilon

»Von Mitte November bis Ende April ertönt von der Briloner Propsteikirche der Klang der Kirchenglocke. Genau von 20.55 bis 21.00 Uhr. Der Grund dafür liegt schon sehr, sehr viele Jahre zurück. Einer Überlieferung zufolge soll ein Briloner Bürger einsam und verwirrt in winterlicher Dunkelheit bei meterhohem Schnee seinen Heimweg gesucht haben. Allein durch das Läuten der Glocken fand er den Weg zurück in die Sicherheit der alten Stadtmauern. Aus Dankbarkeit für seine Rettung rief er eine Stiftung ins Leben, um auch künftig allen vom Weg Abgekommenen eine gute Heimreise in die Stadt zu ermöglichen. In den Totenbüchern Brilons ist verzeichnet, dass viele Menschen in damaliger Zeit (in kalten Wintern) erfroren, weil sie nicht rechtzeitig den Weg zurück in die schützenden Stadtmauern fanden. Deswegen wurden früher alle Glocken für mehrere Stunden, manchmal sogar ganze Nächte hindurch geläutet.«

Soweit der Text aus dem Kalender »Schönes Sauerland«. Wie gut, dass das Läuten der Glocke im sauerländischen Brilon Menschen rettete. Doch Verirrung gibt es nicht nur im Schnee. Unser ganzer Lebensweg führt in die Irre, weg von Gott. Um den richtigen Weg nach Hause zu finden, brauchen wir aber keine Glocken, sondern müssen erkennen, dass wir allein den Weg zurück nicht finden. Doch Jesus Christus hat sich aufgemacht, um uns aus der Verirrung zu retten und zu Gott zurückzubringen.

In einem Liedvers heißt es dazu: »Wie war ich verirrt auf dem Wege, wie weit war von Gott ich entfernt, bis Jesus, der Hirte mich suchte, da habe ich dieses gelernt: Er bringt mich heim ins Haus des Vaters, in des Himmels Herrlichkeit.« (Text: Frank Ulrich) *Martin Reitz*

? Haben Sie schon erkannt, dass Sie sich verirrt haben?

! Jesus Christus sucht auch Sie. Lassen Sie sich finden!

† Lukas 15,8-10

SAMSTAG — NOVEMBER **16**
Weltgedenktag für Straßenverkehrsopfer

Gott – sein Weg ist vollkommen; des HERRN Wort ist lauter; ein Schild ist er allen, die sich bei ihm bergen.

2. SAMUEL 22,31

Schutzschild

[07:30] Letztes Jahr war ich mit meiner Frau in Amerika, um Gemeinden, Freunde und Unterstützer zu besuchen. An einem schönen Abend, kurz nach Sonnenuntergang, wollte ich noch schnell ein paar Fotos von einer leeren Straße machen. Das Licht war gut. Ich kniete mich in der Mitte des Fußgängerüberwegs auf die Straße und schoss ein paar Bilder. In dem Moment, als ich wieder aufstehen wollte, hörte ich einen lauten Schlag und spürte, dass ich von etwas sehr Schwerem getroffen wurde. Ich war von einem großen Geländewagen angefahren worden. Die Fahrerin hatte mich in dem hohen Fahrzeug beim Linksabbiegen einfach übersehen.

Durch den Aufprall wurde ich auf den Asphalt geschleudert. Aufgeschürfte und geprellte Knie, ein Loch in der Jeans und kaputte Schnürsenkel waren die unmittelbare Folge. Nach dem ersten Schock wurde mir klar, dass der HERR mich auf wunderbare Weise bewahrt hatte: Der Aufprall wurde durch meinen Fotorucksack so stark abgemildert, dass ich keine größeren Verletzungen am Oberkörper davontrug. Lediglich meine Sonnenbrille ging durch den Aufprall in die Brüche. Der Rucksack hatte wie ein Schutzschild gewirkt. Das hat mich sehr dankbar gemacht und daran erinnert, dass in der Bibel auch oft von einem (Schutz-)Schild die Rede ist: Gott selbst wird als Schutzschild bezeichnet.

Tatsächlich habe ich auf diese Weise am eigenen Leib erfahren, was es bedeutet, unter dem Schutz des HERRN zu stehen. Ohne den Rucksack als Schutzschild wäre Schlimmeres passiert. Ohne Gottes Schutz, ohne den HERRN als Schutzschild, wäre mein ganzes Leben schnell verloren. Doch um diesen Schutz Gottes genießen zu können, muss man sich für ein Leben mit ihm entscheiden: Man muss sich – wie der Tagesvers sagt – bewusst bei ihm bergen. *Thomas Kröckertskothen*

❓ Sind Sie schon unter dem Schutzschild Gottes?

❗ Wer unter dem Schutz des Höchsten steht, kann getrost seinen Weg gehen.

📖 Psalm 91

17 NOVEMBER SONNTAG
Volkstrauertag

Ich bin die Auferstehung und das Leben; wer an mich glaubt, wird leben, auch wenn er gestorben ist.
JOHANNES 11,25

»Glaubst du das?«

Ich werde gebeten, einen jungen Mann zu beerdigen, den ich gar nicht kenne. Seine Angehörigen scheinen auch keine persönliche Beziehung zu Jesus Christus, dem Sohn Gottes, zu pflegen. Sie leben anscheinend ohne Gott, wollen aber eine christliche Beerdigung. Nun habe ich immer wieder überlegt, wie ich ihnen deutlich machen kann, was uns unterscheidet. Da kam mir folgender Gedanke: »Jeder Mensch lebt dem Tod entgegen, das ist todsicher, aber als Christ sterbe ich dem Leben entgegen und das ist auch sicher.«

Als der bekannte Chicagoer Pfarrer Dwight Moody im Sterben lag, sagte er: »Bald werden Sie in den Zeitungen von Chicago lesen, dass Dwight Moody tot ist. Glauben Sie es nicht. Ich werde lebendiger sein als jetzt.« Und das gilt, weil Jesus Christus am Grab seines Freundes Lazarus gesagt hat: »Ich bin die Auferstehung und das Leben; wer an mich glaubt, wird leben, auch wenn er gestorben ist; und jeder, der da lebt und an mich glaubt, wird nicht sterben in Ewigkeit« (Johannes 11,25.26).

Neben Jesus steht die trauende Schwester des Verstorbenen, Martha. Er fragt sie: »Glaubst du das?« Sie antwortet: »Ja, Herr, ich glaube, dass du der Christus bist, der Sohn Gottes, der in die Welt kommen soll.«

Jesus Christus ist gekommen, um Menschen zu suchen und zu retten. Er ist der Heiland der Welt. Dazu hat er stellvertretend den Lohn der Sünde, den Tod, für uns Menschen bezahlt. Er starb am Kreuz, damit wir leben können und zwar für immer. Das ist Evangelium.

»Früher war der Tod ein Henker, aber das Evangelium macht ihn zu einem Gärtner« (Georg Herbert). Das heißt, früher konnte der Tod uns zerstören, aber als Christ weiß ich, dass er mich in Gottes Boden pflanzt, um etwas Außergewöhnliches zu werden. »Glaubst du das?«

Hartmut Jaeger

? Glauben Sie an Jesus Christus, den Sohn Gottes?

! Angesichts des Todes darf ein Christ vom Leben reden. Das ist echte Hoffnung!

✝ Johannes 11,17-46

MONTAG   NOVEMBER | **18**

Im Haus meines Vaters gibt es viele Wohnungen. Wenn es nicht so wäre, hätte ich dann etwa zu euch gesagt, dass ich dorthin gehe, um einen Platz für euch vorzubereiten?

JOHANNES 14,2

Endlich – eine ewige Bleibe!

Bei einem Ausflug auf den Spuren der Vergangenheit suchten meine Frau und ich die Orte auf, wo ich meine Kindheit und Jugend verbrachte. Eigentümlich, wie stark sich Landschaften und Gebäude während der letzten Jahrzehnte verändert haben. Meine Eltern wohnten mit uns Kindern wegen Umzügen in drei unterschiedlichen Häusern. Eins davon ist noch bewohnt, sieht aber heruntergekommen aus. Eins steht leer und ist verfallen. Das dritte verschwand schon vor etlichen Jahren durch den Abrissbagger von der Bildfläche. Da, wo wir früher unser Zuhause mit gemütlichen Wohnräumen und einem Garten hatten, hat die Städteplanung heute neue Bauten und Straßen errichtet.

Alles auf der Erde ist vergänglich, kein Bauwerk hält für immer. Viele historische Bau-Denkmäler können nur mit viel Sanierungsaufwand erhalten werden. Aktuell soll sogar die Zukunft des Pariser Eiffelturms, eine der teuersten Immobilien der Welt, wegen starkem Rostbefall bedroht sein. Machen wir uns nichts vor: Leider wird auch unser lieb gewonnenes Einfamilienhaus, das wir mühsam renoviert, gepflegt und aufwendig abbezahlt haben, irgendwann nicht mehr existieren.

Darum freue ich mich über Gottes Versprechen, dass seine Kinder später beim ihm wohnen werden, in einem nicht mit Händen gemachten, ewigen Haus in den Himmeln (vgl. 2. Korinther 5,1). Ein Haus, das nicht mehr vom Zahn der Zeit zernagt wird.

Der Liederdichter Jaques Erné (1825–1883) schrieb ein fröhliches Gedicht mit der Vorfreude auf den zukünftigen Wohnort der Menschen, die durch Jesus Christus mit Gott versöhnt sind: »Ein Heim hab ich, ein Vaterhaus, so unaussprechlich schön; bald ruh ich dort bei Jesus aus, möcht heut schon zu ihm gehn.« Herrliche Aussichten!   *Arndt Plock*

?   Was treibt die Menschen, Häuser zu bauen und zu kaufen, als lebten sie ewig?

!   Gottes ewiges Haus wird nicht durch einen Makler vermittelt. Hier ist Glaube gefragt.

2. Korinther 5,1-10

19 NOVEMBER   DIENSTAG

Die Stammväter waren neidisch auf ihren Bruder Josef und verkauften ihn als Sklaven nach Ägypten. Doch Gott war mit ihm und half ihm aus allen Schwierigkeiten heraus, in die er geriet.

APOSTELGESCHICHTE 7,9-10

Neid

Die Geschichte von Josef in der Bibel ist ziemlich bekannt. Josef wird von seinen Brüdern beneidet. Der Grund des Neides war, dass Josef von seinem Vater bevorzugt behandelt wurde. Der Neid führte dazu, dass sie ihn zunächst in eine Grube warfen, um ihn zu töten, und dann als Sklaven nach Ägypten verkauften. Die ungleiche Behandlung des Vaters mag Fragen aufwerfen. Doch den Bruder aus Neid so abzuservieren, dafür gibt es keine Rechtfertigung. Vielmehr wird sichtbar, wozu Neid Menschen befähigt. Neid treibt den Menschen zu einem Tun, das der Liebe völlig entgegen gesetzt ist, bis hin zum Mord.

Ist Neid für jeden von uns eine Gefahr? Ganz sicher. Böse Regungen steigen aus dem Schlammgrund jedes menschlichen Herzens auf, auch der Neid. Er ruht eventuell eine Zeit lang, bis eine Situation oder eine Person im Schlamm stochert. Dann wird die trübe Wolke des Neids aufgewühlt. Neid ist auf eine andere Person gerichtet, auf ihren Erfolg, ihren Besitz, ihren Einfluss, ihre Beliebtheit. Wir begehren für uns, was ein anderer hat. Neid breitet sich schnell in uns aus und bestimmt schnell unser Denken, Handeln und Reden. Das steckt in uns tief drin. Durch den Neid auf andere verlieren wir leicht jede Zufriedenheit und schätzen das, was wir haben, nicht mehr.

Wie kann man diesen Kurs korrigieren? Gott muss uns verändern und uns von unserem eigenen, trüben, neidischen Ich lösen. Nicht das, was der andere hat, gibt mir Erfüllung. Was wir wirklich brauchen, kann nur Gott uns geben. Er kann unser Inneres zufrieden und satt machen. Er kann uns den Blick weiten auf seine Fürsorge, Liebe und Großzügigkeit. Wer das erlebt, wird dankbar – und hat damit das beste Mittel gegen Neid.

Manfred Herbst

❓ Wen beneiden Sie? Weswegen?

❗ Dankbarkeit schützt vor Neid.

✝ Kolosser 3,1-15

MITTWOCH | NOVEMBER 20
Buß- und Bettag

> Und das ganze Volk, das zuhörte, und die Zöllner haben Gott recht gegeben, indem sie sich mit der Taufe des Johannes taufen ließen.

LUKAS 7,29

Gott recht geben

»Buße tun heißt Gott recht geben!« Ich glaube, das stimmt. In der Rede Jesu, aus der der Tagesvers stammt, beschreibt er das Wirken Johannes des Täufers. Dessen Haupttätigkeit war die Taufe. Allerdings hat Johannes nicht wahllos einfach so jeden getauft. Es war eine ganz bestimmte Taufe, die er mit Wasser vollzog. In Lukas 3,3 heißt es: »Und er [Johannes] kam in die ganze Landschaft am Jordan und predigte die Taufe der Buße zur Vergebung der Sünden.« Also stand diese Taufe ausdrücklich in Verbindung mit Buße, d. h. mit der Hinwendung zu Gott.

In Matthäus 3,5-6 wird das konkretisiert: »Da ging zu ihm [Johannes] hinaus Jerusalem und ganz Judäa und die ganze Umgegend des Jordan; und sie wurden von ihm im Jordanfluss getauft, indem sie ihre Sünden bekannten.« Also ist Buße mit dem Bekenntnis der Sünden zwingend verbunden.

Nun kommt der Tagesvers hinzu: Indem die Menschen sich mit der Taufe des Johannes taufen ließen, die Buße und das Bekenntnis der Sünden voraussetzte, gaben die Getauften Gott recht. Denn jeder, der sich und anderen eingesteht, gegen Gottes Gebote verstoßen zu haben, erklärt damit, dass Gottes Gebote verbindlich sind, dass sie gerecht sind, und dass Gott jedes Recht hätte, mich wegen meiner Verfehlungen zu verurteilen. Allerdings führt echte Buße bei Gott nicht zur Verurteilung, sondern zur Vergebung.

Doch m. E. beinhaltet Buße noch etwas: Buße hat nicht nur den rückwärts gewandten Blick. Echte Buße soll das Leben in dem Punkt, indem es bisher falsch war, in die richtige Richtung lenken. Denn Johannes hat auch dazu aufgefordert, dass man »der Buße würdige Früchte« bringen soll, d. h. Buße soll zur Aufgabe des bisherigen sündigen Verhaltens führen. Sonst bleibt Buße zweifelhaft. *Markus Majonica*

? Was macht echte Buße glaubhaft?

! Für den wirklich von Herzen Bußfertigen tauscht Gott Verurteilung gegen Vergebung und Tod gegen Leben.

✝ Johannes 1,19-34

21 NOVEMBER
Welttag der Philosophie — DONNERSTAG

In seinem Unglück wird der Gottlose umgestoßen, aber der Gerechte ist noch in seinem Tode geborgen.
SPRÜCHE 14,32

Heimatlos?

»Flieg Vogel, schnarr dein Lied im Wüstenvogel-Ton! Versteck, du Narr, dein blutend Herz in Eis und Hohn! Die Krähen schrein und ziehen schwirren Flugs zur Stadt: Bald wird es schnein. Weh dem, der keine Heimat hat!«

So endet eine geniale Dichtung des großen Philosophen Friedrich Wilhelm Nietzsche, mit der er seine Heimatlosigkeit beschreibt, die er durchmachen musste, als ihm klar zu sein schien, dass Gott tot ist. Nirgends gab es für ihn noch einen Orientierungspunkt, den nicht jeder nach Belieben verändern konnte, und der taugte dann so wenig wie ein verklemmter Kompass.

Tatsächlich ist ein Leben ohne Gott unendlich trostlos. Was verspricht dann noch Halt? Was ist dann vor der Unsicherheit und Unwägbarkeit unserer Existenz sicher? Sind wir dann nicht letztlich in ein hoffnungsloses »Nichts« hinausgehalten, in dem wir ohne jede Perspektive vor uns hinvegetieren, stets mit der bangen Ahnung unseres Endes? Einem unberechenbaren Schicksal ausgeliefert?

Wie gut, dass Nietzsche nicht Recht hatte! Gott ist mitnichten tot. Er lebt und hat noch immer alles in der Hand. Er ist die einzige, ewige Konstante in dieser Welt. Er ist die einzig verlässliche Orientierung. Doch dieser höchst lebendige Gott existiert nicht allein vor sich hin. Er hat sich uns durch die Bibel und vor allem durch die Menschwerdung seines Sohnes klar mitgeteilt. Er hat uns verlässliche und klare Zusagen gemacht für den Fall, dass wir ihm unser Leben anvertrauen. Und während der Mensch ohne Gott hilflos den Wellen des Schicksals ausgeliefert ist, kann der Mensch, der Gott vertraut, sogar noch in der existentiellen Krise seines Todes getrost sein, weil er ewig in Gottes Hand geborgen ist und eine ewige Heimat im Himmel hat.

Hermann Grabe

? Was gibt Ihnen wirklich Halt?

! Echte Geborgenheit gibt es nur bei Gott.

† Psalm 146

FREITAG NOVEMBER | 22

Ich sage euch, wenn diese schweigen,
so werden die Steine schreien.

LUKAS 19,40

Schockwellen des Entsetzens

Wann hat je der plötzliche Tod eines Menschen die gesamte Menschheit aufgeschreckt? Die Nachricht von dem Attentat auf den amerikanischen Präsidenten John F. Kennedy am 22. November 1963 war so ein Moment. Für einen Augenblick stockte Millionen von Menschen der Atem. In aller Welt hingen Menschen am Radio. Nur 15 Minuten vergingen von den ersten Meldungen bis zur Todesnachricht.

Das Entsetzen über die Ermordung des Thronfolgerpaares in Sarajevo rund 50 Jahre zuvor am 28. Juni 1914 war ein vergleichbarer Schock. Jedoch las man erst am Tag danach in den Zeitungen davon. Diese Schüsse lösten den Ersten Weltkrieg aus.

Es wurde so manche Herrscher ermordet, der viel Macht in Händen hielt: Julius Cäsar (44 v. Chr.); Abraham Lincoln (1865); der Zar von Russland (1918). Es wurden auch Menschen ermordet, die sich um Frieden bemühten: Mahatma Gandhi (1948); Martin Luther King (1968); Jitzchak Rabin (1995). Und stets war das Entsetzen groß. Auch Tyrannen sind gestorben, deren Tod die Menschen wie ein Keulenschlag traf. Ebenso sind Wohltäter gestorben, und kaum einer nahm Notiz davon.

Warum aber löste der grausame Tod von Jesus vor rund 2000 Jahren keine Schockwelle des Entsetzens aus? Warum trug nicht die ganze Menschheit Leid um den besten ihrer Söhne? Es waren nur wenige, die Anteil an seinem Tod nahmen. Und deshalb erlebten sie nur drei Tage später auch, was in der Welt bis heute einzigartig ist: Dieser Jesus wurde auferweckt und zur Schlüsselperson gemacht, durch die allein man zu Gott kommen kann. Und deshalb brauchten nicht die Steine schreien, weil Jesu Jünger über das, was sie erlebten, nicht schwiegen, sondern es in der ganzen Welt verkündigten. Und bis heute werden Menschen, die das glauben, erneuert und glückselig gemacht. *Andreas Fett*

❓ Warum erbebte die Erde und zerrissen die Felsen, als Jesus starb? (vgl. Matthäus 27,51)

❗ Vielleicht weil unsere harten Herzen unbeweglicher und kälter sind als Steine ...

✝ Johannes 19,28-37

23 NOVEMBER — SAMSTAG

Wasche meine Schuld von mir ab, dann werde ich weißer sein als Schnee.
PSALM 51,9

Das weißeste Weiß

Die schönen bunten Blätter sind nun alle von den Bäumen gefallen, viele Vögel sind in den Süden gewandert und die Farben in der Natur haben sich großteils zurückgezogen. Unsere Umwelt wird grau, kahl und kalt; vielleicht sogar ziemlich düster, leblos und leer. Auch das Wetter hat sich diesem Trend mit kalten, feuchten Nebeltagen angepasst und spiegelt dieselbe Farblosigkeit wider. Die Tage werden kürzer und die Nächte immer länger. Diese Zeit wirkt manchmal echt trostlos, denn die Lebensfreude nach einem sonnig-warmen Sommer und einem lauen farbenfrohen Herbst scheint in unerreichbare Ferne gerückt zu sein.

Aber da gibt es etwas, was dieser ganzen Situation Licht und Freude geben kann: der erste Schnee! Dann sind all die matschigen Wege, die leergefegten Bäume und die düstere Umgebung sozusagen zugedeckt. Überall liegt die weiße dicke Decke, die aus dem Himmel herabgeglitten ist. Faszinierend, einfach so hinuntergeschwebt! Ich denke, dieses Naturwunder hat Gott uns absichtlich gegeben – nämlich mit dem Ziel, dass wir verstehen, was er mit unseren Herzen tun will.

Die Herzen der Menschen, die ohne Gott leben, sehen nicht selten kahl und grau aus. Die Kaltherzigkeit, Lieblosigkeit und der Egoismus, die leider in den Herzen regieren, machen die Menschen immer finsterer, farb- und freudloser. Aber Gott will all dieses Böse beseitigen und die Herzen rein machen, weißer als Schnee! Er will Licht in das Dunkel bringen und schickt dafür analog zum Schnee ein Wunder direkt aus dem Himmel: Jesus, der absolut rein und ohne Makel ist. Das Schöne ist, dass er unsere Schuld nicht wie Schnee einfach nur zudeckt, sondern sie tatsächlich wegwäscht, wenn wir ihn darum bitten, sodass unser Herz dann ganz und gar weiß ist.

Gabriel Herbert

? Wie ist es um Ihr Herz bestellt?

! Gott illustriert sein Wesen und Handeln oft in der Natur.

† Johannes 13,1-11

SONNTAG NOVEMBER **24**
Ewigkeitssonntag

Wenn wir leben, leben wir für den Herrn, und auch wenn wir sterben, gehören wir dem Herrn. Im Leben wie im Sterben gehören wir dem Herrn.

RÖMER 14,8-9

Der Sterbe-Simulator

Im März 2023 konnten Besucher im Rahmen einer Kunstausstellung des Künstlers Shaun Gladwell in Melbourne ausprobieren, wie es sich anfühlen könnte, an einem Herzstillstand zu sterben. Dazu legten sich die Neugierigen auf einen vibrierenden OP-Tisch, bekamen eine Virtual-Reality-Brille aufgesetzt und wurden an einen Herzmonitor angeschlossen. Ein Proband berichtete: »Du kannst dich selbst in der Brille sehen und die Ärzte versuchen, dich wiederzubeleben. Es klappt nicht. Dann schwebst du nach oben ins All und immer weiter.« Als »meditativ und verstörend zugleich« wurde das simulierte Ableben im Programm zur Ausstellung beschrieben.

Der Tod ist unheimlich und mysteriös, denn kein normal sterblicher Mensch kann uns Lebenden berichten, wie er sein eigenes Sterben empfunden hat und was danach kommt. Sterben und Tod machen daher vielen Angst. Wer sich dem Sterbe-Simulator aussetzt, versucht vielleicht, sich die eigene Angst vor dem Tod zu nehmen. Denn nicht zu wissen, was auf einen zukommt, kann sehr beunruhigend sein.

Aber es gibt einen Menschen, der wirklich gestorben und wieder auferstanden ist: Es ist Jesus Christus. Er verspricht allen, die ihm vertrauen, dass er sie zu sich nehmen wird, damit sie dort sind, wo er ist (vgl. Johannes 14,3). Menschen, die mit Gott versöhnt sind, weil Jesus ihre Schuld am Kreuz bezahlt hat, brauchen deshalb vor dem Tod und auch dem Sterben keine Angst zu haben. Menschen, die Gottes Angebot jedoch ablehnen, haben zu Recht Angst, denn ihnen droht die ewige Gottesferne. Zu wissen, wie sich das Sterben anfühlt, ist nicht so wichtig. Wichtig ist letztlich nur, wo man nach dem Sterben die Ewigkeit verbringen wird.

Daniela Bernhard

? Wo werden Sie Ihre Ewigkeit verbringen?

! Jesus hat den Tod besiegt. Vertrauen Sie ihm! Er ist das Leben und führt Sie ans richtige Ziel.

† Johannes 14,1-7

25 NOVEMBER — MONTAG

Dies habe ich zu euch geredet, damit meine Freude in euch ist und eure Freude völlig wird.

JOHANNES 15,11

Freude – eine Produktmarke?

Als »Marke« (veraltet auch »Warenzeichen«) wird ein rechtlich geschütztes Zeichen bezeichnet, das dazu dient, Waren, Produkte oder Dienstleistungen eines Unternehmens von anderen Unternehmen zu unterscheiden. Ein Hersteller, z. B. Ferrero, präsentiert sich als »Marke« und erzeugt ein Produkt, z. B. Nougatcreme. Das verkauft er unter der Markenbezeichnung »Nutella«. Niemand darf nun ein anderes Produkt so nennen. Diese Marke ist unverkennbar und ihre Qualität ist auf Dauer sichergestellt.

Jesus Christus erbat sich von seinem Vater im Gebet für seine Jünger: »... damit sie meine *Freude* völlig in sich haben« (Johannes 17,13). Betrachten wir diese Freude einmal als »Markenprodukt« eines göttlichen Herstellers. Denn Jesus sagt ja: »*meine* Freude«!

Diese Freude vergeht nicht. Sie ist nicht von Glücksgefühlen abhängig, denn sie ist vollkommen. Materielle Dinge können uns Freude bereiten, aber im nächsten Moment schon keine Rolle mehr spielen. Auch die allerbesten Kapitalanlagen können riesige Verluste einbringen. Immobilien sind dem Wandel der Zeit und dem Verfall unterworfen. Auch auf berufliche Stellungen ist kein Verlass. Ein Chef kann durch eine Fusion seine Stellung verlieren. Der langjährig erfolgreiche Arzt kann durch einen jungen Anfänger verdrängt werden. Spitzensportler geraten irgendwann aus der Form und können in kürzester Zeit aus dem Fokus geraten.

Die »Markenware Freude«, die Jesus schenkt, ist hingegen von stets bleibender Qualität, denn sie ist mit einer Person verbunden, die ewig lebt: Jesus, der Sohn Gottes. Jesu Freude war verankert im Tun und Ausführen des Willens Gottes. Wer Jesus annimmt und ihm nachfolgt, wird dieselbe unvergängliche Freude haben, Gottes Willen zu tun.

Sebastian Weißbacher

? Wollen Sie diese Freude kennenlernen?

! Dann schließen Sie sich jetzt Jesus Christus an, indem Sie ihm Glauben schenken und sich ihm anvertrauen.

† 1. Petrus 1,8-9

DIENSTAG NOVEMBER | **26**

Und danach ging er hinaus und sah einen Zöllner, mit Namen Levi, am Zollhaus sitzen und sprach zu ihm: Folge mir nach!
LUKAS 5,27

Folge mir nach!

Die im Tagesvers beschriebene Begebenheit, in der Jesus Christus in das Leben des Zöllners Levi alias Matthäus tritt, ist von großer Dramatik; sie verändert das Leben des Berufenen von einem Moment zum anderen nachhaltig. Allerdings hat sie auch grundlegende theologische Bedeutung: In der Zeit des postmodernen Wahrheitsbegriffes, in dem nichts mehr absolut wahr zu sein scheint, ist die Aufforderung des Sohnes Gottes von nicht zu überbietender Eindeutigkeit: »Folge *mir* nach!«

Religiös interessierten Menschen wird vielfach suggeriert, es reiche völlig aus, wenn man *irgendetwas* oder *irgendjemandem* nachfolge. Hauptsache, man versuche dabei, ein guter Mensch zu sein. Aber das ist nicht wahr. Jesus Christus sagt nicht: »Folge nach!«, »Mach dich auf den Weg nach wo auch immer!«, »Jeder Weg führt zum Ziel«. Er sagt: »Folge *mir* nach!« Es genügt nach der Aussage des Sohnes Gottes eben nicht, dass man z. B. einer menschenfreundlichen Lehre, einer bestimmten Idee oder einem Idealbild nachfolgt. Es genügt noch nicht einmal, Gott nachfolgen zu wollen, ohne gleichzeitig Jesus nachfolgen zu wollen. Immer wieder macht der Sohn Gottes jedem Zuhörer klar, dass Gotteserkenntnis nur über Jesuserkenntnis funktioniert. Der Weg zu Gott, dem Vater, führt exklusiv und ausschließlich über den Gottessohn: »*Ich bin der Weg und die Wahrheit und das Leben. Niemand kommt zum Vater als nur durch mich*« (Johannes 14,6).

Deswegen führen eben nicht alle Wege irgendwie zu Gott, sondern nur der Weg über den Sohn Gottes. Nachfolge ohne Jesus ist inhaltslos. Biblische Nachfolge ist die Bindung allein an Christus. Ein Christentum ohne Christus ist nur ein Mythos. Und Mythen sind niemals eine verlässliche Lebensbasis. *Markus Majonica*

? Wem oder was folgen Sie nach?

! Stellen Sie Ihr Leben auf die einzig richtige Basis!

✝ Sprüche 14,12

27 | NOVEMBER — MITTWOCH

> Wenn der HERR Gefallen an uns hat, so wird er uns in dieses Land bringen und es uns geben, ein Land, das von Milch und Honig überfließt.
>
> 4. MOSE 14,8

Optimist, Pessimist – oder Realist?

07:30 Die Geschichte Israels umfasst eine lange Wanderung durch die Wüste Sinai, an deren Ende das »gelobte Land«, Israel, stehen sollte. Gott hatte seinem Volk dieses Land fest versprochen, allen Widerständen zum Trotz. Nun zogen Kundschafter voraus, um die Lage am Zielort zu sondieren (siehe 4. Mose 13). Zehn kamen zurück und sagten: Unmöglich. Die Menschen und Städte dort sind unbesiegbar. Doch zwei weitere Kundschafter, Josua und Kaleb, hielten dagegen. Sie schlossen sich nicht der pessimistischen Sicht ihrer Mitkundschafter an. Die Bevölkerung damals hörte allerdings lieber auf die zehn, die die Situation schlechtredeten. Der Optimismus von Kaleb schien realitätsfern. Besser sofortiger Rückzug! Die zehn Pessimisten schienen die Lage besser einschätzen zu können.

Nun, Pessimist oder Optimist, letztlich ist doch die Frage: Wer war hier der »Realist«? Bei Josua und Kaleb sehen wir den entscheidenden Unterschied: Sie rechneten trotz der sichtbaren Hindernisse mit Gottes Realität und vertrauten auf seine Versprechen. Die anderen sahen ausschließlich sich selbst und ihre geringen Fähigkeiten. Sie rechneten nicht damit, dass Gott zu ihnen stehen und ihr Vorhaben gelingen lassen würde. Damit vergaben sie aber die Chance, Gottes Führung zu erleben und ans Ziel zu kommen.

Auch heute, in unserem Leben, macht es einen enormen Unterschied, ob wir damit rechnen, dass wir auf Gottes Versprechen zählen können, oder nicht. Ein Mensch mag angesichts seiner eigenen Fähigkeiten wenig Mut aufbringen und deshalb pessimistisch sein. Andererseits ist Optimismus, der auf unseren eigenen Fähigkeiten beruht, oft genauso trügerisch. Gut ist es, wie Josua und Kaleb realistisch zu sein, Gott unbedingt zu vertrauen und mit seinem Eingreifen zu rechnen.

Andreas Wanzenried

❓ Ist Gott Teil Ihrer Realität?

❗ Wer Gottes unbegrenzten Möglichkeiten vertraut, ist ein wahrer Realist.

📖 Psalm 146

DONNERSTAG | NOVEMBER | **28**

Aber Mose erwiderte: »O Herr, ich bin kein guter Redner; ich bin es nie gewesen.
2. MOSE 4,10

Wie werde ich ein durchsetzungsstarker Redner?

Das Versprechen klingt traumhaft: Wer diesen Stein küsst, soll zum wortgewandten Redner werden. Der sagenumwobene Stein der Redekunst ist Teil von Blarney Castle, einem alten Schloss im Süden Irlands. Etwa 300 000 Besucher nehmen dort jedes Jahr lange Wartezeiten in Kauf, um den Turm der Schlossruine zu besteigen und dem Stein einen Kuss aufzudrücken. Als prominentes Beispiel gilt der ehemalige Premierminister Winston Churchill, der als überzeugender Redner in die Geschichte eingegangen ist.

Manche Menschen können sich gut ausdrücken und ihre Interessen unmissverständlich vertreten. Mir dagegen fällt es oft schwer, die richtigen Worte zu finden. Häufig gibt es Situationen, in denen ich mich sprachlos fühle. Gerade wenn mein Gesprächspartner eine andere Meinung vertritt, kostet es mich Überwindung, den Mund aufzumachen. Woher bekomme ich die Weisheit, meine Aussage so zu formulieren, dass sie beim anderen eine positive Wirkung erzeugt?

Als Mose einem Auftrag Gottes mit dem Hinweis auf seine mangelnde Redekunst ausweicht, erinnert Gott ihn daran, wer ihm den Mund gegeben hat. Der Schöpfer selbst sagt ihm seine Hilfe beim Reden zu. Darum darf auch ich mich im Gebet an den lebendigen Gott wenden und ihn um Weisheit bitten. In Jakobus 1,5 ermutigt er uns: »Wenn es aber einem von euch an Weisheit fehlt, bitte er Gott darum, und sie wird ihm gegeben werden; denn Gott gibt allen gern und macht dem, der ihn bittet, keine Vorhaltungen.« Trotz meinem Gebet verläuft nicht jedes Gespräch wunschgemäß. Doch ich weiß: Gott ist mir in allen Alltagssituationen nah. Darum will ich mein Vertrauen auf ihn statt auf geheimnisvolle Steine setzen – er versteht mich sogar, wenn mir die Worte fehlen.

Andreas Droese

? Wo suchen Sie Hilfe, wenn Sie in schwierigen Situationen herausgefordert sind, etwas zu sagen?

! Gott erhört Gebet. Er freut sich, wenn wir ihn um Weisheit bitten.

Jakobus 3,1-12

29 NOVEMBER — FREITAG

> Seht euch um unter den Nationen und schaut zu und stutzt, ja, staunt! Denn ich wirke ein Werk in euren Tagen – ihr glaubtet es nicht, wenn es erzählt würde.
> HABAKUK 1,5

Das Wirken Gottes in der Welt

Mit stereotyper Gründlichkeit wurde in den Medien während der Pandemie immer wieder von Corona berichtet. Alles andere trat zeitweise völlig in den Hintergrund. Auch die Frage, ob Gott etwas damit zu tun hat, wurde von manchen diskutiert. Es gibt tatsächlich ein Ereignis, das erwähnt und an das permanent erinnert werden sollte, von dem die Bibel sehr klar und deutlich bezeugt, dass Gott es gewirkt hat. Gott hatte durch die Propheten im Alten Testament dieses besondere Ereignis sogar angekündigt, wie unser Tagesvers deutlich macht. Und es war tatsächlich ein Werk, über das man staunen konnte.

Es ist ein Ereignis, von dem die Bibel mehr als von jedem anderen spricht: Viele ihrer »Schlagzeilen« weisen auf Jesus Christus hin, der in diese Welt kam, um uns von unserer Sünde und Schuld zu befreien und uns die Hoffnung zu geben, durch Glauben Anteil an seiner neuen Welt ohne Sünde, am Reich Gottes, erhalten zu können.

Was geschah damals im Einzelnen? Der Sohn Gottes wurde als Mensch geboren, wuchs in einer jüdischen Familie auf und begann schon als Kind, deutlich zu machen, wer sein tatsächlicher Vater war. Und dass er gekommen war, um sein Volk zu erlösen, wurde durch Aussprüche vor und nach seiner Geburt schon glasklar bezeugt. Sein späteres öffentliches Auftreten im Alter von etwa 30 Jahren war dann genau das Gegenteil von dem, was ein Virus bewirkt. Er half den Menschen, heilte Kranke und weckte Tote auf. Und er vergab Sünden. Und die Grundlage dafür legte er am Ende selbst, indem er ans Kreuz ging, um für uns Menschen die Strafe für die Sünde auf sich zu nehmen. Gottes gerechtes Gericht über die Sünde traf den, der selbst ohne Sünde war. Sollte man daraus nicht Hoffnung schöpfen?

Joachim Pletsch

❓ Wäre es Ihnen lieber, dass Gott die Welt so lässt, wie sie ist?

❗ Was das für unser persönliches Schicksal bedeuten würde, liegt klar auf der Hand: den Tod und nicht das Leben.

✝ Psalm 77

SAMSTAG | NOVEMBER | **30**

> »Und seid gewiss: Ich bin jeden Tag
> bei euch bis zum Ende der Zeit!«
>
> MATTHÄUS 28,20

Verängstigt?

Unser Sohn war knapp dreijährig, als junge Familienfreunde sich einen Spaß daraus machten, ihn zu verängstigen und ihm Geschichten über einen »Poltermann« erzählten, der Kleinkinder fressen würde. Wir lebten nicht weit von einer Moschee entfernt und die Gebetsrufe waren unüberhörbar. Diese, so erklärten die Jungs unserem Sohn, seien die Rufe dieses »Poltermannes«. Es war ein Schock für den Kleinen, dass dieser Bösewicht offensichtlich schon so nahe war.

Was konnten wir tun, um ihm diese Angst zu nehmen? Die Gebetsrufe ertönten ja fünf Mal am Tag. Zureden allein genügte nicht. Also nahm ich Amanuel an der Hand und bat ihn, mir jetzt einfach zu vertrauen und mir zu folgen. Ich erklärte ihm, er brauche keine Angst zu haben, denn wie sein Name sagt, *ist Gott mit uns*. Wir würden jetzt gemeinsam hingehen, und ich würde ihm die Wahrheit zeigen. Anfangs zögerlich, aber dann immer vertrauensvoller folgte mir unser Sohn zur Moschee. Ich erklärte, dass dies das Gebetshaus unserer muslimischen Mitbürger sei, wozu auch einige unserer persönlichen Freunde gehörten. Von Zeit zu Zeit würden hier über Lautsprecher die Gläubigen zum Gebet aufrufen – also doch kein »Kleinkinder fressender Poltermann«! Mit festem Händedruck lauschten wir dem Gebetsruf und marschierten nachher friedlich nach Hause. Die Jungs hatten keine Chance mehr, Amanuel zu verängstigen.

Jesus verspricht denen, die an ihn glauben und ihm vertrauen, bei ihnen zu sein »bis zum Ende der Zeit«. Wir dürfen – im Bild gesprochen – seine Hand ergreifen. Er kennt alle unsere Nöte und will uns helfen, sie auszuhalten und zu überwinden. Doch er freut sich, wenn wir auch in guten Zeiten seine Hand dankbar drücken und uns von ihm leiten lassen. *Martin Grunder*

❓ Was tun Sie, wenn sie verängstigt sind oder sich verloren fühlen?

❗ Ergreifen Sie Jesu Hand – und bitten Sie um Führung!

✝ Psalm 23

01 DEZEMBER SONNTAG
1. Advent

Sie aber schrien: Hinweg, hinweg! Kreuzige ihn! Pilatus spricht zu ihnen: Euren König soll ich kreuzigen? Die Hohenpriester antworteten: Wir haben keinen König als nur den Kaiser.

JOHANNES 19,15

Weihnachtslieder und ihre Geschichte: Macht hoch die Tür

Die Entstehungsgeschichte des gleichnamigen Adventsliedes reicht bis in das 17. Jahrhundert zurück, und es ist über die Grenzen der christlichen Konfessionen hinweg beliebt. Inhaltlich thematisiert es – passend zum Advent – die freudige Erwartung des Gottessohnes, dessen Geburt dann zu Weihnachten gedacht wird. Der Erwartete wird beschrieben als der »Herr der Herrlichkeit, ein König aller Königreich, ein Heiland aller Welt zugleich, der Heil und Leben mit sich bringt …« In einer weiteren Strophe heißt es: »O wohl dem Land, o wohl der Stadt, so diesen König bei sich hat.«

Tatsächlich ist Jesus Christus, der Sohn Gottes, als König in jeder Hinsicht besser als alle Herrscher dieser Welt. Wenn man sein Verhalten während seiner irdischen Lebenszeit betrachtet, erkennt man, dass dies durchweg positive Auswirkungen auf seine Umgebung hatte: Er war gerecht, unbestechlich, geduldig, liebevoll, fürsorglich. Er gab Tausenden von Menschen zu essen, er heilte Lahme, Blinde, Stumme, Aussätzige, er weckte Tote auf, er holte Ausgestoßene in die Gesellschaft zurück usw. Wer, wenn nicht dieser Jesus, erfüllte alle Voraussetzungen dafür, der ideale König über sein Volk zu sein? Wohl dem Land, das diesen König bei sich hat!

Die Reaktion seiner Zeitgenossen war allerdings schlussendlich eine völlig andere: »Wir wollen nicht, dass dieser über uns König ist. Weg mit ihm!« Angesichts der beschriebenen Eigenarten Jesu erscheint uns dies unglaublich. Doch bei Licht betrachtet verhalten sich sehr viele Menschen heute im Ergebnis ganz genau so: Trotz aller Zuwendung, Freundlichkeit, Geduld und Menschenliebe Gottes will letztlich kaum jemand, dass Gottes Sohn tatsächlich die Herrschaft über sein Leben ausübt.

Markus Majonica

❓ Wenn man Gottes König ablehnt, welchen König hat man dann?

❗ Gottes Sohn kann man unbedingt vertrauen.

✝ Psalm 24

MONTAG · DEZEMBER 02
Tag der Abschaffung des Sklavenhandels

Denn ihr wisst ja, was es Gott gekostet hat, euch aus der Sklaverei der Sünde zu befreien, aus einem sinnlosen Leben, wie es schon eure Vorfahren geführt haben.

1. PETRUS 1,18

Das Ende der Sklaverei?

Um die Abschaffung des Sklavenhandels haben sich viele Menschen verdient gemacht. Einer von ihnen war William Wilberforce. Er lebte zur Zeit der französischen Revolution und Napoleons, stammte aus gutem Hause und war lange Mitglied des Parlaments. Seit seiner Jugend war er mit William Pitt befreundet, dem langjährigen Leiter der englischen Politik. Wilberforce wuchs in einem christlich-pietistischen Elternhaus auf. Aus dem Umgang mit der Bibel wurde für ihn klar, dass Sklavenhaltung mit der Hl. Schrift nicht zu vereinbaren ist.

Er sagte einmal: »Mir erschien die Verderbtheit des Sklavenhandels so enorm, so furchtbar und nicht wiedergutzumachen, dass ich mich uneingeschränkt für die Abschaffung entschieden habe. Mögen die Konsequenzen sein, wie sie wollen ...« So widmete er sein Leben als Parlamentarier fast ganz dem Kampf für ein Verbot des Sklavenhandels. Widerstand gab es von vielen Seiten: Die US-Südstaaten, die Franzosen, arabische Händler und auch manche afrikanischen Stämme verdienten zu gut daran, um davon abzulassen.

Aber Wilberforce ließ nicht locker. Er erlebte noch, dass die britische Regierung die Sklaverei in Großbritannien endgültig abschaffte. Sein Ausharren hatte sich also gelohnt; Wilberforce war zum Segen für sehr viele Menschen geworden.

Neben der von Wilberforce bekämpften Form der Sklaverei gibt es allerdings eine viel weiter gehende Sklaverei, der einschränkungslos und bis heute alle Menschen unterworfen sind: Es ist die Sklaverei der Sünde. Die Sünde ist ein schrecklicher Herr, und ihre Herrschaft führt zum Tod. Um den Menschen hiervon zu befreien, reicht auch ein beherzter politischer Kampf nicht aus. Hier musste der Sohn Gottes mit seinem Leben bezahlen.

Karl-Otto Herhaus

❓ Sind Sie sich des Wertes des für Sie gebotenen Lösegeldes bewusst?

❗ Wen Gottes Sohn frei macht, der ist wirklich frei.

✝ Johannes 8,31-36

03 | DEZEMBER DIENSTAG

Siehe, ich komme bald und mein Lohn mit mir!
OFFENBARUNG 22,12

Advent

»Advent« bedeutet »Ankunft«. Aber wer oder was soll denn kommen? Sind es etwa adventliche oder weihnachtliche Gefühle? Aber die wollen nicht richtig aufkommen, weil alles so hochproblematisch geworden ist. Hat man den Garten für den Advent üppig illuminiert, muss man mit dem Zorn der Klimaaktivisten rechnen, und Lebkuchen und Glühwein wollen auch bei heruntergezogenem Rollo nicht richtig schmecken, weil einem dabei die hungernden Ukrainer einfallen, denen in eisigen Ruinen das Nötigste fehlt.

So beklagenswert diese Anlässe auch sind, haben sie doch das Gute, unsere Blicke wieder auf das Wesentliche zu richten, eben auf den, der wiederzukommen versprochen hat. Und das umso mehr, als auch wir nicht wissen, unter welchen Bedingungen wir den nächsten Advent »feiern« werden. Vielleicht sieht es bei uns dann so ähnlich aus wie in der Ostukraine.

Die Bibel jedenfalls beschreibt die Zeit vor dem erneuten Erscheinen des Sohnes Gottes als das Ende dieser Weltzeit, in der es keine Erholung der Verhältnisse geben wird, sondern nur eine gnadenlose Steigerung von Ungewissheit, Ratlosigkeit und von Angst befeuerter Rücksichtslosigkeit.

Solche Gedanken sind bei ehrlicher Betrachtung in der Lage, unsere Sentimentalitäten auf ein Minimum zu beschränken. Höchstwahrscheinlich könnten wir dann auch noch ein oder zwei »Weihnachten-im-Schuhkarton-Päckchen« für notleidende Kinder packen. Vor allem aber sollten wir uns darüber klar werden, wie wir dem großen wiederkommenden König und Gott, Jesus Christus, unter die Augen treten wollen. Er hat uns in seinem Wort deutlich genug gesagt, was Gott dafür von uns verlangt.

Hermann Grabe

? Welche Beziehung unterhalten Sie zu Jesus Christus?

! Den kommenden König vor Augen werden die größten Ängste klein.

† Offenbarung 22

MITTWOCH DEZEMBER | 04

Ich bin das Licht der Welt; wer mir nachfolgt, wird nicht in der Finsternis wandeln, sondern wird das Licht des Lebens haben.
JOHANNES 8,12

Lichtblicke

Ich schiebe mir die Stirnlampe auf der Nase zurecht. Merkwürdig, oder? Ja, vielleicht, doch alles war mir lieber als die vollkommene Dunkelheit, und es war notwendig, um in den finsteren Straßen Uruguays sicher den Weg nach Hause zu finden. Als in dieser Nacht die Scheinwerfer meines Mopeds kaputt gingen, wurde mir bewusst, wie orientierungslos man ohne Licht ist. Oft ist unser Leben wie diese Straße: so dunkel und voller Schlaglöcher, die uns zu Fall bringen wollen. Ich denke, Sie würden mir zustimmen, wenn ich behaupte, dass jeder in seinem Leben schon einmal vergleichbaren Situationen ausgeliefert war, in denen man orientierungslos war, sei es durch finanzielle Krisen, Probleme am Arbeitsplatz oder zerstrittene Beziehungen.

Wie gut wäre es, in solchen Lebenslagen ein Licht zu haben, das einen Weg durch die Krise zeigt. Genau als ein solches kam Jesus vor über 2000 Jahren in die Welt, um den Menschen einen Ausweg aus der Hoffnungslosigkeit ihres Lebens ohne Gott zu weisen. Gott sah in die dunklen und sündigen Herzen der Menschen und wusste, dass sie allein niemals aus ihrer Verlorenheit herausfinden würden.

Bis heute trennt uns unsere persönliche Schuld von Gott. Da er aber nicht will, dass wir verloren gehen, schickte er seinen Sohn Jesus Christus in die Welt, damit dieser für die Schuld aller am Kreuz starb. Wer das heute für sich annimmt und Jesus Christus seine Sünden bekennt, den wird Gott erretten und die Schuld vergeben. Dann wird unser Leben hell, und auch in den Fragen und Problemen, die uns vielfach beschäftigen, können wir uns nach dem ausrichten, was uns Gott in seinem Wort, der Bibel, sagt. Er will uns leiten und führen, bis wir bei ihm angekommen und für ewig sicher geborgen sind. *Anna Masurtschak*

❓ Tappen Sie noch im Dunkeln?

❗ Nur Jesus gibt das entscheidende Licht fürs Leben!

✝ Psalm 97,11-12

05 | DEZEMBER
Heisenberg-Tag

DONNERSTAG

Dieser [der Sohn Gottes] … trägt das Weltall durch sein Allmachtswort.«

HEBRÄER 1,3

Unser Universum dürfte nicht existieren

Die *Europäische Organisation für Kernforschung* (CERN) ist eine Forschungseinrichtung in der Nähe von Genf. Über 14 000 Gastwissenschaftler aus 85 Nationen beschäftigen sich mit der Frage, woraus das Universum besteht und wie es funktioniert. Im Jahr 2017 überrascht die CERN mit der Ankündigung, dass unser Universum eigentlich gar nicht existieren dürfte. Materie und Antimaterie besäßen unterschiedliche Ladungen und kämen zu gleichen Anteilen vor, weshalb sie sich gegenseitig vernichten müssten. Es müsse einen bisher unbekannten Grund für seine Existenz geben, so die Wissenschaftler der CERN, dem sie bisher noch nicht auf die Spur kommen seien.

Bibelleser kennen den Grund, weshalb unser Universum existiert – allen Widrigkeiten zum Trotz: Dieser Grund ist Jesus Christus. Er ist nicht nur der Schöpfer des Weltalls (vgl. Johannes 1,1-3.14), sondern auch der, der es am Laufen hält. In Psalm 104,5 heißt es über ihn: »Er hat die Erde gegründet auf ihre Grundfesten. Sie wird nicht wanken immer und ewig.« Weshalb? Weil er »das Weltall durch sein Allmachtswort« trägt (siehe Tagesvers)!

Auch Sie leben, weil Jesus Ihnen »das Leben und die Luft zum Atmen und überhaupt alles gibt« (Apostelgeschichte 17,25; NeÜ). Jeder Herzschlag, jeder Atemzug, jeder Tag auf Erden, ist sein Geschenk für Sie. Doch er will Ihnen sogar noch mehr geben: Sie sollen Gottes Kind werden! Johannes schreibt: »Seht, welch eine Liebe uns der Vater gegeben hat, dass wir Kinder Gottes heißen sollen!« (1. Johannes 3,1). Die Befugnis dazu gibt Ihnen Jesus. Er verleiht allen, die ihn aufnehmen, »das Recht, Kinder Gottes zu werden« (Johannes 1,12). Ihn aufzunehmen heißt, zu glauben, wer er ist und was er für Sie getan hat, als Ihr Schöpfer und Ihr Erlöser.

Peter Güthler

? Wie weit reicht die göttliche Allmacht?

! Vom Mikrokosmos bis zum Makrokosmos und weit darüber hinaus.

✝ Hebräer 1,1-14

FREITAG   DEZEMBER | **06**

... als aber die Fülle der Zeit kam, sandte Gott seinen Sohn, ... damit er die loskaufte, die unter dem Gesetz waren, damit wir die Sohnschaft empfingen.

GALATER 4,4-5

Zeitenwende

Der Ausdruck »Zeitenwende« war das Wort des Jahres 2022, ausgewählt von einer Jury der Gesellschaft für deutsche Sprache. Dieser Begriff steht im Zusammenhang mit dem russischen Angriffskrieg gegen die Ukraine und wurde besonders von Bundeskanzler Olaf Scholz geprägt. So sagte er Ende Februar 2022: »Der russische Überfall auf die Ukraine markiert eine Zeitenwende. Er bedroht unsere gesamte Nachkriegsordnung.«

Aktuell erleben wir tatsächlich diese vielbeschworene Zeitenwende, aber in einem ganz anderen Sinne: Unsere westliche Kultur war von der Hoffnung beseelt, dass der Mensch sich stetig weiterentwickle und sich selbst eine Welt immer größerer Sicherheit, Freiheit und wachsenden Wohlstands schaffen würde. Nun dämmert uns allerdings, dass dies ein Irrglaube war. Das ist unsere Zeitenwende.

Der Begriff Zeitenwende ist übrigens keineswegs neu. Der Jury der *Gesellschaft für deutsche Sprache* zufolge steht dieses Wort speziell für den Beginn der christlichen Zeitrechnung und in allgemeinerer Bedeutung auch für jeden Übergang in eine neue Ära. Eine Zeitenwende kann aber jeder Mensch auch ganz persönlich erleben. Zum Beispiel wenn man für sich selber erkennt, dass sich im Hinblick auf Gott und die Ewigkeit grundsätzlich etwas ändern muss. Wem das zur Not wird, dem bietet Jesus Christus eine Wende an. Er selbst wurde als Schlüsselperson einer Zeitenwende von Gott auf diese Erde gesandt, um durch seinen Tod am Kreuz unsere Not zu wenden: Jesus will alle unsere Sünden und Fehler auf sich nehmen, und er hat bereits am Kreuz von Golgatha für sie bezahlt. Und allen Menschen, die im Glauben dieses Angebot annehmen, vergibt Gott ihre Sünden und kramt sie nie mehr hervor. Sie stehen dann nicht mehr als Sünder vor Gott. Eine neue Ära hat begonnen.

Herbert Laupichler

? Haben Sie den Wunsch nach einer persönlichen Zeitenwende?

! Mit Jesus kann diese Wende Wirklichkeit werden, wenn Sie ihn darum bitten.

† Apostelgeschichte 17,24-31

07 | DEZEMBER
Tag des brandverletzten Kindes

SAMSTAG

**Da rief ich deinen Namen an, HERR,
aus der Grube tief unten.**

KLAGELIEDER 3,55

Das Napalm-Mädchen

Das Foto schockierte die ganze Welt: Kinder rennen eine Straße entlang, hinter ihnen Soldaten und ein brennendes Dorf. Und in der Mitte ein junges Mädchen, nackt, voller Brandwunden, schreiend. Am 8. Juni 1972 hatten die Amerikaner Napalm-Bomben über Kim Phucs Dorf abgeworfen, die ihre Kleidung und 30 % ihrer Haut verbrennen ließen. Doch Kim überlebte. »Du wirst dein Leben lang Schmerzen haben«, sagte ihr ein Arzt. Doch nicht nur Kims Haut, auch ihre Seele schmerzte. Sie war voller Bitterkeit, fühlte sich hässlich und ungeliebt. Was konnte ihrem Leben jetzt noch Sinn geben?

Auf der Suche nach Antworten ging Kim als junge Frau in eine Bibliothek und nahm einen ganzen Stapel Bücher mit nach Hause. Bücher über Buddhismus, Hinduismus, Islam und Caodaimus. Irgendwo in dem Stapel war auch ein kleines Neues Testament. Und die Worte dieses Buches drangen tief in Kims verletztes Herz. Hier endlich war ein persönlicher Gott, der mitfühlte, der in Jesus Christus Mensch geworden war und am Kreuz unvorstellbare Schmerzen erduldet hatte. Ein Gott, der ihr seine Hand entgegenstreckte und ihr Vergebung ihrer Schuld, seine Liebe und seinen Frieden anbot. Im Weihnachtsgottesdienst 1982 sagte Kim in einer kleinen vietnamesischen Kirche Ja zu diesem Gott und übergab ihm ihr Leben. »Endlich hatte meine gequälte Seele Ruhe gefunden«, sagte sie später.

Kim studierte Medizin, heiratete, wurde Mutter. Bis heute setzt sie die Bekanntheit, die sie durch das Foto bekommen hat, dafür ein, Kindern zu helfen, die Kriegsopfer geworden sind. Für ihr weltweites und unermüdliches Engagement hat Kim Phuc zahlreiche Preise und Ehrungen bekommen. Ihr Leben ist ein Beweis dafür, dass Gott selbst aus den schrecklichsten Umständen etwas Gutes machen kann.

Elisabeth Weise

? Was trägt selbst im schlimmsten Leid?

! »Religion konnte mir nicht helfen. Die Beziehung zwischen Gott, Jesus und mir, hat mein Leben verändert.« (Kim Phuc Phan Thi)

† Matthäus 27,27-38

SONNTAG   DEZEMBER | **08**
2. Advent

Das Volk, das im Dunkel lebt, sieht ein großes Licht. Die im Land der Finsternis wohnen, Licht leuchtet über ihnen.

JESAJA 9,1

Weihnachtslieder und ihre Geschichte: Stille Nacht

Ein aus dem Ruder gelaufenes Klima, Extremwetter, Starkregen. Was viele Menschen heute fürchten, war 1816 Realität durch den Ausbruch des indonesischen Vulkans Tambora. Dieser größte bis dahin von Menschen dokumentierte Vulkanausbruch markierte die »erste globale Klimazerstörung« und bescherte der Welt ein Jahr ohne Sommer. Ende Juli lag Süddeutschland unter einer Schneedecke, heftige Regenfälle sorgten für Überschwemmungen, Typhus, Cholera und sogar die Pest grassierten. Die Ernten fielen aus oder waren stark dezimiert, was wiederum zu Preissteigerung, Hunger, sozialen Unruhen und Migration führte.

In diesem buchstäblich dunklen Jahr entstanden zahlreiche Schauergeschichten wie »Frankenstein« oder »Der Vampyr«. Aber es wurde auch ein Lied gedichtet, das inzwischen von der UNESCO als »Immaterielles Kulturerbe Österreichs« anerkannt ist: »Stille Nacht, heilige Nacht«, gedichtet von Joseph Mohr. Die süßliche Melodie, die wir alle schon oft als Hintergrundmusik beim Einkaufen gehört haben, und die kitschig anmutende Phrase »holder Knabe im lockigen Haar« kann dazu führen, dass die Sprengkraft dieses Liedes übersehen wird. In einer Zeit, wo die einen vor Not nicht mehr ein noch aus wussten, und die anderen sich an dunklen Fantasien ergötzten, erzählte dieses Lied von einer lebendigen Hoffnung: »Christus, der Retter, ist da.«

Christus rettet und will uns von unserer Gottesferne, Einsamkeit und Schuld erlösen. Dazu ist er als Licht in diese finstere, kaputte Welt gekommen; das wird bis heute besungen und erfahren – gerade von Menschen, die sich in großer Not befinden. Ob es erst dunkle, kalte Zeiten braucht, bis wir eine Sehnsucht nach der Wärme dieses Lichts bekommen? *Elisabeth Weise*

? Was gibt echte Hoffnung in großer Not?

! »Stille Nacht, heilige Nacht, die der Welt Heil gebracht, aus des Himmels goldenen Höhn, uns der Gnade Fülle lässt sehn ...«

✝ Jesaja 9,1-5

09 DEZEMBER — MONTAG

Meine Schafe hören meine Stimme, und ich kenne sie, und sie folgen mir; und ich gebe ihnen ewiges Leben, und sie gehen nicht verloren in Ewigkeit, und niemand wird sie aus meiner Hand rauben.

JOHANNES 10,27-28

»Wir bleiben zusammen ...

... bis der TÜV uns scheidet.« Kennen Sie diesen Autoaufkleber? Die zugrundeliegende Formulierung ist an die kirchliche Trauung angelehnt, bei der traditionell zum Brautpaar gesagt wird: »... bis dass der Tod euch scheidet.« Das soll zum Ausdruck bringen, dass die Ehe von Mann und Frau (nach der Bibel) nur durch den Tod aufgelöst werden kann. – Wir Menschen haben eine tiefe Sehnsucht nach Dingen, die Bestand haben und uns Halt geben. Mancher sucht das vielleicht bei seinem Auto, wie jener Aufkleber andeutet – oder in sonstigen materiellen Besitztümern, die letztlich nicht ewig halten. Andere wiederum setzen auf zwischenmenschliche Beziehungen; und zugegebenermaßen ist besonders die Ehe ein gottgegebener Segen, der unserem Leben tiefe Erfüllung schenken kann. Aber selbst dieses innigste Verhältnis zwischen zwei Menschen findet mit dem Tod ein Ende.

Doch es gibt eine Beziehung, die sogar den Tod überdauert und buchstäblich für immer und ewig Halt gibt: eine persönliche Beziehung zu Jesus Christus. Denn er kennt die, die zu ihm gehören, und hält sie fest in seiner Hand – wie es der Tagesvers sagt. Wer in einem innigen Verhältnis zu dem Sohn Gottes steht, ist also untrennbar verbunden mit ihm. Oder anders gesagt: Das Schaf ist ganz nah bei seinem Hirten, der auf es aufpasst und es beschützt.

Wie kommt man zu so einer Beziehung mit Jesus? Es ist nur ein kleiner Schritt nötig, doch ganz leicht ist er nicht: Man muss sich ihm vorbehaltlos anvertrauen und schonungslos ehrlich zu ihm sein. Dabei ist es entscheidend, dass man alle Schuld, die man im Leben angesammelt hat, vor ihm ausschüttet und ihn um Vergebung bittet. Dieser Schritt ist der Aufbruch in eine beispiellos beglückende Beziehung, die noch dazu nie endet.

Martin Reitz

❓ Mit wem oder womit sind Sie untrennbar verbunden?

❗ Die Verbindung mit Jesus lohnt sich am meisten – und sie hält über den Tod hinaus!

✝ Johannes 17,24-26

DIENSTAG | DEZEMBER | **10**

Denn uns ist ein Kind geboren, ein Sohn ist uns gegeben, und die Herrschaft ist auf seiner Schulter; und er heißt Wunder-Rat, Gott-Held, Ewig-Vater, Friede-Fürst.

JESAJA 9,5

Ich bin noch gar nicht fertig!

»Ich bin noch gar nicht fertig!«, sagte die ältere Frau zu mir, als wir uns nach unserem Treffen verabschiedeten und ich ihr frohe Weihnachten wünschte. Es waren noch knapp zwei Wochen bis Heiligabend und die Frau zählte auf, was sie noch alles erledigen wollte: Geschenke kaufen, Plätzchen backen, dekorieren … Jedes Jahr scheint es so, als käme Weihnachten »ganz plötzlich«. Dabei wissen wir doch lange im Voraus, wann es so weit ist.

Ganz anders war es damals bei Maria: Die junge Frau steckte mitten in den Hochzeitsvorbereitungen, denn sie war mit Josef verlobt. Und dann bekam sie eines Tages Besuch und wurde mit den Worten »Sei gegrüßt, du Begnadete!« (Lukas 1,28) angesprochen. Der Engel erklärte Maria, dass sie ein Kind bekommen würde und ihm den Namen Jesus geben sollte. Das kam für die junge Frau ganz schön plötzlich und ohne Vorbereitung.

Die Geschichte von Maria hat mich ins Nachdenken gebracht. Wir versuchen in unseren Weihnachtsvorbereitungen alles ganz genau zu planen und beschäftigen uns mit den äußeren Rahmenbedingungen. Wir wollen unsere Häuser schön dekorieren und ein leckeres Essen kochen. Dabei bleibt der wahre Grund von Weihnachten auch ohne perfekte äußere Bedingungen bestehen: Gott hat seinen Sohn Jesus Christus als kleines Baby zur Welt kommen lassen. Der Schöpfer wird Mensch und macht sich ganz klein, damit wir Menschen die Möglichkeit haben, wieder mit ihm Gemeinschaft zu haben. Dies kam nicht »plötzlich«, sondern war schon lange von Gott geplant. Schon im Alten Testament schreibt der Prophet Jesaja: »Denn uns ist ein Kind geboren, ein Sohn ist uns gegeben, und die Herrschaft ist auf seiner Schulter; und er heißt Wunder-Rat, Gott-Held, Ewig-Vater, Friede-Fürst.«

Ann-Christin Bernack

? Sind Sie bereit, den wahren Grund von Weihnachten zu entdecken?

! Gott wurde an Weihnachten Mensch!

† Lukas 1,68-79

11 DEZEMBER — MITTWOCH
Tag der Berge

Unsere Väter haben auf diesem Berg angebetet, und ihr sagt, dass in Jerusalem der Ort sei, wo man anbeten müsse.

JOHANNES 4,20

Wo man Gott begegnen kann

Die Bedeutung von Bergen ist für uns Menschen sehr unterschiedlich. So ist es z. B. noch gar nicht so lange her, da hatten die Gipfel unserer Alpen für die Bewohner gar keine Namen, denn sie waren für sie ohne Bedeutung. Die Älpler waren Bauern, und von den Bergen kamen höchstens Muren oder Schneelawinen, die ihnen das Leben schwer machten.

Andererseits haben große, majestätische Bergmassive die Menschen stets beeindruckt und inspiriert, vor allem dann, wenn sie in einer Landschaft unübersehbar hervorragten. Auch in der Bibel spielen Berge schon früh eine Rolle. Von einem Berg, dem Sinai, verkündete Gott seinem Volk Israel seine heiligen Gesetze. Von einem anderen Berg, dem Nebo, zeigte Gott dem Mose das Land Israel. Der »Berg Zion«, ein Synonym für Jerusalem, spielt in der Bibel eine große Rolle. Vielleicht hatte sich von daher im späteren Israel die Annahme verbreitet, Gott auf Höhen und Berggipfeln finden zu können, vielleicht, weil man meinte, Gott dort »näher« zu sein.

Eine Frau, der Jesus hier in dem Geschehen um den Tagesvers herum begegnet, erwähnt diese Haltung. Sie meint, Anbetung müsse an bestimmte Orte gebunden sein, an einen bestimmten Berg oder eine bestimmte Stadt. Doch Jesus gibt ihr und uns eine Belehrung, die bis heute gilt: »Frau, glaube mir, es kommt die Stunde, da ihr weder auf diesem Berg noch in Jerusalem den Vater anbeten werdet« (Johannes 4,20-22). Berge sind eben Berge und keine Orte, an denen rituelle Begegnungen mit Gott vorprogrammiert sind. Berge sind oft wunderbar. Aber Gott bindet sich nicht an sie oder überhaupt an einen bestimmten Platz dieser Welt. Er lässt sich von denen finden, die ihn aufrichtig suchen, vielleicht auf einem Berg, vielleicht aber auch ganz woanders.

Karl-Otto Herhaus

? Wo meinen Sie, Gott am nächsten zu sein?

! Gott kann man an jedem Ort der Welt finden, aber nur mit aufrichtigem Herzen.

† Lukas 11,9-13

DONNERSTAG · DEZEMBER | **12**

Ich hebe meine Augen auf zu den Bergen. Woher wird meine Hilfe kommen? Meine Hilfe kommt vom Herrn, der Himmel und Erde gemacht hat.
PSALM 121,1-2

Hilferuf aus einem Loch

Im Dezember 2022 verbrachte ich etwa drei Wochen in einem Krankenhaus, davon acht Tage auf der Intensivstation. Dieses Krankenhaus ist in einen Hang hineingebaut, und die Intensivstation befindet sich im Geschoss U2, also zwei Etagen unter dem Eingangsbereich. Das Zimmer auf der Intensivstation hatte zwar ein Fenster, aber der Blick reichte nur bis in einen ummauerten Innenbereich. Nach oben hin waren nur Fassaden zu sehen. Kein Himmel, keine Pflanze, kein Vogel waren sichtbar. Hinzu kommt, dass bei uns im Sauerland oft ohnehin viel Grau und Nebel herrscht und die Sonne sich wenig blicken lässt. Außerdem wird es in dieser Jahreszeit spät hell und früh dunkel. Trostlosigkeit pur – besonders, wenn man auf der Intensivstation liegt!

Aber dann passierten zwei Dinge: Durch eine Spiegelung sah ich in einem Fassadenfenster ein Kreuz! Das hat mich an Jesus Christus und an das, war ER für mich getan hat, erinnert – und getröstet! Meine Tochter ließ mir eine Mitteilung zukommen, dass sie gerade Psalm 121 liest (siehe Tagesvers). Das war eine so gute Nachricht genau zur richtigen Zeit: Selbst in diesem Loch, in dem ich keinen Himmel sehen konnte, konnte ich meine Augen erheben zu meinem Herrn. Ja, ohne Zweifel würde er mich auch hier erhören! »Meine Hilfe kommt von dem Herrn.« Diese Hilfe erlebte ich dann, z. B. darin, dass das künstliche Koma, in das ich versetzt werden sollte, doch noch abgewendet werden konnte.

Auf Gott schauen und auf ihn unser Vertrauen setzen – das hat schon vor 3000 Jahren Menschen aus der Tiefe ihrer Verlorenheit herausgeholt. Gott beugt sich auch heute noch zu denen herab, die zu ihm aufblicken. In Jesus Christus reicht er uns die Hand, um uns sogar für ewig zu retten (vgl. Johannes 10,27-30). *Martin Reitz*

❓ Kennen Sie den Blick nach oben?

❗ Es gibt nichts Besseres als diesen Herrn zu kennen, der Himmel und Erde gemacht hat.

✝ Johannes 10,7-9.14-15.27-30

13 DEZEMBER — FREITAG

Den Reinen ist alles rein; den Befleckten aber und Ungläubigen ist nichts rein, sondern sowohl ihre Gesinnung als auch ihr Gewissen sind befleckt.

TITUS 1,15

Anpassung – Segen und Fluch zugleich?

07:30

Unser Körper ist ein echtes Meisterwerk. Eine ganz besondere Sache ist unser »Geruchssinn«. Dieser ist sogar im Schlaf aktiv. Riechen zu können, ist Teil unserer Lebensqualität. Wir freuen uns an »guten« Düften wie Blumen, einem guten Essen, Parfüm etc. Doch haben Sie schon mal darüber nachgedacht, wie Menschen in Berufen arbeiten können, die von üblem Gestank begleitet werden wie z. B. in einer Verbrennungsanlage für Tierkadaver, Kläranlagen oder auch auf Bauernhöfen? Die Antwort darauf lautet: durch Anpassung der Geruchszellen. Die Zellen, die in unserer Nase für das Riechen zuständig sind, sind nur für kurzzeitige Reaktionen angelegt. D. h. bei lang andauernder Stimulation durch einen Duftstoff reagieren diese Zellen nur für wenige Sekunden. Der Effekt ist, dass wir uns nach einer bestimmten Zeit an den Duft gewöhnen und üble Gerüche somit auch nicht mehr als unangenehm wahrnehmen. Unsere Nase ist also ein echtes Meisterwerk.

Es gibt noch eine andere Funktion in uns, die – ähnlich wie unser Geruchssinn – durch Gewöhnung sehr abgestumpft werden kann, und das ist unser Gewissen. Genauso, wie unsere Nase stinkende Gerüche anfangs wahrnimmt und unser Gehirn »Alarm« schlägt, so ist es auch mit unserem Gewissen. Gewöhnen wir uns in unserem Leben an »Böses«, z. B. Lügen, Stehlen, Süchte, Pornographie etc., schaltet sich unser »Gewissen«, die anfängliche »Warnfunktion«, aus; und das ist wirklich lebensgefährlich. Die Bibel sagt nämlich, dass der Lohn der Sünde der Tod ist. Sünde ist tödlich! Deshalb ist es wichtig, dass wir auf unser Gewissen reagieren und Dinge, die nicht in Ordnung sind, sofort korrigieren und bereinigen. Ich bin sehr dankbar, dass ich mit der ganzen Schuld meines Lebens zu Jesus Christus gehen und Vergebung empfangen durfte. *Daniel Zach*

❓ Schlägt Ihr »Gewissen« noch an oder ist es der Anpassung verfallen?

❗ Man kann sein Gewissen immer wieder neu anhand von Gottes Wort ausrichten.

✝ Apostelgeschichte 24,16

SAMSTAG DEZEMBER | **14**

Er ruft seine eigenen Schafe mit Namen und führt sie heraus. Wenn er seine eigenen Schafe alle herausgeführt hat, geht er vor ihnen her, und die Schafe folgen ihm.

JOHANNES 10,3-4

✝ Die Stimme des Hirten

Im Dezember 2013 war in einer Regionalzeitung folgende Geschichte zu lesen: Ein Schafhirte im Raum Karlsruhe musste eines Tages entdecken, dass ihm in der Nacht seine gesamte Herde mit insgesamt 111 Schafen gestohlen worden war. Er meldete dies der Polizei, die sich auf die Suche nach den Tieren machte. Wochen später erfuhren die Behörden, dass in Köln ein Großtransport von 5000 Schafen in die Türkei geplant war. Sie informierten den Hirten, zu jenem Bahnhof zu kommen und herauszufinden, ob sich seine Schafe in der Herde befänden.

Am Verladetag stand der Hirte mit Polizisten auf dem Güterbahnhof. Die riesige Herde zog an ihnen vorbei. In kurzen Abständen ließ der Hirte seinen Lockruf erschallen, und siehe da – nach und nach löste sich ein Schaf nach dem anderen aus der große Masse des Kleinviehs. Als die Tiere verladen waren, zählte man die kleine Herde, die sich um den Hirten gesammelt hatte. Zum Erstaunen aller waren es genau 111 Schafe. Die Polizisten waren beeindruckt und davon überzeugt, dass diese Schafe das Eigentum des Hirten sein mussten.

Erstaunlich, wie Schafe auf die Stimme ihres Hirten hören und ihm folgen. Jesus Christus selbst bezeichnet sich als der gute Hirte. Für das Wohl seiner Herde setzte er sein Leben ein. Er ruft uns. Lassen wir uns in der Herde der anderen Schafe einfach treiben oder folgen wir seiner Stimme? Man braucht nicht viel Fantasie, um zu ahnen, zu welchem Zweck die 5000 Schafe in die Güterwagons verladen wurden. Im Gegensatz zu den Hirten, die ihre Schafe weiden, um schließlich den Fleischmarkt zu beliefern, sagt der gute Hirte: »Meine Schafe hören meine Stimme und ich kenne sie und sie folgen mir; und ich gebe ihnen ewiges Leben und sie gehen nicht verloren in Ewigkeit.« *Gerrit Alberts*

❓ Welchem Hirten folgen Sie nach?

❗ Jesus (ent)täuscht die nicht, die ihr Vertrauen auf ihn setzen.

✝ Johannes 10,1-16

15 DEZEMBER
3. Advent

SONNTAG

**Und er wird dir zur Freude und zum Jubel sein,
und viele werden sich über seine Geburt freuen.**
LUKAS 1,14

Weihnachtslieder und ihre Geschichte: Vom Himmel hoch

Weihnachten ist das Fest der Familie, so sagt man. Und tatsächlich verbringen die meisten Menschen die Feiertage am liebsten zusammen mit ihren Großeltern, Kindern und Enkelkindern. Man genießt das Zusammensein, das gute Essen und die liebevoll ausgesuchten Geschenke. Aber obwohl der festliche Rahmen stimmt, stellt sich die ersehnte Weihnachtsfreude nicht immer ein. Warum?

Auch Martin Luther war es wichtig, für seine Familie ein schönes Weihnachtsfest zu gestalten. Aber noch wichtiger war ihm, seinen Kindern die Botschaft dieses Fests deutlich zu machen. Der Reformator dachte sich, dass das am besten durch ein Lied mit verteilten Rollen ginge. Und so dichtete er »Vom Himmel hoch, da komm ich her« auf die Melodie eines bekannten Spielmannsliedes. Ich kann mir gut vorstellen, wie Luthers fünf Kinder am Weihnachtstag dieses Lied gesungen haben! Und dass die Familie eine schöne Zeit hatte, auch wenn alles viel schlichter zuging als bei uns heute. Die Worte »Freude«, »fröhlich sein«, »singen und springen« kommen im Text jedenfalls häufig vor. Der eigentliche Grund zur Freude an Weihnachten liegt ja auch nicht in den Äußerlichkeiten, sondern in der Botschaft der Engel: »Ich verkündige euch große Freude, euch ist heute ein Retter geboren.« Wer versteht, dass er einen Retter braucht, und dass Jesus dieser Retter geworden ist, der kann die Freude empfinden, die in »Vom Himmel hoch« mitschwingt.

Das Lied gefiel nicht nur Luthers Kindern und verbreitete sich schnell. Luther komponierte noch eine eigene Melodie dafür, unter der es seinen Weg in Johann Sebastian Bachs Weihnachtsoratorium fand. Bis heute verkündet damit dieses Lied fröhlich den wahren, einzigen Grund der Weihnachtsfreude. *Elisabeth Weise*

❓ Wie wäre es, am Weihnachtsfest bewusst einige Lieder in der Familie zu singen?

❗ »Des lasst uns alle fröhlich sein und mit den Hirten gehn hinein, zu sehn, was Gott uns hat beschert ...«

✝ Matthäus 1,18-21

MONTAG DEZEMBER | **16**

Denn nicht ein Feind höhnt mich, ... nicht mein Hasser hat großgetan gegen mich, sonst würde ich mich vor ihm verbergen; sondern du, ein Mensch meinesgleichen, mein Freund und mein Vertrauter.
PSALM 55,13-15

Wem kann man heute noch trauen?

Diese Frage könnte sich auch Theo Lehmann stellen. Von 1964 bis 1976 war er als Pfarrer in Karl-Marx-Stadt (heute wieder Chemnitz) tätig. Tausende von jungen Menschen kamen, um ihn zu hören. Lehmann gilt deshalb auch als »Vater der Jugendgottesdienste«. Er war sich bewusst, dass zwei totalitäre Ansprüche aufeinanderprallen: Die Ideologie des Kommunismus wollte den Menschen ganz. Und Lehmann sagte in seinen Predigten zu den Jugendlichen: Gott will dich ganz! Der Pfarrer stellte sich mutig auf Gottes Seite, obwohl die Stasi Spitzel in die Gottesdienste schickte.

Als Lehmann später seine Akten einsah, stellte er fest, dass jede seiner Predigten aufgenommen und sogar katalogisiert wurde. Bis hinein in sein engstes berufliches Umfeld wurden Spione eingeschleust: Pfarrer, Kantoren, Diakone. Sogar in den Konfirmandenunterricht für Erwachsene wurden Leute entsandt, die vorgeben sollten, sich konfirmieren zu lassen, nur um Lehmann auszuhorchen. Doch die Spitze war, dass die Stasi in das Privatleben des Pfarrers Zugang fand: Er wurde bespitzelt von einem seiner engsten Freunde!

Auch Jesus musste aus dem engsten Kreis seiner Nachfolger einen Verräter erdulden, der aktiv an seiner Gefangennahme zur anschließenden Verurteilung und dem Tod am Kreuz mitwirkte. Das wurde bereits rund 1000 Jahre vorher von David in den Psalmen angekündigt. Es steht buchstäblich und sinnbildlich für die Ablehnung und Verachtung, die man dem Sohn Gottes entgegenbrachte. Er passte nicht in diese Welt, die von Intrigen, Machtgier und Gewalt geprägt ist. Der Anspruch Gottes auf Herrschaft wurde niemals deutlicher zurückgewiesen. Und doch setzte er sich bis heute auf wunderbare Weise durch Tod und Auferstehung Jesu im Leben so vieler Menschen durch. *Martin Reitz*

? Haben Sie schon erlebt, dass ein Freund Sie enttäuscht oder verraten hat?

! Es lohnt sich trotz allem Widerstand, an dem festzuhalten, wozu Gott einen berufen hat.

† Johannes 15,18-27; 16,1-4

17 DEZEMBER — DIENSTAG

Jesus spricht zu ihm: Ich bin der Weg und die Wahrheit und das Leben.
JOHANNES 14,6

Störrische Esel?

Esel sind z. B. im gebirgigen Hochland Äthiopiens besonders wichtige Lasttiere für den Transport von Gütern aller Art, wie auch in vielen anderen Ländern der sogenannten Dritten Welt. Und das Überraschende dabei ist: Ich persönlich habe noch keine störrischen Esel bei ihrer Arbeit erlebt. Im Gegenteil, sie trotten friedlich ihres Weges und kommen sicher ans Ziel. Warum denn benimmt sich ausgerechnet der Esel des alttestamentlichen Propheten Bileam so sprichwörtlich störrisch und will auf keinen Fall weitergehen? Ganz einfach, der Esel sieht einen Engel, der ihnen den Weg versperrt, während sein Reiter Bileam, auf falschem Kurs, diesen mit seinen, zwar offenen, aber verblendeten Augen nicht sehen kann (vgl. 4. Mose 22,21-35). Geht es uns nicht gelegentlich auch so, dass wir mehr oder weniger bewusst auf einem falschen Weg im Leben unterwegs sind, obwohl uns unser Gewissen anders berät? Wir sind verblendet und wollen nicht sehen, weil uns »unser Weg« besser erscheint.

Gott möchte uns vor Unheil bewahren und uns auf den richtigen Weg zurückbringen. Doch je nachdem, wie oft wir nicht auf unser Gewissen (Gottes Stimme) hören, umso abgestumpfter wird dieses Gewissen und umso leiser seine Stimme. Lassen wir es nicht so weit kommen, sonst werden wir im wahrsten Sinne des Wortes »gewissenlos« handeln. Hartherzigkeit, Lieblosigkeit und schlussendlich Einsamkeit sind die Folgen.

Wie können wir diesem Teufelskreis entrinnen? Wie können wir unser inneres Ohr wieder für Gottes Wort hellhörig machen und uns dadurch wieder auf den richtigen Weg bringen lassen? Indem wir uns Jesus Christus zuwenden und ernst nehmen, was er uns sagt. Er ist der Weg, die Wahrheit und das Leben. Wer auf ihn hört, ist auf dem richtigen Weg und wird am richtigen Ziel ankommen. *Martin Grunder*

❓ Sind Sie schon auf dem richtigen Weg?

❗ Wenn nicht, dann lassen Sie sich durch Jesus auf den richtigen Weg führen!

✝ 4. Mose 22,21-35

MITTWOCH DEZEMBER | **18**
Tag der Migranten

Wenn unser irdisches Haus, unser Körper, einmal wie ein Zelt abgebrochen wird, erhalten wir eine Wohnung von Gott, ein nicht von Menschen gebautes ewiges Haus im Himmel.

2. KORINTHER 5,1

Ein Zuhause für den Fremden

Der *World Migration Report* der IOM *(International Organisation of Migration)* gibt an, dass im Jahr 2019 ungefähr 272 Millionen Menschen als Migranten lebten. Die meisten von ihnen zogen in ein anderes Land, um dort Verdienstmöglichkeiten zu nutzen, dutzende Millionen jedoch als Flüchtlinge. Für uns in den deutschsprachigen Ländern ist es vermutlich recht schwer vorstellbar, als »Fremde« zu leben, obwohl viele unserer Mitmenschen Migranten sind.

Die Bibel enthält einige Geschichten von Menschen, die als »Fremde« leben mussten und in dieser Zeit Gott als besonders »nahe« erlebten. Der bekannte Abraham beispielsweise musste mit seiner Sippe in ein fremdes Land ziehen und dort öfter seinen Wohnort wechseln. Sie lebten unter Menschen, die sie zwar duldeten, aber wirklich wie zu Hause fühlten sie sich (noch) nicht. Die Sehnsucht von Abraham muss groß gewesen sein, in einer wirklichen Heimat leben zu dürfen.

Im Neuen Testament wird von einem anderen »Fremdling« berichtet, der ein paar tausend Jahre später lebte: »Er kam in das Seine, und die Seinen nahmen ihn nicht auf.« Stellen Sie sich vor, jemand kommt in sein eigenes Land, doch er wird dort nicht willkommen geheißen, sondern von den meisten wie ein Fremder behandelt! Doch einige respektierten ihn dennoch und hörten seinen Reden zu. Dieser Fremdling, Jesus, lud die Menschen zu einem Reich ein, das nicht von dieser Welt ist und ihm gehört. Ein Reich, in dem man nicht mehr fremd ist, sondern ein Zuhause findet, für immer.

Jesus nahm in Kauf, als Fremdling auf der Erde zu leben, um Menschen diese unglaubliche Einladung zu einer ewigen Heimat persönlich zu überbringen. Durch den Glauben an ihn kann man dort einen Platz und für immer ein Zuhause haben.   *Andreas Wanzenried*

? Wo fühlen Sie sich wirklich wie zu Hause?

! Nehmen Sie die Einladung zu einem ewigen Haus im Himmel an!

† 2. Korinther 5,1-10

19 DEZEMBER — DONNERSTAG

Dies aber ist das Gericht, dass das Licht in die Welt gekommen ist, und die Menschen haben die Finsternis mehr geliebt als das Licht, denn ihre Werke waren böse.

JOHANNES 3,19

Das Licht in der Finsternis

Die deutsche Weihnachtsbeleuchtung im Dezember verbraucht mehr Energie als eine übliche Großstadt innerhalb eines Jahres. Lichterketten, Leuchtsterne, Kerzen und Adventskränze dürfen seit jeher in keinem Haushalt fehlen. Ist es nicht auch herrlich anzuschauen, wie in der dunklen Jahreszeit Straßen, Fenster und Vorgärten herrlich funkeln und leuchten? Obwohl es kalt und dunkel ist, wirken die Lichter wohltuend warm und hell.

Dass an Weihnachten Lichter leuchten, hat eine tiefere Symbolik. Jesus selbst spricht davon, dass er das »Licht der Welt« ist und durch seine Menschwerdung in die Finsternis von uns Menschen herabgestiegen ist (Matthäus 4,16). Jesus als das Licht der Welt möchte in unsere Dunkelheit leuchten. Weil wir ohne Licht nicht sehen können, möchte er uns Orientierung und Weitblick geben. Wer Jesus kennt, erhält Antworten auf seine Fragen, Hoffnung und guten Rat.

Neben der Helligkeit soll Licht aber oftmals auch wärmen. Und so gilt auch bei Jesus, dass wir in seiner Gegenwart Geborgenheit, Zuflucht und Wärme finden. Man darf bei Jesus zur Ruhe kommen und Frieden erleben.

Doch das Licht Jesu hat noch eine wesentliche weitere Funktion. In Johannes 1,9 heißt es: »Das war das wahrhaftige Licht, das, in die Welt kommend, jeden Menschen erleuchtet.« Gottes Licht will uns erleuchten bzw. durchleuchten. Seine Heiligkeit deckt verborgene Dinge auf und bringt diese »ans Licht«. Jeder von uns hat im Laufe seines Lebens jede Menge Schuld angehäuft, die uns belastet und aufs Gewissen drückt. Wir sind zwar unheimlich gut darin, dies zu kaschieren, doch wirkt nichts befreiender, als den ganzen Schutt und Unmut des Lebens vor Jesus zu bekennen und von ihm vergeben zu bekommen.

Alexander Strunk

? Was verhindert es, ins Licht Gottes zu treten?

! Seien Sie nicht lichtscheu!

✝ 1. Johannes 1,5-9

FREITAG   DEZEMBER | **20**

**Denn du hast meine Nieren gebildet;
du hast mich gewoben im Schoß meiner Mutter.**

PSALM 139,13

 Neues Leben – wunderbar!

Seite an Seite sitzen wir auf Gymnastikmatten am Boden und schauen neugierig nach vorne zu unserer Kursleiterin. Was uns eint: zehn kugelrunde Bäuche und die freudige Erwartung auf unser erstes Kind. Die Hebamme erklärt uns gerade anhand eines anatomischen Modells, welchen Weg unsere Babys bei der Geburt durch das Becken nehmen werden: »Einige Wochen vor der Geburt bringen sich fast alle Babys in der Gebärmutter von alleine in die richtige Position – nämlich mit dem Kopf nach unten.« Anschließend erklärt sie uns, wie das Baby während der Geburt noch weitere Drehungen vollbringt, um sich seinen Weg durch das Becken zu bahnen.

»Der Kopf eurer Kinder ist dabei optimal an die Bedingungen der Geburt angepasst. Die Schädelknochen sind noch weich und formbar und schieben sich übereinander, damit der Kopf durch den Geburtskanal passt.« Die Frau neben mir auf der Matte staunt nicht schlecht: »Wow, das ist ja wirklich faszinierend, wie das alles so funktioniert und zusammenspielt!« Die anderen Frauen nicken und geben ihr recht. »Ein Wunder der Natur«, sagt eine andere.

Wenige Wochen später ist es soweit: Unsere Tochter erblickt das Licht der Welt. Ihre Geburt ist eines der überwältigendsten Erlebnisse meines Lebens. Ein Wunder, ja tatsächlich! Es ist jedoch mehr als nur ein Zufall oder »Mutter Natur«, die dahinterstecken. Es ist ein Wunder Gottes. Denn Gott ist der geniale Schöpfer, der sich das alles ausgedacht und erschaffen hat. Er ist es, der dafür sorgt, dass aus einer Eizelle und einem Samen neues Leben entsteht. Und er ist es, der diesen wundersamen und einzigartigen Prozess der Schwangerschaft und Geburt geschaffen hat, in dem jedes noch so kleine Detail perfekt gemacht ist.

Sina Marie Driesner

❓ Über welches Wunder der Schöpfung staunen Sie am meisten?

❗ In Gottes Schöpfung können wir etwas von seiner Größe und Kreativität erkennen.

✝ Psalm 95,1-6

21 | DEZEMBER
Winteranfang   SAMSTAG

Lasst die Art und Weise, wie ihr denkt, von Gott erneuern und euch dadurch umgestalten, sodass ihr prüfen könnt, ob etwas Gottes Wille ist – ob es gut ist, ... Gott gefallen würde und ... zum Ziel führt!
RÖMER 12,2

»Das Glück deines Lebens ...

07:30 [1] ... hängt ab von der Beschaffenheit deiner Gedanken.« Dieses Zitat stammt vom römischen Kaiser Marc Aurel (161–180 n. Chr.). Es könnte heutzutage nicht zutreffender sein. Bei all der Informationsflut, der wir dauernd ausgesetzt sind, hat diese einen großen Einfluss auf unser Denken und Handeln. Die Nachrichten, die auf uns einprasseln, sind ja meist negativ und alarmierend, denn nur so kann die Aufmerksamkeit der Zuschauer gewonnen werden. Oft starten wir mit solch schlechten Nachrichten in den Morgen – und diese beeinflussen dann den ganzen Tag unser Denken.

Was kann man diesem zumeist negativen Einfluss entgegensetzen? Was bringt Ordnung in unsere Gedanken und lenkt diese auf klare, gute Ziele, die unser Handeln bestimmen? Können wir dies allein leisten, durch Rückbezug auf uns selbst oder gar durch »positives Denken«? Der Tagesvers macht deutlich, dass wir gut beraten sind, die Art und Weise unserer Gedanken nicht durch menschliche Einflüsse leiten zu lassen, sondern durch Gott. Nicht die Denkmaßstäbe unserer Umwelt, die zunehmend konturlos und vernebelt sind, sondern Gottes Maßstäbe sollen unser Denken erneuern und umgestalten. Denn Gottes Gedanken sind höher als unsere (vgl. Jesaja 55,8), sie sind den unseren also überlegen. Zudem hat Gott über uns »Gedanken des Friedens« (Jeremia 29,11).

Wenn wir anfangen, Gottes gute Nachricht (Evangelium) an die Stelle der vielen schlechten zu setzen und seinen Denkbahnen nachspüren, versetzt Gott uns in die Lage zu prüfen, was für unser Leben wirklich zielführend ist. Seine Gedanken hat Gott in der Bibel verlässlich dokumentiert. Wenn wir unser Denken von Gott bestimmen lassen wollen, führt kein Weg an der Bibel vorbei.   *Martin Grunder*

? Was bestimmt Ihre Gedanken?

! Richten Sie Ihre Antenne auf Gott aus!

† Psalm 139,23-24

SONNTAG DEZEMBER | **22**
4. Advent

Lasst die Kinder zu mir kommen!
LUKAS 18,16

Weihnachtslieder und ihre Geschichte: Ihr Kinderlein kommet

Christoph von Schmid (1768–1854), Pfarrer und Schriftsteller, sah es als seine große Aufgabe an, Kindern die Bibel verständlich zu machen. 1798 verfasste er deshalb ein achtstrophiges Weihnachtsgedicht mit dem Titel »Kinder bei der Krippe«.

Die Entstehung des Liedes geht vermutlich auf die nachfolgende Begebenheit zurück: Bei einer adventlichen Ausstellung im Augsburger Gildehaus hatten bayrische Schnitzer ihre Werkstücke ausgestellt. Während eines Besuchs der Ausstellung blieb von Schmid bei einer Krippendarstellung stehen. Er griff dann die einzelnen Krippenfiguren nach und nach heraus und erzählte einer inzwischen versammelten Kinderschar in einfachen Worten die Geschichte jeder einzelnen Figur. Noch ganz unter dem Eindruck dieses besonderen Kindergottesdienstes, schrieb von Schmid später zu Hause das Gedicht »Kinder bei der Krippe«. In seinem Gedicht ist von Schmid allerdings nicht bei der Krippe stehen geblieben, sondern bezog das für ihn untrennbar mit der Krippe von Bethlehem verbundene Kreuz von Golgatha mit ein:

Ihr Kinderlein kommet, o kommet doch all! / Zur Krippe her kommet in Bethlehems Stall. / Und seht, was in dieser hochheiligen Nacht / der Vater im Himmel für Freude uns macht. Da liegt es – das Kindlein – auf Heu und auf Stroh; / Maria und Josef betrachten es froh; / die redlichen Hirten knien betend davor, / hoch oben schwebt jubelnd der Engelein Chor. O betet: Du liebes, Du göttliches Kind, / was leidest Du alles für unsere Sünd! / Ach hier in der Krippe schon Armut und Not, / am Kreuze dort gar noch den bitteren Tod. O beugt, wie die Hirten, anbetend die Knie, / erhebet die Hände und danket wie sie! / Stimmt freudig, ihr Kinder, wer wollt sich nicht freun, / stimmt freudig zum Jubel der Engel mit ein! Martin von der Mühlen

? Kennen Sie nur die Krippe oder wissen Sie auch um die Bedeutung des Kreuzes im Leben Jesu?

! Sein Kommen in die Welt ist Grund höchster Freude. Sein Sterben am Kreuz ist die Grundlage unserer Rettung.

✝ Philipper 2,5-8

23 | DEZEMBER — MONTAG

Wie eine Wolke fege ich deine Verfehlungen weg, wie einen Nebel deine Sünden. Kehr zu mir um, denn ich habe dich erlöst!

JESAJA 44,22

Das Ziel verfehlt

Zu einer Ankunft, also zu einem Advent ganz unerwünschter Art kommt es am 23. Dezember 1866 vor der Insel Baltrum. Tjark Evers, ein 21-jähriger Insulaner in der Ausbildung auf dem Festland, will zu Weihnachten seine Familie mit einem Besuch überraschen. Frühmorgens steigt er in Westeraccumersiel in ein Ruderboot, das Kurs auf Baltrum nimmt. Dichter Nebel liegt über dem Wattenmeer, die Flut setzt ein. In der festen Überzeugung, das Ziel erreicht zu haben, verabschiedet sich Tjark von den Fährleuten und steigt aus dem Boot, das sich sofort zurück Richtung Festland begibt. Entsetzt stellt er jedoch bald fest, dass ihnen ein schrecklicher Irrtum unterlaufen ist. Was sie für den Rand der Insel hielten, ist in Wirklichkeit eine vorgelagerte Sandbank, von Wasser umgeben, dessen Pegel unerbittlich steigt. In sein Notizbuch schreibt er im Angesicht des unausweichlichen Todes: *Liebe Eltern, Gebrüder und Schwestern. Ich stehe hier auf einer Plat und muss ertrinken. Ich bekomme euch nicht wieder zu sehen, und ihr mich nicht. ... Gott vergebe mir meine Sünden und nehme mich zu sich in sein Himmelreich. Amen.* In einer Zigarrenkiste eingeschlossen, wird die Nachricht zehn Tage später gefunden.

Dieses Ereignis ist ein treffendes Bild für unsere Lebensreise. Wer dabei ohne Gott unterwegs ist, mag sich auf dem Weg zum Glück wähnen, wird aber tragischerweise in ein furchtbares Abseits geraten. Es gibt nur einen Steuermann, der uns sicher ans Lebensziel bringen kann, und zu Recht von sich sagt: »Ich bin der Weg, die Wahrheit und das Leben. Zum (himmlischen) Vater kommt man ausschließlich durch mich« (Johannes 14,6). Den brauchen wir, wenn wir an dem Ort ankommen wollen, wo uns keine todbringende Flut erreichen kann. *Gerrit Alberts*

? Wo wird Ihre Lebensreise enden?

! Nur eine Umkehr zu Gott und die Inanspruchnahme des von ihm gesandten Retters bringt uns auf den richtigen Kurs.

✝ Jeremia 3,12-15

DIENSTAG — **DEZEMBER** | **24**
Heiligabend

Mein Stärke ist der HERR, ihm singe ich mein Lied; er wurde mir zum Helfer!
PSALM 118,14

Küchenbrand am Heiligabend

Es ist Heiligabend. Die Stimmung ist besinnlich und die Kinder aufgeregt, was der Tag so alles mit sich bringen wird. Erwartungsvoll warten sie auf Oma und Opa, die jederzeit kommen sollen. Doch das schöne Ambiente wird plötzlich von lauten, hektischen Rufen, die vom Nachbarhaus herüberschallen, unterbrochen. Verwundert gehe ich an die Tür, um festzustellen, was los ist. Da sehe ich es schon! Dicker, schwarzer, beißender Rauch steigt über dem Haus unserer Nachbarn auf! Die Rufe werden immer hektischer und schließlich zu Schreien. Denn man versucht verzweifelt, den Küchenbrand zu löschen, der mittlerweile außer Kontrolle geraten ist. Andere Nachbarn kommen herbeigerannt, und wir versuchen gemeinsam, die Bewohner des brennenden Hauses davon abzuhalten, wieder zurück ins Haus zu laufen. Denn als sie merkten, dass man den Brand nicht mehr löschen konnte, fingen sie verzweifelt an, wertvolle Habseligkeiten aus dem Haus zu retten. Doch dafür war es jetzt zu gefährlich geworden, der Rauch zu dicht, die Hitze zu groß. Fassungslos und hilflos stehen wir alle vor dem Haus und können nichts mehr tun.

Doch da hört man schon die Sirenen der Feuerwehr. Im Nu ist sie vor Ort und keine Viertelstunde später ist der Brand gelöscht. Ohne die schnelle Hilfe der Feuerwehr wäre das ganze Haus in Flammen aufgegangen. Nur sie war noch in der Lage, das Haus zu retten und Gott sei Dank war sie rechtzeitig gekommen. Erleichtert gingen alle wieder nach Hause, denn es war ja Heiligabend.

Wie leicht fiel es uns jetzt, Weihnachten zu feiern und an UNSEREN Retter zu denken. Denn so wie die Feuerwehr allein das Haus vor der Zerstörung retten konnte, war nur Jesus allein in der Lage, uns vor dem Gericht Gottes zu retten.

Tony Keller

? Wissen Sie, wieso Jesus als Retter in die Welt kommen musste?

! Nur wer um seine Hilflosigkeit weiß, schreit nach einem Retter.

Matthäus 8,23-27

25 DEZEMBER — MITTWOCH
1. Weihnachtstag

Darum wird der Herr selbst euch ein Zeichen geben: Siehe, die Jungfrau wird schwanger werden und einen Sohn gebären und wird seinen Namen Immanuel nennen.

JESAJA 7,14

Die Entstehung des Weihnachtsfestes

Kaiser Aurelian, der von 270 bis 275 regierte, war in schweren Zeiten Kaiser geworden. Der Riesenbau des römischen Reiches wies unübersehbare Risse auf, sowohl im Innern als auch im Äußeren. Geldnot war überall erkennbar, denn die notwendigen Heere verschlangen Unsummen. Fast jeder wehrfähige Mann, der Legionär werden wollte, wurde genommen. Nach religiöser Einstellung wurde nicht gefragt. Die Zeiten hatten es mit sich gebracht, dass viele Legionäre Anhänger des Mithraskultes waren, des »Sol invictus«. Auf sie musste der Kaiser Rücksicht nehmen, denn sie bildeten vielfach die Kerntruppe. Als nun die Mithrasleute immer nachdrücklicher einen Feiertag für sich forderten, kam Aurelian diesem Anliegen schließlich nach und weihte in Rom offiziell einen Tempel zu Ehren des Sonnengottes ein. Das dazugehörige Fest sollte jeweils drei Tage nach der Wintersonnenwende gefeiert werden. Das war der 25. Dezember.

Als in den folgenden Jahrzehnten die christlichen Legionäre immer zahlreicher wurden, kam der spätere Konstantin auch in die Lage, den Forderungen der Christen nach einem Feiertag zu entsprechen. Denen hatte er ja Toleranz zugesichert und konnte sich gegenüber ihren Bitten kaum taub stellen. So hatte er die Idee, die christlichen Legionäre durch Einführung eines Feiertags zufrieden zu stellen, und zwar ebenfalls am 25. Dezember.

Ob das nun tatsächlich so gewesen ist – für Christen ist es in jedem Falle bis heute ein Gedenktag. Den Mithraskult gibt es heute nicht mehr, wohl aber das Christentum. Doch allein den Kalender zu christianisieren, reicht bei Weitem nicht aus, um Menschen zu Christen zu machen. Das geht nur durch die persönliche Entscheidung, Jesus im Glauben als den Retter und Erlöser anzunehmen. *Karl-Otto Herhaus*

❓ Was verbinden Sie mit dem Weihnachtsfest?

❗ Es könnte doch Anlass zur persönlichen Begegnung mit dem sein, der der Anlass dafür ist.

✝ Matthäus 2,1-12

DONNERSTAG · DEZEMBER **26**
2. Weihnachtstag

Und der Engel sprach zu ihnen: Fürchtet euch nicht! Denn siehe, ich verkündige euch große Freude, die für das ganze Volk sein wird. Denn euch ist heute ein Retter geboren, der ist Christus, der Herr.
LUKAS 2,10-11

Weihnachtslieder und ihre Geschichte: O du fröhliche

Es war dunkel und kalt, als die Hirten in Bethlehem bei ihren Schafen Wache hielten. Ihr Leben war hart, arbeitsreich und sicher oft freudlos. Umso erstaunlicher die Botschaft der Engel, die sie wie aus heiterem Himmel traf: »Fürchtet euch nicht! Siehe, ich verkündige euch große Freude.« Diese Nachricht bedeutete Licht in der Dunkelheit und Freude in der Traurigkeit. Nicht nur für die Hirten damals, sondern seitdem für unzählige Menschen.

Einer von ihnen war Johannes Falk (1768–1826). Der begabte Sohn eines frommen Perückenmachers aus Danzig hatte durch ein Stipendium sein Abitur nachholen können und Theologie studiert. Danach wohnte er in Weimar und war mit Goethe befreundet. Da er seinen kindlichen Glauben schon lange verloren hatte, war er nicht Pastor, sondern Schriftsteller. Seine Texte waren voller Spott und beißender Ironie. 1806 erlebte er die Besatzung durch Napoleon und war erschüttert von dem schrecklichen Leid, das über die Bevölkerung kam. Das Jahr 1813 wurde sein Schicksalsjahr: Vier seiner Kinder erkrankten an Typhus und starben, er selbst schwebte wochenlang zwischen Leben und Tod. In dieser dunklen Zeit merkte er, dass Spott und Satire ihm nicht weiterhalfen: Der Gottesleugner erinnerte sich an den Glauben seiner Eltern und fand zu seinem himmlischen Vater zurück.

Als Johannes Falk wieder genesen war, nahm er 30 Waisenkinder in sein Haus auf. Für sie dichtete er 1816 das bekannte Weihnachtslied: »O du fröhliche«. Bis zu seinem Tod betreute er 500 Kinder, die meisten von ihnen hatte er verwahrlost von der Straße geholt. Sein einfaches, aber doch so tiefes Weihnachtlied bringt die Botschaft dieses Festes auf den Punkt: »Welt ging verloren, Christ ward geboren, freue dich, du Christenheit.«   *Elisabeth Weise*

? Was trägt Sie durch schwere Zeiten?

! Nur Gott kann echte Freude mitten in der Traurigkeit schenken.

Lukas 2,8-17

27 DEZEMBER — FREITAG
Chanukka (jüd. Tempelweihfest)

Ich bin das Licht der Welt. Wer mir nachfolgt, der wird nicht wandeln in der Finsternis, sondern wird das Licht des Lebens haben.
JOHANNES 8,12-13

Chanukka

Das jüdische Lichterfest Chanukka wird jährlich am 25. Kislew, dem dritten Monat des jüdischen Kalenders gefeiert und erinnert an die Einweihung des zweiten Tempels 164 v. Chr. Das Fest dauert acht Tage, es gibt reichhaltiges Essen und Geschenke. An jedem Abend wird eine Kerze am neunarmigen Chanukka-Leuchter angezündet und der Leuchter gut sichtbar ins Fenster zur Straße hin oder vor der Haustür aufgestellt. Jeder soll das Leuchten der Lichter sehen können. Auch Jesus kann in diesem Fest entdeckt werden. Er symbolisiert die mittlere Kerze des Leuchters, die »Schammasch« genannt wird, was »Diener« bedeutet; nur mit dieser Kerze dürfen die anderen Kerzen nacheinander angezündet werden.

Als Jesus zu dem Volk das Gleichnis vom Leuchter erzählte (Matthäus 5,14-16), verstanden die Leute sofort den Zusammenhang. Er, der Messias, kam als Diener, um die Menschen von ihrer Schuld zu erlösen, Licht in ihre Finsternis zu bringen und alle mit dem Licht anzustecken. So sind die, die ihm nachfolgen, ebenfalls Lichter in der Welt, die das Evangelium ins Dunkel der Welt tragen. Alle Menschen sollen es erkennen und davon angesteckt werden. Leider wollen bis heute viele Menschen lieber in der Dunkelheit bleiben.

Es geht nämlich in einem tieferen Sinn um den Anteil an dem, was Gott uns durch Jesus Christus, seinen Sohn, schenken möchte: ewiges Leben und eine Zukunft im hellen Licht der Gegenwart Gottes. Doch dazu muss man in sein Licht treten, das dann schonungslos aufdeckt, was mit mir nicht in Ordnung ist. Dagegen sträubt man sich zunächst. Wenn man es aber zulässt und Jesus und sein Werk der Erlösung für sich persönlich in Anspruch nimmt, wird man durch den Glauben an ihn von aller Schuld und Unreinheit befreit. *Daniela Bernhard*

? Sind Sie bereits ein Licht in der Welt oder müssen Sie noch »angezündet« werden?

! Jesus ist nicht nur das Licht der Welt, er ist auch das Brot des Lebens, der einzige Weg zum Vater und die Wahrheit.

† Matthäus 5,13-16

SAMSTAG | DEZEMBER | **28**

Kommt alle zu mir, die ihr geplagt und mit Lasten beschwert seid! Bei mir erholt ihr euch. Unterstellt euch mir und lernt von mir! Dann kommt Ruhe in euer Leben.
MATTHÄUS 11,28-29

Guten Morgen, liebe Sorgen?

07:30 Warum sehe ich in Addis Abeba morgens früh viel mehr fröhliche Gesichter und sogar oft Gelächter bei den in einer langen Schlange stehenden Menschen, die auf einen Bus warten, als in Deutschland? Obwohl gerade für sie die Segnungen einer Konsumgesellschaft, wie wir sie erleben, nicht selbstverständlich sind und sie oft einen echten Überlebenskampf führen müssen?

Warum sieht man hier in Europa morgens oft ernste und griesgrämige Gesichter in Bahn, Bus oder Tram auf dem Weg zur Arbeit, statt frohe und dankbare, weil man überhaupt eine Arbeitsstelle hat und so gesund ist, dass man ihr nachgehen kann? Trotz unseres hohen Wohlstands haben wir oft morgens früh schon vor Augen, was uns noch fehlt oder worüber wir uns den ganzen Tag lang sorgen können. Uns fehlt vor allem der Blick für all die schönen täglichen Kleinigkeiten (»Segnungen«), deren wir uns hier in Europa erfreuen dürfen, und die nicht selbstverständlich sind: ein Dach über dem Kopf, ein warmes Bett, elektrisches Licht und sauberes Wasser aus dem Hahn sowie volle Regale bei sämtlichen Discountern.

Allerdings gibt es trotz allen Wohlstands auch hier große Sorgen und Not – vor allem Schuld. Wer kann helfen? Jesus! »Kommt alle zu mir, die ihr geplagt und mit Lasten beschwert seid! Bei mir erholt ihr euch.« Ihm geht es besonders um die Last der Sünde, die wir Menschen tragen und von der wir gebeugt und am Ende ins Verderben gezogen werden, wenn wir sie nicht loswerden. Und das bietet Jesus uns an! Darüber hinaus dürfen wir ihm dann auch unsere anderen Sorgen bringen und Dankbarkeit lernen. Schon am frühen Morgen können wir dann zuversichtlich statt griesgrämig in den Morgen starten und unseren Alltag tatkräftig in Angriff nehmen. *Martin Grunder*

❓ Wie sind Sie heute morgen aufgewacht?

❗ Versuchen Sie doch, den morgigen Tag mit Dankbarkeit zu beginnen!

✝ Philipper 4,4-9

29 | DEZEMBER — SONNTAG

... wie er uns in ihm auserwählt hat vor Grundlegung der Welt, damit wir heilig und tadellos vor ihm seien in Liebe.

EPHESER 1,4

Das wird Sie eine Menge kosten!

Lange haben wir uns mit der Renovierung unseres Hauses beschäftigt. Wir haben viele Dinge erneuert, gerade unter dem Gesichtspunkt der Energieersparnis: Das Dach wurde gedämmt, der Keller abgedichtet, neue Fenster angeschafft, eine neue Haustür eingebaut, usw. Dadurch haben wir tatsächlich viel Heizkosten gespart und die Wohnqualität deutlich gesteigert. All das hat sich gelohnt. Schließlich haben wir uns auch Gedanken darüber gemacht, ob wir die Hausfassade dämmen sollen. Dazu haben wir viele Fachleute gefragt und Kostenvoranschläge eingeholt. Ein Sachverständiger gab uns schließlich seine Einschätzung ab, die für unsere Entscheidung ausschlaggebend wurde: »Das wird Sie eine ganze Menge kosten. Und angesichts der Eigenart Ihres Hauses wird sich das nicht auszahlen. Die Kosten-Nutzen-Rechnung geht nicht auf. Lassen Sie lieber die Finger davon!« Daran haben wir uns gehalten. Denn wer will schon Geld und Energie in ein Projekt stecken, das sich nicht rechnet.

Kosten-Nutzen-Rechnungen gibt es, weil unsere Mittel meistens begrenzt sind und sich der Aufwand in unseren Augen nicht lohnt. Wie gut, dass es bei Gott keine solche Begrenzung gibt. Er hatte sogar angesichts des unermesslichen Sündenschadens, den wir Menschen angerichtet haben, genügend Ressourcen zur Verfügung, um diesen Schaden zu beheben – für alle, die das wollen. Er hat es nicht davon abhängig gemacht, wie viele das letztlich überhaupt in Anspruch nehmen werden. Zur Rettung einer verlorenen Menschheit würde es allerdings nötig sein, seinen eigenen Sohn für uns sterben zu lassen: ein unvorstellbarer Preis. Dennoch bestimmte er bereits vor Grundlegung der Welt genau diesen Weg, damit wir die Größe seiner Güte, Liebe und Barmherzigkeit erkennen.

Markus Majonica

? Was bewirkt bei Ihnen die Tatsache, dass Gott keine Kosten scheute, um auch Sie zu retten?

! Erst Gottes Sanierungsaktion verhilft dem Menschen wieder zu dauerhaftem Wert und Bestand.

✝ Epheser 2,1-10

MONTAG DEZEMBER | **30**

Denn dies ist der Wille meines Vaters, dass jeder, der den Sohn sieht und an ihn glaubt, ewiges Leben hat.
JOHANNES 6,40

Entscheidungen

Das Jahr 2024 neigt sich dem Ende entgegen und vielleicht haben Sie in diesem Jahr viel in diesem Kalender gelesen. Können Sie sich noch daran erinnern, was ich zum Beginn des Jahres (2. Januar) geschrieben habe? Mein Ratschlag: Lesen Sie sich diese Andacht noch einmal kurz durch und ziehen Sie für sich persönlich ein Fazit. Hat Ihnen der Kalender weitergeholfen? Haben Sie etwas über Gott gelernt? Oder haben Sie sich vielleicht in diesem Jahr sogar dazu entschieden, Jesus Christus nachzufolgen?

Die Autoren dieses Kalenders haben ihr Bestes gegeben, um Ihnen die Bibel, das Wort Gottes, und die Hauptperson der Bibel, Jesus Christus, näherzubringen. Wir alle haben die besten Absichten für Sie. Und wir alle, das dürfen Sie glauben, sind einfache Menschen mit Fehlern und Sünden. Wir sind alle jeden Tag auf die Gnade Gottes angewiesen. Im Bewusstsein unser Fehlbarkeit haben wir versucht, Sie durch unsere Botschaften zu überzeugen. Aber es bleibt Ihre persönliche Entscheidung, ob Sie Jesus Christus als Ihren Retter und Herrn annehmen wollen oder nicht. So etwas kann und darf niemals von außen erzwungen werden. Jeder Mensch ist selbst verantwortlich.

Die Bibel zeigt uns Licht und Schatten gleichzeitig. Licht für alle, die eine persönliche Entscheidung für Jesus getroffen haben, und geistliche Dunkelheit für die, welche sich nicht dafür entscheiden. Diese Botschaft will nicht jeder hören, doch ich will lieber ehrlich sein, als die Wahrheit zu verbiegen. Der Apostel Johannes schreibt in seinem ersten Brief: »Wer den Sohn hat, hat das Leben; wer den Sohn Gottes nicht hat, hat das Leben nicht!« (1. Johannes 5,12). Das ist nicht meine »erfundene« Wahrheit, sondern die Wahrheit Gottes. Ich kann Ihnen nur raten: Wagen Sie den Schritt zu Jesus! *Axel Schneider*

? Werden Sie auch im kommenden Jahr den Leben-ist-mehr-Kalender lesen?

! Wenn Sie Hilfe brauchen, wenden Sie sich an gläubige Menschen!

† Offenbarung 22,16-21

31 DEZEMBER

Silvester

DIENSTAG

Alles hat er schön gemacht zu seiner Zeit, auch hat er die Ewigkeit in ihr Herz gelegt, nur dass der Mensch das Werk nicht ergründet, das Gott getan hat, vom Anfang bis zum Ende.

PREDIGER 3,11

Heimweh

Mit 19 Jahren zog ich von meinem Heimatort Oberammergau fort, um eine Ausbildung an einer Bibelschule zu machen. Während dieser Zeit lernte ich meine Frau kennen und heiratete in den Schwarzwald. In Oberammergau gibt es eine schöne Tradition, weltweit einmalig. Am Silvesterabend ist das halbe Dorf unterwegs zum Sternrundgang. Ein großer beleuchteter Stern geht voran, ein Männerchor singt, begleitet von der Blasmusik, Lieder, die bis ins Mittelalter zurückreichen. Jedes Lied drückt die Hoffnung aus, dass das neue Jahr unter Gottes Segen stehen möge. An zwölf Orten wird gesungen. Jeweils am Schluss eines Liedes ertönt ein Tusch und das ganze Volk schreit: »A guats neis Johr« (ein gutes neues Jahr)! Seit meiner Jugend hatte ich das nicht mehr miterlebt.

Oft sitze ich an Silvester zu Hause und schaue mir einen Videoclip vom Sternrundgang im Internet an. Dabei kommen mir mitunter die Tränen. Heimat! Heimweh! Manche wunderbare Erinnerung kommt hoch und ich sehne mich danach, wieder einmal dabei zu sein. Letztes Silvester hat es geklappt. Meine Frau und ich machten ein paar Tage Urlaub in Oberammergau. Dann zogen wir mit vielen hundert Menschen durch das Dorf. Mein Herz war bewegt und dankbar. Schön war es!

Wir Menschen kennen aber nicht nur ein Heimweh nach irdischen Orten. Uns durchzieht, wie der Tagesvers sagt, eine Wehmut nach einem ewigen Ort, ohne Vergänglichkeit. Doch für die meisten ist dieses Sehnen diffus und ohne klares Ziel! Für mich hat es jedoch einen realen Gegenstand: Es gibt für mich eine himmlische Heimat bei meinem Herrn und Heiland Jesus Christus. Seit nun 55 Jahren darf ich mit Jesus leben. Ich sehne mich danach, bei ihm zu sein. Weil ich Jesus kenne, werde ich einmal für immer bei ihm sein. Darauf freue ich mich.

Joschi Frühstück

❓ Kennen Sie auch solche Momente, in denen Sie sich nach etwas sehnen?

❗ Unsere wahre Heimat ist im Himmel. Der Weg dorthin ist Jesus Christus. Fangen Sie doch einmal an, nach ihm zu suchen!

✝ 1. Thessalonicher 4,13-18

FÜNF SCHRITTE

Wenn Sie wissen wollen, wie man ein Leben mit Jesus Christus beginnt, nennen wir Ihnen hier:

Fünf Schritte zu einem neuen Leben

1 Wenden Sie sich an Jesus Christus und sagen Sie ihm alles im Gebet. Er versteht und liebt Sie.
»Kommt her zu mir, alle ihr Mühseligen und Beladenen, und ich werde euch Ruhe geben.« *(Matthäus 11,28)*

2 Sagen Sie ihm, dass Sie bisher in der Trennung von Gott gelebt haben und ein Sünder sind. Bekennen Sie ihm Ihre Schuld. Nennen Sie alles, was Ihnen an konkreten Sünden bewusst ist.
»Wenn wir unsere Sünden bekennen, ist er treu und gerecht, dass er uns die Sünden vergibt und uns reinigt von jeder Ungerechtigkeit.« *(1. Johannes 1,9)*

3 Bitten Sie den Herrn Jesus Christus, in Ihr Leben einzukehren. Vertrauen und glauben Sie ihm von ganzem Herzen. Wenn Sie sich dem Herrn Jesus Christus so anvertrauen, macht er Sie zu einem Kind Gottes.
»So viele ihn aber aufnahmen, denen gab er das Recht, Kinder Gottes zu werden, denen, die an seinen Namen glauben.« *(Johannes 1,12)*

4 Danken Sie Jesus Christus, dem Sohn Gottes, dass er für Ihre Sünde am Kreuz gestorben ist. Danken Sie ihm, dass er Sie aus dem sündigen Zustand erlöst und Ihre einzelnen Sünden vergeben hat. Danken Sie ihm täglich für die Gotteskindschaft.
»In ihm haben wir die Erlösung und die Vergebung der Sünden.«
(Kolosser 1,14)

5 Bitten Sie Jesus Christus, die Führung in Ihrem Leben zu übernehmen. Suchen Sie den täglichen Kontakt mit ihm durch Bibellesen und Gebet. Der Kontakt mit anderen Christen hilft, als Christ zu wachsen. Jesus Christus wird Ihnen Kraft und Mut für die Nachfolge schenken.
»Wenn jemand mir dient, so folge er mir nach! Und wo ich bin, da wird auch mein Diener sein. Wenn mir jemand dient, so wird der Vater ihn ehren.«
(Johannes 12,26)

Wenn Sie weitere Fragen haben, dann schicken Sie uns einfach eine E-Mail: **info@lebenistmehr.de** oder schreiben Sie uns: **Redaktion »Leben ist mehr«, Am Güterbahnhof 26, 35683 Dillenburg**

THEMENINDEX

Alltag
1. Januar
4. Januar
8. Januar
12. Januar
29. Januar
30. Januar
29. Februar
20. März
18. April
2. Mai
21. Mai
29. Mai
3. Juni
15. Juni
16. Juni
2. Juli
8. Juli
5. August
6. August
21. August
22. August
11. September
25. September
5. Oktober
11. Oktober
11. November
12. November
16. November
27. November
13. Dezember
21. Dezember
28. Dezember

Alter
10. Januar
3. April
1. Oktober
7. November

Beruf
31. Januar
28. April

Beziehungen
2. Januar
14. Februar
3. März
27. März
25. April
13. Mai
16. Juli
30. Juli
24. Oktober
19. November

Bibel
19. Januar
17. Februar
9. Mai
25. Mai
12. September
12. Oktober
13. November

Bibelpaket
4. März
5. März
6. März
7. März
8. März
2. September
3. September
4. September
5. September
6. September
27. September
28. September
29. September
30. September
2. Oktober
18. Oktober
19. Oktober
20. Oktober
21. Oktober

Bildung und Lernen
24. Januar
9. Februar
28. Juni

Christsein/ Nachfolge
9. Januar
16. Januar
7. Februar
10. Mai
19. Mai
24. Mai
9. September
25. Oktober
5. November
6. November
25. November
26. November
30. November
9. Dezember

Ehe
26. Januar
11. Februar
26. Oktober

THEMENINDEX

Erziehung

1. März
21. April
30. April

Familie

10. April

Feste/Feiertage/ Gedenktage

21. Februar
23. März
25. März
26. März
1. April
1. Mai
31. Oktober
2. Dezember
11. Dezember
23. Dezember

Freizeit / Urlaub

15. Januar
8. Februar
6. April
10. Juni
2. August
10. August

Geschichte

17. Januar
27. Juni
9. Juli
11. August
12. August
18. August
20. August
1. September
8. Oktober
9. Oktober
15. November

Gesellschaft und Zusammenleben

6. Januar
14. Januar
22. Januar
25. Februar
13. März
16. März
20. April
14. Mai
13. Juni
14. Juni
18. Juni
18. Juli
19. Juli
14. August
28. August
3. Oktober
10. Oktober
17. Dezember
18. Dezember

Gott

23. Januar
23. Februar
21. März
22. März
16. April
19. April
22. April
27. April
29. April
17. Mai
25. Juni
30. Juni
5. Juli
7. Juli
25. Juli
26. Juli
16. August
23. August
10. September
17. September
19. September
23. September
23. Oktober
29. Oktober
8. November
21. November
29. November

Israel

27. Dezember

Jesus Christus

28. Januar
6. Februar
10. Februar
22. Februar
26. Februar
27. Februar
17. März
29. März
31. März
11. April
12. April
15. April
17. April
26. Mai
28. Mai
9. Juni
13. Juli
14. Juli
15. Juli
23. Juli

THEMENINDEX

28. Juli
29. Juli
4. August
25. August
26. August
18. September
26. September
4. Oktober
6. Oktober
13. Oktober
4. Dezember
10. Dezember
14. Dezember
24. Dezember
30. Dezember

Kommunikation/ Internet

2. April
28. November

Krankheit und Genesung

7. April
20. Juni
6. Juli
20. Juli
9. November
12. Dezember

Krieg und Terrorismus

15. Mai
31. Juli
21. September

Krisen/ Katastrophen

31. Mai
3. November

Kultur

20. Februar
14. April
21. Juni
14. Oktober
27. Oktober
19. Dezember

Lebensstil

3. Februar
24. Februar
12. März
13. April
4. Mai
11. Juni
12. Juni
22. Juni
24. Juni
3. Juli
22. Juli
13. August
17. Oktober
14. November
20. November

Medien

29. August

Mensch

13. Januar
21. Januar
2. Februar
13. Februar
16. Februar
28. Februar
9. März
5. April
9. April
24. April
12. Mai
16. Mai
2. Juni
17. Juni
4. Juli
24. Juli
3. August
27. August
30. August
13. September
16. September
24. September
15. Oktober
4. November
29. Dezember
31. Dezember

Persönlichkeiten

7. Januar
27. Januar
2. März
18. März
19. März
23. April
8. Mai
4. Juni
29. Juni
10. Juli
21. Juli
19. August
8. September
30. Oktober

THEMENINDEX

10. November
7. Dezember
16. Dezember

**Religionen/Welt-
anschauungen**

11. März

**Schöpfung/
Natur/Ökologie**

20. Januar
25. Januar
12. Februar
15. Februar
18. Februar
24. März
8. April
3. Mai
5. Mai
7. Mai
20. Mai
22. Mai
27. Mai
6. Juni
8. Juni
17. August
7. September
22. Oktober
23. November
20. Dezember

Sport

18. Januar
26. April
8. August
9. August
7. Oktober

Themenserie

11. Juli
12. Juli
1. Dezember
8. Dezember
15. Dezember
22. Dezember
26. Dezember

Tod/Sterben

4. Februar
28. März
1. Juni
7. Juni
23. Juni
27. Juli
7. August
22. September
16. Oktober
1. November
2. November
17. November
22. November
24. November

Wirtschaft

11. Januar

**Wissenschaft/
Technik**

19. Februar
14. März
15. März
18. Mai
24. August

20. September
5. Dezember

**Zeitgeschehen/
Politik**

3. Januar
5. Januar
5. Februar
4. April
30. Mai
17. Juli
15. September
6. Dezember

Zeitzeichen

1. Februar
10. März
30. März
6. Mai
23. Mai
19. Juni
26. Juni
1. Juli
1. August
14. September
25. Dezember

Zukunft

11. Mai
5. Juni
15. August
31. August
28. Oktober
18. November
3. Dezember

TAGESVERSE

ALTES TESTAMENT

1. Mose 1,1	NEÜ	12.02.
1. Mose 2,18	ELB	5.01.
1. Mose 2,18	HFA	26.01.
1. Mose 3,9-10	ELB	15.06.
1. Mose 7,16	ELB CSV	19.01.
1. Mose 8,22	ELB	20.01.
1. Mose 8,22	ELB	18.05.
1. Mose 11,4	ELB	24.08.
1. Mose 12,1	MENG	25.10.
1. Mose 16,13-14	LUT	13.05.
1. Mose 18,25	ELB	22.03.
1. Mose 19,17	ELB	11.05.
1. Mose 21,17	SLT	12.09.
2. Mose 4,10	NLB	28.11.
2. Mose 20,13	LUT	9.03.
2. Mose 20,17	ELB CSV	22.08.
2. Mose 33,11	ELB	8.03.
3. Mose 19,32	LUT	7.11.
4. Mose 14,8	ELB	27.11.
4. Mose 22,32	HFA	8.01.
5. Mose 4,10	ELB	6.01.
5. Mose 11,16	ELB	29.08.
Josua 3,9	ELB	16.04.
Richter 8,22	ELB	8.09.
1. Samuel 16,7	SLT	29.06.
2. Samuel 22,30	LUT	8.08.
2. Samuel 22,31	ELB	16.11.
1. Könige 8,27	ELB	23.02.
2. Könige 19,14-19	ELB	31.01.
2. Könige 22,13	ELB	21.05.
Nehemia 9,6	MENG	7.05.
Hiob 2,11	NEÜ	16.07.
Hiob 7,9-10	NEÜ	1.06.
Hiob 12,9-10	ELB	15.02.
Hiob 12,10	NEÜ	8.07.
Hiob 13,9	LUT	14.11.
Hiob 19,25	LUT	28.06.
Hiob 19,25	NEÜ	3.11.
Psalm 1,6	SLT	24.09.
Psalm 2,4	ELB	27.04.
Psalm 7,10	ELB CSV	4.11.
Psalm 15,1	SLT	26.04.
Psalm 15,1-2	ELB	16.08.
Psalm 16,2	NGÜ	20.03.
Psalm 18,3	NGÜ	15.05.
Psalm 19,8	ELB	12.10.
Psalm 22,10	ELB	21.02.
Psalm 23,1	SLT	20.07.
Psalm 23,4	ELB	30.06.
Psalm 24,9-10	ELB	26.05.
Psalm 25,16	ELB CSV	17.07.
Psalm 28,7	ELB	3.06.
Psalm 33,4	MENG	17.02.
Psalm 33,12-13	LUT	15.09.
Psalm 39,6	ELB	13.02.
Psalm 40,17	ELB	22.09.
Psalm 46,11	SLT	24.04.
Psalm 50,15	NEÜ	10.03.
Psalm 50,15	SLT	10.11.
Psalm 51,9	NGÜ	23.11.
Psalm 55,13-15	ELB CSV	16.12.
Psalm 63,2	NLB	8.02.
Psalm 69,17	LUT	7.04.
Psalm 71,23	LUT	4.06.
Psalm 90,10	ELB CSV	7.10.
Psalm 90,12	SLT	4.02.
Psalm 90,12	ELB CSV	3.04.
Psalm 91,11-12	ELB CSV	10.08.
Psalm 91,14	SLT	2.06.
Psalm 104,24	ELB	5.05.
Psalm 104,24	ELB	19.06.
Psalm 107,13-14	NEÜ	11.04.
Psalm 118,14	NGÜ	24.12.
Psalm 119,16	ELB	13.11.
Psalm 121,1-2	ELB CSV	12.12.
Psalm 121,3-4	NGÜ	18.04.
Psalm 138,6	ELB	21.03.
Psalm 139,1	LUT	3.08.
Psalm 139,13	ELB	20.12.
Psalm 139,13-14	SLT	12.01.
Psalm 139,14	ELB	8.04.
Psalm 139,16	ELB	18.07.
Psalm 139,16	NEÜ	23.10.
Psalm 145,3-4	LUT	15.03.
Psalm 145,15	ELB	9.08.
Psalm 147,3	NGÜ	29.04.
Psalm 148,3-4	HFA	25.01.
Sprüche 1,10	LUT	13.08.
Sprüche 3,5-6	SLT	24.07.
Sprüche 6,6-7	LUT	22.05.
Sprüche 8,20	NEÜ	24.10.
Sprüche 10,31	MENG	22.07.
Sprüche 14,10	SLT	7.07.
Sprüche 14,12	ELB	31.07.
Sprüche 14,32	ELB	21.11.
Sprüche 17,5	ELB	11.06.
Sprüche 21,21	ELB	3.07.
Sprüche 28,13	MENG	18.02.
Sprüche 30,14	ELB	30.03.

TAGESVERSE

Prediger 3,11	ELB	31.12.
Prediger 12,13	ELB	13.09.
Hoheslied 2,4	NEÜ	12.08.
Jesaja 1,18	MENG	30.01.
Jesaja 2,4	NEÜ	21.09.
Jesaja 3,11	ELB	31.05.
Jesaja 7,14	ELB	25.12.
Jesaja 9,1	ELB	8.12.
Jesaja 9,5	ELB	1.08.
Jesaja 9,5	LUT	10.12.
Jesaja 9,6	MENG	31.08.
Jesaja 25,8	NEÜ	11.07.
Jesaja 30,15	ELB	10.06.
Jesaja 38,17	ELB	23.06.
Jesaja 40,8	ELB	25.05.
Jesaja 43,6-7	ELB CSV	20.05.
Jesaja 43,24-25	LUT	1.05.
Jesaja 44,22	andere	20.08.
Jesaja 44,22	NEÜ	23.12.
Jesaja 51,3	GNB	27.10.
Jesaja 51,12-13	NEÜ	26.07.
Jesaja 53,5	MENG	21.01.
Jesaja 53,5	SLT	20.09.
Jesaja 53,5	ELB	8.10.
Jesaja 53,8	ELB	17.01.
Jesaja 55,1	ELB	28.08.
Jesaja 55,7	ELB	4.05.
Jesaja 55,9	ELB	23.08.
Jesaja 64,7	LUT	15.01.
Jeremia 14,22	ELB	2.03.
Jeremia 17,9-10	NLB	13.01.
Jeremia 32,27	MENG	6.07.
Jeremia 33,6	ELB CSV	2.02.
Klagelieder 3,55	ELB	7.12.
Hesekiel 18,32	ELB	14.09.
Hesekiel 33,11	LUT	2.07.
Hesekiel 36,26	ELB CSV	27.08.
Daniel 5,23	LUT	10.09.
Daniel 5,27	ELB CSV	12.11.
Obadja 1,4	ELB	19.02.
Jona 4,4	LUT	27.03.
Micha 7,19	LUT	13.04.
Habakuk 1,5	ELB	29.11.
Haggai 1,6	ELB CSV	9.02.

NEUES TESTAMENT

Matthäus 4,23	ELB	13.07.
Matthäus 5,8	NEÜ	23.05.
Matthäus 6,20	ELB	9.04.
Matthäus 6,33	ELB	10.05.
Matthäus 6,33-34	NGÜ	28.04.
Matthäus 7,7	ELB CSV	1.03.
Matthäus 9,9	ELB	16.01.
Matthäus 9,12	NEÜ	11.10.
Matthäus 11,28	ELB	7.01.
Matthäus 11,28	ELB	10.07.
Matthäus 11,28-29	NEÜ	28.12.
Matthäus 12,40-41	NEÜ	23.03.
Matthäus 18,11	ELB CSV	15.11.
Matthäus 18,19	ELB	14.02.
Matthäus 22,31-32	ELB	19.08.
Matthäus 23,27	ELB CSV	27.06.
Matthäus 24,3	SLT	12.07.
Matthäus 24,7-8	ELB	5.02.
Matthäus 26,28	ELB CSV	6.08.
Matthäus 28,20	LUT	29.07.
Matthäus 28,20	NEÜ	30.11.
Markus 1,5	LUT	18.09.
Markus 1,7	ELB	2.09.
Markus 1,11	ELB	3.09.
Markus 1,37	ELB	4.09.
Markus 1,40	LUT	28.01.
Markus 2,2-4	NGÜ	30.07.
Markus 2,7-8	ELB	16.02.
Markus 2,12	ELB	5.09.
Markus 3,35	ELB	6.09.
Markus 4,40	ELB	27.09.
Markus 5,27	ELB	11.08.
Markus 7,21	ELB	16.05.
Markus 7,24	ELB	28.09.
Markus 7,37	ELB	29.09.
Markus 8,29	ELB	30.09.
Markus 8,35-36	ELB	17.06.
Markus 8,37	ELB	29.02.
Markus 10,24	ELB	2.10.
Markus 10,34	SLT	28.03.
Markus 12,30	SLT	23.09.
Markus 14,34	ELB	18.10.
Markus 14,67	NGÜ	24.02.
Markus 15,34	ELB	19.10.
Markus 16,6	ELB	20.10.
Markus 16,16	ELB	21.10.
Lukas 1,14	ELB	15.12.
Lukas 2,10-11	ELB	26.12.
Lukas 2,47	ELB	1.02.
Lukas 3,11	ELB	17.10.
Lukas 3,38	ELB CSV	23.07.
Lukas 4,18	SLT	12.05.
Lukas 5,27	ELB	26.11.
Lukas 7,29	ELB	20.11.

TAGESVERSE

Lukas 8,45	ELB	15.07.
Lukas 9,61	ELB	24.05.
Lukas 11,37	NGÜ	25.04.
Lukas 12,15-16	NGÜ	10.04.
Lukas 13,25	NGÜ	28.10.
Lukas 15,24	ELB CSV	9.05.
Lukas 18,16	LUT	21.04.
Lukas 18,16	ELB	30.04.
Lukas 18,16	ELB	22.12.
Lukas 19,10	SLT	14.05.
Lukas 19,40	ELB	22.11.
Lukas 21,28	ELB	30.05.
Lukas 22,19	ELB	14.04.
Lukas 23,39	ELB CSV	15.04.
Johannes 1,1	ELB CSV	17.05.
Johannes 1,1-2	NGÜ	17.08.
Johannes 1,4	NEÜ	1.04.
Johannes 1,11	ELB	10.02.
Johannes 1,12	NGÜ	11.03.
Johannes 1,14	NEÜ	2.04.
Johannes 1,14	NLB	4.04.
Johannes 3,10	LUT	25.02.
Johannes 3,16	NEÜ	1.01.
Johannes 3,19	ELB	19.12.
Johannes 4,20	ELB	11.12.
Johannes 4,23	ELB	19.05.
Johannes 5,7	LUT	18.06.
Johannes 5,24	NEÜ	7.09.
Johannes 5,24	ELB	1.11.
Johannes 6,27	LUT	27.02.
Johannes 6,40	ELB	30.12.
Johannes 7,38	ELB	9.06.
Johannes 8,12	LUT	9.01.
Johannes 8,12	LUT	3.05.
Johannes 8,12	ELB	12.06.
Johannes 8,12	ELB	4.12.
Johannes 8,12-13	LUT	27.12.
Johannes 8,32	ELB CSV	26.08.
Johannes 8,36	ELB	29.01.
Johannes 8,36	NGÜ	18.03.
Johannes 10,1	NLB	11.11.
Johannes 10,3-4	ELB CSV	14.12.
Johannes 10,9	MENG	7.08.
Johannes 10,10	NEÜ	19.07.
Johannes 10,17-18	SLT	20.04.
Johannes 10,27-28	ELB	6.11.
Johannes 10,27-28	ELB CSV	9.12.
Johannes 10,30	ELB	14.07.
Johannes 11,1	ELB	7.06.
Johannes 11,25	SLT	27.07.
Johannes 11,25	ELB	17.11.
Johannes 11,26	ELB CSV	26.02.
Johannes 12,24	ELB	22.02.
Johannes 12,43	ELB CSV	8.05.
Johannes 13,1	ELB	27.01.

Johannes 14,2	ELB	11.09.
Johannes 14,2	NGÜ	18.11.
Johannes 14,6	LUT	4.01.
Johannes 14,6	ELB CSV	28.07.
Johannes 14,6	NEÜ	14.08.
Johannes 14,6	ELB	17.12.
Johannes 15,5	SLT	16.09.
Johannes 15,11	ELB CSV	25.11.
Johannes 17,12	ELB	16.06.
Johannes 17,17	ELB	2.01.
Johannes 18,8-9	ELB CSV	13.10.
Johannes 18,37	ELB	17.04.
Johannes 19,15	LUT	6.05.
Johannes 19,15	ELB CSV	1.12.
Johannes 19,17	ELB CSV	29.03.
Johannes 19,26	ELB	26.03.
Apostelgeschichte 3,15	NEÜ	6.10.
Apostelgeschichte 7,9-10	NGÜ	19.11.
Apostelgeschichte 7,19-22	ELB	4.03.
Apostelgeschichte 7,21	ELB	5.03.
Apostelgeschichte 7,25	ELB	6.03.
Apostelgeschichte 7,30	ELB	7.03.
Apostelgeschichte 10,38	ELB	21.07.
Apostelgeschichte 13,47	ELB	2.08.
Apostelgeschichte 16,28	ELB	1.10.
Apostelgeschichte 17,30-31	NEÜ	6.02.
Apostelgeschichte 23,1	LUT	28.02.
Apostelgeschichte 24,25	LUT	12.04.
Apostelgeschichte 26,18	HFA	22.04.
Apostelgeschichte 27,42-43	ELB	25.06.
Römer 1,19-20	NGÜ	22.10.
Römer 2,11	HFA	20.02.
Römer 3,4	ELB	5.07.
Römer 3,12	ELB	30.08.
Römer 3,22	ELB	30.10.
Römer 3,24	NGÜ	2.05.
Römer 3,28	LUT	17.03.
Römer 8,2	ELB	4.08.
Römer 8,9	NLB	9.09.
Römer 8,28	ELB	15.08.
Römer 8,28	ELB	29.10.
Römer 8,32	ELB	21.08.
Römer 8,33	ELB CSV	23.01.
Römer 10,9	ELB	25.03.
Römer 10,12	ELB	14.06.
Römer 12,2	NEÜ	21.12.
Römer 12,20	ELB CSV	29.05.
Römer 13,1	ELB	22.01.
Römer 14,8-9	NGÜ	24.11.
Römer 15,4	NLB	21.06.
1. Korinther 1,25	ELB	23.04.
1. Korinther 2,2	ELB	7.02.
1. Korinther 14,33	LUT	14.03.

TAGESVERSE

1. Korinther 15,17-18	NEÜ	31.03.		2. Timotheus 3,16	ELB	1.07.
1. Korinther 15,51-52	ELB	27.05.				
1. Korinther 15,56	LUT	6.06.		Titus 1,15	SLT	13.12.
				Titus 2,11-12	NEÜ	14.01.
2. Korinther 3,17	ELB	18.08.				
2. Korinther 3,18	GNB	4.10.		Hebräer 1,3	MENG	5.12.
2. Korinther 5,1	ELB	4.07.		Hebräer 3,15	SLT	24.01.
2. Korinther 5,1	NEÜ	18.12.		Hebräer 4,7	ELB	16.03.
2. Korinther 5,20	ELB	15.10.		Hebräer 5,14	LUT	5.08.
2. Korinther 5,21	LUT	25.08.		Hebräer 9,15	ELB CSV	13.06.
2. Korinther 6,2	MENG	11.01.		Hebräer 9,27-28	NGÜ	10.10.
				Hebräer 9,28	ELB CSV	9.07.
Galater 4,4-5	ELB	6.12.		Hebräer 11,3	SLT	8.06.
				Hebräer 11,4	ELB CSV	2.11.
Epheser 1,4	SLT	29.12.		Hebräer 11,6	ELB	24.03.
Epheser 2,8	NGÜ	19.03.		Hebräer 13,18	HFA	5.04.
Epheser 2,8-9	NEÜ	14.10.				
Epheser 2,8-9	LUT	31.10.		Jakobus 1,5	ELB	3.10.
Epheser 2,19	ELB	13.03.				
Epheser 3,16	HFA	5.10.		1. Petrus 1,3-4	NGÜ	10.01.
Epheser 4,32	ELB	11.02.		1. Petrus 1,18	HFA	2.12.
Epheser 5,15-16	NGÜ	16.10.		1. Petrus 1,18-19	NGÜ	26.09.
Epheser 5,31	NEÜ	26.10.		1. Petrus 1,22	NLB	3.03.
Philipper 1,6	ELB	19.09.		2. Petrus 3,13	ELB	5.06.
Philipper 4,4	ELB	3.02.				
				1. Johannes 1,9	ELB	26.06.
Kolosser 1,14-15	ELB CSV	18.01.		1. Johannes 1,9	ELB CSV	25.09.
Kolosser 1,17	LUT	28.05.		1. Johannes 2,17	ELB	22.06.
Kolosser 3,15	ELB	24.06.		1. Johannes 4,8	NEÜ	17.09.
				1. Johannes 5,12	SLT	20.06.
1. Thessalonicher 1,9-10	ELB	6.04.		1. Johannes 5,12	SLT	9.11.
1. Thessalonicher 5,18	NLB	12.03.		1. Johannes 5,20	ELB	19.04.
1. Timotheus 2,1	LUT	9.10.		Offenbarung 1,8	ELB	25.07.
1. Timotheus 6,15-16	SLT	8.11.		Offenbarung 3,20	SLT	5.11.
1. Timotheus 6,17	ELB	1.09.		Offenbarung 20,12	ELB	3.01.
				Offenbarung 22,12	ELB	3.12.

Erläuterung zu den Abkürzungen der Bibelübersetzungen

ELB Elberfelder Bibel. Wuppertal/Dillenburg: R. Brockhaus/Christliche Verlagsgesellschaft.
ELB CSV Die Heilige Schrift. Aus dem Grundtext übersetzt.
  Hückeswagen: Christliche Schriftenverbreitung (CSV).
GNB Gute Nachricht Bibel © 2000 Deutsche Bibelgesellschaft, Stuttgart.
LUT Lutherbibel. Deutsche Bibelgesellschaft, Stuttgart.
MENG Übersetzung des Altphilologen Hermann Menge (1939 und 2020).
NEÜ bibel.heute. Neue Evangelistische Übersetzung 2010. Karl-Heinz Vanheiden.
NGÜ Neue Genfer Übersetzung 2009. Genfer Bibelgesellschaft.
NLB Neues Leben. Die Bibel © der deutschen Ausgabe 2002 / 2006 / 2017 SCM R.Brockhaus in der SCM Verlagsgruppe GmbH
SLT Schlachterbibel (Franz Eugen Schlachter). Revision 2000. Genfer Bibelgesellschaft.
ZB Zürcher Bibel © Verlag der Zürcher Bibel beim Theologischen Verlag Zürich
Für Textvergleiche siehe www.bibleserver.com.

BIBELLESE

Einmal im Jahr das ganze Neue Testament lesen!
(Bereits gelesene Abschnitte können zur besseren Übersicht jeweils in dem Kästchen abgehakt werden.)

Januar
☐ Matth.1
☐ Matth.2
☐ Matth.3
☐ Matth.4
☐ Matth.5,1-26
☐ Matth.5,27-48
☐ Matth.6
☐ Matth.7
☐ Matth.8
☐ Matth.9,1-17
☐ Matth.9,18-38
☐ Matth.10,1-23
☐ Matth.10,24-42
☐ Matth.11
☐ Matth.12,1-21
☐ Matth.12,22-50
☐ Matth.13,1-32
☐ Matth.13,33-58
☐ Matth.14,1-21
☐ Matth.14,22-36
☐ Matth.15,1-20
☐ Matth.15,21-39
☐ Matth.16
☐ Matth.17
☐ Matth.18,1-20
☐ Matth.18,21-35
☐ Matth.19,1-15
☐ Matth.19,16-30
☐ Matth.20,1-16
☐ Matth.20,17-34
☐ Matth.21,1-22

Februar
☐ Matth.21,23-46
☐ Matth.22,1-22
☐ Matth.22,23-46
☐ Matth.23,1-22
☐ Matth.23,23-39
☐ Matth.24,1-22
☐ Matth.24,23-51
☐ Matth.25,1-30
☐ Matth.25,31-46
☐ Matth.26,1-19
☐ Matth.26,20-54
☐ Matth.26,55-75
☐ Matth.27,1-31
☐ Matth.27,32-66
☐ Matth.28
☐ Mark.1,1-22
☐ Mark.1,23-45
☐ Mark.2
☐ Mark.3,1-21
☐ Mark.3,22-35
☐ Mark.4,1-20
☐ Mark.4,21-41
☐ Mark.5,1-20
☐ Mark.5,21-43
☐ Mark.6,1-32
☐ Mark.6,33-56
☐ Mark.7,1-13
☐ Mark.7,14-37
☐ Mark.8,1-21

März
☐ Mark.8,22-38
☐ Mark.9,1-29
☐ Mark.9,30-50
☐ Mark.10,1-31
☐ Mark.10,32-52
☐ Mark.11,1-19
☐ Mark.11,20-33
☐ Mark.12,1-27
☐ Mark.12,28-44
☐ Mark.13,1-13
☐ Mark.13,14-37
☐ Mark.14,1-26
☐ Mark.14,27-52
☐ Mark.14,53-72
☐ Mark.15,1-26
☐ Mark.15,27-47
☐ Mark.16
☐ Luk.1,1-23
☐ Luk.1,24-56
☐ Luk.1,57-80
☐ Luk.2,1-24
☐ Luk.2,25-52
☐ Luk.3
☐ Luk.4,1-30
☐ Luk.4,31-44
☐ Luk.5,1-16
☐ Luk.5,17-39
☐ Luk.6,1-26
☐ Luk.6,27-49
☐ Luk.7,1-30
☐ Luk.7,31-50

April
☐ Luk.8,1-21
☐ Luk.8,22-56
☐ Luk.9,1-36
☐ Luk.9,37-62
☐ Luk.10,1-24
☐ Luk.10,25-42
☐ Luk.11,1-28
☐ Luk.11,29-54
☐ Luk.12,1-34
☐ Luk.12,35-59
☐ Luk.13,1-21
☐ Luk.13,22-35
☐ Luk.14,1-24
☐ Luk.14,25-35
☐ Luk.15,1-10
☐ Luk.15,11-32
☐ Luk.16,1-18
☐ Luk.16,19-31
☐ Luk.17,1-19
☐ Luk.17,20-37
☐ Luk.18,1-17
☐ Luk.18,18-43
☐ Luk.19,1-27
☐ Luk.19,28-48
☐ Luk.20,1-26
☐ Luk.20,27-47
☐ Luk.21,1-19
☐ Luk.21,20-38
☐ Luk.22,1-30
☐ Luk.22,31-53

Mai
☐ Luk.22,54-71
☐ Luk.23,1-26
☐ Luk.23,27-38
☐ Luk.23,39-56
☐ Luk.24,1-35
☐ Luk.24,36-53
☐ Joh.1,1-28
☐ Joh.1,29-51
☐ Joh.2
☐ Joh.3,1-21
☐ Joh.3,22-36
☐ Joh.4,1-30
☐ Joh.4,31-54
☐ Joh.5,1-24
☐ Joh.5,25-47
☐ Joh.6,1-21
☐ Joh.6,22-44
☐ Joh.6,45-71
☐ Joh.7,1-31
☐ Joh.7,32-53
☐ Joh.8,1-20
☐ Joh.8,21-36
☐ Joh.8,37-59
☐ Joh.9,1-23
☐ Joh.9,24-41
☐ Joh.10,1-21
☐ Joh.10,22-42
☐ Joh.11,1-17
☐ Joh.11,18-46
☐ Joh.11,47-57
☐ Joh.12,1-19

Juni
☐ Joh.12,20-50
☐ Joh.13,1-17
☐ Joh.13,18-38
☐ Joh.14
☐ Joh.15
☐ Joh.16,1-15
☐ Joh.16,16-33
☐ Joh.17
☐ Joh.18,1-23
☐ Joh.18,24-40
☐ Joh.19,1-22
☐ Joh.19,23-42
☐ Joh.20
☐ Joh.21
☐ Apg.1
☐ Apg.2,1-13
☐ Apg.2,14-47
☐ Apg.3
☐ Apg.4,1-22
☐ Apg.4,23-37
☐ Apg.5,1-16
☐ Apg.5,17-42

WICHTIGE THEMEN IM NEUEN TESTAMENT

Zum Lesen empfohlene Bibeltexte

Thema	Bibelstelle
Zentrale Texte	
Die Bergpredigt	Matthäus 5–7
Die goldene Regel	Matthäus 7,12
Das größte Gebot	Matthäus 22,36-40
Die Gerechtigkeit aus Glauben	Römer 3,19-28
Das königliche Gesetz	Römer 13,8-10; Jakobus 2,8
Das neue Gebot von Jesus Christus	Johannes 13,34-35
Die vollkommene Liebe	1. Korinther 13
Die Liebe Gottes	Johannes 3,16; Römer 5,8
Grundlegende Lehren des christlichen Glaubens	
Die Schuld des Menschen	Römer 2,16; Römer 3,18; 1. Johannes 1,8
Die Umkehr und Buße	Lukas 5,31-32; Lukas 15,10-24; Römer 6,23; Römer 5,1-11; 2. Korinther 5,18-21
Die neue Geburt	Johannes 3,1-7
Die Rechtfertigung aus Glauben	Römer 5,1-11; Epheser 2,1-10; Galater 2,16; Offenbarung 3,20
Das ewige Leben	Johannes 5,24; 1. Johannes 5,12-13
Gewissheit des Heils	Römer 4,24-25; Römer 8,38-39; Römer 10,9
Über Jesus Christus	
Der gute Hirte	Johannes 10,1-18
Die Geburt Jesu	Lukas 2
Seine Erniedrigung und Erhöhung	Philipper 2,5-11
Seine Auferstehung	Apostelgeschichte 10,39-41
Die Auferstehung der Gläubigen	1. Thessalonicher 4,13-18
Das Gericht Gottes	Römer 1,18; Offenbarung 20,10-15
Der neue Himmel und die neue Erde	Offenbarung 21,22
Über das Christsein	
Das Leben eines Christen	Johannes 15
Die Verantwortung eines Christen	1. Petrus 3,15; 1. Petrus 4,10
Das rechte Beten	Philipper 4,6-7
Das »Vaterunser«	Matthäus 6,5-15

BIBELLESE

- ☐ Apg.6
- ☐ Apg.7,1-19
- ☐ Apg.7,20-43
- ☐ Apg.7,44-60
- ☐ Apg.8,1-25
- ☐ Apg.8,26-40
- ☐ Apg.9,1-22
- ☐ Apg.9,23-43

Juli
- ☐ Apg.10,1-23
- ☐ Apg.10,24-48
- ☐ Apg.11
- ☐ Apg.12
- ☐ Apg.13,1-24
- ☐ Apg.13,25-52
- ☐ Apg.14
- ☐ Apg.15,1-21
- ☐ Apg.15,22-41
- ☐ Apg.16,1-15
- ☐ Apg.16,16-40
- ☐ Apg.17,1-15
- ☐ Apg.17,16-34
- ☐ Apg.18
- ☐ Apg.19,1-22
- ☐ Apg.19,23-41
- ☐ Apg.20,1-16
- ☐ Apg.20,17-38
- ☐ Apg.21,1-14
- ☐ Apg.21,15-40
- ☐ Apg.22
- ☐ Apg.23,1-11
- ☐ Apg.23,12-35
- ☐ Apg.24
- ☐ Apg.25
- ☐ Apg.26
- ☐ Apg.27,1-26
- ☐ Apg.27,27-44
- ☐ Apg.28,1-15
- ☐ Apg.28,16-31
- ☐ Röm.1

August
- ☐ Röm.2
- ☐ Röm.3
- ☐ Röm.4
- ☐ Röm.5
- ☐ Röm.6
- ☐ Röm.7
- ☐ Röm.8,1-18
- ☐ Röm.8,19-39
- ☐ Röm.9
- ☐ Röm.10
- ☐ Röm.11,1-24
- ☐ Röm.11,25-36
- ☐ Röm.12
- ☐ Röm.13
- ☐ Röm.14
- ☐ Röm.15,1-21
- ☐ Röm.15,22-33
- ☐ Röm.16
- ☐ 1.Kor.1
- ☐ 1.Kor.2
- ☐ 1.Kor.3
- ☐ 1.Kor.4
- ☐ 1.Kor.5
- ☐ 1.Kor.6
- ☐ 1.Kor.7,1-24
- ☐ 1.Kor.7,25-40
- ☐ 1.Kor.8
- ☐ 1.Kor.9
- ☐ 1.Kor.10,1-13
- ☐ 1.Kor.10,14-33
- ☐ 1.Kor.11,1-15

September
- ☐ 1.Kor.11,16-34
- ☐ 1.Kor.12
- ☐ 1.Kor.13
- ☐ 1.Kor.14,1-20
- ☐ 1.Kor.14,21-40
- ☐ 1.Kor.15,1-32
- ☐ 1.Kor.15,33-58
- ☐ 1.Kor.16
- ☐ 2.Kor.1
- ☐ 2.Kor.2
- ☐ 2.Kor.3
- ☐ 2.Kor.4
- ☐ 2.Kor.5
- ☐ 2.Kor.6
- ☐ 2.Kor.7
- ☐ 2.Kor.8
- ☐ 2.Kor.9
- ☐ 2.Kor.10
- ☐ 2.Kor.11,1-15
- ☐ 2.Kor.11,16-33
- ☐ 2.Kor.12
- ☐ 2.Kor.13
- ☐ Gal.1
- ☐ Gal.2
- ☐ Gal.3
- ☐ Gal.4
- ☐ Gal.5
- ☐ Gal.6
- ☐ Eph.1
- ☐ Eph.2

Oktober
- ☐ Eph.3
- ☐ Eph.4
- ☐ Eph.5
- ☐ Eph.6
- ☐ Phil.1
- ☐ Phil.2
- ☐ Phil.3
- ☐ Phil.4
- ☐ Kol.1
- ☐ Kol.2
- ☐ Kol.3
- ☐ Kol.4
- ☐ 1.Thess.1
- ☐ 1.Thess.2
- ☐ 1.Thess.3
- ☐ 1.Thess.4
- ☐ 1.Thess.5
- ☐ 2.Thess.1
- ☐ 2.Thess.2
- ☐ 2.Thess.3
- ☐ 1.Tim.1
- ☐ 1.Tim.2
- ☐ 1.Tim.3
- ☐ 1.Tim.4
- ☐ 1.Tim.5
- ☐ 1.Tim.6
- ☐ 2.Tim.1
- ☐ 2.Tim.2
- ☐ 2.Tim.3
- ☐ 2.Tim.4
- ☐ Tit.1

November
- ☐ Tit.2
- ☐ Tit.3
- ☐ Philemon
- ☐ Hebr.1
- ☐ Hebr.2
- ☐ Hebr.3
- ☐ Hebr.4
- ☐ Hebr.5
- ☐ Hebr.6
- ☐ Hebr.7
- ☐ Hebr.8
- ☐ Hebr.9
- ☐ Hebr.10,1-23
- ☐ Hebr.10,24-39
- ☐ Hebr.11,1-19
- ☐ Hebr.11,20-40
- ☐ Hebr.12
- ☐ Hebr.13
- ☐ Jak.1
- ☐ Jak.2
- ☐ Jak.3
- ☐ Jak.4
- ☐ Jak.5
- ☐ 1.Petr.1
- ☐ 1.Petr.2
- ☐ 1.Petr.3
- ☐ 1.Petr.4
- ☐ 1.Petr.5
- ☐ 2.Petr.1
- ☐ 2.Petr.2

Dezember
- ☐ 2.Petr.3
- ☐ 1.Joh.1
- ☐ 1.Joh.2
- ☐ 1.Joh.3
- ☐ 1.Joh.4
- ☐ 1.Joh.5
- ☐ 2.Joh.
- ☐ 3.Joh.
- ☐ Judas
- ☐ Offb.1
- ☐ Offb.2
- ☐ Offb.3
- ☐ Offb.4
- ☐ Offb.5
- ☐ Offb.6
- ☐ Offb.7
- ☐ Offb.8
- ☐ Offb.9
- ☐ Offb.10
- ☐ Offb.11
- ☐ Offb.12
- ☐ Offb.13
- ☐ Offb.14
- ☐ Offb.15
- ☐ Offb.16
- ☐ Offb.17
- ☐ Offb.18
- ☐ Offb.19
- ☐ Offb.20
- ☐ Offb.21
- ☐ Offb.22